私たちは地球人として上手く暮らしていけるでしょうか。

著者　藤本光志

題字　藤明衣

〒03（1865）6704
京都市伏見区横大路2-10-10

発行人　小杉田一鴻

装幀　古林嵩子

編集・構成　藤藤哲一鴻

2019年9月25日　第1回発行
（本体1,000円＋税）
（第13巻～第16巻）

第5回配本

文藝朔望

電子版

第13巻　ISBN978-4-8350-8082-6
第5回配本（全4冊 分売不可）セットISBN978-4-8350-8081-9）

沖縄文教部／琉球政府文教局　発行　復刻版

文教時報　第13巻　第88号〜第95号／号外10
（1964年6月〜1965年6月）

編・解説者　藤澤健一・近藤健一郎

不二出版

『文教時報』第13巻（第88号～第95号／号外10）復刻にあたって

一、本復刻版では琉球政府文教局によって1952年6月30日に創刊され1972年4月20日刊行の127号まで継続的に刊行された『文教時報』を「通常版」として仮に総称します。復刻版各巻、および別冊収載の総目次などでは、「通常版」の表記を省略しています。

一、第13巻の復刻にあたっては下記の各機関に原本提供のご協力をいただきました。記して感謝申し上げます。
　　沖縄県公文書館、沖縄県立図書館

一、原本サイズは、第88号から第95号までＡ５判です。号外10はタブロイド判です。

一、復刻版本文には、表紙類を含めてすべて墨一色刷り・本文共紙で掲載し、各号に号数インデックスを付しました。なお、表紙の一部をカラー口絵として巻頭に収録しました。また、白頁は適宜割愛しました。

一、史料の中に、人権の視点からみて、不適切な語句、表現、論、あるいは現在からみて明らかな学問上の誤りがある場合でも、歴史的史料の復刻という性質上そのままとしました。

（不二出版）

◎全巻収録内容

復刻版巻数	原本号数	原本発行年月
第1巻	通牒版1～8	1946年2月～1950年2月
第2巻	1～9	1952年6月～1954年6月
第3巻	10～17	1954年9月～1955年9月
第4巻	18～26	1955年10月～1956年9月
第5巻	27～35	1956年12月～1957年10月
第6巻	36～42	1957年11月～1958年6月
第7巻	43～51	1958年7月～1959年2月
第8巻	52～55	1959年3月～1959年6月
第9巻	56～65	1959年6月～1960年3月
第10巻	66～73／号外2	1960年4月～1961年2月
第11巻	74～79／号外4	1961年3月～1962年6月
第12巻	80～87／号外5～8	1962年9月～1964年6月
第13巻	88～95／号外10	1964年6月～1965年6月
第14巻	96～101／号外11	1965年9月～1966年7月
第15巻	102～107／号外12、13	1966年8月～1967年9月
第16巻	108～115／号外14～16	1967年10月～1969年3月
第17巻	116～120／号外17、18	1969年10月～1970年11月
第18巻	121～127／号外19	1971年2月～1972年4月
付録	『琉球の教育』1957（推定）、1959／別冊＝『沖縄教育の概観』1～8	1957年（推定）～1972年
別冊	解説・総目次・索引	

〈第13巻収録内容〉

『文教時報』琉球政府文教局 発行

号数	表紙記載誌名（奥付誌名）	発行年月日
第88号	文教時報（文教時報）	1964年 6 月25日
第89号	文教時報（文教時報）	1964年 9 月 3 日
第90号	文教時報（文教時報）	1964年10月31日
第91号	文教時報（文教時報）	1964年11月16日
第92号	文教時報（文教時報）	1965年 1 月25日
第93号	文教時報（文教時報）	1965年 2 月 1 日
号外第10号		1965年 5 月10日
第94号	文教時報（文教時報）	1965年 5 月15日
第95号	文教時報（文教時報）	1965年 6 月10日

（注）

一、次の箇所には一部の原本にスタンプによる訂正があるが、そのまま復刻した（ただし、編集上の訂正か、旧所蔵者によるものかは判別できない）。
　　第89号表紙特集名と表紙裏特集名

（不二出版）

『文教時報』復刻刊行の辞

　わたしたちは、沖縄現代史のあゆみをどこまで知っているだろうか。この問いを掲げつつ、第二次大戦後、米軍によって占領されていた時期（1945－1972年）、沖縄・宮古・八重山（一時期、奄美をふくむ）において、文教担当部局が刊行した『文教時報』を復刻する。

　同誌は沖縄文教部、つづいて琉球政府文教局が刊行した。前者では示達事項を中心とした指導書であり、後者では教育行政にかかわる情報、教育についての調査・統計、教室での実践記録や公民館を中心とした社会教育関連記事など、盛り込まれた内容は幅広い。総じて教育広報誌といえる同誌は、発行期間の長さと継続性から、沖縄現代史を分析するうえで、もっとも基礎的な史料のひとつと目される。しかし、これまで同誌は全体像についての理解を欠いたまま、断片的に活用されるにとどまってきた。

　その背景にはなにがあるのか。まず、発行が群島ごとに分割統治されていた時期から琉球政府期にいたるまで四半世紀におよび、雑誌としての性格が変容していることがある。くわえて多くの機関に分蔵されるとともに、附録類、号外や別冊など書誌的な体系が複雑に入り組みつかみにくい。このために本格的な調査が進まなかった。今回、わたしたちは所蔵関係にかかわる基礎調査をふまえ、添付書類までもふくめた全体像の把握に体系的に取り組んだ。その成果をこうして全18巻、付録1に集約して復刻刊行する。解説のほか、総目次や執筆者索引などから構成される別冊をあわせて刊行する。今回の復刻により、教育行政側からみた沖縄現代史について、それを総覧できる史料的な環境がようやく整備されることになる。

　統治者として君臨した、米国側との関係、また、沖縄教職員会をはじめとした教員団体との関係、さらに「復帰」に向けた日本政府や文部省との関係、さらに離島や村落の教育環境など、同誌は変動する沖縄現代史のダイナミズムを体現するかのような史料群となっている。

　沖縄の「復帰」からすでに45年にいたるいま、沖縄研究者はもとより、教育史、占領史、政治史、行政史など複数の領域において、本復刻の成果が活用され、沖縄現代史にかかわる確かな理解が深まることを念じている。物事を判断するためには、うわついた言説に依るのではなく事実経過が知られなければならない。あらためて問いたい。沖縄現代史のあゆみははたしてどこまで知られているか。

（編集委員代表　藤澤健一）

89号

92号

95号

文教時報

88

No. 88

64/6

特　集……教育財政のあらまし

琉球政府・文教局・調査広報課

ーもくじー

○ No 88 特集

教育財政のあらまし……………………………………調査広報課……1
公立小中学校教員の概況………………………………調査広報課……12

【研究発表】

親子関係からみた家庭学習………………………………黒島信彦……20
健全なる国民の育成をめざして…………………………仲間智秀……42

○全琉小中学校長研究協議会

栃木の教育に学ぶもの……………………………………当真嗣永……32
校内の態勢づくり…………………………………………中村直雄……35

○全琉社会教育研究総合大会

私たちの青ばと教育隣組の活動…………………………上地信子……39

【広　報】

新設された体育指導委員とは……………………………保健体育課……30
第123回中央教育委員会……………………………………………………41

○研究教員だより

科学的思考育成の必要性…………………………………田場重雄……46

【資　料】

学校設備調査報告書を刊行………………………………………………38
自営者の養成と確保………………………………文部広報より……48
伸びるテレビの利用………………………………文部広報より……54

教育財政のあらまし
－1962会計年度教育財政調査結果より－

－はじめに－

　文教局調査広報課では毎年10月に前会計年度における政府・地方教育区が教育のために支出した高等学校以下の政府立・公立学校の経費，社会教育の経費，教育行政の経費について，その経費がどこからだされたか（財源別），また，どのように使われたか（支出項目別）を精しく調査する教育財政調査（教育指定統計第一号）を行なって，その結果を報告書にまとめて刊行し，関係諸機関に琉球における教育財政の現状をお知らせするとともに，政府財政の将来の指向を定め，それに対する諸施策を樹立するための基礎資料を提供しています。
　1962会計年度の教育財政調査については，去った1962年10月から12月にかけて各教育区教育委員会，各学校のご協力のもとに調査が行なわれたのでありますが，調査票検証の事務が手間取ったため集計が遅れ，今日ようやくその集計解説が完了し，去った五月報告書出版の運びにいたりました。同報告書には，1962会計年度の教育財政についていろいろの角度から分析した解説や調査内容全域にわたる精しい統計数字が掲載されていますが，やや専門的になりますので，ここではそのあらましについて広報という観点に立って，主に図表を用い，できるだけわかりやすく解説し，皆さんの参考に供したいと思います。

公教育費の国民所得に占める比率は
どうなっているか

　教育費も国民経済の一環をなすものである以上，その大小は国民所得のそれに大きく作用されることは当然のことである。その前にここでいう教育費とはどの範囲を指すものであるか。例えば教育費の中には政府や教育委員会が直接生徒のために支出した経費もあるし，一方，父の側から見れば，子どもを学校に通わすための交通費や学校用品費，ＰＴＡ会費なども広い意味では教育費と考えられる。しかし，この教育財政調査では専ら教育費を教育機関の側から捉え，教育機関を通して教育のために支出された経費（ＰＴＡやその他の団体，個人が学校などに寄付された金の中から教育のため支払われた経費を含む）に限定してあり，父兄個人が子どもの教育のために教育機関以外に直接・関接に支出した経費については，ここでは取扱われていない。また，教育機関による教育費の中には私立学校や各種学校のように財団法人や個人の経営にかかる教育機関も当然含まれるべきであるが，これを公教育費と呼ぼう。これらについて正確な資料が不揃いであるので，公共の教育機関のみに限定した教育費を算定してみよう。この額は教育財政調査による経費に琉球大学の決算額，琉球育英会の決算額を加えたものであり，1962会計年度には1,355万弗となっている。同会計年度の国民所得は2億3,221万弗であるので，公教育費の国民所得の中に占める比率は5.84％となる。これは本土における昭和36年度のこの比率5.27％より高い比率となってい

— 1 —

る。ここ数年来、公教育費は国民所得の伸びと共に著しく伸長してきた。第1図は1958年より5年間の公教育費の推移と、それの国民所得の中に占める割合いを図で示したものである。

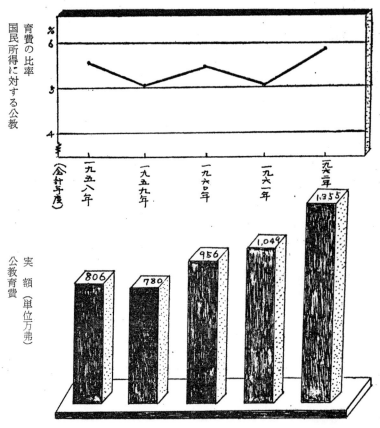

第1図　公教育費実額とそれの国民所得の中に占める比率の推移

この図を見ると、62会計年度は公教育費も、国民所得の中に占める比率も大巾に伸長していることがわかり、特に後者についてはその比率が6％近くまで昇っており、公教育費の相対的伸びが大きかったことを表わしている。（なお、この公教育費に私費負担教育費と私立学校（私立の高校・大学）の年間教育費を加えると1,462万弗と推計され、こ中の国民所得に対する比率は6.19％となる。）

教育費のうちどれだけが学校教育費に使われているか

1962会計年度における大学関係経費を除いた教育費、すなわち、この教育財政調査の対象となっている高等学校以下の学校教育費、社会教育費、教育行政費の総額（こ

こではこれを単に教育費と呼んでおこう）は1,304万弗であるその内訳を示すと第2図のとおりである。この図でわかるとおり1,304万弗の教育費のうち約92％に相当する1,205万弗が直接学校における教育のために使われた経費となっており、残りの99万弗が教育行政費や社会教育費のための支出となっている。学校教育費を更に細分すると、小学校費がもっとも多く、全教育費の45.6％となり、つづいて中学校費、高等学校（全日制）費、高等学校（定時制）費、幼稚園費、特殊学校費の順となっている。これは生徒数の大きさの順となっており、ある程度必然的の現象であろう。

第2図 教育費の分野別実額及び構成比

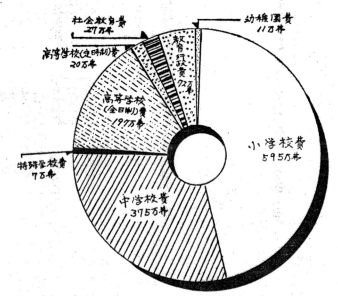

第3図は教育費を義務教育費（小学校・中学校・特殊学校費），高等学校教育費，その他の学校教育費（幼稚園・通信教育部・各種学校費），社会教育費，教育行政費の5つに分類して、その構成比率を本土の昭和36年度における場合と比較したものである。

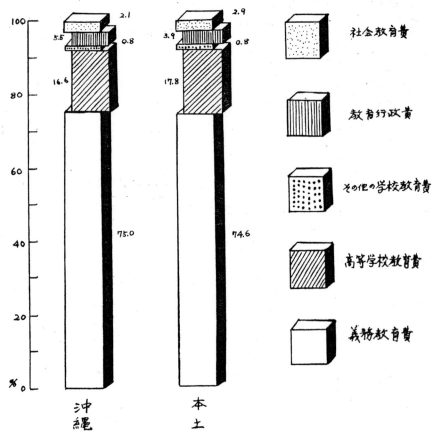

第3図 教育費の分野別構成比較

 この図を見てわかるとおり，教育費の構成比は本土と沖縄では殆んど変りがない。細かくみていくと教育行政費においては沖縄が本土より僅かに高くなっているが，これは制度の相異等によるものと見ることができよう。

教育費の財源はどうなつているか

 教育費の年間支出額の1,304万弗はどこから支出された経費であるかを見ると第4図のようになる。この図の政府支出金とは公立の小・中学校のために政府が教育区に補助した金も，また政府立学校に政府が直接支出したものもすべて含まれており，その総額は1,066万弗に上っている。 教育区支出金とは教育区の自己財源すなわち教育税による収入,財産収入,教育委員会会計に計上された寄付金などから支出された金もこの教育区支出金の中に含まれている私費とはPTAやその他の団体，または個人が

— 4 —

金銭による寄付を行ない，これが教育のために使われた額である。ただし，PTA寄付金についてはPTA会費そのものを指すのではなくPTAがその本来の目的のために支出したものについてはこの中には含めず，本来公費で賄われるべき性質の経費をPTA会費で肩替りした額である。この私費がよく問題とされている父兄負担教育費と呼ばれているものである。1962年度においてはその額が67万弗となっており，教育費の中の比率は5.1%と僅少であるが住民一人当りにすると74¢となり，教育税の62年度の住民1人当り平均収納額1弗25¢と較べても決して無視できる額ではないことがわかる。

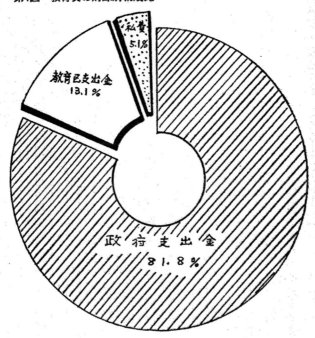

第4図　教育費の財源別構成比

私費 5.1%
教育区支出金 13.1%
政府支出金 81.8%

教育費は主にどんなものに使われたか

教育費の内容分析のため角度をかえてこんどはそれらの支出が主にどんなものに使われてきたかということについて考えてみよう。これを支出項目別分類といい，普通，消費的支出，資本的支出，債務償還費の三つに大別する。消費的支出とは教育の給与・旅費・消耗品費・修繕費・借地料などのように直接形としてあとに残らない経費をいい，資本的支出とは土地購入費，建築費，設備・備品費などのようにそのものが半永久的に資本として残るものに支出された経費をさす。債務償還費とは起債による債務の支払い（元金・利子とも）に要した経費をいう。

1962会計年度の教育費をこの3つの支出項目別に分類すると消費的支出が1,066万弗で教育費全体の約82%，資本的支出が36万弗で約18%，債務償還費は3万弗で，比率では僅か0.2%にすぎない。教育費の過去5カ年間の推移及び支出項目別分類を表示及び図示したのが第5図である。債務償還費は各年度とも0.2〜0.3%程度であるので，この図ではこれを省略した。

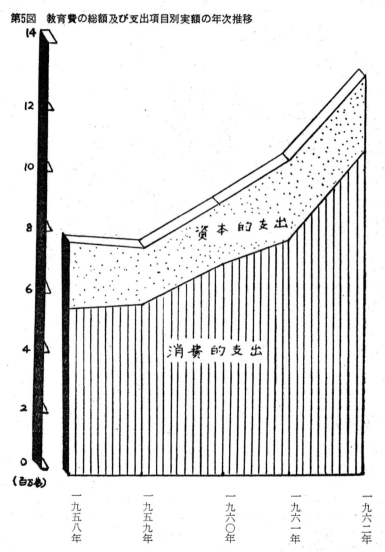

第5図 教育費の総額及び支出項目別実額の年次推移

(参考)　　　　　　(表)　　　　　　　　　　　　　(単位：1万弗)

会計年度	1958年	1959年	1960年	1961年	1962年
消費的支出	535	580	690	774	1,066
資本的支出	230	164	216	248	235
債務償還費	7	1	2	3	3
計（教育費）	772	745	908	1,025	1,304

　この図及び表の示すとおり教育費は年々増加の一途をたどりつつあり，特に1962会計年度はその伸長の度合いが著しい。消費的支出と資本的支出の間の関係では，資本的支出が過去5カ年を通じてほぼ一定であるのに対して，消費的支出は年々増加の傾向にあり，従って消費的支出の教育費全体の中に占める比率は年々高くなってきていることがわかる。

　次に教育費の92％を占める学校教育費の使途についてはどうか？ここでは支出項目別の分類を前の方法とかえて（教育費の給与）（建築費）（その他）の3つに大別して本土の給与，教職員の旅費，修繕費，土地購入費，設備，備品費，債務償還費等の「教員の給与」校舎等の「建築費」以外の一切の経費が含まれている。

第6図　学校教育費の支出項目別分類における本土との比較

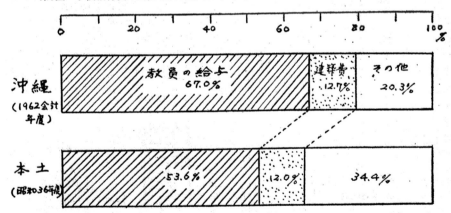

　この図で見るとおり，沖縄においては，学校経費の⅔に当る67％は教員に支払われた給与（俸給及び期末手当その他の手当）で本土の比率53.6％より遙かに高い比率を示している。建築費については本土と殆んど同じで，沖縄の方がわずかに高い。学校教育においては「教員の給与」は何といっても一番大きな比重を占めることは当然であり，また最も重要な経費であることは疑う余地がない。建築費についても同様なことがいえる。問題は「その他」に含まれる経費であるが，これが全く無いとすれば学校というのは成りたたないことは明白であるけれども，この経費は少くとも前の

二者に較べれば多分に伸縮性のある経費であることもまた事実である。従って沖縄の教育費において「教員の給与」「建築費」の比重が大きく、逆に「その他」の経費の比率が本土に較べて低いことは、ある意味では教育財源そのものにゆとりがないことを示しているといえよう。なお「教員の給与」の比率が大きいことは62会計年度より教員の給与が15％も大巾にベースアップされたことにも大きく影響している。ただここで注意しなければならないことは「教員の給与」の比率が本土より高いことが、そのまま教員の待遇条件や教員定数の条件等が本土に較べて恵まれた条件にあることを示すものではなく、これはあくまでも全体の中の相対的比率の問題にすぎないということである。これらの絶対額の比較については、後述の生徒1人当り教育費のところで再び検討することとする。

生徒（人口）1人当り年間教育費はどれだけになっているか

これまでは教育費全体について、それがどこから支出されたか、また、どんなところに使われたかについてそのあらましをみてきたが、教育費の大小は生徒数や人口規模の大小によって差異があるのは当然のことである。従って教育費の伸びがどうなっているとか本土と比較して教育財政上の条件はよいのか悪いのかを見る場合には、教育費を年間平均生徒数や人口で割った金額、すなわち生徒1人当り教育費、人口1人当り教育費を算出するのがより合理的である。ここでは主として学校教育費について生徒1人当り年間教育費を学校種類別に前年度と比較したり、本土と対比したりして考察をすすめていこう。第7図は小学校、中学校、高等学校の生徒1人当り年間教育費を1961.62両会計年度について比較したものである。

第7図 生徒1人当り教育費（1961.62会計年度）

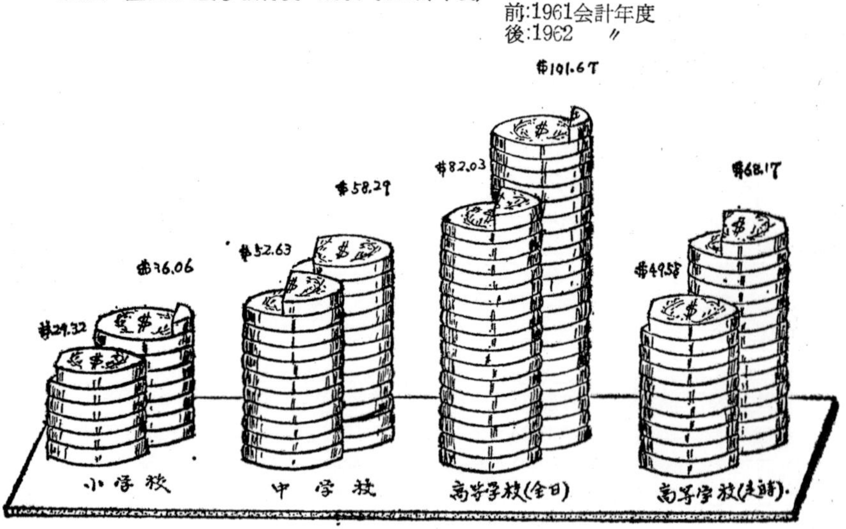

前：1961会計年度
後：1962 〃

小学校 ＄29.32 ＄36.06
中学校 ＄52.63 ＄58.29
高等学校(全日) ＄82.03 ＄101.67
高等学校(定時) ＄49.58 ＄68.17

第8図 生徒1人当り学校教育費の本土との比較

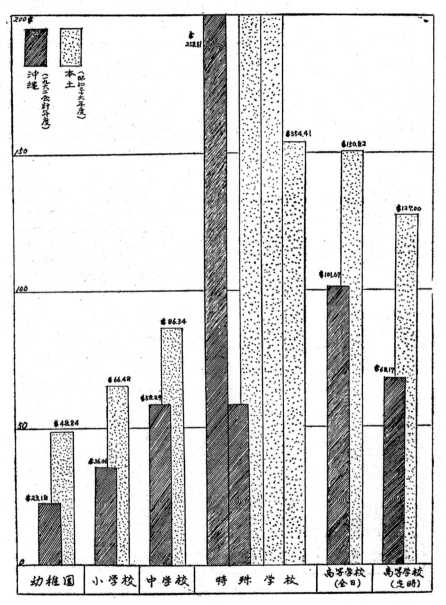

この図を見ると1962会計年度はどの学校種別においても金額が一様に増加していることがわかる。また，生徒1人当り教育費は学校の種別によってかなりの差異があることもよくわかる。いま，1962会計年度の小学校の生徒1人当り教育費を100とすれば，中学校162，高等学校全日制282定時制189となる。すなわち高等学校全日制の生徒1人を教育する経費は小学校の児童3人を教育する経費にほぼ等しいことに

第9図　人口1人当り社会教育費，教育行政費の本土との比較

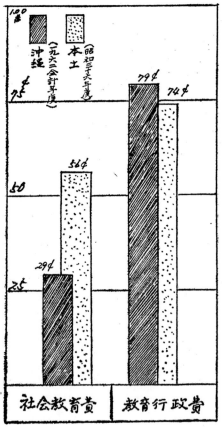

なる。これは教育課程の内容の相異によると考えられるが，とにかく上級教育機関ほど教育に要する経費がかさまることを示しているのである。

次に，これら生徒1人当り学校教育費及び人口1人当り社会教育費，教育行政費を本土の昭和36年度のそれと比較した図を示すと第8図及び第9図のとおりである。

これまでは学校教育費や社会教育，教育行政等の教育費が年を追って増加してきたことをみた。また，質的面と考えられる生徒1人当り学校教育費についても今会計年度はかなりの飛躍を示していることを前図（第7図）で知った。しかしながら，生徒（人口）1人当り教育費を本土と比較してみた場合第8，9図の示すとおり，教育行政費を除いて．いずれも本土より低いことがわかる。具体的には教育行政費が本土の107％，中学校，高等学校（全日）が67％台，小学校，高等学校（定時）が54％台，社会教育が52％台，幼稚園，特殊学校が47％台となっている。本土に比べてもっとも比率の低い特殊学校教育については，年々多額の経費がそそがれ，近年その伸長率はどの学校種別よりも高いにもかかわらず，まだまだ本土の半分以下の教育条件（財政面からみた）以下にあることになる。これら恵まれない子供たちのための教育は直接政府立の学校で行なわれているのであるが，これらの教育のための予算は63年，64年と年々増加を見せており，特に64会計年度には肢体不自由児や精薄児のための看護学校の開設も予定されているので，今後急速に充実して来るものと期待される。一方幼稚園教育についてはこれが人間形成の基礎をなす重要な時期における教育という面から極めて大切なことは申し述べるまでもない。学校教育については教育委員会法によってその学校を設置している教育区（委員会）が学校に要するすべての負担をすることになっている。

教育委員会の設置による公立幼稚園，小学校，中学校の経費は全部委員会がもつのを本体とするわけである。しかし，教育の充実や機会均等の確保の意味から教育委員会法では公立義務教育諸学校の教員の給与の全額及び，校舎建築に要する経費の全額を教育区に対して政府が補助するように義務づけられている。

　また同法ではそのほかに教育区の教育に要する経費についても補助金を交付することができるようになっており，これによって政府は教育区に対して学校運営補助金をはじめ修繕補助，給食施設補助，社会教育関係の各種補助金，教育行政補助金等多数にわたる補助金を交付し財政面での教育振興を助成しているのであるが，そのもっとも大きい給与関係補助，校舎建築補助が児童生徒数の急増や戦争によって皆無の状態となった校舎の新築等に多数の予算を必要としたため前記の公立幼稚園に対しては62会計年度まで政府としての財政補助を全く行なっていないのが現状である。

　本土の昭和36年度における地方教育費調査によると国庫補助，都道府県支出金として全国平均で園児1人当り1弗13仙の補助がなされており，さらに市町村への交付税の中の教育需要費として幼稚園教育費が積算されているので，交付税の中からの幼稚園教育費支出もかなりの額に上っていることが予想される。沖縄においても，政府財政の伸長や義務教育児童生徒の増加の停止，学校施設（校舎）の充実等の客観状勢の好転を機会にできるだけ早く幼稚園教育への財政上の積極的補助を行うとともに，教育委員会法の改正等によって地方教育財政への補てん制度の法的根拠を確立してこれらの教育への一層の助成が必要であろう。

む　す　び

　1962会計年度の主として高等学校以下の学校教育費，社会教育費，教育行政費の実態について概観してきたが結論として云えることは①教育財政は教育の進歩発展と相まって年々高い伸長率を見せている。②それにもかかわらず，教育分野全般をとおして見た場合財政内容については本土とかなりの隔りがある。ということである。これらの原因についてはいろいろ考えられるであろうが公費負担の教育費については究極においては住民の負担力とも関係して来る問題ともなるので，飛躍的な改善は容易な事ではないと思われる。しかしながら一方教育ということは単なる今日の問題ばかりではなく，未来の社会を築く大きな原動力であり，その意味で教育に要する費用が将来の社会の繁栄をもたらす一種の投資であるとまで云われていることを考えあわせるとき，教育関係者の努力はもとより，住民一人一人が教育を正しく理解し，教育財政の一層の充実をはかるとともに，教育の現場にたずさわる方々がこの限られた予算を有効に活用し，その効率を一段と高めるようくふうと創意が切望されるところである。
　　　　　　　　　　　　　　（前田）

公立小・中学校教員に関して
―学校基本調査の詰果より―

―はじめに―

　教育の行政資料を整えるために文教局調査広報課は，毎年5月1日現在の時点で学校基本調査を行なっている。1963学年度に関する調査結果は，既に黄表紙の「学校基本調査報告書」として公表された。

　調査報告の冒頭には若干解説を加え，その後に統計数字を連ねているが，解説は極めて基本的な点にとどまり意を尽せない。ことに教員に関する調査を別表として調査したが，その面の解説を試みなかったので，以下図表を加えながら，教員に関する調査結果について概略記述してみたい。

　しかし，調査結果は公立の小・中校のみとしたことをまず断っておきたい。またこの調査でいう教員とは，いわゆる学校基本調査における本務教員である。したがって研究教員や産休，結休の教員等が含まれるし，またその補充のための教員も算入されている。

教員一人あたり生徒数はどうなっているか

　1963年5月1日現在で，教員数は小学校で4,138人，中学校で2,674人となっている。これは前年度よりそれぞれ202人，306人増加していることになる。しかし小学校の児童数が前年度より4,108人減少し，中学校が逆に4,409人の増となって，結局義務教育人口は301人増加したことになる。

　このような現象から教員一人あたり生徒数はやや低くなってきており，第一図で小学校においてはじめて30人台に達したことが注目される。しかし、小・中校ともに本土の漸減の傾向に比べるとやや不安定で，今後教員一人あたり生徒数を本土なみにひきさげる面への努力が強く要請されなければなるまい。

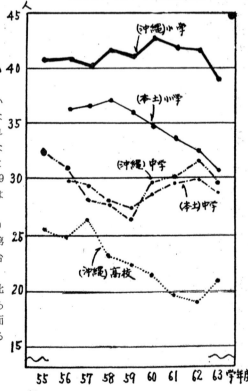

第1図　教員一人当り生徒数

中学校における教科担当者の免許状所持状況は

　公立の小・中校では年々助教諭の数が減少してきている。63学年度は小学校 97.8％, 中学校99.3％が教諭である。それぞれ2.2から0.7％の助教諭ということになる。教諭を完全配置することは今後のやはり努力点の一つであるが, 同時に適正配置に注目することが今後も努力されねばならない。まず, 第二図で, 全琉的に現在中学校における教科担当者中免許状を所持している状況をみると, 教科によって著しくバランスがとられていないことである。ここではさきに見た99％の教諭も, 担当教科によっては教科臨免として取り扱われていることも考えられる。すなわち一教科の免許状所持者が二教科を担当すれば, 当然免許状以外の教科は臨免として取扱われているということである。

第2図　教科別免許状所持状況　中学校（全琉）

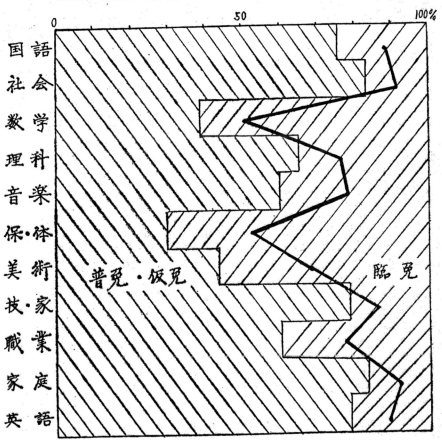

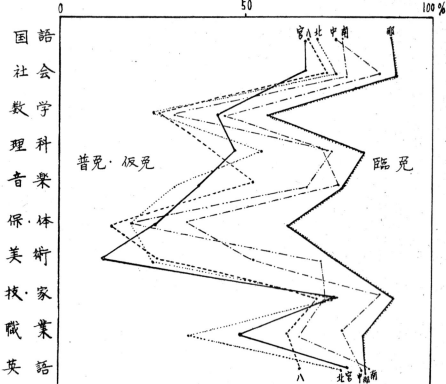

第3図 連合区別教科別免許状所持状況　中学校

　教科ごとに臨免の比率の高いのを挙げると、保体（70%）、数学（61%）、美術（57%）、音楽（61%）、職業（40%）、理科（35%）の順で、ことに保体、数学、美術は担当者の⅔は免許状を有していないことを表わしている。この傾向は地域的に見ても大体同様で、第三図でこのことが伺える。第三図は中学校の六連合区別の教科と免許状との関係を図示したものである。連合区間では那覇を除く他は比較的臨免の率が高く中でも宮古、八重山、北部の三地区の比率の高いことが注目される。

　臨免教科担当という現象は、その教科の免許状所持者が需要に達していないのではないかという疑問を抱かしめる。また逆に需要以上に教員がいても、教員の配置の関係からその教科を担当しないことも予想される。

　しかし、宮古、八重山、北部の3地区に特に教科臨免の教員が多いことは、これ等3地区が小規模学校を多く有しているからと解される。すなわち保体、美術、数学、音楽等教員の絶対数においてさえ容易に需要をみたせない実情では、小規模学校がこれ等教員に恵まれない事態を招来することは自然である。それに加えて1教員の担当教科が二教科以上にわたることから必然的に免許状なしの教科担当という止むを得

ない措置もとられたと解される。このことは第四図を見てはっきり頷けることである。

地域別に見た免許状所持者の状況は
小規模学校に無理がある

第四図は地域別に担当教科数別に中学校の教員の比率をとったものであるが、宮古、八重山の過半数は2教科以上の教科を担当していることを示している。ことに八重山の3割の中校教員が3教科以上の教科を担当し、宮古、北部において教科担当者の$\frac{1}{4}$の教員が3教科以上の教科を担当していることは注目すべきことがらであるってよい。また1教員の担当教科が5教科というのが若干あるが、教員定数の問題等から推して見のがせない問題であろう。

中学校の教科指導は原則としてその中学校の教員が担当することであろうが、小・中併置校等で小学校側の教員に中校のいづれかの教科指導を応援してもらうことは止むを得ない応急の措置であると解する。このことから、小規模学校の解消、学校統合を促進することが必要であることは言うまでもない。

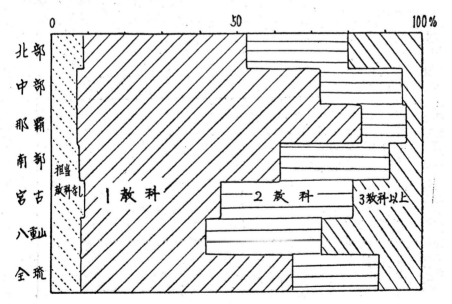

第4図 担当教科数　中学校

小学校の教員128人,中学校の教科を担当

　第五図は小学校勤務者のうち中学校の教科担当者について教科別,地区別,担当教科数別にみたものである。総数は延べ128人に達しており小学校全教員の3%に相当する。ただここで注意したいのは北部と南部に3教科以上担当している教員がいると報告されていることである。

　これらの教員が担当している教科は中学校の教科別担当制の現状と学習の効果から考察して,教科の数を最小限度に止め,かつ免許状所持教科に限定したいものである。

　ところがこのような教科数とともに注目されるのは,1教員あたりの教科担当時間数である。

第5図　小学校勤務者のうち中学校教科担当者（学科別）

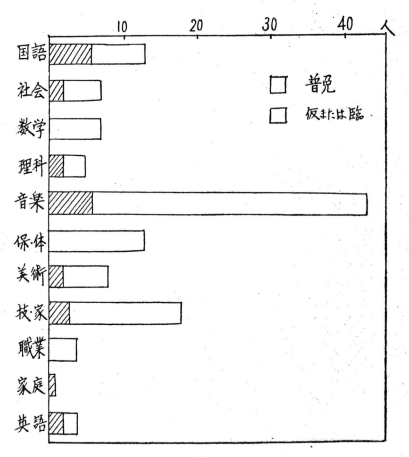

第6図は中学校，第7図は小学校の1教員あたり担当教科時間数を図示したものである。

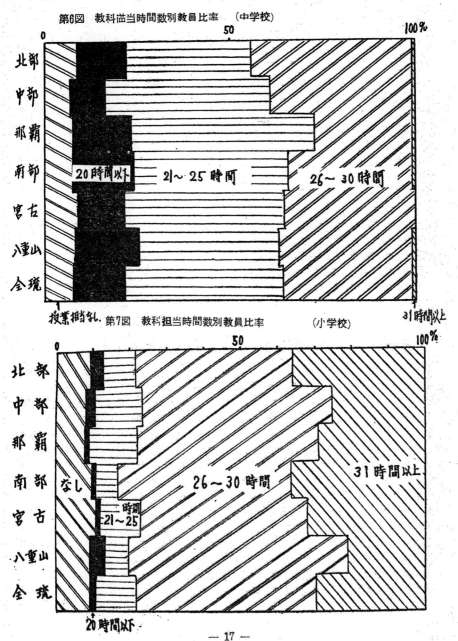

第6図 教科担当時間数別教員比率 （中学校）

第7図 教科担当時間数別教員比率 （小学校）

教員一人あたり担当時間数はどうなっているか

　教科時数のおさえ方は，5月1日を含むその週における正規の時間数を指し，各教科，道徳，特活等に要した時間数である。補習授業や課外授業等は含まないことにしている。特別の事情がない限り，1年間通して，週授業時数はあまり変らないと予想する。

　第6図からおよそ40％の教員が週26時間を上まわった授業を担当していることが分る。この時間数は負担がやや重すぎる。文教局では一教員あたり道徳，特活を除いて24時間を標準時間と考えており，道徳，特活等を校長等が協力負担すると授業時間数は1教員あたり，24,5時間に止まることが予想される。したがって，第6図の26時間以上の40％の教員は標準以上に教科の授業を負担していることになる。その原因はさらに分析してみる必要があるが，およそ次のようなことが誘因となっていないだろうか。

　すなわち学級数編成基準より多くする。学級人員をへらすとか，特別教室をおくとか，複式を単式にするとか等で，編成にあたって学級も多くする措置をとった学校があるのではないかと考える。以上の数字とは逆に授業を全く担当しない教員が10％近く，人員にして201人になっている。1校平均1.3人ということになる。授業を担当しない者の中には研究教員，産休，結休等の勤務していない教員及び養護教員が含まれているのであるが，地区別に学校平均をとってみると，最も多いのが那覇の4.7人次に中部の3.2人，南部の2.9人，宮古2.4北部の1.4人，八重山1.2人の順となっている。

　以上の担当教科数と教科時数は，教員の指導力に直接関わることであるから教員の適正配置，学級編成，教科担当の割りふり等についてはさらに研究が必要であり，適正なる措置を講ずべきであろう。

勤務年数別に見た教員構成はどうなっているか

　教員を勤務年数の角度から調査した結果が第8図と第9図である。小学校と中学校の間ではかなりの相違がある。これは教員の年令とも必然的に関わりをもつものである。

　便宜的に勤務年数を10年，10～20年，20年以上の三階段に分けてみた。小学校ではこの三階段の割合は大体において 3:5:2 となっていて圧倒的に中堅層が多いことになっている。それに比べて中学校は 6:2.5:1.5 の三階段の割合から10年未満の若手層が圧倒的比率を占めていることを示している。

　勤務年数を地域的にみるとやはり，多少の相違があることがうかがえる。まず小学校において那覇の20年以上が30％に達していること，八重山の10年未満が半数に近いことが注目される。中学校においても，10年未満は八重山の場合70％に達している。

　年令別にみた教員の構成であるが，20代の教員は小学校の場合30％であるが中学校の場合57.5％になっている。中学校の教員の過半数は20代の若い教員で占めていることになる。この比率はさきの勤務年数とも符合するものである。

　以上限られた角度から公立小・中校にのみ限って教員の状況調査の結果を紹介したのであるが，この種の調査は64学年度も行なったから近くさらにくわしい報告ができると思う。　　　　　　　　　（登川）

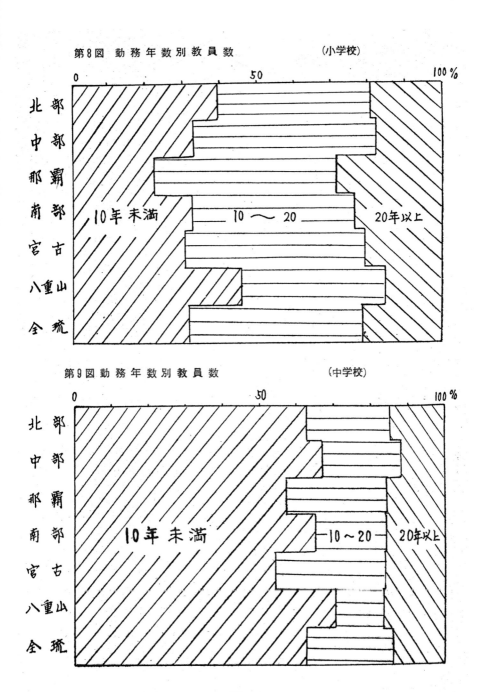

親子関係からみた家庭学習

― 東京の親子との比較を中心に ―

教育研究課　黒　島　信　彦

　教育の対象として子どもを理解しようとする場合，単に子どもの性格をさぐり，能力を測定するだけでは不十分である。常に子どもの生活と交流している環境，特にその中核となる家庭環境を解明することが必須の条件となるがここでは，家庭環境の動向，静的の両面からいくつかのものをとりあげて沖縄の子どもと東京の子どもを比較考察することによって，沖縄の子どもがどのような環境条件のなかで人間形成がなされているか，その実態をとらえてみたい。

　考察にあたっては，統計資料に基づいて述べてみたいと思うが，その資料は，去る1日下旬から2月上旬にわたって文教局教育研究課が，東京都立教育研究所の調査様式に準じて調査した〃家庭環境調査〃によるもので。調査対象は，都市，基地，農村の3地域の小学校5年生584名，中学校2年生622名の親子を抽出によって調査したものである。

　東京都立教育研究所の調査は，1958年3月の調査で，調査対象は，住宅地域の杉並区立高井戸小学校4～6年生670名，杉並区立高井戸中学校1～3年生760名，農山村地域では青梅市立青梅第六小学校4～6年生320名，西多摩郡秋多町立西秋留中学校1～3年生240名を調査したものである。

　なお，東京と比較するにあたっては，同時点における双方の調査資料があればよいがそれが得られないので調査時期の相違を考慮に入れてもらいたい。

1、将来の人間像に対する考え方

　子どもの人間形成に大きなはたらきをするものは，子ども自身の生活意識とくに将来の人間像に対する考え方である。それは子どもをとりまく環境に影響をうけるものであるが，わたくしたちが教育の場において子どもの意識にはたらきかけ，その行動を望ましい方向に指導しようとするならば先ず子ども自身の人生に対する基本的な生活目標の実態をとらえてそれに即して指導しなければならない。

　次の第1表は，中学生に対して「将来どのような人間になりたいか」という質問をして，七つの選択肢の中からどれか一つに○つけてもらった結果である。

(第1表)

	区　分　項　目	沖縄	東京
1	他人からうしろ指をさされない人	13.3	12.1
2	自分の生活だけを楽しむ人	0.5	0.6
3	どんな仕事でもよいから出世してえらくなる人	7.1	5.8
4	どんな仕事でもよいから自分の仕事に本当にうちこむことができる人	45.3	35.7
5	自分だけのことを考えないで社会のためにつくす人	22.6	20.3
6	別に考えていない	11.0	15.0
7	その他	0.2	0.2
8	無記入	0	7.6

この表の選択肢の中で望ましい傾向と思われるのは、〝1、他人からうしろ指をさされない人〟〝4どんな仕事でもよいから自分の仕事に本当にうちこむことができる人〟〝5、自分だけのことを考えないで社会のためにつくす人〟である。いま、その望ましい三つの項目の合計について沖縄と東京を比較してみると、東京の中学生は、68.1%であるのに対して、沖縄の中学生は81.2を示し13.1%も高くなっている。
　このことは、従来沖縄の子どもが、本土の子どもに比べて常に学力においても、また、スポーツ面においても劣り、そのために劣等感さえいだかせたもので

あったが、この望ましい人間像をえがく意識の世界では、東京の子どもよりもまさっていることを示しており、喜びを感じさせられるとともに将来に対する期待が寄せられよう。
　では、このような生活目標をもっている子どもに対して、一体親は、子どもの進学をどう考えているのだろうか。

2、子どもの進学に対する希望

　次の第2表は、親に対して「あなたの男の（あるいは女の）お子さんにどの程度の学校まで進んでもらいたいと思いますか」という質問をして得た結果である。

(第2表)

区分　　性別　項目	沖縄		東京	
	男の子	女の子	男の子	女の子
高等学校以上	98.0	96.5	64.4	66.0
4年制大学以上	71.2	43.5	32.4	11.3

　これは、親の教育に対する関心の度合ともみられるが、子どもに高等学校以上の教育を受けさせたいという希望をもった親は、東京の64.4%～66.0%に対して、沖縄は96.5%～98.0%で高率を示し、4年制大学以上の場合でも東京と同様男女の差はあるが、東京よりも高率を示している。このことは、沖縄の親がいかに子どもに対して大きな期待をかけ、より高度の教育を受けさせてやりたいと

いう教育に対する熱意の高いことを示すものといえよう。
　以上の資料でもわかるように、沖縄の子どもは、東京の子ども比べて望ましい人間像をもち、また、親も子どもに対して大きな期待をもっているが、では、その子ども達はどういう家庭学習環境におかれ、また、家庭学習においてどういう態度をとっているのだろうか。

3、家庭学習環境

① どこで勉強するか。

(第3表) 親に対する質問「あなたのお子さんはどこで勉強しまか。」

区分 項目	沖縄 小学校				沖縄 中学校				東京 小学校			東京 中学校		
	農村	都市	基地	計	農村	都市	基地	計	住宅	山村	計	住宅	山村	計
自分だけの勉強室	15.7%	14.7%	17.7%	15.7%	22.5%	26.9%	27.4%	25.3%	7.7%	5.9%	6.8%	22.6%	10.3%	16.4%
子どもたち共同の勉強部屋	43.1	53.9	50.0	47.9	40.1	41.6	43.1	41.3	2.4	16.2	22.8	29.5	13.0	21.2
家族のいる部屋の一部	41.3	30.4	32.3	36.1	37.0	31.2	28.4	32.9	41.7	62.5	52.1	29.9	57.5	43.7
その他	0	1.0	0	0.4	0.4	0.4	1.0	0.5	3.0	1.6	2.3	1.7	0.4	1.1
無記入	0	0	0	0	0	0	0	0	18.1	13.8	16.0	16.3	18.9	17.6

② 何をつかって勉強するか。

(第4表) 親に対する質問、「あなたのお子さんは何をつかって勉強しますか」

区分 項目	沖縄 小学校				沖縄 中学校				東京 小学校			東京 中学校		
	農村	都市	基地	計	農村	都市	基地	計	住宅	山村	計	住宅	山村	計
自分の勉強机	53.9%	69.6%	61.1%	60.4%	67.2%	79.2%	74.5%	74.0%	41.5%	33.0%	37.2%	56.1%	43.1%	46.6%
兄弟姉妹共同の勉強机	32.6	24.1	24.2	28.3	25.3	14.6	17.1	19.1	17.3	27.2	22.3	14.8	21.5	18.2
食卓その他と兼用の机	13.1	5.8	14.7	10.9	6.2	5.4	6.9	5.9	21.0	22.2	21.6	11.1	13.9	12.5
箱等の利用	0	0.5	0	0.2	0.4	0	1.0	0.3	0.2	0	0.1	0.1	2.1	1.1
その他	0.4	0	0	0.2	0.9	0	0.7	0.7	1.0	0.7	0.8	0.8	0.8	0.8
全然ない	0	0	0	0	0	0	0	0	1.8	2.8	2.3	1.1	0	0.5
無記入	0	0	0	0	0	0	0	0	17.3	14.1	15.7	15.9	18.5	17.2

③ 必要な学用品，参考書をどうしているか

(第5表) 親に対する質問、「お子さんの教育に必要な学用品や参考書をどうしていますか」

区分 項目	沖縄 小学校 農村	都市	基地	計	沖縄 中学校 農村	都市	基地	計	東京 小学校 住宅	農山村	基地	東京 中学校 住宅	農山村	計
要求以上にととのえてやる	2.5%	3.2%	2.1%	2.7%	2.6%	1.4%	1.0%	1.8%	3.0%	4.7%	3.9%	2.2%	2.2%	2.2%
必要なものは何でも買ってやる。	44.6	38.5	50.0	43.5	37.7	39.9	35.0	38.3	37.9	29.2	33.6	36.2	26.6	31.4
ほとんど不自由のない程度買ってやれる。	36.3	40.6	36.5	37.8	39.5	43.1	41.0	41.3	31.2	29.5	30.3	34.9	34.5	34.7
要求されても買ってやれないことが時々ある。	14.4	13.4	7.3	12.8	17.1	14.2	20.0	16.3	8.6	16.2	12.4	8.1	16.2	12.2
買ってやれないで困る	2.2	4.3	4.2	3.2	3.1	1.4	3.0	2.3	1.4	1.9	1.6	1.1	1.7	1.4
その他	0	0	0	0	0	0	0	0	0	3.8	1.9	1.1	0	0.6
無記入	0	0	0	0	0	0	0	0	17.9	14.8	16.3	16.4	18.8	17.6

戦後の住宅難は、深刻な問題であり、19年後の現在でもその問題は解決されているとは思われない。まして、一般の親にとって子どもの勉強部屋を作ってやることは困難なことで、この問題は、親も子どもも大きな悩みであろう。今後の家庭環境調査でもそれがよく現われているが、第3表で沖縄と東京を比較してみる——沖縄の小学校と東京の小学校と比較し、沖縄の中学校と東京の中学校と比較する。——と沖縄の子どもの勉強部屋の状況は、悪いことはなく、むしろよい方である。また、第4表をみると、勉強机の利用状況においても沖縄の子どもは好条件にあるといえる。

しかし、この静的環境の場合には、前にもことわったように東京と沖縄の調査時期にズレがあるのでその点は考慮しなければならないが、それにしても沖縄の子どもの勉強部屋、机の条件は決して劣ることはないといえるのではなかろうか。このことは、沖縄の親が住宅難の中でも子どもの勉強部屋のことを考え、また勉強机も与えてやろうという熱意の現われではないだろうか。この親の熱心さは、第5表の〃必要な学用品や参考書をどうしているか〃にもよく現われている。

では、子どもの勉強する場所は、静かで勉強に適しているだろうか。

④ 勉強する場所は静かであるか

(第6表) 親に対する質問・「あなたのお子さんの勉強する場所は静かですか」

区分 項目	沖縄 小学校				沖縄 中学校				東京 小学校			東京 中学校		
	農村	都市	基地	計	農村	都市	基地	計	住宅	農山村	計	住宅	農山村	計
外の騒音になやまされる	10.4%	14.9%	16.7%	13.0%	10.1%	17.3%	14.9%	14.2%	8.2%	11.1%	9.8%	11.9%	5.6%	8.6%
家の中の雑音が多い	35.1	27.7	30.2	31.8	34.2	32.9	32.7	33.3	20.5	30.2	25.4	24.6	35.4	30.0
静かで落着いて勉強ができるか	54.5	57.4	53.1	55.2	55.7	49.8	52.4	52.5	51.9	43.4	47.7	46.7	38.6	42.7
その他	0	0	0	0	0	0	0	0	0.8	0	0	0.8	0	0.4
無記入	0	0	0	0	0	0	0	0	18.4	15.3	16.9	16.3	20.4	28.4

沖縄では、約半数のものが〝静かで落着いて勉強ができる〟とはいっているが、〝外の騒音になやまされる〟〝家の中の雑音が多い〟に回答したものが東京よりも多くなっていることは注目すべきで、その面の対策、改善に留意する必要があると思われる。

4、家庭学習

親の悩みは、どこでも共通とみて「うちの子どもは遊んでばかりいて、ちっとも勉強をしない」とか「落ちつきがなくて勉強に少しも集中できない」とよく聞かされることである。子どもの勉強ぶりについては、どの親も心配しているが、子どもの指導はどうしていいのだろうか、また、子どもは、親の指導に対してどういう態度をとっているだろうか。ここでは、親の子どもの勉強に対する関心と指導力、および子どもの親に対する態度について考察してみたい。

① 勉強についての注意

(第7表) 親に対する質問、「お子さんの勉強についてどうしていますか」

区分 項目	沖縄 小学校				沖縄 中学校				東京 小学校			東京 中学校		
	農村	都市	基地	計	農村	都市	基地	計	住宅	農山村	計	住宅	農山村	計
いつも心配している	38.4%	44.3%	37.5%	40.3%	37.6%	36.4%	35.1%	36.6%	33.0%	22.3%	27.7%	24.6%	13.8%	19.2%
時々注意する程度	58.2	52.1	56.3	55.7	52.0	55.9	53.6	54.1	45.1	47.8	46.4	45.1	48.5	46.8
ほとんど干渉しない	3.4	3.6	6.2	4.0	10.4	7.7	11.3	9.3	4.4	14.5	9.4	13.6	16.9	15.2
無記入	0	0	0	0	0	0	0	0	17.5	15.4	16.5	16.7	20.8	18.7

② 親の注意に対する子どもの態度

(第8表) 子どもに対する質問「おとうさんやおかあさんは、あなたの勉強についてどうですか」

項目 \ 区分	沖縄 小学校 農村	都市	基地	計	沖縄 中学校 農村	都市	基地	計	東京 小学校 住宅	農山村	計	東京 中学校 住宅	農山村	計
いつもうるさくいわれるのでいやになる	16.4%	18.5%	20.8%	17.9%	22.2%	29.8%	24.7%	26.1%	26.3%	9.4%	17.8%	19.1%	12.9%	16.0%
ちょうどよい	48.5	49.0	35.4	46.4	56.6	52.9	58.8	55.3	43.6	61.7	52.7	62.2	57.7	59.9
もっと勉強をみてくれればよいと思う	35.1	32.5	43.5	35.7	21.2	17.3	16.5	18.6	21.7	25.3	23.5	15.6	22.6	19.1
無記入	0	0	0	0	0	0	0	0	8.4	3.6	6.0	3.2	6.9	5.0

第7表をみると、ここでも沖縄の親は東京の親に比べて子どもの教育に関心が高いことがうかがわれる。それに対して子どもの反応は、東京と大体似ている。

次に、親が子どもに質問された場合、どういう態度をとっているだろうか。

③ 子どもに質問れさた場合

(第9表) 親に対する質問「あなたはお子さんから勉強のことで質問された場合どうしますか」

項目 \ 区分	沖縄 小学校 農村	都市	基地	計	沖縄 中学校 農村	都市	基地	計	東京 小学校 住宅	農山村	計	東京 中学校 住宅	農山村	計
ほとんど教えてやれる。	27.7%	32.0%	30.2%	29.5%	19.4%	15.7%	10.6%	17.7%	25.9%	16.3%	21.1%	16.6%	10.4%	13.5%
昔自分が習った方法で教えると時々現在の教え方と違っていて困ることがある。	48.3	51.5	49.0	49.5	37.8	50.7	40.7	44.1	45.6	43.0	44.3	39.8	32.5	36.2
きかれてもわからないことの方が多くて困る	18.6	14.4	15.6	16.7	32.4	25.0	29.6	28.6	4.5	17.6	11.1	18.6	23.3	20.9
勉強の内容についてはさっぱりわからないから教えられない。	1.6	2.1	5.2	4.3	10.4	8.6	10.2	9.5	1.2	2.8	2.0	3.9	11.7	7.8
その他	0	0	0	0	0	0	0	0	4.4	4.1	4.3	2.9	3.1	3.0
無記入	0	0	0	0	0	0	0	0	18.4	16.2	17.3	18.2	19.1	18.6

④ 親に質問した場合

(第10表) 子どもに対する質問、「勉強のことでおとうさんやおかあさんに質問するとどうですか」

区分	沖縄								東京				京		
学校	小学校				中学校				小学校			中学校		
地域 項目	農村	市都	基地	計	農村	市都	基地	計	住宅	農村	計	住宅	農村	計
なんでもわかりやすく教えてくれる	(48.8)% 45.9	(68.5)% 52.6	(49.2)% 42.0	(55.7)% 47.3	(29.7)% 15.9	(35.6)% 25.6	(51.4)% 24.6	(35.7)% 21.8	50.8%	51.3%	51.1%	38.6%	25.6%	32.1%
家で教わったことが時々ちがっていて学校でこまることがある	(18.8) 19.5	(10.3) 16.9	(9.9) 11.4	(14.5) 17.2	(18.4) 18.4	(11.9) 13.0	(5.6) 13.0	(13.4) 15.1	24.8	29.4	27.1	12.9	16.9	14.9
きいてもわからないことが多いのできかないことにしている	(12.5) 15.9	(5.4) 8.4	(18.3) 25.0	(10.9) 15.2	(29.7) 39.8	(26.9) 35.4	(31.9) 40.6	(28.8) 37.8	6.2	6.9	6.5	20.4	30.7	25.6
おとうさんおかあさんに教えられるように勉強してもらいたい	(13.7) 12.6	(10.9) 13.6	(12.7) 14.8	(12.6) 13.3	(9.7) 13.9	(8.7) 11.0	(5.6) 15.7	(8.6) 12.8	5.2	4.2	4.7	4.1	3.5	3.8
その他	(6.2) 6.1	(4.8) 8.4	(9.9) 6.8	(6.8) 7.0	(12.4) 11.9	(16.9) 15.0	(5.6) 5.8	(13.4) 12.6	3.8	3.4	3.6	18.4	15.6	17.0
無記入	0	0	0	0	0	0	0	0	9.2	4.8	7.0	5.4	7.8	6.6

( ) 内の数字は父親

第9表をみると、"ほとんど教えてやれる"の方法で教えると、時々現在の教え方とちがっていて困ることがある"ときかれてもわからないいの応答率は、沖縄の方が東京より高くなっている傾向といえるが、"昔自分が習った内容についてはさっぱりわからないから教えられない"の応答率が東京より高くなっているが、それだけ沖縄の親が子どもの学習指導に困難を感じており、指導力の弱さを示すものといえるのではないかろうか。このことは、第10表の子どもの回答にもよく現われており、特に"きいてもわからないことが多いのできかないことにしている""おとうさん、おかあさんも教えられるように勉強してもらいたい"という回答は注目すべきであろう。

5 宿　　題

家庭における勉強とは、〃宿題をやることである〃というのは少し言いすぎかもしれないが、とにかく家庭学習で宿題の問題は重要なウエイトを占めることは問違いない。そしてこの問題は、子どもの学習の習慣あるいは自主的学習態度と深い関連をもつものである。

ここでは、そういうことも考えながら宿題については親子の態度を考察してみたい。

① 宿題についての親の考え

（第11表）親に対する質問「宿題についてどのようにお考えですか」

区分 項目＼学校＼地域	沖縄 小学校 農村	都市	基地	計	中学校 農村	都市	基地	計	東京 小学校 住宅	農山村	計	中学校 住宅	農山村	計
たくさん出してもらった方がよい。	64.3%	43.9%	57.0%	56.2%	58.3%	43.1%	50.0%	49.7%	23.4%	20.7%	22.2%	22.2%	20.7%	21.5%
あまり多くなければ出してもらった方がよい。	33.9	50.3	41.9	40.7	35.5	52.2	44.2	45.2	54.2	63.0	58.9	55.7	52.8	54.2
なるべく少くした方がよい	1.4	4.2	1.1	2.3	4.8	3.6	5.8	4.1	3.0	1.9	2.5	4.2	5.7	4.9
出さない方がよい	0.4	1.6	0	0.7	1.3	1.1	0	1.0	0.8	0	0	1.0	1.3	1.2
その他	0	0	0	0	0	0	0	0	18.1	14.4	16.3	17.0	19.5	18.2

② 宿題を出してもらった方がよいわけ

（第12表）親に対する質問「宿題を出してもらった方がよいわけは何ですか」

区分 項目＼学校＼地域	沖縄 小学校 農村	都市	基地	計	中学校 農村	都市	基地	計	東京 小学校 住宅	農山村	計	中学校 住宅	農山村	計
宿題がないと遊んでばかりいるから	22.6%	21.5	13.2	20.1	15.9	13.0	6.8	13.5	17.1	17.7	17.4	8.7	14.2	11.5
学校の勉強だけでは不十分だから	11.7	8.0	6.1	9.6	18.2	13.8	6.8	14.2	6.3	2.4	4.4	10.0	9.3	9.7
宿題があると学力が向上するから	33.0	27.5	34.2	31.5	38.6	39.4	27.4	29.6	18.9	22.2	20.6	26.1	35.3	30.7
家で勉強の習慣がつくから	29.5	40.4	38.6	34.6	25.9	33.1	35.6	31.1	36.5	29.2	32.9	24.4	29.1	26.8
宿題がないと何をどう勉強させてよいかわからないから	3.8	3.0	7.9	4.2	1.4	0.7	3.4	1.6	4.4	7.1	5.7	5.6	8.8	7.2
その他	0.3	0	0	0	0	0	0	0	14.7	17.7	16.2	24.1	0	12.0
無記入	0	0	0	0	0	0	0	0	2.1	3.8	2.8	1.0	3.3	2.2

第11表で、〃たくさん出してもらった方がよい〃の応答率をみると、東京より沖縄の方が断然高率を示している。これは注目すべきことで、沖縄の親は、子どもの指導には抵抗を感じているけれども多くの宿題を与えてもらうことを希望しており、子どもが宿題をすることに安心感をもつのではなかろうか。それは、第12表の〃宿題がないと遊んでばかりいる〃の回答率が東京のそれよりも高いことからもうなずける。ただ懸念されることは、親が宿題さえしておけばよいという考えから子どもの自発的学習を阻害するようなことがありはしないかということで、その面についての配慮が問題となるであろう。では次に、子ども自身の宿題についての考えはどうであろうか。

③ 宿題についての子どもの考え

(13表) 子どもに対する質問「宿題についてどう思いますか」

区分 項目	沖縄 小学校				沖縄 中学校				東京 小学校			東京 中学校		
	農村	都市	基地	計	農村	都市	基地	計	住宅	農山村	計	住宅	農山村	計
たくさん出してもらった方がよい	29.9%	22.3%	9.5%	23.9%	18.1%	13.3%	21.0%	16.4%	10.1%	18.4%	14.2%	12.0%	10.8%	11.4%
あまり多くなければ出してもらった方がよい	47.7	52.1	58.9	51.1	48.9	57.1	56.0	51.1	57.7	67.1	62.4	66.5	55.4	65.9
なるべく少くした方がよい	18.3	22.4	10.8	19.4	23.6	19.8	18.0	21.0	16.5	9.5	13.0	10.2	15.1	12.7
ださない方がよい	4.3	3.1	14.7	5.6	9.3	15.8	5.6	11.5	7.2	1.4	4.3	8.7	2.2	5.4
その他	0	0	0	0	0	0	0	0	0.1	0	0.1	0	0	0
無記入	0	0	0	0	0	0	0	0	8.3	3.6	5.6	2.7	6.4	4.6

④ 宿題を出してもらつた方がよいわけ

(第14表) 子どもに対する質問「宿題を出してもらった方がよいわけは何ですか」

区分 項目	沖縄 小学校				沖縄 中学校				東京 小学校			東京 中学校		
	農村	都市	基地	計	農村	都市	基地	計	住宅	農山村	計	住宅	農山村	計
宿題がないと遊ぶから	24.6%	34.9%	24.6%	28.2%	12.2%	17.5%	16.9%	15.4%	10.1%	18.4%	14.2%	12.0%	10.8%	11.4%
学校だけの勉強では足りないから	41.9	26.8	16.9	32.6	34.0	22.6	18.2	26.1	57.7	67.1	62.4	66.5	65.4	65.9
家で勉強する習慣がつくから	27.0	27.6	41.5	29.4	47.4	56.5	59.7	53.7	16.5	9.5	13.0	10.2	15.1	12.7
宿題だけやっていればうるさくいわないから	6.5	8.6	15.4	8.6	4.5	2.2	5.2	3.7	7.2	1.4	4.3	8.7	2.2	5.4
その他	0	2.6	1.5	1.1	1.9	1.1	0	1.2	0.1	0	0.1	0	0	0
無記入	0	0	0	0	0	0	0	0	8.3	3.6	5.9	2.7	6.4	4.6

第13表で、〃たくさん出してもらった方がよい〃の回答率をみると、親の場合の東京との差ほどは大きくはないが、ここでもやはり沖縄の子どもよりも多く宿題を出してもらいたいと希望している。

第14表で、〃宿題を出してもらった方がよいわけ〃をみると〃宿題がないと遊ぶから〃〃家で勉強する習慣がつくから〃の回答率は東京より沖縄の方が高くなっているが、それに対して〃学校だけの勉強では足りないから〃の回答率は沖縄より東京の方がはるかに高くなっている。このことは、沖縄の子どもが他律的学習の傾向があるのに対して、東京の子どもは自律的な学習態度をもっているものが多いといえるのではなかろうか。

以上、ごく大まかではあったが、親子の人間関係をとおして子どもの家庭学習のすがたを東京との比較を中心に考察してみたが、子どもの人間形成に及ぼす影響は、家庭だけでなく、それをとりまく地域社会のもつ役割も大きいことはいうまでもないことである。この面も考慮してこの資料を子どもの学習指導の参考としてもらいたい。

第123回臨時中央教育委員会会議

1964年4月16日（土）～4月22日

養護学校設置について，（可決）
認定講習の実施について，（可決）
1964年度政府立学校教員住宅建築割当について，（可決）
就学猶予及び免除について，（可決）
1964会計年度補正予算について（可決）
職員人事について（可決）
1965会計年度文教予算について，（可決）
　（行政主席より意見聴取に関する回答）

協　議　題
　教育委員会議の一部改正について，
　文化財保護法の一部改正について，

意　見　聴　取
　教育委員会法の一部改正について区教育委員会からの意見聴取

新しく教育区におかれた体育指導委員とは

保健体育課

　1963年7月1日から施行されたスポーツ振興法によつて体育指導委員が教育区教育委員会に置かれることになりました。スポーツの振興方策は，住民生活に直結して行なわれることが大切で，その意味から教育区教育委員会において策定されるスポーツの振興方策がスポーツ振興の基礎となるといえます。そして教育区教育委員会の施策に従つて，住民に対し直接にスポーツの指導助言を実施するために体育指導委員を置くことが必要であり，スポーツ振興法の目的達成のために不可欠のことであるといつても過言でありません。

体育指導委員の職務内容

　体育指導委員の職務としては，住民に対してスポーツの実技の指導，その他スポーツに関する指導助言を行なうこととされています。ここで，実技の指導とは，実際にスポーツを指導するわけで，各種のスポーツすなわち陸上競技，水泳，体操，格技などはもとよりキャンピングなどの野外活動等を指導するわけであります。それからスポーツ理論の指導やスポーツをする環境の整備やスポーツマンシップなどの精神面の指導助言，その他スポーツ予算の確保についても体育指導委員の意見が必要になつてきます。

体育指導委員の資格

　体育指導委員に任命される資格には特別の条件はありません。ただ社会的信望があつて，スポーツに関する深い関心と理解をもち，その職務を行なうに必要な熱意と能力をもつ者であればよいのであります。体育指導委員は非常勤の職員であり，兼務ができるようになつています。しかし，公務員が兼職する場合には，任命権者の許可が必要とされるでありましよう。

体育指導委員の任命について

　体育指導は，教育区教育委員会の非常勤職員として，体育指導委員に適した者のうちから教育区教育委員会が任命することになつています。体育指導委員の定数については規定がありません。本土においては，人口四千人につき一人の割合で置かれているようです。沖縄においては，区教育委員会の実情に即して教育委員会規則で定めるべきであると思います。

体育指導委員の待遇

　体育指導委員は，教育区教育委員会の服務規定により勤務する非常勤務職員でありますので一定の給料を受けるものではありません。ただ勤務に対する報酬や費用弁償が支給されることになります。政府では体育指導委員手当にあてるために補助金を計上してあります。

体育指導委員の活動

　スポーツ振興法が昨年1月1日から施行になつたので，各教育区教育委員会では関係規則を整備し，殆んどの教育区教育委員会が今年のはじめ頃までに体育指導委員が任命されました。それで去る4月26日に第

1回目の体育指導委員研修会が奥武山野球場ホールで催されましたが，宮古，久米島の離島をはじめ，40余名の参加がありました。
スポーツ振興法や体育指導委員の職務等について熱心な研究討議に移り，体育指導委員協会の結成，ハイキングコースの設定，スポーツ少年団の結成促進に努力することになりました。今後体育指導の活動が軌道にのればスポーツの振興に大きな役割を果すものと期待されます。

【参考】 都道府県別公立学校体育館・プール設置率（%）
35・5・1 現在

	体育館			プール				体育館			プール		
	小	中	高	小	中	高		小	中	高	小	中	高
全 国	32.8	33.0	45.6	6.5	4.4	10.5	三 重	15.3	21.8	57.8	3.0	1.9	15.0
北海道	53.2	49.0	52.0	0.6	0.5	2.3	滋 賀	55.5	63.0	84.0	9.0	6.0	28.0
青 森	64.9	51.7	43.0	0.2	0.6	5.1	京 都	91.8	79.0	59.6	5.5	8.1	11.5
岩 手	55.4	48.7	42.7	0.8	1.8	1.0	大 阪	17.3	29.1	64.0	29.6	17.5	27.0
宮 城	12.5	35.9	31.1	1.8	0.4	3.9	兵 庫	13.3	19.7	28.7	5.9	5.4	6.42
秋 田	55.5	47.5	29.0	1.8	0.4	2.6	奈 良	7.9	18.0	46.9	7.6	4.9	5.0
山 形	83.1	65.9	51.1	4.5	3,9	3.4	和歌山	36.6	29.0	62.5	4.1	2.1	12.5
福 島	30.4	47.5	47.3	3.0	2.9	5.5	鳥 取	67.4	66.3	55.6	2.9	1.2	5.6
茨 城	0.2	4.0	83.3	0.3	0.7	3.3	島 根	64.3	59.1	56.5	0.4	2,2	8.7
栃 木	5.5	19.9	53.5	2.9	7.7	13.8	岡 山	13.6	30.1	29.0	3.2	1.6	1.0
群 馬	6.5	19.8	52.4	7.7	0,8	6.3	広 島	13.9	23.5	27.3	3.8	1.7	10.0
埼 玉	2.9	5.1	20.7	6.9	6.6	8.0	山 口	20.4	39.3	43.5	4.3	6.0	9.4
千 葉	8.4	11.4	52.5	2.7	1.4	12.5	徳 島	11.4	14.3	41.2	2.8	1.61	3.9
東 京	17.8	26.1	62.0	29.9	13.8	27.5	香 川	21.2	15.1	34.0	11.6	0.1	18.9
神 奈	17.7	14.6	57.6	9.0	8.7	24.2	愛 媛	13.4	9.3	32.4	4.7	4.8	11.8
新 潟	96.9	73.7	44.2	4.6	2.0	2.0	高 知	1.7	5.2	20.8	2.3	1.7	18.8
富 山	88.3	82.5	62.5	4.9	1.6	8.3	福 岡	22.8	24.1	60.6	12.7	12.4	22.0
石 川	67.0	62.5	67.6	3.9	6.0	16.2	佐 賀	19.2	15.5	50.0	12.1	5.2	6.3
福 井	83.1	52.0	40.6	0.6	―	―	長 崎	3.41	7.3	32.3	10.0	1.6	3.1
山 梨	5.26	22.7	20.9	3.2	5.3	7.0	熊 本	3.8	16.7	24.5	7.0	6.3	14.3
長 野	8.0	47.3	65.0	14.9	9.6	11.4	大 分	17.7	23.5	32.7	5.4	6.5	9.1
岐 阜	31.4	34.7	47.8	10.0	4.5	17.4	宮 崎	22.2	27.2	34.2	9.5	4.0	7.9
静 岡	4.1	13.4	54.3	14.7	12.1	34.6	鹿児島	4.1	7.7	16.1	2.8	2.8	10.3
愛 知	14.8	27.5	43.0	13.8	8.3	14.0							

文部「オリンピック読本」より

―ひとこと―

第五回全琉小中学校校長研究修会で発表された山内中学校長，当真嗣永先生の「栃木の教育に学ぶもの」と百名小学校長，中村直雄先生の「校内の態勢づくり」を以下掲載する。研究会では他に4名の先生方が発表されたが，種々の都合で本号に一度にご紹介することができなかった。のこりの先生方の発表文を次号でご紹介いたしたい。

―編集子―

◇ 栃木の教育に学ぶもの

山内中学校長　当　真　嗣　永

　私は過去二ケ年間新設中学校の建設に夢中になって，これという学校運営の実績もございません。そこで，幸いに昨年11月中旬より12月の中旬にかけて，三名の校長さん方と栃木県宇都宮市における，校長実務研修会へ派遣されましたから，私が配置された宇都宮市陽西中学校と雀宮中学校の教育　　，わけても宇都宮の教師たちの　　研修についてしばらくお話し申しあげ，私の責をふせぎたいと存じます。

　私がはじめに配置された陽西中学校は，甲子園における全国高校野球の名門校として有名な私立高校，作新学院の近くにあって学級数25，生徒数1,150人の規模の学校でありました。昭和24年六，三，三制度発足後まもなく建築された木造二階建の校舎で，教室の広さは，横3間半縦5間，16坪半というもので，県庁所在地の中学校の校舎としては，粗末であり，地域的条件としての，父兄の職業も，農家や，大谷石を取る石工が合わせて15%をしめる状況で，経済的にもそう恵まれたところではありませんでした。二回目の研修校たる雀宮中学校は，町村合併により新しく宇都宮市に加わった雀宮町に所在し，校舎は戦前の関東工業会社の青年学校の建物をそのまま使用していますので相当腐朽しており，運動場は，同一校地内にある雀宮南小学校と共有という有様，父兄の職業も農業が22% 3年生の進学希望者が77%程度という経済的にみれば，どちらも恵まれた学校ではありませんでした。

　かような条件下にある教師たちがどんな態度で日々の勤務に励んでいるか，又研修にはげんでいるか，私の研修期間中に感銘を深くした諸点について申しあげたいと存じます。

一，私が配置された両中学校とも，法規にうたわれた35週の授業時数を上廻る授業時数の確保に努力しておりました。
　陽西中学校においては，年間1，2年生は37週，1258時間，3年生は35週1,190時間の予定特数に対し，一昨年度は，1年生において1,148時間，2年生1,267時間，3年生において1,203時間確保していますし，雀宮中では36週を予定して学校運営に当っています。
　しかも11月より3月までの5ケ月間は，気候の関係上一単位時間を45分としての計画ですから，学校行事の精選と実施には特に留意しております。私はこれまで35週確保を目標にしていましたが，この点について大いに考えさせられました。

二、学校運営の計画はもとより，各教科，道徳，学級活動，クラブ活動，学校行事，更に学校警備と消火計画に至るまで綿密に立案活字印刷され，教育活動がそれに則って合理的に計画的に運営されていました。

三、陽西中学校では3年生，10学級の中就職組が2学級として選択教科の指導をなし，雀宮では，その上に，2，3年の英語と数学について能力別の指導をする等，生徒の進路，特性に応ずる教育を実践していました。

四、両校とも学力向上に力をいれると共に，特活，道徳の指導にも同じく努力しております。陽西では，26のクラブのうち6部は週2回ずつ実施，雀宮では，特に学級活動を重視，各学年，年間80時間をこれにあてています。そのため1週間の中5日間は毎日35分ずつの学級活動がありました。生徒の自主的活動が相当効果をあげているのはそのためだと思いました。

五、各教科とも，その教科についての毎月の研修計画をもち，教科の先生方の自主的な計画によって，気軽な気持ちで，県や市の指導主事を招いて指導を受けている態度は，沖縄の教師たちが，見習うべき点だと思いました。そのやり方は，午後からの半日で5時限，6時限は研究授業，引続き研究会といったものでした。陽西中学校では朝の5分間ドリル問題が5教科について1ケ年分32枚宛印刷，準備されていましたが，それは教師の研究による作問で，毎年検討を加えて改訂していくとのことでした。

六、学校の備品管理については，一般教師の方々も深い関心をもち，各教室の備品管理責任者がおり，各教室に整備された備品一覧表が表示されて，常に備品の保管に留意し毎月1回，教頭がこれを検閲するしくみになっていました。

七、1ケ年20日間の年次休暇は，夏休みにおいて7日，冬休みと春休みにそれぞれ3日ずつ残りの7日は，それ以外の月にとることを通例としているが，病気その他止むを得ざる用件以外は休暇をとっていないとのことでありました。雀宮中学校においては昨年の春休みの4月2日に新入生の学力テストを行って，これを学級編成の参考資料とし，4月5日には，生徒会役員の選出をなし以て新学期の諸準備をすっかり整えて始業式を迎えたとのことでありました。

このような熱意のある教師たちの指導を受けた生徒たちは，実に明るく感じがよく，

一、登校，下校の途中や廊下の行きあいにもたえず気持よく会釈をし，

二、寒い冬でも，冷たい水でふき掃除をしています。

三、陽西中学校の生徒の中には，授業をさぼって映画館へ行く生徒は1人もいないとのことであるし，雀宮中学校では1,100名の生徒中常欠生はたった一名ということでありました。しかしながら時たま，デパートで万引きして警察に補導される生徒は2，3名いるとのことです。

平均年令36,7才という働きざかりの教師たちが教育道に精進している姿は誠に尊く，彼等をしてそうさせている原動力は，彼等が教員としての使命感に徹していることにもよるが，県及市の教育委員会の適切な指導行政によることが大きいという感じを受けました。即ち県教育委員会は毎年1月44頁に及ぶ県としての学校教育指導計画書を市町村教育委員会と各学校に配布しているし，市教育委員会は毎年度始に，各教科，道徳，特活の年間指導計画をもちよらせて，それに対する共同研究会を

もち,又2ケ年に1回は学校の管理と指導に対する学校綜合訪問指導を実施して,その報告書を提出させ,更に服務に関する教職員必携を印刷,配布する等学校現場に対する指導が行届いているということ。見方をかえれば,きびしい教育行政のもとにおかれているという感じを受けました。

さて,この1ケ月の研究期間を通じて特に私が感銘を受けたことは,両中学校の校長たちの指導力,学校運営の手腕の偉大なことであります。陽西中学校の永塚校長は昭和6年の栃木師範の卒業,昭和10年の広島高等師範の卒業で,自信と情熱と気魄をもって,あらゆる点を配慮して学校運営に当り,学校職員はもとより,PTAより,全幅の信頼を受けていました。この4月宇都宮市の中心校たる一条中学校に転任するや文部省指定の生徒指導研究推進学校を引受けておられる優秀な校長さん。又雀宮中学校の益子洋校長は,昭和四年の栃木師範卒,県の指導主事より校長に転出された方であります。先に申しあげました,校舎の腐朽と運動場の共有という悪条件の解決を理由に,学校移転を思いたち,PTAや県教育委員会を動かして,現校地より凡そ一粁ばかり離れた一万坪の新らしい校地を選定購入してこれを実現なさいました。昭和38年度は3年生のみ新校舎へ移転,本年度は2年生,来年は1年生と逐次移転いたします。教師たちは授業時間の合間の10分の休憩時間には,市より譲渡された自動車で新旧両校地を往復していますが,それがあと1ケ年も続くのです。或中年の元気な先生は私に「雀宮は,環境的,経済的にはそう恵まれない学校です。けれどもこの校長の人格と教育信念のために私たちはがんばらねばならないのです」と話しておりました。また益子校長は日展に六回も入選された画家であられます。こういう校長さん方にあやかりたいなーとつくづ
く思いました。

栃木県は広い関東平野の北方にあって,現在は宇都宮市を中心としてしだいに工業化しつゝあると申しましても,まだまだ農家が多く,生徒の進学率も全国的にみれば高いところではありません。そこで全国学力テストの結果は香川県を第一位として中位に位するのですが,全人教育という立場から,教育課程四領域の調和のとれた方向に教育を進めており,この点大いに学ぶべきだと思いました。

栃木の中学校においては県として統一できる諸帳簿の形式や用紙はつとめて統一して,それぞれの学校で作成,印刷する労力の軽減を図っております。いわゆる事務の簡素化であります。学校日誌をはじめとする諸用紙や生徒手帳,全国中学校協会編集の週案簿,諸証明書用紙等ですが,この件につきましては沖縄におきましても校長会あたりでとりあげて研究し,統一できるものは統一した方がよいと私は考えています。

この本土における校長の実務研修は,読書や報告では得られない,本土の学校運営の実際に接する最も適切な計画であります。数多くの校長,教頭,指導主事の方々が今後,つぎつぎと派遣されるよう文教御当局に切望するものであります。

以上大要を申しあげまして私の発表を終ることにいたします。

―全琉小中校長研究協議会―

校内の態勢づくり

百名小学校　中　村　直　雄

　私の学校は児童数495名，12学級で職員4名の学校であります。近くに旧民政府跡のＣ・Ｓ・Ｇ部隊とナイキ基地があり，住民は部落によっては各戸平均1人は軍で働き，耕作地は軍用地にとられて狭く，土地は殆んどがマージ地帯のヤセ地で田畑からの少ないのですが，月々の現金収入がありますので，日常生活は農家として悪い方ではないと思っております。

　校区は玉城村の東側5ヵ部落からなり，総戸数518戸，人口2,940人通学距離の1番遠い所が徒歩で25分，純農村で，それに軍施設はありますが，幸に酒場がありませんので，風紀，非行等の事件が皆無であり，父兄の教育に対する関心も高く，こじんまりした理想的な教育環境だと思っております。この環境の中で私が過去30年間歩んで来ましたことを申しあげて見ます。

　私，校長の経験4か年目という，実に浅いものであります。しかし意欲は先生方同様持っている積りです。

　余り急ぐと仕損んずることも考えられますし，反面慎重し過ぎてことなかれ主義もどうかと思われます。かといって学校経営全般に力を入れて行くことは私の能力が受け入れてくれませんので，万事が万事，1部分でもよいから重点をおいてある程度まで引上げて見ようと思い，「教室環境づくり」と「地域社会の協力」の二点について力を入れて来ました。それについてお話し申しあげたいと思います。

　御承知の通り私達の仕事は四領域の教育活動を抜きにしては考えられません。学校経営にしろ，四領域の教育活動を中核とし

これに地域社会の協力があってこそ，充分な教育活動が展開されると思っております。

　このような学校構想に立って，先ず第1に日々の授業を充実させる第1条件ととして子供の学習意欲をどうしたらもりあがらせることが出来るかについて研究を進めることにしました。意欲を高める方法として，いろいろ考えられると思いますが，私達は，研究のテーマを「教室環境づくり」にしぼりました。

　教室は人間形成の場である。まだ単に児童の能力や技術を向上させるだけでなく，子供の学習や生活と直結させる環境たらしめ，新鮮味を与え，生き生きとした教室でなければいけない。それ故，教室には必要な教具，資料がよく準備され，学習や生活の場として充分ととのえられていくことが大切で図書館のない私達の学校では教室そのものを資料センター的性格を持たすようにとの事で努力して参りました。そして具体的に

1、学習活動を進めていく上に，どんな教材，教具が必要か，これをどう作っていくか。
2、学習に必要な資料としては，どんなものがあるか，これをどう集めたらよいか。
3、作られた教具や集められた資料を日々の授業と子供の生活にどう直結させるか。

の三点について研究致しました。

　研究時間の生み出し方については，日課表の研究や週行事の整理など更に学校では

3か年前から金銭徴収の仕事は学年P・T・Aにお願いしてありますので、いそがしい中でも、いくらか研究時間が持てるようになつております。
　教具の作成や資料の収集については、低学年は時間的に問題はありませんが、高学年は殆んど春、夏、冬の休暇の講習終了後とか日曜日、公休日を利用したり、時には教材研究中、明日の授業に是非必要だと思う資料は電灯つけて作業している先生方もチョイチョイ受見けられました。中には夢中になり過ぎて、お家に帰れなかつた女教師がバス停留所で那覇帰りの部落の人を1時間余りも待っていたこともありました。
　こういう風に授業の資料として使われ、作成された1枚1枚が、とじ合わされて立派な教科毎の掛図に仕上げた先生もおります。
　「教具、教具」と気易く私達は言っておりますが、いかに子供達の学習活動を活気づけるかを考えますと、実に市販品以上のすばらしく尊い物だと思っております。
　対人関係の面から見ましても、児童同志の助け合い作業、先生と児童の合作等、協力性、協調性が作業を通して自から培かわれ、「学級づくり」「人づくり」に大きな効果をあげたと思っております。
　主に教具作成の面についてお話し申し上げましたが、掲示物の研究や資料の収集、整理活用など教室環境の整備はなかなか骨のおれる仕事ばかりであります。
　何事もそうですが、やる気がなければ効果はありません。環境づくりの上手、下手は教師の児童愛の深度によって決まると思います。「何とかしてわからせてやりたい。」「力をつけてやりたい。」との気があれば、すばらしい教室環境づくりが出来るものだと思います。
　研究を始めましてから、日はまだ浅いのでありますが、教室内のざわめきが次第に減ってくるし、児童が進んで学習する意欲が高まりつつあることは、申すまでもありません。私達は今後も研究に研究を積み重ねね、本土からこられた教育指導員の先生方のご講評にもありました通り「教室環境はもっと動的にして生き生きしたものであって欲しい。」とか、「沖縄の先生方は教材、教具を活用することが少ない。」等の汚名を返上したいと思っております。
　次に地域社会の協力についてお話し致します。
　私四年前、村の社会教育主事をいいつけられた関係で、職務柄僅か一か年ではありましたが、村内18か部落、毎月定例講座日を設け、部落公民舘で晩八時頃から話し合い学習を持って参りました。この事が要するに父兄をして学校に進んで協力する心構えをつくつたのではないかと思っております。
　地域社会の協力を引出す原動力は、なんと言っても学校にある。自分にあるのだとの気構えで、協力をお願いする前にお互いに知り合うこと、話し合いの機会を多く持っことだと思っております。その意味で現在P・T・Aに関する定期的な集会日として、設けておりますことは、
　毎月1回（第三土曜）授業参観日に決めてあります。決める前に父兄へアンケートを取ってみました。その内容は、毎月持つ。学期二回持つ。学期1回の三段階に分けて集めました。殆んどの父兄が毎月1回実施するよう希望しておりました。それで年4回の学年学級P・T・Aの外は3校時と4校時の授業だけを御覧になって、授業を済み次第自由に帰って貰うよう気軽な気持でお出を願っております。出席率は時季により、学年又は部落によって多少差はありますが、全体として年平均60％以上出席しております。授業参観日を設けて、先ず先生方の話題にのぼりましたのは、

イ、忘れ物する児が少なくなった。
ロ、服装、ハキモノをキチンと揃えてもらった。
ハ、学用品の不揃いの子が減って来たこと

などさらにもっと大事なことは担任教師と父兄との緊密なふれあい又、PTAで出来る仕事はうんと協力してあげようとのくうきが生まれて来た点だと思っております。授業参観の外に部落公民舘での晩のP・T・A講座や、P・T・A役員会、研修会等持っております。

このように学校や先生方に接する機会を多く持ちますと、自然に物心両面から協力して貰うのではないかと思います。そのあらわれとしまして、

イ、先にも申しあげました通り学級での定額的な月々の金銭徴収は学年P・T・Aの各部落の連絡係りが徴収して翌月の授業参観日に受持に納入してくれます。
ロ、物の協力の面では五カ年画の事業に進んで協力して貰い、現在三カ年連続毎年 800＄程度の事業をやって貰っております。主なものを申しあげて見ますと、保健室（900＄）や三槽式の便所（750＄）の新築を始め、給食室（500＄）の模様がえ、給水施設、体育施設（300＄）等であります。
ハ、労力奉仕の面では年間 2～3回、1回15名位の美化奉仕作業と施設面の作業などであります。排水溝、花園作り、校内雨天通路等の美化作業と机腰掛の修理、整埋棚、靴箱、カバン棚、帽子かけ等の施設面の奉仕作業をお願い致しております。
ニ、精神面といいますが、指導面の協力としましては、教育隣組子ども会の育成に自主的に協力し、学習や遊び

だけの指導にとどまらず、共通語やマスコミの問題、子供の月の行事、母の日の行事、水泳教室の開設、春秋の遠足等、部落や隣組の行事として親子揃って実践して貰うなど年間通して、今叫ばれている「人つくり運動」に協力しております。

P・T・A予算については、御承知の通りP・T・A自体の活動に使うのがたて前で、しかも恒久的な施設は公費でまかなうのが当然だと思います。しかしいつまで待っても見通しがありませんので、現在予算の65％は学校への援助にお願い致しております。

学校経営が能率的に効果的に行なわれるためには

○ すべての教師が研究的でなければなりません。
○ そしてお互いに協力し合うことが大切だと思います。

私達の毎日の仕事が、よりよき人格の形式を目指している以上、先ず教師自身の人格を中心に、物的環境に助けられながら、これをとりまく地域社会の全面的の協力があって始めて効果があるものだと思います。

学力の向上には、教師としての使命感に徹した、よりよき優秀な教員を1人でも多く揃えることが大事なことでありますが、その人々が各々の視野や角度から個人プレーを演じて貰っても又困ると思います。

最後に学校を経営して行く時、学期末とか年度末に指導面や管理面について、いろいろ自己反省をするわけですが、特に「校長として研修するよう努力して来たか。」「日々の生活が行動的であったか。」の二点について反省してみますと、校長は実に雑務が多く、事務に追い回わされ、事務職員見たようで、反省時になって、いつも後悔ばかりしております。

以上二点について申しあげましたが、最初申し上げました通り、理想的な学級数故、家族的で、同僚間の人間関係もそう問題がなく、P・T・Aの教育熱に助けられ、うんと頑張って行きたいと思います。ささやかな、ありふれたことを申しあげましたが、先生方の御指導をお願い致します。

学校設備調査結果まとまる

1963年7月1日現在で調査した学校設備調査の結果がまとまり、このほど、その報告書を発行した。それによると基準金額、保有金額、達成率はおよそ次のようになる。

	小 学 校			中 学 校		
	基準金額	保有金額	達成率	基準金額	保有金額	達成率
共通教材	$1,304.674	$206.440	15.8%	$656.742	$106.815	16.3%
社会科	105.953	23.357	22.0	81.644	18.558	22.7
算数・数学	91.796	12.502	13.6	42.474	10.195	24.0
音楽科	582.667	132.063	22.7	374.680	78.009	20.8
図工科	549.233	20.852	8.8	60.406	4.277	7.1
家庭科	256.062	30,997	12.1	—	—	—
体育科	356.684	59.279	16.6	417.231	73.742	17.7
国語科	—	—	—	7.650	265	3.5
技術家庭	—	—	—	1,224.518	252.784	20.6
外国語	—	—	—	81.071	6.489	8.0
進路指導	—	—	—	7.354	111	1.5
理科	442.719	105.059	21.9	425.774	97.597	22.0
理科別表	159.300	31.450	19.1	137.953	25.091	17.5

私たちの青ばと教育隣組の活動

上 地 信 子

　さきに本年度の全琉社会教育総合研修大会が行なわれたが，その席上「教育隣組」の活動概況について発表された久志村の上地信子さんの，発表内容を以下に紹介することにした。学校教育の効果は学校と家庭が同じ歩調で教育するというところに最も大きな期待がかけられると信ずる。一般にはしかし学校と家庭との距離はかなりへだたり，学校で育てていったよい習慣も家庭では全く用をなさないということが少くない。

　教育隣組の活動は学校と家庭の中間にあって，そのような教育の盲点――学校と家庭のへだたり――を徐々にのぞいてくれそうである。その活動がどれほどささやかでも，また素朴な姿でたどたどしい歩みであっても………

　上地さんの発表はどこの地域でもできそうなことが多い。ただこのような活動はしかしひとりでに育ちそうに思えない。市や村や部落のよい相談相手になっておいでの校長先生，先生方に教育隣組の育成についてより関心をはらっていただきたいと念願するものである。　　　　　　　（編集子）

　　　　　　　　　　　　　　

　私は三原区青ばと教育隣組の上地であります。私たちの教育隣組の活動状況を発表させていただきたいと存じます。

　青ばと教育隣組は1961年6月に結成しました。三原区第7班に居住する17戸，56人をもってそしきされ，小学生10人，中学生6人，高校生3人みんなで19名という小さな隣組であります。

　児童生徒をもつ家庭9戸，父兄の職業は運送業1，農業8，で貧家の差はありません。生活程度は中位以下であります。

　私たち全員が結んで子どもたちをあたたかく愛護するために結成されました。

　組の役員は組長（父親），副組長（母親）会子ども会長一人，子ども副会長2人を会員の中から選んでいます，任期は1年でございます。

　この組には三つの会があります。子ども会，親子会，おとな会，この三つの会はそれぞれ別々にひらかれることもありますが，ほとんど同日に行なわれます。ではおもな活動内容を申し上げましょう。

　▲　毎月15日は親子常会をひらいております。この会のもちかたは，最初の一時間は子ども会を行ないます。こども会長の司会で先月の反省，今月の努力点，来月の行事について話しあいます。そのあと親子の話しあいが行なわれます。その内容は，家庭学習，遊び，学校生活。について話しあったり，誕生会を開いたり，よい子をほめてやったり歌やおどり，お話をとりいれたレクレーションで楽しくすごします。この会が終ると子どもたちはお家へかえります。

　ひき続いておとなの会が開かれます。この場で教育模合もやっています。子ども会が始まってからおとなの会がおわるまでおよそ3時間くらいであります。こうして親と子の楽しい集いは毎月1回ひらかれますが，この会のほかに月に1回隣組の先生と

— 39 —

はなしあう会があります。
　隣組の先生と話しあう会は三原校区一っせいに行なわれます。これが学校と教育隣組の連絡の会であります。先生方がいろいろと資料を提供してくださいます。時には校長先生みずからおいでになっていろいろとご指導下さいます。

▲　子ども会は毎朝ラジオ体操を続けております。6時になると，日番の生徒がひょうし木であいずをしますと，14，5分で全員が集まります。一年生から中学3年生まで全員がかわるがわるにごうれいし，たのしく実施されています。継続して3年になります。最初のあいだは先生がついてたえず激励していましたが，現在のところはほとんど習慣化するところまでいっております。

▲　共通語の問題は毎月の努力点としてとりあげられていますが，まだまだ方言をつかう子どもがあります。しかし，団体の中では方言は全くきけません。小学生11人の中4人はいつでもどこでも共通語ではなすようになりましたので，賞をあたえました。

▲　家庭学習は朝は朗読を奨励しております。晩は小学生六時より八時まで，中学生八時より十時まで，と時間をきめてさせています。学習時間はひょうし木であいずします。結成当初は婦人部が輪番で各家庭を廻り激励しておりましたがながが続きしませんでした。農繁期になると生徒の学習時間もまだ田畑で働いているため，どうしてもみてやれないのです。それで農閑期には家庭学習週間をきめて子どもを激励してやるように話しあっております。しかし親子常会のたびに家庭学習の話がでますので，今では自分からすすんで机にむかうようになっております。現在は一人一人の強勉時間をどのように延長させるかというのが課題となっ

ております。

▲　読書会について夏休みはラジオ体操のあとみんなの前で本を読ませています。その子どもの一ばんすきなところを一回で三人くらいずつ読ませます。これと同じことを親子常会においても行ないます去年は教育委員会の移動文庫を利用して読書会を行ないました。

▲　つぎに教育模合について申し上げます。児童生徒の勉強施設や学用品，進学遠足，旅行その他子どもの教育に役立てようと1口1弗の模合をはじめました。そのおかげで机はみんな揃いました。小黒板，雨具も揃っています。現在は修学旅行などの準備金としてつみたてています。実施して2年たちましたので2回とったわけです。途中でかりる場合かりぬしは使用後使途を組長に報告しています。かり主はくじで決めますが，組に50仙ずつ寄付することにしています。これが組の経費となるわけです。

▲　はい品かいしゆうについて私たちの隣組であきびんやスクラップはめいめいで売ることはしません。毎月第1日曜日に子ども会があつめにまわります。その利潤が奨励費にあてられます。

▲　清潔日について毎月1日は6時から7時まで全家庭お掃除を行ないます。子どもたちは道路や遊び場の清掃を行ないます。子どもたちは道路や遊び場の清掃，危険物の収集を行ないます。

▲　合同誕生会について小学校1年生，2年生の誕生祝はその子どもたちの生まれた月に合同祝いをしてあげます。

▲　毎年旧れき8月になると「花火遊びが多くなりますが，危険防止のいみで，私たちの組ではそれを禁止しています。そのかわり8月15日はおとなも子どももいっしょになって，花火大会，うた，おどりその他いろいろのあそびをとり入れ

て月見会を行なっています。この月見会と一月二日の新年会は組全員の最も楽しい行事となっています。
▲ 子どもたちは年末になると自分の家をかざったり日の丸を作ったり，にわの手入れをしたり美化清掃に一生県命でありまず。元日の朝はかけあし訓練。ラジオ体操。ここで一年のしあわせをちかいあいます。日の丸のない家庭には子どもたちが紙で作った日の丸を配ばります。今年は全家庭日の丸を掲揚することができました。
▲ 婦人部はわずかではありますが，30弗の積みたて金をもちその利息で体育選手の奨励費にあてています。それは実施して十年になります。学校でひらかれる社会学級や授業参観にはいつでも全員出席します。
▲ その外小さいことはたくさんありますが，くわしくはお手もとにお配りしてありますプリントをご覧ください。私たちの活動のあらましの発表にかえさせていただきたいと存じます。では最後に教育隣組活動を通しての私達の感想を二，三述べますと，

1、子どもたちがあかるくなり，よく話せるようになりました。
2、おとなどうしの協力体勢が一層強化された。
3、子どもたちが大変清潔になってきました。
4、家庭学習の実施により学業成績がよくなりつつあります。
5、教育隣組は教育の話しあいだけに終らず自分たちの生活のすべてについて話しあう場所でなければならないことを感じました。
6、計画が必要であり，指導助言して下さる先生方がどうしても必要だということであります。私たちが現在まで続いているのも先生方の激励とご指導があるからであります。ではこれで私の発表を終らせていただきます。

第124回定例中央教育委員会会議

1664年5月30日（土）〜6月1日（月）月日5月30日（土）

愛善服装学院名称変更について（可決）
教育区債の起債許可申請について（可決）
学校廃止認可申請について（可決）
分校の設置認可申請について（可決）
嘉手納中学校15周年記年事業寄付金募集認可申請について（可決）
就学猶予認可申請について（可決）
学校給食用製パン委託加工工場および学校給食用パン審議会の委員の委嘱および任命について（可決）
小学校教育課程審議委員の委嘱および任命についてて（可決）
特殊勤務手当支給規則を廃止する規則につい（可決）
製パン工場の名称変更について（可決）

健全なる国民の育成をめざして
―『教育』は悩み　『教師』は苦しむ―

久米島小学校長　仲　間　智　秀

次の文は久米島小学校長仲間智秀先生よりおくられたもので、先生は毎月定期的にこのような教育関係資料とかレポートなどを自ら書かれ、それをテキストにして父兄の啓蒙にあたっておられる。
先生のご熱意に対し敬意を表するとともに読者のみなさんとともに熟読熟考してみたいと思います。　　　　　　（登　川）

―はじめに―

国民教育は「民主的で文化的な国家社会を建設して世界の平和と人類の福祉に貢献できる日本国民を期して行われるものであり、この原則に立って、教育を受ける人と教育する人の義務が確立する。
然るに敗戦と共に急激に変転した世相と、文化の発達により、著しく変化する社会を背景として家庭が変化し、人々が変化する。
健全なる国民の育成をめざして、子どもたちをどうしたらよいか。「教育」は悩み、「教師」は苦しんでいる。
このプリントは沖縄教職員会、第十次教育研究集会の国民教育班における報告資料によってまとめたものである（前原地区の資料を主体としてまとめた）
この資料によって実態をよく検討しその事実を再確認して「教育経営」という立場から、健全なる国民育成をめざして国民みんなで反省し、協力しなければ……と思ってプリントしたものである。

社会の変化に伴う家庭の人の変化

戦前に比べ、戦後の社会は著しく変化している。それに伴って家庭が、そして人々が変化していることを認め、この両者の相関をとらえることによって「教育」の効率的対策も打ち出されるのではないだろうか
㈠　都市に向っての人口移動がありそのため夫婦子供だけの小家族分裂となりいわゆる「核家族化」現象が起っている。この現象は、
　△　家族の職業の変化（月給、日給、日雇、小売商への変化）
　△　それによる夫婦共稼ぎ小家族化となっている
そのために子供は新しい環境（住みなれない）移され新しい家族関係に育つことになるが親自身がこの新しい環境に馴れることが精一ぱいであり更に子供の養育について深い注意を払うゆとりもなく特に夫婦共稼ぎの場合は２，３才の子供は他の婦人に依託するか子守りに委せているが、５，６才の子は放っておかれることもあり、児童生徒も学校から帰って親が家に居ないため放任されることが多い。
㈡　戦前の地域社会では有力者とか家柄な

どが権威を持ち共同的,一体的作用を営んでいたのが戦後に契約や利益が結合の主体をなす「現代社会」へと変化して来た。
△ 共同社会から利益社会へ身分社会から契約社会へと推移し,価値の混乱となり,身分社会時代の上下関係の道徳は失われつゝあるが民主社会の基底をなすべき横の道徳が健全に確立しないままであり,
△ 職場と家庭だけの人間関係になり近隣つきあいをうるさいものに思い共同社会にあった地縁,血縁関係もうすらぎ人々がだんだん独立化しつつある。
このような社会風潮や家庭雰囲気の中に居る子供達にどのようにして民主的社会人としての社会性(即ち人づくり,仲間づくり,村づくり,国づくり)を育成したらよいだろうか。

(三) 契約や利益が主体をなす社会はやがて利潤追求が優先し競争の激しい社会となって来た,
△ 「他人のことなんか。人の子のことなんか考えておかれぬ」と冷い競争の法則(押しのけ,かきすて)が支配する社会となっており,
△ 価値観が混錯,理想を喪失し灯をかざす人々よりも富貴が尊ばれ焦点が物的面におかれて来た。小ぎれいな家を建て親子で小ぢんまりと暮し,テレビ洗濯機,冷蔵庫を備え時々親子揃って外食しつゝ映画でも見られるようにというのがこの頃の若い人々の望みのようである。
こうして人間の理想が人間性の喪失から物質の追求へと変化している中にあって子供たちを如何にして,自己本位の生き方から共同社会協力社会への正しい社会ルールに参加されることができるか親たちの理想追求の姿勢が媒体となって子供は理想を追求する。

(四) 強力な大衆媒体による大衆宣伝によって人々は理想的な存在ではなくなり宣伝やデマに動かされる感情的人間として大衆化されつゝある。
△ 今日の社会では大衆媒体(新聞,雑誌,ラジオ,テレビ,映画等)による大衆宣伝の方法が発達し大衆はこれらの知識なしには生活できないが,これらの強力な手段を使えるのは大資本と国家権力であるから大衆はその宣伝と注入によって容易に精神的支配を受けるようになる。人間は十九世紀の自由主義思想で考えられていたような理想的存在ではなく宣伝やデマに動かされてくる。大衆媒体大衆宣伝から子供たちを隔離し,遊離することはできないし,又そうすることは時代逆行でもある。家庭の茶の間にも入り込んだこの大衆宣伝に立ち向うために親と子の態度をどうすればよいか更に教育と教師はどうすればよいか。

(五) 更に一方では近代的な大企業があり日本経済も異状な成長があるのに他方では手工業的な中小企業がありそこで低賃金にあまんじている従業者があり前近代的な零細農漁民がある。前者と後者の収入差はますます大きな貧富差となって現われて来ている。
△ 日本(沖縄を含めて)の経済には近代的分野と前近代的分野とが不可分的関係で並存する二重構造をなしている。
△ オートメーションを駆使する大企業群では従業員も労働組合が組織なれており賃銅水準も比較的高い反面その底辺には設備も技術も共ながらの中小企業群があり労組もなく雇用関係も前近代である。更に又前近代的色彩の濃厚な零細農漁民がある。
この底辺層の困窮化から家庭が面白くな

いので目が都市や繁華街に向き。劣等感に陥り易く理想の喪失現象を来し親は生活に追われて子供にかまっておれなくなり。上層及び頂点層には優越感とエリート（選ばれた人）意識が増長して来る。

(六) 次に、経済成長の原動力となった消費ブームがアメリカから直輸入され商業資本はこれを利用しこれをあふりたて、消費者である大衆は常に欠乏感に追い込まれていく。

△ 数年来アメリカ国民に滲透している新しいムード、それが日本、沖縄に輸入され早速、商業資本が利用して売り込みのキャッチフレーズに使い人々をあふり立て、マスレジャーの気風は積極的に暇をつくりこれを大いに利用こととなり国民大衆の消費やひまつぶしに消費する金品によって経済界の異状好況の原動力ともなった。

人々は常に欠乏感に追われ精神の安定感を欠き、人間の理想が物の追求に変形していきマスレジャーは水泳、ピクニック、冷暖房、庭園つくり、観光遊覧となっていくが貧乏レジャーなしに大衆はますます卑屈の度を増す。電気製品、写真器、装身具等に目も心も向いて暮しわが身を措しみ子供の成長を願うての生活の合理化が忘れられつつある。

(七) 以上のように社会の変化、経済の変化に伴って技術の革新、産業人の育成、貿易自由化による産業の合理化等が要請される中に「性」の解放が欠損家庭を増加し歓楽街の繁昌を促進している。

△ 戦後離婚の率が高くなり零号婦人の出現となり二号、三号と妻を持つ家庭、外人相手のオンリーが出現し売春婦が増加し歓楽街勤めの女給も多くなっている。片手片親では充分子供をかまっておれないと放任される子供、つれ子となって肩身のせまい思いをしている子供、継母に対して愛情がわかず欲求不満に泣く子供、母の相手である男に反感と悲憤を持つ子供、養育を頼まれた家庭に預けっぱなしに母の行方がわからない子供、歓楽街、特飲街をのぞき見する子供、アルバイトする子供、特飲街で養育成長する子供、やがて社会と大人たちをうらむ心になる子供……等々

(八) ここ数年間に資本主義諸国経済の高度の成長はオートメーションによって代表され、技術革新を原動力とする。投資活動によるものだといわれている。ここに於て今後の人間はこの技術革新時代に即応するようにつくらなければならないとし、教育も投資であり第四次産業であるという考え方が生まれて来た。

△ 外国技術依存の悪循環から脱し、国産技術の静発が要望され特に目下の沖縄では技術人育成の実感がない。

△ 更に技術人育成による、人間性没却に心する必要があり技術人育成に教育投資の認識も不徹底である。

(九) 続いて貿易の自由化が産業の合理化を要請し企業の併合、耕地の協業化が促進されて来る。

△ 合併、統合、協業への近代的なセンスがあるか。

△ 農業を企業として、運営する考え方があるか。

△ 沖縄に即するパイオニア（開拓者）としての人間育成をどう進めたらよいか。

結　び

以上戦後の社会情勢は社会の変化に伴って、それを背景として家庭が変化し人々の見方、考え方も変化の一途をたどっている親たちにとっても全く未経験な新しい社会環境であり家庭環境であるためその中で子供たちをどのように養育し成長させていったらよいか自信がないのであり、

家「庭」も迷い「教育」は悩み,「教師」が苦しむのが教育の現状であろう。
「国民の健全なる育成をめざして行われる教育が,その目的に接近し到達するためには親も教師もそしてすべての成人が時代を見極め時代に即応するよう自身の物の見方考え方を変えていかねばならない。
過去を引きつぎ将来へ引き渡すのは現在の任務であり今日までの日本のよさも悪さも受け取って健実なよりよき,より正しい日本つくりが現在の責務である。

まず算数と数学
―― 精簿児用教科書を作成 ――
文部広報381号より

文部省では,精神簿弱養護学校用の算数と数学の教科書を作り,さっそく本年度から使ってもらうこととした。いままで精簿児童生徒に対しては,普通の小・中学校の算数・数学検定教科書の1〜2年低いものを使わせていたが,これでは学習上支障が少なくない。そのため,これらのこども用の特別な教科書を作ることの必要はわかっていてもいざ作るとなると多額の経費を伴うので,教科書会社では手をつけずにいた。

そこで文部省では昭和三十七年度以来,東大の三木教授を中心とした特殊教育調査研究会で特別の教科書の編集を進め,このほど完成をみたものである。この種の教科書はわが国ではもちろんはじめてのものであるが,諸外国にもその例は少ない。

△教科書の名称
かずのほん☆ 小学部中学年用 かずのほん,☆☆ 小学部高学年用 数の本 ☆☆☆中学部用
　いずれも東京書籍KK発行。
　定価365円

△内　　容
教師が自由に場面設定ができるように,また他面では児童生徒に活動を呼びかけるように,いろいろな場面を美しい絵で示してあるさらに学年の進むにつれて,発展的な学習ができるようにしたり,必要に応じて練習ができるように配慮してある。なお,中学部用では職業生活上常用される漢字(ルビ付き)も使っている。

△体　　裁
普通の教科書の体裁とは異なりB5版(週刊誌の大きさ)カード式になっている。これは単元に応じて必要な内容を自由にかつ簡単に取り出したり,あるいは各学期の単元の流れに沿って独自に並べかえたりできるようにしたもの以上のような配慮のもとに作られているこの教科書は,養護学校で使うのが原則であるが一般の小・中学校の特殊学級で使用してもよい。なお,教師用の指導書は九月ごろ発行される。

また,音楽の教科書も六月中旬に発行される予定であり,さらには国語の教科書も来年度から使えるように12月ごろ発行の予定で目下編集中である。

―研究教員だより―

科学的思考育成の必要性

配属先　富山県富山市五福理科教育センター
（宮古久松中学校教諭）

田　場　重　雄

○　科学技術教育の振興は最近の教育における世界的風潮の一つである。世界の先進国といわれる国で科学教育を重視していない国はない。特に東西の二大勢力として世界の思潮を2分している米ソ両国における科学教育の振興に見せている熱意は瞠目に値するものがある。
両国が原子力の開発と人工衛星打上げ競争についで科学教育の革新でも覇を競う形になっているのは，米国のPSSSC等一連の科学教育運動，ソ連におけるポリテフニズム教育運動等によっても明らかである。
このように世界の各国が科学教育に力を入れはじめたのはなぜだろうか，それはいうまでもなく，科学教育がいかに重要であるかという認識があらためて生まれたからであろう。原子力にしても人工衛星にしてもその発展の背後には常に科学者のたゆまない科学活動と科学研究の進歩が潜んでいたからである。
そうした科学者の進歩はその源をさぐれば結局科学教育の力である。特に将来のことを考えるとき，若い世代の人達の新鮮な頭脳と創造力にまつほかはない。それを培うものが科学教育であってみれば，それが重視されるのが当然であろう。
教育は百年の大計といわれる。宇宙時代といわれる20世紀末に活躍し，科学文明を発展させる任にあたるのは実に現在の学校教育をうけている子どもたちであることを考えれば，現在の科学教育の正否こそ将来の発展に直接つながるものである。世界の各国がここに着目し科学教育に力を入れていることはまさに的を射たものというべきであろう。

○　人口密度約370人の数字が示すように狭い土地にありあまる数多くの人々がざわめきうごめいているのが，沖縄の現状である。その上物的資源は殆んど限られているというより皆無に近い，そうした沖縄の現実において人的資源を開発して科学技術を昂揚することによって産業を振興し，それによる収入を獲得していく以外に生きる道はない。
短的にいうならば沖縄の振興は教育の強化振興にまつほかないということである。

○　科学的思考力の育成が理科教育における大きな目標の一つであることには異論をはさむ余地はないと思う。近時このことが各方面で強調されることは当然のこととは云え，われわれ理科教師にとって喜ぶべき傾向である。
しかしこれを実際の指導においてどのようにしたらよいかとなると簡単ではない。思考作用というのは本来人間の高度な精神作用に属することで個人差を伴なう主観的なものであるし，環境によってもそれぞれの発達が十人十色，百人百様であるからである。だから一律にどの方

法がよいとかどうしなければならないとかきめられる性質のものではない。

しかしそのように思考作用の本質的なものは個人個人によつて違うとしても自然科学を形成していく際に必要と考えられる思考の形態というようなものやわれわれが日常生活において自然にあるいは社会の事象に対処していく際に必要な思考の形態というものの一般的な共同的なものはある筈である。それを子ども達にどのように指導するかあるいは指導していくにはどうすればよいかということが問題になるのである。

ロビンソンクルーソーが無人島でただ一人で生活した時、その生活を支えたものは果して何であつたか？ そうしたことを考るとき科学的思考力の育成という問題は、ひとり理科だけの問題ではないというように思える。

○ 原始人は現在以上に自然の猛威にさらされていたに違いない。その猛威から身を守って生き残るためには、自然についての経験を知識として積み重ね、それをもとにして、どう対処するかを正しく判断することが必要であったであろう。

したがって当時はそれはごく素朴なものであったとは思うが、合理的な判断ができるかどうか、またその合理性の程度がどうかということが直接生死につながっていたと思われる。

またそうした社会ほど迷信の多いことも事実で、それで不必要な誤った恐怖のために身を誤つた例も多かったと思う。ただ事実を事実として正しく受けとることに少しでもすぐれたものが、いわゆる生物界全般に通ずる原則の〝適者〟として生命を全うしたに違いないことは想像に難くない。

もちろん現在の文明社会は、当時のそれとは著しく違っているが根本的に全く違っているとは思われない、身近な衣、食、住の生活面でも、高次な精神的、情緒的な生活の面においても科学的思考にもとづいているかどうかによつて、個人の生活の幸福と安定の度合がきまると思う。

さらに生産面では、大規模な機械化された生産様式がとられ絶えず生産の能率化が問題にされている。このような状態のもとでは、管理の面でも、作業の面でも科学技術、科学的思考の裏づけなしではじゅうぶんにその機能の発揮はできない。

○ こう考えてくると近代生活においては、個人の生活を中心にとって見ても、また社会生活について見ても科学的思考の必要性は少しも減じないばかりか、社会機構が複雑化されればされる程、それだけ強く要求されることになる。

しかも一部が生き残り、他はふり捨てることのできた原始社会と異なり、こうした状態で放置することの許されない現代では、特に教育によってのみこういつたことは解決される。

教育の目標はいろいろ述べられるのであるが、究極のねらいはここになくてはならないはずである。そのために理科教育ではいうまでもなく、教育全般にわたって科学的思考力をのばすという仕事が、重大な責任として自覚されると思うがどうだろうか。

自営者の養成と確保

高校の農業教育改善策
――文部広報第379号より――

1 答申までのいきさつ

昭年38年10月19日中央産業教育審議会第86回総会において,文部大臣から高等学校における農業自営者の養成および確保のための農業教育の改善方策について諮問が行なわれた。審議会は専門委員会を設けてこれを検討することとし,審議会委員から5人ほかに専門委員5人計10人をもって専門委員会を構成した。

この委員会は,磯部秀俊氏を主査とし,同年12月以降39年3月にわたって,6回の協議会,専門委員会を開催し,さらに数回にわたる主査を中心とする連絡会を開き,39年3月一応の成案を得て,4月20日中央産業教育審議会第87回総会において決定され,同日菊池豊三郎会長から文部大臣に答申されたものである。

2 答申の要旨

答申は,本文と付記とから構成されている。

本文は「前文」「基本方針」「改善すべき事項」「国および地方公共団体の施策」からなっている。

その要旨は,農業自営者の養成と確保の重要性を述べ,高等学校における自営者養成の教育は,少なくも,将来の自立経営農業を担当するのにふさわしい青少年を養成し確保するという立場から,その改善充実を図ることとしている。

そのおもな改善点は

(1) 農業自営者を養成する学科は,その名称のように目的に徹した教育を行なうこと。

(2) この学科の教育の能率と効果をいっそう高めること。

(3) 教育法の改善,特に農業実習と生徒指導を充実強化することとし,これに必要な農場と寄宿舎の整備拡充を図ること。

(4) 国および地方公共団体は,上記の改善に必要な施策を総合的に講ずることとし,特に国は必要な経費を大幅に助成することなどである。

付記は,本文が高等学校教育中心の改善施策になっているので,これを広く農業自営者の養成および確保という立場からみると,このほかに社会教育施策も必要であろうし,農林行政施策はもちろん労働厚生その他の施策が伴わないとじゅうぶん成果をあげがたいので,本文の改善施策の実施にあたっては,関係行政機関と密接な連係を図って必要な施策を構ずるよう申し添えたいものである。

3 答申と農業自営者養成教育の現状

農家出身の青少年教育あるいは農村人口問題という立場からみると,昭和30年ごろまでは農家の二,三男就職対策が農業自営者養成対策とともに重要な施策になっていた。

このため,農山村部にも商工業の高等学校を設けたり,一方農業高等学校にも農業土木科,農産製造科などの農業関連産業に就職する者を養成する学科を増設する要望が強かった。

ところが**第1表**および**図表**でみられるよ

うに，昭年28年以降農業につく新規学卒者が急激に減少し，36年度を境として横ばい状態にはいっている。

第1表 新規学卒農業就業者（中・高卒）と農業人口補充率

	新規農業就業者実数	性別		学歴別		農家戸数を600万戸とした場合	
		男	女	中学卒	高校卒	補充率（男女計）	同左（男子）
	千人	千人	千人	千人	千人	%	%
25年3月卒	439	233	207	414	25	110	117
26 〃	432	224	207	391	40	108	112
27 〃	420	217	203	363	57	105	109
28 〃	286	162	124	244	42	72	81
29 〃	233	135	98	186	48	58	68
30 〃	263	148	114	205	58	66	74
31 〃	252	145	107	193	58	63	73
32 〃	220	127	92	170	50	55	64
33 〃	185	108	77	139	46	46	54
34 〃	166	99	67	119	46	42	50
35 〃	127	78	49	84	42	32	39
36 〃	76	48	28	43.5	32.5	19	24
37 〃	81	51	30	55	26	20	25
38 〃	90	57	33	64	26	23	29

（注）新規農業就業者は「学校基本調査」による。

第2表 高等学校の農業学科をおく学校数

区分	単独制	総合制	合計
全日制	150	333	483
定時制	137	147	284
合計	287	480	767

（注）昭和37,5,1現在（文部省学校基本調査）とし本校数を示す。

したがって，昭和三十三年前後から，新規学校卒業者の就農のための教育その他が一つの社会問題として卑論にのぼったので ある。

こうしたことから中央産業教育審議会では昭和三十六年農業基本法制定を機会に，「農業の近代化に即応する高等学校農業教育の改善方策について（建議）」を文部大臣に提出した。

第3表 高等学校農業学科卒業者産業別就職状況

年度	卒業者総数	農業 %	林業および狩猟業	(付)製造業 %
28	51,961	24,234(61.6)	528	4,799(12.2)
29	54,153	27,737(66.1)	551	3,942(9.4)
30	56,891	28,514(63.0)	588	5,511(12.2)
31	53,976	25,862(55.3)	615	8,295(17.8)
32	45,207	24,953(54.1)	690	6,881(14.9)
33	59,024	26,746(52.9)	644	8,932(17.7)
34	62,588	25,643(46.4)	666	13,345(24.1)
36	63,353	21,270(37.2)	636	17,822(31.2)
37	23,639	17,733(30.8)	570	19,331(33.5)
38	62,438	17,197(30.5)	639	15,218(27.0)

（注）文部省学校基本調査（農林製造業）以外は省略

これを受けた文部省は，昭和37年1月，高等学校農業教育近代化実施要綱（初等中等教育局職業教育課）を作成，37年度予算に「高等学校農業教育近代化促進費」を計上，各都道府県や学校法人の行なう農業教育の改善を促進することにした。

この結果，近代化促進費補助金の交付を受けた学校は，昭和37年度97校，38年度80校39年度は81校（予定）で総数260校に及ぼうとしている。

これらの学校は，その学校に設けられている農業学科について各三か年計画で改善充実計画を立て着々実積をあげている。

しかし，以上の学校は **第2表**のように全日制の農業学科を置く高校数の約半数に相当している。

こうした措置をとりつつあるにもかかわらず，卒業生の就農率はなお低く **第3表**のように全卒業生の30%程度となっている。

これを農業に関する学科のうち農業自営者養成を目的とする農業科，園芸科，畜産科，生活科，（農村家庭科改称）の卒業生だけでみても， **第4表**のように，要兼業あわせて就農者は，昭和38年度に36%農業関連産業就職者および農業関係大学進学者をあわせても約50%前後である。

そこで近代化促進費の交付を受けない2分の1の学校はもちろんこれを受けつつある学校についても，農業自営者の養成という立場から再検討の上，緊急に改善充実を図る必要に迫られている。

このため，昭和37年夏にわたる一か年間当時の文部政務次官司会のもとに，文部農林両省の関係局課長による協議懇談会を十余回にわたって開催し，両省の緊密な関係のもとに具体的対策を検討したのであった。

農業の近代化を推進するためには，農業者の資質としても少なくも高等学校卒業程度以上の能力が必要であること。

現在高等学校を卒業して就農する者のうち，男子の80%，女子の約30%が農業高等学校卒業者である。したがって，農業自営者の養成と確保に際してはまず農業高等学校における農業自営者養成について，画期的な改善策を講ずる必要があること。

農業自営者の養成と確保

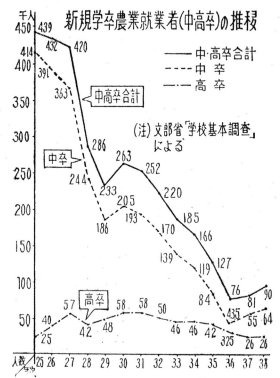

- 50 -

特にその養成数については，将来の農業の動向等をじゅうぶん考慮して決定することとし，現在の農業自営者養成学科の毎年度入学者，男子4万5千人，女子1万5千人計6万人（（全日制，定時制合計）について，まずその就農率を高める方策を講ずる必要があること。

教育内容方法等については，特に農業実習と生活指導について刷新する必要があることなどであった。

こうした過程を経て，昭和38年秋の諮問となったのである。

答申の改善施策のおもな点は，次のとおりである。

4 目的に徹した教育を行なうための施策

農業自営者を養成する学科である農業科園芸科，畜産科，生活科およびこれに準ずる学科は，いっそう目標に徹した教育を行なうことを，改善点の第一に取り上げている。

最近入学後農業志望を変更して他産業に就職を希望する生徒の多い学校が増加し，このため，学校が本来の目的である自営者養成の教育に徹しきれないことが問題になっている。このため

第一に農業自営者養成学科の生徒募集にあたっては，学校はその学科の教育目標を学区内の中学校等に周知徹底し，真に農業を志望する者を入学志願させること。

第二に入学志願者選抜に際して学校が志願者の農業志望が確実なことを確認できるよう必要な措置を講ずること。

第三に必要に応じ農業自営者養成学科を置く農業高校に専攻科を設けること。これは今後農業の近代化が進むに従い，さらに高い資質を必要とする農業自営者のため，必要に応じて設けることにしている。

第四にこのほか全施策が目標に徹した教育を行なう，という立場から述べられている。

5 教育の能率と効果を高めるための施策

農業自営者養成学科を卒業する者の就農率は，さきに述べたように現在40％弱である。

これは，教育の能率からみても効果からみても低率である。

その原因はいろいろあるが。これを教育という範囲でみると，これらの学科の生徒数，学科数，学校数にも原因があろうし，学校が総合制で農業学科からみると小規模なものの多いことにも原因があろう。

さきに述べたように，農業自営者養成学科に毎年入学する生徒数は，男子でみると4万5千人だから，80％が就農する場合は，所得倍増計画の際農業小委員会が推定した，昭和45年度の自立経営農家数百万の男子後継者は確保できることになる。

したがって，現在の農業自営者養成学科卒業生の就農率を現在の2倍に高めることが緊急を要する改善施策になる。

その過程で，各地域ごとに今後の農業の動向等を勘案して，少なくも自立経営農業を担当するのにふさわしい人材を，資質的にも人数的にも養成することとしている。

このため農業自営者を養成する学科を置く高校は，なるべく単独化し，それらの学科について一学年4学級程度の適正規模にして，この教育の充実改善を図るのが答申の趣旨である。

このようなことはすでに数年前から各都道府県教育委員が着々実施または計画中の

ことであるから、この答申を契機にこれを促進することとなろう。

六　農業実習と生徒指導の改善充実施策

　農業自営者養成学科の教育内容と指導法およびこれに必要な施設設備には改善すべき点が多い。

　このうち答申では、農場実習と生徒指導の改善充実を早急に措置するよう述べている。

　農場実習に必要な農地を例に現状を述べると、かって国民の食糧自給政策と自作農創設政策を図った明治、大正時代でも、学校農場の適正面積の基準は生徒一人当たり二・五アール程度であった。

　ところが第二次世界大戦後高等学校となり、生徒数は増加したが、農場の拡張がこれに伴わなかったため、現在大正時代の基準で計算してみても、その面積を確保している学校は全学校の一割程度にすぎない。

　こうした中で農業の近代化に直面して、それに必要な多頭羽飼育実習、機械化体系による栽培実習を行なうこととなり、これらに支障をきたしている。

　生徒が入学後志望を変更して商工業に就職を志望する原因にはいろいろあるが、上記のような実習の方法や農場の欠陥にも原因がある。

　以上は農地の一例であるが、このほか実習の内容方法、施設設備には問題が多い。

　そこで、充実した実習指導を行なうとともに、農業者として必要な協同、自律、責任を重んずる態度を養い、濃密な個人指導を徹底するため、寄宿舎による宿泊を伴う教育を充実することとなった。

　すでに学校農場の農地面積確保とその集団化、施設設備の充実はさきに農業教育近代化促進費を計上してその充実を図る際、教育的な適正規模の例を示して充実に努めてきたが、今回はこれをいっそう促進するよう答申されている。

　また寄宿舎については、さきの「建議」でも言及されているが、これは現在行なわれている農場当番による宿泊実習の充実のほか、学校の統合に伴う通学の便宜を考慮したものであった。

　今回は、通学上の便宜よりも、農業教育の特性を考えて、その教育的必要から寄宿舎の必要を力説しているのが特徴である。

　　　　　×　　　×　　　×

　以上答申のあらましであるが文部省では昭和３９年度予算として農業自営者を養成するための農業高等学校の整備拡充費２億１０００万円を計上し、この答申の趣旨を生かした農業教育の改善を実践に移すことにしている。この補助金は一校当たり４３００百万円程度（三分の一補助）で農場の大形農業機械、大家畜種畜、農場建物、３００人収容寄宿舎建設費である。

　すでに岩手、宮城、新潟、宮崎、鹿児島の五県五校が内定し、新潟、鹿児島両県では一、二年生の全寮制による教育が始められており、その他の学校では寄宿舎の整備をまって実践にはいることになっている。

　以上のように、答申内容の一部はすでに実践されているのでこの答申を契機にその成果を早急に実践に移して、高等学校における農業自営者の養成および確保という社会の要請にじゅうぶんこたえたい。

第4表 農業自営者を養成する学科の生徒の卒業後の年度別進路状況

(卒業年の6月1日現在)

区　分	男女別	36年3月卒業者		37年3月卒業者		38年3月卒業者	
		人	%	人	%	人	%
卒業者総数	計	47,523	(100)	48,305	(100)	48,024	(100)
	男	36,012		37,489		37,131	
	女	11,511		10,816		10,893	
自営者として農業に従事した者	計	17,541	(37)	15,497	(32)	14,480	(30)
	男	14,744		13,134		12,265	
	女	2,797		2,363		2,215	
自営者として農業に従事するほか，他に職業をもった者	計	2,905	(6)	2,843	(6)	2,879	(6)
	男	2,347		2,256		2,340	
	女	558		587		539	
農業につかなかった者　計	計	27,077	(57)	29,965	(62)	30,665	(64)
	男	18,921		22,099		22,526	
	女	8,156		7,866		8,139	
農業関連の職業についた者	計	5,806	(12)	6,087	(13)	6,243	(13)
	男	4,979		5,162		5,297	
	女	827		925		946	
農業関連以外の職業についた者	計	18,360	(39)	20,922	(43)	20,035	(42)
	男	11,996		14,814		13,819	
	女	6,364		6,108		6,216	
農業関係の大学（短大）に進学した者	計	962	(2)	1,208	(2)	1,316	(3)
	男	938		1,156		1,272	
	女	24		52		44	
農業関係以外の大学（短大）に進学した者	計	661	(1)	822	(2)	849	(2)
	男	454		562		554	
	女	207		260		295	
その他	計	1,288	(3)	926	(2)	2,222	(4)
	男	554		405		1,584	
	女	734		521		638	

(注) 1　本表にいう「自営者」の中には，自営農業の家族労働に従事する者を含めた。
　　 2　山形県，茨城県，東京都は未回答のため，集計から除いた。

伸びるテレビの利用

ラジオの普及率94％以上

―文部広報 No 378より―

文部省では，小・中学校においてテレビ・ラジオ・映画等がどの程度利用されているかを明らかにする目的で，昭和36年度に宮城・千葉・新潟・愛知・広島の5県で全数調査を実施したが，37年度も同じ目的で青森・福井・奈良・大分の4県の全部の小・中学校を対象とする調査を行なった。37年度に青森・福井・奈良・大分の4県を調査対象として選んだのは，一つには前年度の調査県との関係を考えて，調査が全国的な広がりをもつようにしたことと，いま一つには，前年度の調査県はこれまでの調査結果からみると，視聴覚関係では全国的に高い水準にあるので，この年度はむしろ平均的な地方，あるいはそれ以下と考えられている地方の実情を明らかにしよ うと考えたからである。調査は，調査票方式により，教育委員会を通じて昭和38年1月に実施し，95.6％の回答を得た。結果の要点をあげると次のとおりである。

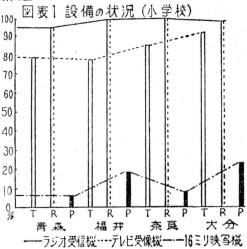

図表1 設備の状況（小学校）

――ラジオ受信機 ‥‥テレビ受像機 ━━16ミリ映写機

平素多く使用する視聴覚教材

まず，各学校で平素多く使用している視聴覚教材を，それぞれ5種類あげてもらって集計した結果をみると，小学校では，**スライド・テレビ・地図・掛け図・ラジオ**が，中学校では，**地図・掛け図・レコード・スライド・録音**が上位を占めている。このことから小学校では近代的視覚教材であるスライドやテレビが広く利用されているのに対して，中学校では伝統的な地図・掛け図が依然として主役を演じていて，より大きい教育効果が期待できる新しい教材の利用はあまり普及していないことがわかる。

設備の状況

視聴覚教材の中で，特にテレビ，ラジオおよび16ミリ映画の利用に必要な設備が，小学校でどの程度整備されているかを示すのが図表1である。

これによると，ラジオの受信機はいずれの県でも94％を越えていてるほとんどの学校に普及しているとみることができる。その機種を検討すると，ラジオ受信と校内拡声に兼用できる全校式装置が75～90％と圧倒的に多数を占めている。

テレビ受像機も，77～91％と多くの学校に行き渡っていて，テレビの歴史が浅いことと，設備に相当の経費を要することから考えると，著しい普及ぶりを示しつつあるということができる。

ただし16ミリ映写機の普及状況は，ラジ

オ，テレビに比べてきわめて低調である。4県とも全国平均所有率の26.5%を下回っていて，特に，青森・奈良県では10%を割っている。しかも最近一年間の伸びもほとんど停滞している。これに対して，表には示さなかったが，8ミリ映写機が21～25%と16ミリ以上に普及しており，最近一年間にも相当増加していることは新しい傾向として注目される。

中学校の設備状況は，小学校に比べてテレビ受像機の普及が73～82%とやや下回り，また16ミリ映写機が奈良県以外下回っているほかは，だいたい同じ傾向にあるといえる。

テレビの保育率

ところで，テレビを各学級の学習に利用するためには，学級数に応じた台数の受像機を必要とする。そこで，学校ごとに学級数に対する台数の比率を求めて集計したものを示したのが図表2である。

テレビを各学級が計画的に学習に利用するためには，最低限小学校では全学級の$\frac{1}{6}$，中学校では1/3の台数の受像機が必要であると考えられるが，小学校については4県とも半数以上がこの条件にかなっている。これは前年度調査の5県をはるかに上回っていて，この一年間の受像機の急速な伸びがうかがわれる。4県ともに，全学級にテレビを備えている学校が相当数あることも注目される。

これに対して，中学校の保有率は小学校よりもはるかに低い。特に，必要最小限である学級数の1/3以上の台数を備えている学校は10～30%となお小範囲に限られている。

テレビ学校放送の利用状況

図表3は，小学校5年と中学校2年生について，学級単位に調べたテレ学校放送の

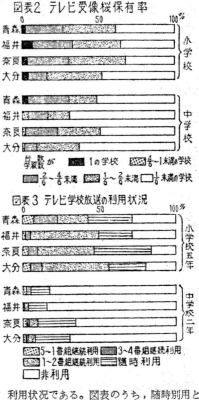

利用状況である。図表のうち，随時別用というのは利用の回数等がはっきりしないものであるから，テレビを計画的に学習に利用しているのは継続利用として示されているものと考えるのが適当であろう。

これによると小学校では最低の青森でも40%以上，大分県では50%以上の学級が，毎週いくつかの番組を学習に利用している。このような利用率は，他の視聴覚教材には見られなかったことであり，また，この利用率は前年度調査よりも高くなっていて，総合的に判断すると，小学校でのテレビの利用が最近著しく進みつつあることがわかる。

ただし，中学校における利用は小学校に

比べてまったく低調である。これは，中学校では視聴覚教材に対する関心が全般的に薄いこと，時間的制約のあるテレビは教科担任制のもとでは利用しにくいことなどに原因があると考えられる。いずれにしても，受像機を備えながらこれを利用しない学校が相当あるのは，一考すべきであろう。テレビは，理科，社会での利用が多い。

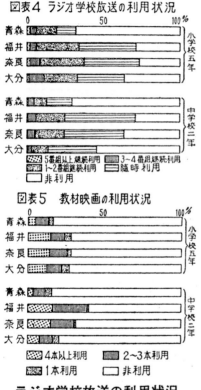

図表4 ラジオ学校放送の利用状況

図表5 教材映画の利用状況

ラジオ学校放送の利用状況

図表4は，テレビの場合と同じ方法で求めたラジオ学校放送の利用状況である。全体的にラジオの利用も相当に盛んである。この表から，第一に気づくことは，ラジオの利用度には相当大きい地域差があることである。最も多く利用している県の利用率はそうでない県のほとんど二倍に達している。また，一般に視聴覚教材は設備がないから利用できないといわれることが多いが前に明らかにしたように，ラジオの受信設備はどの県でもほとんどすべての学校に行き渡っていることを考えると，必ずしも設備の不備だけが唯一の理由でないこともこの表からうかがわれる。

第二は，小学校におけるラジオの利用はテレビの利用より少ないが，中学校では，逆にラジオのほうがテレビよりも多く利用されている。これはラジオのほうが機械的制約を克服して，教科担任制のもとで使いやすい条件を備えているためと考えられる。ラジオは，国語，音楽，英語，道徳での利用が多い。

教材映画利用状況

テレビ・ラジオの利用率に比べて，教材映画の利用率はきわめて低い。調査日までの半年間に，小学校5年と中学校2年で，学級単位に教材映画を利用した状況を示すのが図表5である。これによると，最も多い県でも四〇％程度である。しかも，半年間の利用本数が数本以内であるから，テレビに比べると，実質的な利用度は著しく低いわけである。

このような結果は，映写機の普及率からも容易に想像されるところであるが，教材映画についてはなお，フィルムの入手方法操作技術の研修など，その普及のためには解決しなければならない幾多の問題が残されている。

ただし，図表から中学校での利用が小学校以上に多いことから映画の独自の必要性がうかがわれるし，またフィルム一本だけ利用した学校よりも，2～3本あるいはそれ以上利用した学校が多いことから，利用体制ができあがると，教材映画の利用も盛んになることが予想される。

― あ と が き ―

※あわただしい年度末を迎える。64会計年度はとうとう仕事に追いまくられて過ごしてしまった。

※本号は教育財政のあらましと，公立小中学校教員調査の概況をお知らせすることにした。何れも当課の行なっている指定統計の調査結課によるものである。

※教員の確保，適正配置は教育行政上最も重要なことの一つである。教員養成や教員の資質の向上のために長期計画をたてその実現のために努力していることは当然のことである。調査の結査から見ると今後努めねばならない問題は少なくない。それ等は教育行政者だけでなく，学校経営の常にあたる者の積極的かつ計画的指導が要請される場合が多いと思う。

※教育研究課の行なった家庭環境調査の結果を解説してもらった。調査対象は任意抽出であるが，沖縄の一般的な姿を表わしているとうけとめてよいであろう。教職員の皆さんの参考に供したい。

※全琉校長研修会の時に発表された，山内中学校長当間嗣永先生，百名小学校長中村直雄先生の発表文を掲載した。また全琉社会教育研修総合大会の席上「教育隣組」の実銭の概況を発表された上地信子さんの発表文も併せて紹介した。

※第25回研究教員の諸氏は既に配属先に落ちつき，研修をすゝめつつある由。幾人かの方から便りをいただいた。富山へ派遣された田場亀雄先生はとくに文教時報掲載のために原稿をよせられたので，ご紹介したい。

一九六四年六月二四日 印刷
一九六四年六月二五日 発行

文教時報（第八八号）

非売品

発行所　琉球政府文教局調査広報課

印刷所　若松印刷所

電話 ⑧ 一四四四番

文教時報

№. 89   64/8

特　集……1965年度文教局予算解説

琉球政府・文教局・調査広報課

も　く　じ

*No.*89

特集………1965年度文教局予算解説

はしがき………………………………………安谷屋玄信……1
1　文教施設及び設備備品の充実………………………………4
2　教職員の待遇改善と資質の向上……………………………6
3　地方教育財政の強化と指導援助の拡充……………………8
4　教育の機会均等……………………………………………10
5　特殊教育の振興……………………………………………12
6　高等学校生徒の急増対策…………………………………12
7　産業科学技術教育の振興…………………………………13
8　学力向上と生活指導の強化………………………………14
9　育英事業の拡充……………………………………………16
10　保健体育の振興……………………………………………18
11　社会教育の振興……………………………………………21
12　文化財保護事業の振興……………………………………23
13　琉球歴史資料編集と県史編さん…………………………24
14　琉球大学の充実……………………………………………25
15　補助金の執行は愼重に－手続上守ることがら…………33

　　　　　　表紙　　沖縄工業高校　保志門繁教諭

まえがき

文教局調査広報課長 安谷屋玄信

1 教育投資

　最近，日本における高度経済成長が世界注視の的になり，数年後には西欧の水準に達するであろうと推測されている。極東の資源少き島国日本が，戦災を復興し，さらにこのような繁栄を示したことは，世界の窓から見ればたしかに奇跡に近いものであろう。

　しかし，日本経済のこのような高度成長の力となったものは，明治初期以降，政府及び地方公共団体が投資した巨大な国民教育資本の蓄積であることに，多くの識者が目を向けるようになって，教育費は従来ややもすれば単なる消費的経費であるという考え方から一転して最も有効確実な実のり多き資本形成であるという考え方にかわってきた。

　世界の国々，特に最近アジア地域の新興諸国が，日本の教育資本の歴史とその巨大さを学びとり，自国の教育投資に特別の努力をつづけつつあることは注目に価する。

2 国民所得

　1963年度における沖縄の分配国民所得は，「沖縄経済の現状……政府計画局編」によれば，2億4千6万弗に達し，1962年度に比べて19％の成長率を示したと報じられている。この成長率は，たしかにアジア諸国の間では最も高い成長率であろうが，しかし国民所得を住民1人当り額にして，本土の県民1人当り県民所得と比べると，これまたずっと下位群に属していることにも注目して，沖縄の経済の現状と将来を考える必要がある。

　ともあれ，このような成長率で予測すると，1965年度の沖縄の国民所得は3億弗を上廻る数字を示すものと思われる。ここに国民所得について述べている理由は，国民所得のうち，その国がどれだけ教育に投資したかということによって，その国の教育に対する熱意と努力を測る目安となる場合が多いからである。経済の繁栄しい国が，それに応じて教育投資を行わなかったとき，また貧しい国が，万難を排して巨額の教育投資を行なったとき，私たちは，その国の将来をある程度予測し得るであろう。

3 1965年度の教育財政規模の予測

　では，1965年度には幾ばくの教育投資が沖縄では行われるであろうか。

文教局才出予算総額	18,704,058弗
	（うち　日政援助 289,514弗　米国援助 2,340,000弗）
地方教育区の支出予想額	2,300,000弗
琉球大学の自己財源額	1,257,211弗
日本政府援助	640,147弗（文教局予算中の289,514弗を含む）
米国政府援助	2,340,000弗
純　　計	23,984,205弗

　以上の金額は，公的な教育費であるが，この外に父兄の負担する私費的教育費が，従

来の実績からみれば，70万弗を超えるものと思われる。さらに学校給食用リパック物資が，時価約150万弗に達している。
　これらを総合計すれば，2億7千4百万弗の巨額になると推定されるのであるが，この額は1965年度の国民所得推定額約3億弗の約9.15％に当るものと思われる。

4　国民所得と教育投資

　国民所得は，支出面からみると個人消費と貯蓄と租税とに大別される。この租税の一部は，国及び地方公共団体によって教育に投資され，個人消費の一部も教育費に投資される。一国の国民所得に対する公教育費の比率は，その国の経済発展の段階をあわせ考えるべきであるが世界の主要国のこの比率を次の表でみると教えられるものがある。

各国の一人当り国民所得とこれに対する公教育費の比率

教育費の比率＼1人当り所得	900ドル以上	899～500ドル	499～200ドル	199～100ドル	100ドル以下
5％以上	イギリス ノールウエー	ソ連 フインランド ベルギー オランダ	日本 沖縄		
4％～5％	アメリカ合衆国 カナダ	ドイツ ベネズエラ		セイロン 韓国	
3％～4％	ニュージーランド スウエーデン フランス	オーストラリア イタリア イスラエル		フイリッピン	ビルマ
2％～3％			ユーゴースラビア チリ，トルコ ポルトガル	ペルー タイ	
2％未満			スペイン メキシコ	ガーナ	インド パキスタン インドネシア

　1965年度を迎えて，文教局予算も教育税も大きく前進した。これを前進させたのは日米の援助もさることながら沖縄の財政力であり，それを支える経済力である。
　しかしながら，この経済発展は遇然に終戦後奇蹟的に表われたと思うのは早計であって，われわれの祖先が貧しいながらも長期にわたって教育に投資し，われわれの先輩教育者が情熱を傾け技術をつくして人材を育てた成果とみるべきであろう。
　教育が経済のためにのみ奉仕するかのような書き方になったかも知れないが，真の福祉社会は，これまた健康な国民の魂によってこそ支えられるものであって，教育本来の使命や姿はむしろ経済，社会の指標であるとも考えられる。1965年度の教育行政の規模と内容を示した1965年度の文教局予算が，この文教時報によって詳しく，現場及び教育の行政をする皆さんに報道されることを喜ぶとともに，これらの予算が有効確実に運用されることを心から希う次第である。

文教局歳出予算のあらまし

1965年度の琉球政府一般会計歳出予算の総額は **57,207,763弗** 上記の額のうち文教局歳出予算総額は **18,704,058弗** である。

したがって，文教局予算総額は琉球政府予算総額の **32.69%** を占めている。これを前年度の当初予算額16,640,998弗と較べると 2,063,060弗の増で約12.4%の増，補正後の16,312,594弗と較べて 2,391,464弗の増で約14.7%の増となっている。

文教局予算を事項別に分けて示すと，次のようになっている。

事　項	予算額	構成比
	弗	%
総　　　額	18,704,058	100.0
文　教　局	17,461,928	93.4
琉　球　大　学	1,206,825	6.4
文化財保護委員会	35,305	0.2

琉球大学補助，文化財保護関係を除いた文教局の才出予算額17,461,928弗を支出項目別に内訳を前年度と比較して示すと次の表のとおりである。また，下図は65年度の各支出項目別構成比を図で示したものである。

支出項目別内訳

(単位：弗)

事　項	65年度	前年度 当初	前年度 補正後	比較増 当初	比較増 補正後
総　　　額	17,461,928	15,526,587	15,188,183	1,935,341	2,273,745
A 消費的支出	14,026,361	12,397,960	12,292,700	1,628,401	1,733,661
1 教職員の給与	11,866,915	10,535,825	10,525,449	1,331,090	1,341,466
2 その他の消費的支出	2,159,446	1,862,135	1,767,251	297,311	392,195
B 資本的支出	3,435,567	3,128,627	2,895,483	306,940	540,084
1 学校建設費	2,077,702	2,073,424	1,973,424	4,278	104,278
2 その他の資本的支出	1,357,865	1,055,203	922,059	302,662	435,806

上の表及び図よりみると文化財・大学関係予算を除く総額の2/3に当る額は教職員の給与費となっており，学校建設費の12.5%を加えると80%が義務経費に支出されることになる。

一方，この額を教育分野別に示せば次の表のとおりとなる。

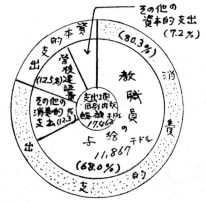

教育分野	予算額	構成比
文教局才出予算額 （除文化財・大学関係予算）	17,461,928弗	100.0
学　校　教　育　費	16,041,196	91.9
幼　　稚　　園	15,868	0.1
小　　学　　校	6,842,495	39.2
中　　学　　校	5,299,453	30.4
特　殊　学　校	126,315	0.7
高　等　学　校	3,401,935	19.5
そ　　の　　他	355,130	2.0
社　会　教　育　費	414,174	2.4
教　育　行　政　費	829,386	4.7
育　英　事　業　費	177,172	1.0

注（学校教育費のその他は産業技術学校）

学校教育費の占める予算は全体の90％以上を示しており，この中の義務教育諸学校に要する経費は全体の70％ととなっている。

文教施設及び設備備品の充実

(1) 学校建設の推進

教育諸条件の整備中，特に校舎建築については，教育委員会法第136条により，経費の全額補助が義務づけられている。これによって，よい校舎の建築が文教政策の原則として，その実現に毎年最大の努力が払われてきた。

しかしながら，不足教室の充足については，未だ充分とは言えなかった。

1965年会計年度において充足すべき教室数は，64年4月の不足が小学校19教室，中学校62教室，計81教室，更に65年4月の学級増によって，小学校18教室，中学校65教室計83教室で164教室が充足対象の教室となっている。

これに対し，本年度予算での計画は，小学校で普通教室12教室，その他の教室16教室，中学校で普通教室119教室，その他の教室42教室となっている。教室以外の施設としては，管理室，給食室，便所，教室の改築，改装，へき地教員住宅，寄宿舎，給水施設の予算が計上されている。

管理室と改装は本年度から新しく予算化された施設内容であり，寄宿舎は学校統合による施設の一端である。

施設補助金の本年度予算額は 1,014,748 弗で昨年度予算額より 226,662弗の減となっている。

アメリカ援助資金については，昨年，施設補助に508,600弗施設費（政府立）に241,400弗が計上されていた。本年度期待額は，800,000弗で全額政府立の施設費となっている。

政府立の高校その他の教育機関の校舎施設については，高校生徒の急増対策として普通高校，商業高校，なお産業技術学校の新築による緩和と，既設高校の不足教室の充足が計画されている。

本年度既設高校の施設整備の計画は，普

通教室の充足に64教室, 特別教室に15教室, その他実習室, 給食室, 便所, 建物の改築, 改装, その他の諸施設費が計上されている。

予算額においては, 昨年度697,189弗であったが, 本年度1,046,532弗で349,343弗の増となっているが, 800,000弗がアメリカ援助資金となっているので, 琉球政府負担額は, 246,532弗である。

これによって, 1965会計年度における校舎の保有面積は, 政府補助の校舎だけで小学校78.30%, 中学校69.79%, 高校62.6%の達成計画である。

本土における校舎整備の状況は, 1962年度資料によると, 小学校140%, 中学校108%, 高校109%である。

更に1人当り基準面積の算定については, 沖縄では1963年12月から, 小中校の暫定最低基準の引上げを行い, 小学校2.97m^2 (0.9坪), 中学校3.564m^2 (1.08坪) としたのであるが, 文部省は従来のこの基準を更に引上げ, 1964年3月から, 学級対応の教室数に基準をおく助成基準の改訂が行なわれている。

(2) 社会教育施設の充実強化

博物館建設は, 1964年度に予定されていたが, 設計図の調整で建設がおくれ, 1966年10月上旬旧尚家跡に新館建設工事 (鉄筋コンクリート建824坪) の着工をすることになった。

この建設の資金は, 米国援助316,925弗, 琉球政府55,913弗が充当されることになっている。

1963年度着工した中央図書館 (主席公社西側) は3階建 (542坪) の内, 現在180坪の1階工事が完了し, 1965年度はその内部備品の充実をはかり, 奉仕活動を強化する方針である。なお教育隣組単位に巡回文庫を開設して読書活動の普及をはかりたい。

視聴覚教育は, 視聴覚機材取扱技術の養成を各連合区ごとに行い視聴覚教育の伸展をはかると共に備品の充実 (特に青少年向, 教育隣組向, 映画フイルム, スライド) をはかる計画で, 各連合区及び区教育委員会を通じて貸出利用に供する。

公民館は社会教育センターとして, 地域社会における生活文化の向上発展に対処するため, 問題解決学習に要する運営補助金と設備を充実させるための施設補助金とで, 1館平均約32弗程度交付する予定である。

なお64年度から始められた日政援助による公民館の図書充実費が本年度は前年度に上まわる42,533弗の援助費が計上されたことは, 育成途上にある今日の公民館の図書活動が一層充実するものと期待される。

(3) 文教施設用地の確保

政府立の学校, その他の教育機関の建物敷地, 運動場, 実習地等については, 校舎と同様, 教育施設の基本的施設であるので, 借地の解消と, 基準面積に対する不足面積の充足に, 努力してきたが, 多額な資金が必要であるうえに, 毎年の地価の上昇は, 解決の困難さを伴う問題となっている。

政府立の学校の校舎敷地で基準に達しない学校が12校で, その保有率の最低の学校は28.34%となっている。運動場で14校, 最低保有率が46.9%, 実習地で4校, 保有率の最低の学校は24.9%となっている現状である。

本年度土地購入費は拡張と新規購入をあわせて, 282,766弗の予算が計上されている。

この文教局関係土地購入費は, 行政府土地購入費金額の74%を占める予算で昨年度購入費より109,868弗の増である。

(4) 設備備品の充実

小, 中, 高校の机, 腰掛の整備充実のための経費として1963年度に米国政府から10

0,000ドルの支出があり，うち 89,250ドルが小，中校の分として算定された。この額は，小，中校の全生徒に対して7.54%にあたる額である。

　これが今回（1965年度予算）の予算で150,000ドルが予定されており，そのうち，小，中校分として130,000ドルを算定している。この額では小，中校の全生徒に対して12.89%にあたり，前年度の分と合わせて20.43%の達成率となる。

　小，中校の教科備品の充実についてはこれまでも多額の予算が投入されてきたが，新しい学習指導要領の内容は，学校における教材教具を整備充実することによって，より効果的に指導ができるようになっている。政府は1953年度から1964年度までに388,175弗を小，中校の教材教具の充実のために支出している。さらに各教育区，PT・A等はその間に約560,694弗の支出を

なし，これらの支出に本土募金 180,000弗の支出を合わせると，1,128,869弗 の支出となる。この額は，中央教育委員会できめた教科備品基準総額 7,223,968弗に対して15.62% の達成率である。しかしながら，備品の破損消耗等を考えると，実際の備品保有はさらに下回るであろう。

　今年度（1965年度）の文教予算に計上されている教科備品充実費は，56,000弗で，これに従来の実績にてらして，教育区，PT・A等の推計負担額93,000弗を合わせると，総支出額は，1,277,869弗 となり，基準総額に対して17.68% の達成率になり，わずか2%しか上昇しえないことになる。このように教科備品の充実は急務中にもかかわらず財政のわくによって制限を受ける結果になり，今後の抜本的な対策が必要である。

教職員の待遇改善と資質の向上

　教職員の定数の確保は，直接学級編制につながるものであり，更には教室数との関係があり教育予算の大部分を占める重要な要素をもっている。またこれら教職員の待遇の適正化及び資質の向上は，教育の向上進歩に欠くべからざる点であるので，政府としてはたえずこの問題を重視し，格段の努力をはらっている。次にこれらの問題について述べる。

(1) 学級編制基準の改善と教員数の確保

　1学級に収容する児童生徒の数と，それを指導する教員の数は，教育の基本的条件で極めて重要な要素である。

　1963年4月から「公立小学校及び中学校の学級編制及び教職員定数の算定基準（1962年中教委規則第29号）」によって大巾に改善し，施行してきたが，1964学年度においては，小学校児童の減少と中学校生徒の増員に伴なって次表のような措置をとった。

区分	児童生徒数			学級数			教員数		
	1963学年	1964学年	増△減	1963学年	1964学年	増△減	1963学年	1964学年	増△減
小学校	159,661	155,018	△ 4,643	3,590	3,557	△ 33	4,016	3,978	△ 38
中学校	77,792	81,612	3,820	1,708	1,781	73	2,623	2,713	80
計	237,453	236,630	△ 823	5,298	5,338	40	6,639	6,691	52

前頁の表で見るとおり，小学校においては4,643人の減少である。これはおよそ120学級の減となるが，大規模学校の1学級当り収容人員を緩和することによって，33学級の減にとどめ，教員数も38人の減にとどめた。つまり結果的にみると，現行の基準の範囲内で改善がなされたことになる。

　中学校の場合は，来年度まで増加の傾向にあるので，今学年は現行基準どおり編制した。

　学級編制の基準の引き下げの問題については，教育関係の各方面で取り上げられているが，小学校においては，1969年次までは減少の傾向を辿り，中学校の場合は1965年をピークとして，1973年までは減少すると推計される。このような下向線を辿る期間において一挙に本土なみの50人以下に引き下げることは，将来において，過剰人員を生み，その為に整理しなければならない状態になると考えられるので除々に改善することが教員数の確保の面からみて得策でありまた免許教科が或る教科によっては偏在している状態を是正する点からも最良の方法と考えられる。

　教員数の確保については，小学校の減員にかかわらず，総数（教員定数算定基準外の教員及び補充教員を含めた数）において，本務教員の52名の増の外に，129人の増となっている。この129人の教員は，特殊学級の増設，養護教諭，中学校技術科補助教諭，及び産休補充，理科研修補充，英語研修補充教員等の増となっている。

(2) 教職員の資質の向上

(イ) 文教局が主催しまたは派遣する研修

　教職員の資質を向上させることは，それが児童生徒に還元され学力の向上に大きな影響を与えるものと考えられる。文教局としては次にあげる講習会，研修会のほかにも，学校の要請によって随時研修を行なっている。

　毎年行なわれる本土講師による夏季認定講習（12回）及び今年度で5回目を迎える文部省派遣教育指導員による講習等の外に，数学教師の不足を解消するための数学教員講習（今年度は150人程度を予定），英語センターを利用する英語教員訓練，理科センターによる理科教員研修，全琉小中学校長研修会，校長を対象にした学校経営研修会，へき地教員研修会，教育相談研修会，中学校技術科（男子，女子）研修会，小学校家庭科，中学校家庭科研修会，特殊教育研修会，職業教育技術研修会，教育課程講習会，教科指導技術研修会，指導主事研修会等を計画しており，それらに要する経費として，およそ1万8千弗の予算を計上してある。

(3) 各種教育団体の育成

　教育長協会，学校長協会をはじめ，実験学校，研究校，農業クラブ，家庭クラブ，沖縄造形教育研修会，気象研究会，生物教育研究会，職業教育研究会，各種教育コンクール，国語教育研究会，沖縄書道教育研究会，等や沖縄教職員会が主催する中央教育研究集会に対して次表の奨励費が計上されている。

各種奨励費内訳

事業名	奨励金
実験学校，研究校奨励費	2,940
農業クラブ 〃	730
家庭クラブ 〃	534
各種教育研究 〃	1,408
職業及科学技術 〃	450
各種教育コンクール競技会 〃	868
教育研究大会 〃（中央教研）	6,000

事　業　名		奨励金
学 校 体 育	〃	7,020
社 会 教 育	〃	3,418
教 育 長 協 会	〃	600
学 校 長 協 会	〃	1,200
学校保健大会	〃	241
計		25,409

地方教育財政の強化と指導援助の拡充

ここ数年来，地方における教育財政のあり方が問題となってきた。これは教育委員会法の定めるところによる教育に要する経費の設置者負担の原則に関して，地方の財政力の強弱の如何が教育基本法に定める教育の機会均等の確保を困難にしつつあるという現象を招来したことによる。即ち日進月歩の勢いで進展していく教育を管理運営していくための財政需要が，その財源である教育税の賦課徴収もしくは住民の担税力との間に著しい不均衡を生じ，そのために教育税の賦課額が市町村税のそれをはるかに上廻っておりながら，なおかつ需要の半分をも満たせないという教育区が近年急速に増加してきた。この事実は教育財政の危機をはらむものとして，その早急な解決を迫られてきており，全琉の教育の責任を負う中央教育委員会及び文教局の大きな課題となっている。

この事については，文教局としては一方ではこの解決のための恒久的措置について検討を行なうとともに火急の策としては教育区財政調整補助金の設定，教育補助金の財政平衡交付の強化等の行政上の手段を講じてきた。

(1) 教育税制度の検討

教育財政の均等化をはかる道は究極的には政府財源による教育区への財政補塡制度の確立にかかっている。もちろん，教員給・校舎建築費等数十種に及ぶ教育補助金が全額補助または一部補助として各教育区に交付されており，その額は毎年文教局総予算の3分の2を上っているが，これらの経費は地方における教育のために必要欠くべからざる最低限の経費であるため，その大部分が地方の財政力の強弱にかかわらず均一に交付されていることは当然のことである。

問題はこれ等以外の一般需要の補塡が現在の補助金制度（教育区財政調整補助金を含めて）の行政運用面の改善のみでは根本的解決策となり得ないほど深刻化している点である。文教局としては，十分なる検討の結果地方教育における財政均衡化を図るためには教育委員会法を改正し，教育税を市町村税に一本化し，市町村交付税の中に教育需要をおり込むことが最良の策である

という結論に達し，これが実現のために法規の改正等について関係諸機関との調整をすすめており，1966会計年度からこれが適用できるようその業務をすすめていきたい。

なお，1965会計年度の教育税については既にその適正額については各教育区に助言を行なってあるが，特に今年度は各教育区における住民の負担力を十分考慮し，いずれの教育区においても教育税の賦課額が市町村税のそれを上廻らないような額として助言額を算定してあるが，各教育区においては教育水準の向上と住民の負担力のバランスという観点に立って十分検討を加え，より適切な教育税が賦課徴収できるよう要望するものである。

(2) 教育区財政調整補助金の継続交付

教育の基準財政需要額の算定にあたっては本土の地方交付税における基準財政需要の積算内容に準拠し，沖縄の特殊性を加味して，その単位費用を次のように定めた。

	小 学 校 費	中 学 校 費	その他の教育費
	ドル	ドル	ドル
1 学校当り経費	1,415.70	1,484.20	―
1 学級当り経費	122.15	165.13	―
児童生徒1人当り経費	2.45	3.30	―
人口1人当り経費	―	―	0.82

これによる全琉教育区における教育費総額は約265万3千弗で，1965年度の教育税収入予定額171万1千弗の30%にあたる分を標準外教育費としてこれを除いた額119万8千弗を基準財政収入額として，教育費総額（財政需要額）からさし引いた額の145万6千弗を補填必要額（不足額）として財政調整補助金必要額の予算計上を要求したのであるが，政府の財源等の都合もあって現実には前年度より6万5千弗増加の22万弗と決定している。

前年度においては，この財政調整補助金によって特に財政力の弱い教育区においては財政面の運用がかなり好転したことと思うが，今年度は金額も一応増加されているので，一層現実に即した算定方法による交付により，この補助金が教育水準の均等化に大きな役割りを果すものと期待される。

(3) 教育補助金の財政平衡交付と教育区行政職員の資質の向上

従来，教育補助金のうち，修繕費補助，旅費補助，社会教育関係補助等は各教育区の財政能力や態容等の差異に応ずるよう測定単位に補正を加えて交付しているが，特に今会計年度は財政能力については教育区財政調整補助金の交付基準と密接な関連をもたすよう考慮し，教育財政の不均衡を是正するよう努めるとともに教育需要の実態に即するようにしたい。

一方，これら財政平衡交付補助金のほかに特定項目については奨励補助の性格をもたしこれによる教育内容の急速な向上をはかりたい。

また，補助金制度の運用面の重要な要素の一つとして，その効果的実績を上げるためこの制度の直接運用に当っている地方教育行政職員の資質の向上があげられる。65年度においては，これらの行政職員の研修を強化することにより予算の効率化を促進していくよう指導援助の拡充をはかりたい。

教育の機会均等

住民がその能力に応じて,ひとしく教育を受ける権利を有することは教育基本法の明示するところである。

この趣旨に基づいて文教局では身体,精神などの障害のあるもののためには特殊教育の推進を図り,あるいは経済的理由によって就学困難なものに対しては就学を援助する措置を講じてきた。

また,交通,文化的条件に恵まれないへき地に対しては,へき地振興法に基づく財政的援助を行ない,その他,働きながら学ぶ勤労青少年に対する定時制教育の振興,私学の育成等,教育の機会均等を目ざして年々力をそそいできた。

(1) へき地教育の振興

へき地教育振興法の趣旨に基づき,へき地教育,文化の向上を目ざして本年度は次のような予算が計上されている。

	$
へき地手当補助金	94,036
へき地教員住宅料補助金	7,870
へき地教育文化備品補助金	10,000
へき地教員養成費	3,480
複式手当補助金	2,532
開拓地学校運営補助	1,768

これらの経費のほかに,教育補助金が教育区の財政能力や人口,交通,地理的条件等によって補正されるので,へき地教育区の負担軽減,財政援助ともなり,結果的にはへき地教育の振興に大いに寄与するものと思料される。

へき地教員の養成については教員志望奨学規程(1953年告示 第139号)の定めるところにより,へき地学校に勤務する教員の養成のため,琉球大学在学生中より募集し,月額10ドルの奨学金を支給し,へき地学校教員の養成をしている。

1964年4月までの卒業者は次のとおりである。

年度	1954	1955	1956	1957	1958	1959
人員	2	19	33	32	27	44
年度	1960	1961	1962	1963	1964	計
人員	39	41	33	25	16	311

予算額の前年度との比較

1964年度予算額	1965年度予算額	比較増減
ドル	ドル	ドル
5400	3480	△ 1920

(2) 要保護及び準要保護児童生徒の就学奨励

要保護児童生徒に対する就学奨励の一つとして,中学校の要保護生徒の教科書費が計上されている。小学校では,全児童に対して,教科書が無償配布されるので,中学校の要保護生徒の分はこの中にあわせ計上されている。

準要保護児童生徒に対しては日本政府より南方同胞援護会を通じて教科書と学用品の現物が支給される予定である。その対象人員は在籍の7%に相当する数で小学校は,10,607,中学校5,698人で,金額に換算すると,87,386$となっている。

このほかに準要保護児童生徒に対する学校給食費補助も昨年同様に予算計上されている。

(3) 学校統合とこれに基づく就学奨励

5学級以下の小規模の中学校が多いということは,終戦後の文教政策によるもので

あろうが，その時代の交通状況からして，やむをえないものがあったと思われる。

しかし，これらの学校においては，一教員が2,3教科を担任し，自分の専門教科以外を指導するために起る負担の過重，教科研究の不足等が考えられる。更に児童生徒の社会性等を考えた場合，教育的に見て，適正規模の学校にすることが最良だということになる。

終戦後の状況と異り，交通は便利になり，これらの小規模学校を統合するのに不合理なことは考えられなくなった。

そこで政府としては，統合を促進することによって，より以上教育効果を上げるべく努力している。現在までに統合した学校は，八重山連合区の伊原間中学校（5校を1校に）大原中学校（4校を1校に）多良間中学校（2校を1校に）北部連合区の金武中学校（2校を1校に）の4校であるが，これらの中学校は，統合前に比較して学力は勿論，その他運動競技の面でも相当の成績を上げている。

統合後において，児童生徒の就学を奨励するために，バス通学費補助，寄宿舎建設費補助，寄宿舎居住に伴う食費等の補助，炊事婦給料補助，下宿料補助等を予算に計上してあるが，前年度と比較して，25,451＄の増で，43,538＄となっている。

(4) 定時制教育の振興

政府立高等学校における備品費は従来学校単位に割当てていたが，定時制教育の特殊性に鑑み，1964年度から定時制給食用備品購入費として予算計上してきた。今会計年度も昨年度に引続き 800ドル計上し，給食備品の充実をはかっていく計画である。

(5) 私立学校の助成

私立高校の内容充実を促進させるため，逐年その振興策を講じていく考えであるが，とりあえず理科教育振興策として年次計画によって基準の50％を補助する予定で今年度はこれに要する経費として 1,500ドルが計上されている。

(6) 小学校教科書の無償給与

義務教育無償の趣旨に沿って1963年度より小学校の全児童に対して教科書の無償給与を行なっているが，今年も同様に実施できるよう予算にその経費を計上してある。そのうち1/3に相当する額を日本政府に負担方要請してある。

(7) 幼稚園教育の振興

幼稚園教育は人間形成の基盤を培うものであり，学校教育の一環として重要な位置を占めている。

1964年4月25日現在の全琉幼稚園数は公立40，私立12，計52，園児数 8,095人でその就園率は28.7％となっている。

文教局としては，幼児教育の重要性にかんがみ，より多数の幼児が，適切な環境のもとで，幼稚園教育を受けることができるようにするため，幼稚園教育振興計画を策定し，1965年度から年次的に諸条件の整備をはかる予定でる。

その目標の第一は，既設幼稚園の充実，第二に未設置地域の幼稚園設置促進，第三に幼稚園教師の養成とその資質の向上とし，1965年度予算には，公立幼稚園教員給与補助として13,668ドル（1965年4月～6月3か月分，給与月額の40％）計上してある。

なお，幼稚園教育振興の目標達成については，設置者たる地方教育委員会をはじめ地域社会の積極的な努力を期待している。

— 11 —

特殊教育の振興

　普通学級には、いかに教師が指導してもついていけない特殊な児童生徒が2,3名はいるものである。これ等の児童生徒は「お客様」として放置され、そのまま社会に送り出される。

　これら特殊な児童生徒は、義務教育の9年間をコンプレックスにさいなまれ、何ら学ぶことなく、或は逆に抵抗、反抗で身を固めて社会に出ることになる。これで健全なる社会人として、社会に貢献し、他人の迷惑にならずに一生を送ることができるだろうか。ここに特殊教育の重要性が叫ばれる所以が生じてくる。

　特殊教育の進展は、その国の教育進展のバロメーターであるといわれている。沖縄の特殊教育も年々進展し、予算もそれと同時に増加している。特殊教育のための学校として、盲学校、聾学校、澄井小、中学校、稲沖小、中学校があるが、それに1964年度予算で、肢体不自由児養護学校、精神薄弱児養護学校の建設費が計上され、1964年8月現在で整地が済み、建築着工の運びとなっている。開校は1965年4月の予定である。本土各府県と比較した場合、一挙に二つの養護学校ができるということは大きな進展と言えるだろう。

　更に特筆されるべきことは、特殊学級が、次表のように伸びてきたことである。

特殊学級数年度別調べ

区　　分	1959	1960	1961	1962	1963	1964	1965	備　　考
精薄学級	1	1	7	17	17	29	103	1965年度は予定数
促進学級	0	0	1	15	21	21	21	
肢体不自由児学級	0	5	5	6	8	10	10	
計	1	6	13	38	46	60	134	

　これらの特殊学級には、専用の備品が必要とされるので、備品補助金の中から特別に1学級当り290弗の補助をしている。

　特殊学級を担当する教師は、普通免許状の教科以外に、異常児教育学、異常児心理学、異常児の病理、保健等が要求されるようになってくる。そこで政府としても夏季認定講習の講座に、これらの講座を含めて、1963年度から実施し、教員の再教育に努めている。

　このように、普通免許外に特殊教育のための免許の取得や、身体の障害状態や、知能程度の異なった児童生徒を指導する教師の過重な負担に対して、給料調整額を支給するために予算を計上してある。

高等学校生徒の急増対策

　1962学年度から高等学校生徒が急増し、今会計年度はその第3年目を迎えるわけであるが、過去2年間の急増対策としては、高校生徒急増対策に関する文教審議会の答申に基づいて実施してきたが、今会計年度は最も急増する年度でもあるので、生徒急増に伴う校舎建築の推進、教員数の確保、施設設備の充実、さらに高校の新設等大幅

な予算措置を必要とする。施設の面では既に重点施策の「1. 文教施設及び設備備品の充実」の項でふれたので省略することにして，ここでは校舎建築以外の急増対策のための予算措置の概略について説明する。

(1) 教員の確保と教員養成の拡充

1965学年度は教員数が前年度より大幅増加が見込まれるため，それに要する予算を確保するとともに，その必要数の教員確保については，さきに立法された「高等学校生徒急増に伴う教職員の確保等に関する臨時措置法」による待遇改善（初任給調整手当）と教職員免許状取得条件の緩和等により，教員の確保が円滑に行われるようになった。

また，教職員数の確保の一環として，64会計年度から大幅な教員志望奨学生制度を新設してきたが，今会計年度はさらに増額して，琉球大学40名，日本本土大学60名，工業科教員養成所25名計125名の奨学生を選定し，卒業後，高等学校の教員として勤務することを条件として奨学金を与え，もって理工系教員の養成とその数の確保をはかっていきたい。

(2) 施設設備の充実

政府立高等学校の理科を除く一般教科備品の整備に要する経費は，1964年度までに目標額に対して22.83％を投入しているが今年度はそれを25.37％にひきあげていくことができる。さらに，新設校を含む各高等学校における一般備品（教科備品以外）の充実をはかるための経費も急増対策の一環として予算化されている。そのおのおのの予算額は下表のとおりである。

政府立高等学校備品費内訳

一般教科備品費	31,600ドル
図書備品費	9,160ドル
一般備品費	59,670ドル
計	100,420ドル

(3) 高校の新設と生徒収容計画

高校生徒の急増期にはいってから既に小禄高校と中部工業高校の2校を新設してきたが，来学年度は生徒増が最も多い年でもあって，既設の高等学校だけでは収容できないので，普通高校と商業高校の2校の新設を計画している。

来学年度の政府立高校の生徒数の増加は5,754人（全日制5,149人，定時制605人）と予定されている。これらの増加生徒数の収容方法としては，来学年度開校予定の普通高校，商業高校の2校で24学級1,080人既設高校27校に71学級の学級増で3,464人既設高校27校の学級定員の引きあげで1,210人，計5,754人の収容増によって解決する計画である。そして，これら29校の運営に要する経費（人件費，物件費，施設費を除く）として64,740ドルが計上されている。

産業科学技術教育の振興

産業界の発展，科学技術の進展に即応するため，住民の科学技術に関する基礎教養を培い技術者を養成することは学校教育の一つの大きな使命である。

このため科学教育の振興策としては小中高校における理科教育の設備の充実，指導者養成，理科担当教員の資質の向上等をはかるために必要な予算が計上されている。

産業教育の振興策としては，産業教育備品の充実，高校および産業技術学校の新

設，産業教育関係教員の資質向上のための研修等に必要な予算が計上されている。

(1) 理科教育の振興

理科教育振興法の趣旨に基づいて，小中高校の理科備品の充実，現場教師の資質の向上を図ることは急務であり，このための全予算は 217,429＄である。

理科備品は現有率に於いて公立小中校25％を35％に，高等学校38％を45％に引き上げることが出来る。理科備品費の校種別内訳は，公立小中校 118,974＄，政府立中校 1,100＄，政府立高校68,800＄，政府立特殊学校2,860＄，理科教育センター 16,289＄，私立学校補助金 1,500＄である。

現職教育は理科センターで行なう中学校理科指導者研修会（2週間）小学校理科指導者研修会（30日）小学校女教師研修会（2週間）高等学校理科研修会その他短期の研修会が計画されている。

(2) 産業教育の振興

高等学校の産業教育備品の現況は64会計年度でその目標達成率は19.0％まで高められてきたが今年の予算計上によりさらに20.9％まで高められることになる。

高等学校生徒の急増対策による学科の新設増設と日進月歩の産業の進展に伴う教育課程の改定による目標額の増加等があってその達成率は一進一退の現状である。

高校生急増対策として今年は新たに普通高校1校，商業高校と商業専攻科1校とさらに産業技術学校1校も新設する予定になっている。

なお商業高校と産業技術学校の校舎建築費は米国援助が予定されている。

高校急増対策の一環として前会計年度において中部工業高校を新設したのであるが殊に機械科の備品が貧弱であるのでその充実に留意して予算を計上してある。日本政府援助による水産高校専攻科は前会計年度に引続き今会計年度にもその備品費が計上されているので一層充実するものと考えられる。さらに去年日本政府の援助により水産高校実習船翔南丸が竣工し現在その姉妹船である海邦丸と共に生徒の訓練に活躍中である。

貿易の自由化，産業界の進展に対応して行く農業人養成という観点から農業教育近代化をはかる目的で予算を計上し，さらに年次的に日本政府の援助を得てその充実をはかる考えである。なお来会計年度では工業専攻科を新設し機械科電気科などの学科を設置して将来の工業技術者を養成する予定である。

中学校の産業教育備品はセンター校を選定してその充実をはかってきておるが，前年度までに全琉中学校の約4割63校がその指定を受けて備品の充実をはかって来ており今会計年度はさらに13校を選定する予定であり，その目標達成率は前年度の44.8％から48％に進展することになる。

産業教育関係者の研修については本土へ研究教員を毎年送っているが今会計年度も半年組12名，1年組4名を送る予定である。

その外にA・I・Dの援助で工業関係農林関係水産関係の教員か48名台湾で実技研修を行うことになっている。

学力向上と生活指導の強化

(1) 教育指導者の養成と指導力の強化

1 学校教育を効率的に推進し，教育効果を高めていく上に教育指導者の養成と指導力の強化とは重要なポイントである。そのため，学校経営の中核をなす校長，教頭を対象とする学校経営研

修会を開催し，その資質を向上させていきたい。その内容としては5月上旬に全琉小，中校長研修会，校長，教頭研修講座を2学期，3学期に1回宛各連合区から小校3人，中校2人計30人の校長教頭を中央に集めて行ないたい。3学期には各連合区で具体的な学校経営の諸問題について研究協議会を行なう。

2　学校教育を支えているあらゆる要素について現状を分析，は握し，改善の方途を見出すために学校診断を行なうことは極めて効果的であろう。今年度は高校4校，小，中校6校（各連合区小，中いずれか1校）を予定している。

3　教科指導技術研修費
小，中，高校の各教科内容の取扱い方，指導技術の向上をはかるために要請に応じ，また，計画的に訪問指導をする。

4　指導主事研修に必要な経費
文部省主催及び後援による各種講習会への参加の経費である。また沖縄内における指導主事研修会の経費である。

(2)　学力向上対策

1962年5月の鹿児島調査団の報告会を契機として沖縄における児童生徒の学力向上への関心が高まり，各地に学力向上対策協議会等の設立をみ，昨年はその一年の研究結果の報告会等が行われ，着々とその効果を挙げつつあることはよろこばしいことである。

文教局としても，これ等の地域の盛り上がりを促進するとともに，学力向上対策の根本ともいわれる教職員の資質向上，とりわけ教育指導者の養成と指導力の強化を図るための研究会，講習会等の推進，また児童生徒の生活指導の強化，学力の実態を側定する学力調査の継続実施とその分析による学習指導の改善，教育条件の整備等に一段と努力を重ねていきたい。

(3)　生活指導の強化

青少年健全育成の推進は一にその指導者である教師の養成と指導力の強化にある。特に学校と社会における児童生徒の実態を適確にとらえ科学的な健全育成指導，矯正指導，心理治療という面から専門的理論と技術は欠かすことのできない条件である。しかしながら生活指導の必要性は認めているが，生活指導に対する専門的な理論と技術に欠けた点が認められる。

局としてもこの点に留意し現職教師の研修会（訪問教師，進路指導主事，道徳特別教育活動主任，高校カウンセラー，生徒指導主任等の研修会）を開催し，また青少年健全育成の手引き（4部冊）を発刊することにより生活指導の強化を現場教師と一体となり推進したい。なお，1964年度青少年健全育成費総額は1,140弗で，1965年度では1,699弗で559弗の増額である。

(4)　教育測定調査の拡充

教育の成果を評価するためには，教育に関する測定や調査が必要である。

このことは，現状を診断し，また将来を予測するために最も大事な基礎資料を提供してくれるからである。

つまり，得られた資料は教育施策に，あるいは教育指導等の問題について，きわめて重要な役割をになっているものである。

局としては，教育測定調査の必要性にかんがみ，その拡充強化をはかるとともに，科学的客観的な資料にもとづいて，施策の強化ならびに教育指導の改善充実をはかっていきたいと考えている。

ちなみに教育測定調査に関する主な事業をあげるとつぎのようなものである。

- 学力調査
- 各種心理検査
- 指導のための教育調査
- 学校基本調査
- 教育財政調査
- 人材養成計画調査
- 学校保健体育調査
- 高校入学選抜
- 教育課程構成

(5) 学校教育放送

学校における視聴学教材を整備し、それが学習指導計画の中に位置づけられ、効果的に利用され、学校教育の近代化に役立つようにしたい。

そのために、本年度新規事業の一つとして「学校教育放送」を設けることにした。事業は64年9月より、琉球放送、ラジオ沖縄、及び極東放送を通じて定期的に番組放送するしくみである。

放送番組は、小学校低、中、高学年と中学校及び高等学校向けの番組に「教師の時間」といったものを加えて6つ、専らNHKより番組を購入することにしている。

この受入れのため、8月中に「学校教育放送研修会」を連合区ごとに催し、放送教材が学校の事情に即して充分に利用されるように態勢をととのえる。

なお視聴教材に対する民政府補助金12万5千ドルを小、中、高校にそれぞれ約6万、3万、1万4千ドルあて設備費として補助し、のこり約1万ドルをもって2連合区へ視聴覚ライブラリーを設置する。これは学校への視聴覚教材の貸出しと全教師対象の教材の取扱いについて訓練することを目的としており、65年度から3か年計画で全連合区に設置したい。

育英事業の拡充

(1) 国費・自費学生

(イ) **国費学生**

国費制度が実施されてから11年、1953年より1964年までは719人が採用され、327人が卒業して郷土の各界で活躍している。しかし、人材の育成は今なお十分ではなく、特に医療要員と工業科教員が極度に不足し、これらの養成が急を要しているため、重点的に増員採用する計画である。

(ロ) **自費学生**

年々増員採用している自費学生は、去年からさらに中央大学が加わって、133名を採用したが、私大有名校が加わることが予想され、なお増員採用したい。

(2) 国費学生給与の増加

(イ) **学部学生**

国費学部学生の奨学金は、昨年から文部省によって月額10,000円に増額して支給されているが、本年も在学生344名にたいして10,000円が支給される。そのほか、次のような奨学費の支給を予定している。

生 活 費　300円〜1,000円（月額）
教 科 書 費　6,000円　　（年一回）
被 服 費　6,000円　　（〃）
暖 房 費　600円〜6,000円（〃）
実験実習費―査定補助
学校納入の諸会費―実費補助
医療費―実費査定補助
健康保健給食費―実費補助

(ロ) **大学院学生**

文部省実施による国費大学院学生へ月額13,500円の奨学金が支給されているが、文部省給与費の対応費として月額3ドルを支給する。在学生総数18名の内訳は、琉大教授要員13名、医療要員4人、政府要員1人となっている。

(3) 特別奨学生

(イ) **高校特別奨学生**

毎年採用している高校特別奨学生180名にたいして、自宅通学者に8.33ドル、下宿通学者に12.33ドルを貸与する。現在は540名が在学している。

(ロ) **大学特別奨学生**

1963年度から実施された沖縄内大学特別奨学制度は、自宅通学者にたいしては月額13.88ドル、下宿通学者に22.22ドルを貸与して、順調に運営されている。なお、本土大学への入学希望者にたいしては、従来通りに日本育英会の特別奨学生として貸与を受ける。

(4) 一般奨学生制度の実現へ

わが沖縄においては、高校・大学一般奨学生制度が誕生するまえに、高校・大学特別奨学制度が実施されている。一般奨学生制度を実施することによって多数の学徒が思恵を受けるよう、是非とも実現させたい。

(5) 育英会貸費生

本土又は沖縄内の大学生（国公私立）にたいして月額8.33ドルを貸与しているもので26名に貸与する。貸与額と員数は漸次ひき上げていきたい。

(6) 商社・団体委託奨学生

郷土の有名商社や団体が育英事業に協賛し、月額30ドル程度を本土大学の学生にたいして与えているもので、委託奨学生35名に支給する。なお、加盟商社、団体は次の通り。沖縄食糧株式会社、琉球石油株式会社、琉球放送株式会社、沖縄サントリー株式会社、琉球銀行、沖縄銀行、中央相互銀行、具志堅味噌醤油合名会社、ロータリークラブ、女師一高女同窓会、安座間医院、星印刷社、大浜奨学金、T氏、K・T氏、国場組、琉球食糧株式会社、琉球火災保険株式会社、文教図書株式会社。

(7) 育英十周年記念事業の促進

(イ) **育英会館の建設**

創立十周年（38年3月現在）を迎え、その記念事業の一つとして、三階建357坪の育英会館を建設する予定である。総工費は109,450ドルを要し、琉球政府、南方同胞援護会、琉球育英会の三者で分担する。

(ロ) **沖縄育英史の出版**

育英十周年記念事業の一つとして、沖縄における「育英」の史実を総括して編集し、出版する計画である。

(8) 学生寮の増改築

(イ) **沖映寮の改築**

東京都渋谷区代々木上原在の「沖映寮」を取りこわし、東京都世田谷区に鉄筋コンクリート二階建の新しい寮を建設する。

(ロ) **南灯寮の改築**

老朽化した南灯寮を取りこわし新しく鉄筋コンクリート建の寮を建設する。

(ハ) **沖縄学生会館の増改築**

千葉県習志野市で偉容を誇っていた52名収容の沖縄学生会館を、日本政府と南方同胞援護会から援助を受けて、さらに増改築し、百余名を収容するデラックス寮にしたい。

(9) 学生補導の強化

学生の学校生活，日常生活，精神衛生並びに健康などについて補導を強化し，彼等の実態をは握するため調査を行う。また，機関紙「琉球育英時報」（本部），「育英会報」（東京事務所）を定期的に発行して，連絡の密を計り，学事生活面の補導にいっそうの充実を期するつもりである。

保健体育の振興

学校給食は年々充実強化しており，今年7月初め頃までに13校が完全給食にふみきっている。戦後児童生徒の体位が著しい向上を示しているのは全住民の食生活の向上も原因と思われるが，その外に学校給食，特にミルク給食の効果が極めて大きいものと思われる。

学校給食会も発足3年目になり大部軌道にのってきたので今後学校給食はますます充実強化していくものと思われる。

学校保健法が制定されて3年目になるが教育区の予算不足や施設，設備の不十分なため保健管理が充分とはいえないが，しかし年々学校病は全般的に減少を示している。

奥武山陸上競技場は，今年度で完成の予定であるが，その他の各種の競技場も次々と施設されていくので社会体育も一層活溌化することと思われる。なおスポーツ振興法が制定されて2年目になるので，今年は同法の運用面について現場を指導し社会体育の振興をはかりたい。

① 学校体育指導の強化

実技を伴なう教科であるため教師のたえざる実技の研修と，指導要領の内容が学習できるための施設備品が必要である。したがって，本年は陸上競技と器械運動の実技研修会を連合区単位で実施する予定で，そのために予算289弗を計上している。

さらに日本政府へ体育備品費を補助してもらうよう要請している。

中学校，高等学校における特別教育活動の成果を発展させるため，全沖縄の各種競技大会をもち，さらに本土における全国的大会へ選手を派遣することによって学校体育の振興を図りたい。そのために学校体育奨励費として7,020弗計上している。

② 学校保健の強化

学校保健の強化にあたっては，第一に現場の学校長，保健主事，一般教員，養護教諭及び保健主任等に対して研修会を開催し資質の向上をはかりたい。そのために165弗の予算を計上している。

さらに学校保健管理の推進力である。養護教諭の資質の向上をはかるために，その研修に44弗の予算を計上している。

第二には医師会との連絡を密にし，学校医の学校保健活動への協力を活溌にするとともに養護教諭を54人に増員して学校保健管理を強化し，児童生徒の健康の保持増進を図りたい。

第三には学校保健の推進は広く一般関係者の理解と協力がなければ進展しない。

そこで学校医，学校歯科医，学校長，保健主事，養護教諭，教育委員，PTAその他関係者が一堂に会して学校保健大会を開催して学校保健に対する関心を深め学校保健の強化を図る。そのために241弗の予算を計上している。

その他学校医手当補助や学校病の予防及び撲滅のための保健衛生費12,046弗を計上して，学校保健の強化を図りたい。

③ 学校給食の強化

学校給食は教育課程の中の学校行事等に位置づけされ,教育の目的達成のため実施されるもので,学校給食実施以後沖縄の児童生徒の体位向上に大いに効果を挙げているが,更に本土水準にまで引上げるためには小中学校の完全給食を奨励していきたい。

そのためには施設,設備等多額の経費が必要であるので,年次別に普及充実を図っていきたい。

- ㋑ 学校給食の設備備品の充実
  完全給食を実施する小中学校の給食設備備品の充実のために補助金を計上している。
- ㋺ 準要保護児童生徒の給食費補助
  給食費の負担が困難と認められる児童生徒に対しても給食が実施されるよう,パン給食1人1食当り平均1.05セント,完全給食の小学校5セント,中学校6セントの½額を補助する。
- ㋩ 給食担当玩員の研修
  学校給食の指導および管理面の基本的問題について北部,中部,南部,那覇,久米島,宮古,八重山で研修会を行ない,その資質の向上を図る。
- ㋥ 学校給食会の運営の強化を図る
  学校給食用物資を適正円滑に供給し,学校給食の普及充実を図るために必要な経費を補助する。
- ㋭ 給食用製パン工場の衛生管理およびパン品質の向上を図る
  パン品質の検査,製品の調査研究およびパン工場の衛生管理の向上を図るために,給食審議会を開き学校給食の効果を高めていきたい。

学 校 給 食 関 係 予 算

項　　　目	1965年度	1964年度	比較増△減
学校給食関係予算	104,558ドル	79,823ドル	24,735ドル
給食審議会	217	191	26
学校給食補助金	15,102	18,940	△ 3,838
給食会補助金	89,112	60,545	28,567
給食研修会	127	147	△ 20

④ 学校安全の強化

児童生徒の災害事故は近年増加の傾向にある。その中で特に水泳事故は1963年に全琉37名中児童生徒が19名占めている。そこで現場教師に対して水上安全の研修会を開催し事故防止につとめており,その研修のための経費として165弗が計上されている。

管理下における児童生徒の負傷,疾病,癈疾又は死亡に関してはその給付を行う目的で設立されている。沖縄学校安全会に対し,その運営費の一部を補助して学校安全会の育成強化を図り,学校教育の円滑な実施に資したいと2,500弗計上している。

なお,学校安全会の掛金としては,幼稚園児4仙,小学校,中学校6仙,高等学校定時制8仙,高等学校全日制10仙,水産高校実習生28仙となっている。

沖縄学校安全会の年度別加入状況は次の表のとおりである。

年度別安全会加入状況

校種＼年度	1962学年度	1963学年度	1964学年度
幼　稚　園	2,600	4,233	5,113
小　学　校	127,336	129,902	117,706
中　学　校	45,516	64,294	63,233
高　等　学　校	7,099	12,008	16,912
計	184,551	210,437	203,063

⑤ 社会体育の充実

　オリンピック東京大会を記念して，1962年4月に完成する。それに先だち9月6日に第1種公認陸上競技場として公認される予定で，11月7日には競技場開きを行なう。又10月末に奥武山庭球場（4面）も完成するので，11月22日には，このコートにおいて日本東西対抗軟式庭球大会を挙行する予定である。

　スポーツ振興法の施行2年目を迎え，本年から沖縄体育大会を総合体育大会として，那覇および地方（南部，中部，北部，宮古，八重山，琉大，沖大）対抗により11月7日と8日の両日奥武山総合競技場を中心に開催する。

　社会体育研修会は，本年は野外活動指導者と体育指導委員を対象に実施し，指導者の資質の向上をはかる。

　次にスポーツ振興法により今年から教育区教育委員会に設置された体育指導委員の活動を軌道にのせるために体育指導委員設置補助金を1964年と同額計上してある。

　東西対抗軟式庭球大会をはじめ，選手団および指導者の派遣および招へいすることや，沖縄体育大会，教職員体育大会等の開催を容易にするため研究奨励費を予算計上してある。

　本年の体育祭は，財団法人沖縄体育協会と共催で1965年3月に八重山で実施したい。

　これら社会体育の充実のために計上された予算は下表のとおりである。

社会体育研修会費	259弗
各種スポーツ大会運営費	1,526弗
選手団派遣招へい費	4,324弗
総合競技場建設費	91,428弗
体育祭費	392弗
体育指導委員設置補助金	1,440弗
聖火リレー費	1,344弗

⑥ オリンピック東京大会聖火沖縄リレー

　待望のオリンピック東京大会の聖火が9月6日から4日間沖縄でリレーされる。

　沖縄におけるリレーの実施にあたっては軍民代表による実行委員会が当っている。

　この聖火は，アジアではじめて行われる大きなスポーツ祭典であるので，政府はこれが円滑に実施できて，意義あらしめるために運営補助金を計上してある。

　それから沖縄における聖火リレーは，距離，リレー人員とも本土のどの都道府県よりも大きいことよりみて，その成功は学校はじめ各機関団体の力強い協力を待たねばならない。

　オリンピック東京大会聖火沖縄リレーの基本計画は次のとおりである。

オリンピック東京大会聖火沖縄リレー計画

月　日	出発時刻	到着時刻	出発地点～到着地点	距　離	宿泊地	区間数
9月6日	12:40	13:00	那覇空港～奥武山陸上競技場	4.0km	那覇市	3
9月7日	7:00	17:20	奥武山陸上競技場～嘉陽中学校	120.2km	久志村嘉陽	73
9月8日	7:00	17:10	嘉陽中学校～奥武山陸上競技場	118.9km	那覇市	72
9月9日	6:20	6:40	奥武山陸上競技場～那覇空港	4.0km		3
計				247.1km		151

社会教育の振興

社会教育予算は，(1)地方の社会教育を振興するための各種補助金の交付，(2)政府が行う指導者の養成と資質向上のための各種指導者養成講習会と本土派遣研修，(3)社会教育施設の建設に大別することができる。

(1)については先づ社会教育の推進者である社会教育主事設置補助（本年度は5名増員して42名となる）を中心に，社会教育の主要領域である成人教育の振興を意図した社会学級講師手当補助金（204学級）及び勤労青少年の教育の場である青年学級の充実を図る青年学級運営補助金（73学級）公民館の活動を促進するための運営，施設補助金（600舘）等を交付して地方教育区における社会教育の自主的運営活動を促進する。なお沖婦連，沖青協等社会教育関係団体10団体の各種事業に対しても補助金を交付してその育成強化を図る。

(2)については，青年，婦人，ＰＴＡ，社会学級，新生活運動，公民舘，青年学級等社会教育各領域の指導者の養成と資質向上のために，各連合区ごと文教局主催で研修会を開催する。更に各機関，団体の幹部及び指導者を本土研修に38名派遣するための予算も計上されている。なお社会の要請と青少年の職業技術修得のために職業技術講習会と測量技術講習会を各高等学校の施設を利用して開設することになっている。

(3)については本年度は首里尚家跡に博物舘を建設する。完成のあかつきに継続建設中の中央図書舘と共に沖縄の文化の向上のために大きな役割を果すことになろう。なお公民舘施設図書充実については本年度も昨年度を上廻る予算が計上されているので公民舘の図書活動は一段と充実していくものと思われる。

(1) 青少年の健全育成

現在の沖縄のさまざまな社会問題の中で青少年の問題は最も重要なものの一つであり，複雑な社会機構と結びついてその解決を困難なものにしているので，教育，労働，福祉，警察等と相協力した総合的な施策が必要である。

その施策の一つとして，地域の関係機関や団体が協力し合い，地域ぐるみで青少年を健全に育成するしっかりとした態勢をつくることが最も必要だと思い，去年に引続きモデル地区を設定し，その成果を期したい。

事業の内容として，1．青少年健全育成組織の確立，2．青少年を補導，3．環境を浄化，4．健全なレクリエーションを奨励，5．交通事故やその他の事故の防止，6．学力向上に対する啓蒙と協力体制の確立，7．青少年団体の育成強化等があげら

れる。

この事業を推進するため4ケ所にモデル地区を設定し，1ケ所に 180＄宛の補助金を交付する予定である。

(2) 青年学級の振興

青年学級は勤労青少年の一般教養を高めるとともに職業技能を習得させるために開設される教育委員会の社会教育事業である。本年度は中学校の技術教育施設を利用するところの青年学級の設置を促進し，職業技術教育の充実をはかると同時に，職場内青年学級の運営充実を促進する。

政府は教育委員会が開設する20人以上の青年学級中，100時間以上学習する青年学級に対しては予算の範囲内で運営費の一部を補助する。なお指導者研修会を各連合区ごとに開催すると同時に，2学級に研究指定を行ない，運営上の問題点や学習内容について研究させ，青年学級を一層充実強化する。

(3) 社会教育主事の活動促進

社会教育主事は地方における社会教育の推進者として，各教育区における社会教育の総会計画，各社会教育関係団体の育成強化，研修会，講座等教育委員会事業の企画運営にあたり，地域の社会教育振興に大きな成果をあげている。現在文教局長の指定する36教育区（37人）に対し主事の給与全額と研修のための旅費補助金が交付されているが，本年度は社会教育主事の活動を一層充実強化するために5名増員することになっている。

なお本年度は退職手当補助金も計上されている。

(4) 社会教育における職業技術教育の振興

職業技術教育の振興策として二つの事業を計画している。

その一つは職業技術講習である。これは高等学校の技術教育施設を利用して，勤労青少年の職業技術を高める講習会である。この講習会では特に社会の要求度の高い自動車整備，内燃機関，ボイラー及び熔接技術，トラックター整備等に関する技術員を養成する。

講習期間はおよそ3ケ月で毎週月曜日から金曜日までの5日間，夜間行なう。

実施予定校は，名護高校，中部工業，沖縄水産，沖縄工業，宮古水産，八重山農林の各高校で各々30人程度養成する。

次に測量技術員養成講座を計画している。1962年より測量法が施行され又，全琉の土地測量が計画実施されているが，測量技術員の絶対数が不足している。現在その補充及び資質の向上のために講座を設けるものである。この講座は工業高等学校に委嘱して，6か月の夜間講座を年2回実施し，およそ80人程度を養成する。

(5) 社会教育指導者の養成

社会教育を振興するためには指導者の養成及び指導力の向上が極めて重要なことである。

そのための事業として ①講習会 ②本土派遣研修会が計画されている。

①の指導者養成講習会は中央で青年，婦人の指導者各約120人を1～2泊の宿泊研修を行ない連合区単位では青年，婦人，PTA，新生活，社会学級，視聴覚，レクリエーションの講習を開催する。

②の本土研修には青年14名，婦人14名，PTA1名，新生活2名，社会学級1名を派遣し補助金を交付する。特に本土における全国的な研究集会に参加すると共に，他県の教育，文化，産業，生活等を視察調査研究し指導者としての視野を広める。また各社会教育諸団体との交歓により親善をはかる。

なお日本政府の負担により青年1名を海

外（中南米地域）に派遣してその国の産業，経済，文化等の実情を視察研究せしめて視野を広めると共に各国の青年と直接交歓して国際親善をはかる。なお，那覇東京間の旅費は琉球政府が負担している。

(7) 成人英語講座の開設

時代の進展に伴い国際語としての英語の重要性に鑑み，職場成人英語講座を開設し，(1)各職場従業員の英会話能力を高める。(2)各職場で取扱う英文書を正確かつ敏速に処理する能力を高める。(3)英語を話す国民との接触度を高め，相互の人間関係を深めることを目的としている。実施に当っては1職場1学級として，1クラスの人員は20人内外とする。1講座の期間は3か月として25クラスの，年4回開設する。

クラスは地域，或は，職場に応じ広く全琉各地に設ける。

文化財保護事業の振興

65年度文化財保護行政関係の予算額は，文化財保護委員会費（運営費）15,211ドル 文化財保護費（事業費）20,094ドル，計35,305ドルとなっている。前年度にくらべて前者は1,218ドル，後者は5,891ドルの増となっている。

65年度においては，復旧修理等の継続工事の早期完成，無形文化財のうち特に染物織物，陶器等の伝統的工芸技術の保存等に重点をおいて事業を進める方針である。

事業費の重なるものは，次のとおりである。

施設費　11,000ドル
　委員会直営の下に63年度から始められた特別史蹟円覚寺跡の復旧工事で，今年度は左右掖門を完成する予定（文化財保護法第44条に基く事業）

有形文化財補助金　2,630ドル
　特別史蹟「中城城跡」「今帰仁城跡」の城壁修理工事に対する補助金。それぞれ管理者が施工する。前者は61年度から，後者は62年度から始められた継続事業である。（文化財保護法第27条に基く事業）

無形文化財補助金　1,220ドル
　染物，織物，陶漆器等の伝統工芸の技術を保存するために技術保持者に補助金を交付して純正な伝統工芸品を製作させる。そのほか古典芸能，民俗芸能の保存のため，団体や個人に対する補助金である（文化財保護法第37条に基く事業）

文化財管理補助金　550ドル
　建造物や史跡名勝天然記念物の所有者あるいは管理者に補助金を交付して文化財の維持管理に当らせるものである（文化財保護第27，41条に基く事業）

以上のほか，今年度は文化財保護法制定満10周年に当るので，記念式典，文化財保護強調週間の強化，工芸品特別展示会等の事業を計画している。

琉球歴史資料編集と縣史編さん

(1) 琉球史料（戦後資料）

前年度は，「琉球史料第9集文化編1」の編集計画を立案したが，時間と人員不足のため，止むを得ず資料の比較的多い後半琉球史料第10集「文化編2」を編集した。たしがって今年度は，「文化編1」を編集して出版する。目次大綱は次の通り，

「琉球史料第9集文化編1」

目　　次

一，学　術

二，芸　術
(1)舞踊　(2)音楽　(3)演劇　(4)文学
(5)美術，工芸　(6)建築　(7)映画

三，宗　教
(1)固有の宗教（信仰）　(2)仏教
(3)キリスト教　(4)その他の宗教

四，報　道
(1)新聞　(2)放送　(3)出版
(イ)根拠法規
　文教局組織規則第9条第六項
(ロ)予算の前年度との比較
　　1964年度　　967＄
　　1965年度　1,092＄

(2) 沖縄県史

(イ) **編集趣旨**

限りなく流れる世界史の中にあって，私たちの祖先は小さな島で，世界でもまれに見る偉大な歴史を生成し，発展させてきた。私たちの郷土は太平洋戦争における日本の最後の拠点として史上未曾有の戦禍を蒙り，県立図書舘をはじめ，県庁，村役所，旧家などの郷土資料をことごとく失い，郷土関係の資料はわずかに先島や，各離島およびその他に散在するのみとなっている。

いま私たちの郷土は産業，文化のあらゆる面に大きく飛躍しようとしている。これは住民がそれぞれの立場において，よりよき明日のために努力した現れであり，また私たちの祖先がいかなる苦難にあってもひるむことなく努力してきたたまものである。

このときにあたって沖縄の正しい姿を後世に残すために各地に散在する郷土関係資料を収集し，編集することは，私たちに与えられた義務である。

沖縄県時代の歴史に関しては，多くの人々の要望にもかかわらず，まだまとまったものはない。そこで，住民の協力と郷土史家ならびに沖縄に関心を寄せる権威ある人々の手によって総合的な沖縄県時代の歴史を編集することは必要なことである。

この歴史書が郷土を愛するきずなとなり，よりよき明日への発展のための原動力となることを願うものである。

(ロ) **県史編集5年計画（全21巻）**

1 年 目	65 年 度	沖縄県史総目録（編集計画）　資料編（第1,2）
2 年 目	66　〃	沖縄県史（通史編）　資料編（3,4,5,6）
3 年 目	67　〃	政治編，教育編，移民編，資料編（7,8）
4 年 目	68　〃	産業経済編，戦争編(1)，　文化編（1,2）
5 年 目	69　〃	地方編，沖縄近代史事典，戦争編（2,3）

(ハ) 今年度の出版計画

　前年度は，準備期間でもっぱら資料収集と各編の目次大綱作成に時間を費したが，今年度は，「沖縄県史総目次」ならびに「沖縄県史資料編1,2」の3冊を出版する。

　「沖縄県史総目次」は，これまで討議し，審議してきた各編の目次大綱とその各々の執筆者名ならびに予告などを収録する。

　また「沖縄県史資料編1,2」は，明治14年赴任した上杉茂憲県令の沖縄本島巡回日誌，先島巡回日誌，沖縄県日誌ならびに大蔵省調の琉球藩雑記（明治6年）などを収録する予定である。

(ニ) 根拠法規

　文教局組織規則第9条第6項ならびに沖縄県史審議会設置規則

(ホ) **予算の前年度との比較**

1964年度	10,133 $
1965年度	22,459 $

琉球大学の充実

1　総　括

　1965年度琉球大学の予算総額は1,307,211弗であって前年度予算額1,205,731弗に比べると101,480弗約8％の増加となっている。

　本年度予算は主として職員給与の改善費と教授陣の充実強化をはかる観点から新たに5人の助手を増員したため人件費が大巾の増をきたし他の経常的経費は前年度並みの額か若しくは減少を余儀なくされた結果となっている。

　従って本年度においては新規の事業経費については全く考慮する猶余がなく授業料等の値上げによって辛じて形を整えたような圧縮予算となっている。一つの例としては本年度は前年度より200名近くの学生を増員し政府の高校生急増対策に対応する配慮がなされたのであるが，これに対する予算措置が僅かに5千弗程度となっている。

　本年度の予算総額1,307,211弗から施設整備経費290,200弗，職員給与費828,122弗合せて1,118,322弗を差し引いた残の188,889弗が学生2,600余名の教育費，教官の研究費や現職教育費等の普及事業費，その他，大学の管理運営経費に充てられている。これを本土の類似する国立大学運営予算規模に比べてみるとおよそ75％ないし80％程度になる。

　建物等の施設は本年度は農学ビルの4,5階の追加工事と理系ビルの1,2階が建設される。施設は本土国立大学の最低基準の70％を目標として計画をすすめておるが本年度の施設を含めおよそ50％ないし55％に達する状況にある。

2　歳入歳出予算の内容

　琉球大学予算の財源は殆んど琉球政府から交付される資金（補助金）に依存しており，自己財源は僅かに総予算の7.7％を支弁する程度である。

　本年度の歳入予算は特に琉球政府から支出される教育歳出予算及び補助金が前年度に比べ110,610弗の増となっている。これは主として職員の給与ベースのアップ源資に充てるための増加である。

　自己収入も前年度より14,273弗の増が図られているが，これは授業料，入学料，検定料の引き上げによるものである。

本年度の歳出予算は職員給与の改善，助手5人の増員による人件費，154,373弗の増加と教官の研究活動を充実強化するための研究助成費10,000弗の増加が主なものであって，予算全体としては前記したとおりの圧縮された予算となっている。

　本年度予算を事項別に区分し説明すると次のとおりである。

才入予算の事項別

事　　　　項	1965年度予算 金額	1965年度予算 比率	1964年度予算 金額	1964年度予算 比率	比較増△減
才 入 予 算 総 額	1,307,211	100	1,205,731	100	101,480
学 内 収 入	95,386	7.3	81,114	6.7	14,273
琉球政府教育才出予算及補助金	1,206,825	92.3	1,096,215	90.9	110,610
前 年 度 剰 余 金	5,000	0.4	28,402	2.4	△ 23,402

才出予算の事項別

事　　　　項	1965年度予算 金額	1965年度予算 比率	1964年度予算 金額	1964年度予算 比率	比較増△減
才 出 予 算 総 額	1,307,211	100	1,205,731	100	101,480
運 営 費	1,014,011	77.6	844,550	70	169,461
管 理 費	892,689	68.3	738,316	61.2	154,373
人 件 費	828,122		673,749		154,373
その他の運営費	64,567		64,567		0
教 育 及 研 究 費	100,207	7.7	84,873	7.0	15,334
厚 生 補 導 費	15,839	1.2	16,085	1.3	△ 246
普 及 事 業 費	5,276	0.4	5,276	0.5	0
施 設 整 備 費	290,200	22.2	357,750	29.7	△ 67,550
建 設 費	165,200	12.6	236,300	19.6	△ 71,100
農 学 ビ ル	84,000				
理 系 ビ ル	78,200				
その他小施設	3,000				
設 備 備 品 費	90,000	6.9	96,150	8.0	△ 6,150
機 械 器 具	70,000		76,150		△ 6,150
図 書	20,000		20,000		0
不 動 産 買 収 費	30,000	2.3	20,300	1.7	9,700
補 償 費	5,000	0.4	5,000	0.4	0
予 備 費	3,000	0.2	3,431	0.3	△ 431

1965会計年度文教局予算中の地方教育区への各種補助金、直接支出金と政府立学校費

(一) 地方教育区

1. 学校教育費（公立幼稚園・小中学校）

　　　総　　額　　$ 12,401,966
　　　　　内訳　補助金　$ 12,093,006
　　　　　　　　直接支出金　$ 308,960

a　公立小中学校

　　　総　　額　　$ 12,077,138
　　　　　内訳　補助金　$ 11,768,178
　　　　　　　　直接支出金　$ 308,960
　　　　　　　　児童生徒1人当り金額　$ 51.19

(1) 補助金の明細

予算項目	科目	1964年度予算額	1965年度予算額	備考
学校給食費	学校給食補助金	18,940	15,102	{ 給食費補助　13,061 　給食設備〃　　2,041
各種奨励費	研究奨励　〃	2,820	2,940	（実験・研究学校研究奨励補助）
科学教育振興費	備品　〃	63,500	118,974	
学校図書充実費	備品　〃	—	9,500	
教育測定調査費	委員手当　〃	5,686	5,302	（学力調査委員手当補助）
〃	消耗品購入　〃	—	2,004	（テスト用紙購入補助）
産業教育振興費	備品　〃	32,223	50,000	
学校建設費	施設　〃	697,189	1,014,748	
学校教育補助	給料　〃	6,915,465	7,764,071	
〃	期末手当　〃	1,453,349	1,667,683	
〃	単位給　〃	1,800	900	
〃	退職給与　〃	86,845	174,761	
〃	公務災害　〃	2,636	4,784	
〃	複式手当　〃	3,012	2,532	
〃	開拓地学校運営〃	1,841	1,768	

		学校運営	〃	515,114	611,083	旅費38,705　教科書392,208 備品56,000　保健衛生12,046 学校統合43,538
〃		へき地教育振興	〃	111,906	111,906	教育文化備品10,000　へき地手当94,036　住宅料7,870
		実習生受入	〃	113	120	
教育区財政調整補助		財政調整	〃	15,000	210,000	最近の公費による教育費の実態の比率に按分(95.6%)
		計		10,062,439	11,768,178	

(2) 文教局直接支出金

予算項目	科目	1964年度予算額	1965年度予算額	備考
学校教育放送費	事業用備品費	0	107,705	備品費 135,498ドル中, 公立小中学校分
学校備品充実費	〃	0	135,245	備品費 150,000ドル中, 公立小中学校分
英語教育普及費	〃	0	66,090	備品費80,000ドル中, 公立小中学校分
産業教育振興費	〃	174,500	0	
計		174,500	308,960	

(注)　公立小中学校児童生徒数　1964年5月　236,670人
　　　　　　　　　　　　　　　1964年5月　233,738人（推計）

b　公立幼稚園

　　　総　額　$ 15,868
　　　園児1人当り金額　$ 2.17

(1) 補助金の明細

予算項目	科目	1964年度予算額	1965年度予算額	備考
学校教育補助	幼稚園振興補助	0	13,668	
教育区財政調整〃	財政調整補助	5,000	2,200	最近の公費による教育費の実態の比率に按分 (1.0%)
計		5,000	15,868	

(注)　公立幼稚園園児数　1964年4月　7,003人
　　　　　　　　　　　　1965年4月　8,210人（推計）

2.　社会教育費

　　　総　額　$ 39,321
　　　人口1人当り　4.5¢

明　細

予算項目	科目	1964年度予算額	1965年度予算額	備考
社会教育振興費	燃料補助金	700	763	
〃	講師手当　〃	5,544	6,225	｛青年指導者120　婦人指婦者120　社会学級5,985
〃	研究奨励費	4,952	5,469	青年指導者504、婦人指導者504　PTA228、レクリエーション120　社会学級399、新生活591　青年婦人国内研修2,403　青少年健全育成モデル地区720
公民舘振興費	施設補助	10,800	10,800	
〃	運営　〃	9,000	9,000	
〃	研究奨励費	843	840	
青年学級振興費	運営補助	3,173	3,124	
〃	研究奨励費	200	160	
社会体育振興費	体育指導員設置補助	1,440	1,440	
〃	体育施設　〃	3,000	0	
教育区財政調整補助	財政調整　〃	0	1,500	｛最近の公費による教育費の実態の比率に按分(0.7%)
計		39,652	39,321	

（注）人口　1960年12月現在　883,122人

3. 教育行政費

　　　総　額　$ 238,138
　　　人口1人当り　27.0¢

明　細

予算項目	科目	1964年度予算額	1965年度予算額	備考
社会教育主事設置補助	給与補助	51,789	63,898	
〃	旅費　〃	700	619	
〃	退職給与　〃	0	1,170	
教育行政　〃	行政　〃	159,822	172,451	教育区　10,000　連合区　162,451
教育区財政調整〃	財政調整	0	6,300	最近の公費による教育費の実態の比率に按分(2.7%)
計		212,311	238,138	

(二) 政府立学校

1. 高等学校

総額　$ 3,401,935　　　生徒1人当り　$ 105.40

予算項目	科目	1964年度予算額	1965年度予算額	備考
建物修繕費	施設費	30,350	37,948	政府有建物面積に按分比例
科学教育振興費	事業用備品費	50,000	68,800	
実験学校指導費	事業用消耗品費	500	589	（実験研究学校用消耗品費）
学校教育放送費	事業用備品費	0	17,000	
学校備品充実費	〃	0	14,755	
政府立高等学校費	職員俸給	1,474,123	1,609,812	
〃	非常勤職員給与	13,320	16,737	超過勤務手当 30,158
〃	期末手当	322,806	336,938	へき地勤務手当 2,840
〃	特殊勤務手当			特殊勤務手当 9,466
〃	その他の手当	57,281	64,130	宿日直手当 19,401 初任給調整手当 2,265
〃	管内旅費	17,855	17,855	
〃	事業用備品費	74,906	100,420	
〃	その他の需要費	60,277	64,740	消耗品費ほか
産業教育振興費	管内旅費	13,641	19,416	
〃	事業用備品費	136,789	162,867	
〃	その他の需要費	159,541	180,783	消耗品費ほか
英語教育普及費	事業用備品費	0	11,803	総額80,000ドル中，府政立学校分
学校建設費	施設費	577,260	677,342	
計		2,988,649	3,401,935	

(注)　生徒数　1964年5月　30,792人
　　　　　　　1965年6月　36,730人

2. 中学校

総額　$ 64,810　　　生徒1人当り　$ 116.36

予算項目	科目	1964年度予算額	1965年度予算額	備考
建物修繕費	施設費	799	902	政府有建物面積に按分比例
科学教育振興費	事業用備品費	1,328	1,100	
学校教育放送費	〃	0	295	

予算項目	科目	1964年度予算額	1965年度予算額	備考
学校図書充実費	〃	0	600	
政府立中学校費	職員俸給	23,791	26,936	
〃	非常勤職員給与	306	481	
〃	期末手当	5,113	5,546	
〃	その他の手当	757	929	超過勤務手当 564 宿日直手当 365
〃	管内旅費	231	231	
〃	事業用備品費	9,500	9,500	
〃	その他の需要費	2,971	3,775	消耗品費ほか
英語教育普及費	事業用備品費	0	437	総額80,000ドル中,松島中校の分
学校建設費	施設費	0	14,078	
計		44,796	64,810	

(注) 生徒数 1964年5月 539人
1965年5月 612人

3. 特殊教育諸学校

総額 $ 126,315　　生徒1人当り $ 320.60

予算項目	科目	1964年度予算額	1965年度予算額	備考
建物修繕費	施設費	824	1,598	政府有面積の比に按分
科学教育振興費	事業用備品費	4,097	2,680	
政府立特殊学校費	職員俸給	52,872	63,902	
〃	非常勤職員給与	556	714	
〃	期末手当	11,368	12,451	
〃	その他の手当	5,973	5,904	超過勤務手当 3,614 宿日直手当 2,290
〃	管内旅費	813	788	
〃	事業用備品費	12,458	10,504	
〃	その他の需要費	22,120	26,026	
英語教育普及費	事業用備品費	0	1,748	総額80,000ドル中,特殊学校の分
学校建設費	施設費	119,929	0	
計		231,010	126,315	

(注) 1964年5月 338人
1965年5月 563人 (推計)

4. 産業技術学校

総額 $ 355,130

予算項目	科目	1964年度予算額	1956年度予算額	備考
学校建設費	施設費	0	355,130	

教育関係日米援助の状況

(一) 日本政府援助（昭和39年度） (弗)

項　　　目	昭和38年度援助額	昭和39年度援助額	備　　考
沖縄育英奨学資金援助費	70,056	90,089	琉球政府予算に計上
沖縄現職教員講習会講師派遣費	22,853	25,200	日本政府直接支出
沖縄教員内地派遣研修費	19,206	20,233	〃　　〃
国費沖縄学生招致費	115,875	130,800	〃　　〃
琉球大学への教授派遣費	947	947	〃　　〃
沖縄への教育指導員派遣費	31,650	36,056	〃　　〃
沖縄青年婦人内地教育研究活動援助費	2,403	2,403	琉球政府予算に計上
水産高校専攻科設置援助	22,889	20,000	
教科書贈与費	99,614	101,477	琉球予算に計上
沖縄文化財に対する技術的援助	781	875	日本政府直接支出
琉球大学教員の内地派遣研修費	1,725	1,725	〃　　〃
水産高校専攻科指導員派遣費	6,394	4,311	〃　　〃
公民館図書設備充実費	41,650	42,533	南援経由
準要保護児童生徒の学用品購入費	76,817	87,953	〃　　〃
計			

(二) 米国援助（1995年度）

項　　　目	1964年度援助額	1965年度援助期待額	備　　考
校舎建築費	750,000	800,000	琉球政府予算に計上
産業教育備品費	175,000	50,000	〃
公立学校備品費	0	150,000	〃
教員給与費	1,000,000	1,000,000	〃
博物館建設費	0	150,000	〃
学校教育放送費	0	125,000	〃
給食物資	1,670,234		現物支給
米国学生派遣費	250,140	509,000	米国直接支出
理科備品購入費	100,000	135,000	琉球政府予算に計上
商業科の備品購入費	15,000	0	〃
工業高校の備品購入費	20,000	0	〃
英語教育普及費	16,000	100,000	〃
計			

補助金の執行は愼重に
――手続上守ることがら

文教局予算 18,704,058 \$ 中、補助金は 13,434,987 \$ である。これを比率で示すと 71.83％となる。

補助金を交付される側としては別に多額の補助を受けているという実感を伴わない場合が多いのではあるまいか、言うまでもなく、補助金は一方的に政府が地方の財政を補塡強化する制度であるから、ややもすると当然の贈物として受けとられ、それがために地方住民から直接受けとる税収等に対するような慎重さを欠くうらみがある。

補助金交付の趣旨にしたがって、補助を受ける例として、必要な手続きを速やかに行ない、充分な配慮をなすべきである。

以下予算執行を円滑に行なうために主として補助金について心掛けるべき基本的なことがらを述べてみたい。

予算の執行にあたっては、第一に予算の効率的済化をはかること、第二に年内完全済化という二点にとくに配慮する必要がある。

この予算執行の効果的運用を、まず早期に執行することであり、それには、年間執行計画を樹て、その実行に努め、年度内に諸事業を完結することであろう。

補助金等については、中央教育委員会規則、補助金交付の条件、その他については、「補助金等に係る予算の執行の適正化に関する立法」に基づいて執行しなければならないことになっている。

以下補助金の交付申請からその事業の完結までに極めて注意すべきことがらについて順を追って説明してみたい。

1 補助金等の交付申請の期限

補助金は適期に交付するために交付申請の期限を定めてあるから、期限を守らない場合いろいろの支障を来たす、場合によっては年度内予算消化が危ぶまれることさえある。とにかく交付申請の期限を厳守することがまず大切である。

2 補助金等の受入態勢の強化

補助金を受ける側にその受入態勢ができていない場合は、補助金による事業、とくに建設工事、備品購入等の早期執行を期待することはできない。

例えば、学校建設計画に基づく建設用地の準備が備品充実計画（優先順位による）をたててそれに基づく交付申請といったような、受入準備が大切である。

このような態勢は補助金交付の通知を受理次第契約（発注）できることになろう。

3 補助金等の支出負担行為（契約）

補助金等を執行する場合、補助金の交付の目的を達成するために附された条件を厳守することは当然のことであるが、その支出負担行為の期限については、財政法の年度独立の原則に従って当該会計年度の末日限りで、支出負担行為未済額（未契約額）はすべて無効となる。したがつてその方に相当する補助金等は減額することになる。

4 予算の年度繰越

(1) 繰越明許費

経費の性質上年度内の支出の終らない見込のものについては、立法院の議決を経て翌年度に繰越して使用することができる。このような経費の中に米国援助金及び日本政府援助金等がある、

(2) 事故繰越

予算の執行に当って支出負担行為済（契約済）であって避け難い事故のため年度内に支出が終らないものは，この理由を附して繰越の承認を受けなければならない。

5 補助金等の実績報告

実績報告については従来軽視されている傾向にあるが，「補助金適正化法」に報告の義務を規定してあり，この報告書を審査して補助金の確定をすることになっていて，補助金交付の条件に違反する場合は補助金の全部又は一部を取消すことができる。大事な報告書である。

以上補助金の取扱いについて述べたのであるが，手続きの順序をか条書きにしてみると

補助金交付の順序

(1) 補助金交付申請（申請書及び必要な添附書類）
(2) 補助金交付の決定（補助金交付の指令書）
(3) 補助事業の執行（補助事業者）
(4) 実績の報告（完成報告又は年度末の報告）
(5) 補助金の確定（補助事業の承認，補助金額の確定通知）
(6) 補助金の政府支出請求書及び関係書類添付）

会計の検査

会計検査は，各部局の会計を検査するとともにその補助金を受けているものの会計を検査して，政府の収入，支出を確認するために行なわれるもので，その指摘事項の主なものは下記の通りである。

1 建設工事等の粗漏工事
現場監督者の厳正な態度が必要である。
2 物品の効率的運用に欠けているもの
管理責任者を明確にして善良管理が望ましい。
3 補助金等の精算の適正がないもの
補助金交付目的別に整理簿を的確に記帳整理して実績報告の正確を期すべきである。

予算を執行するについては，会計係職員が最善の努力をしてもその他の職員の協力がないと，必ずどこか欠陥が生ずるもので，予算を適正に執行するためには全職員の善良な協力が必要である。

文教時報（第八九号）

非売品

一九六四年　九月一日　印刷
一九六四年　九月三日　発行

発行所　琉球政府文教局調査広報課
印刷所　新　光　社
電話　⑧三六八〇番

		誤	正
1頁	下5行め	1,237211	83,954
〃	〃 2	23,984,205	21,432,645
2	3	2億7千4百万	23,620,000
〃	4	9.15%	7.88%

文教時報（第九二号）

非売品

印刷　一九六五年一月二十二日
発行　一九六五年一月二十五日

発行所　琉球政府文教局調査広報課
印刷所　セントラル印刷所
電話　〇九九一二三七三番

文教時報

No. 90　64/10

琉球政府・文教局・調査広報課

も く じ

No. 90

「写真」　東京オリンピックの聖火遂に本島一周を果す

人材養成計画立案のための初の
　　　　　〝職場学歴構成調査〟を実施……………………………… 9

学校基本調査中間報告………… 調査広報課……………………… 13

オリンピック東京大会聖火沖縄リレー………… 保健体育課…… 17

　　　　　第17回沖縄体育大会　11月3日より3日間……………… 19

教育財政校長教育委員会研修会主なる質疑 ……………………… 20

（広告）
　中学校卒業認定試験実施について ……………………………… 29

（研修報告）
　研修講座に参加して　鏡原小　砂川慎男 ……………………… 30

　全日書研教育大会に参加して　南風原小　前泊福一 ………… 31

図　書　紹　介 …………………………………………………… 33

一般職の職員の給与に関する立法の一部を改正する立法 ……… 34

「健康の日」実施要項 …………………………………………… 35

（資料）　文部広報より
　　　　　4分の1はへき地校 ……………………………………… 42

東京オリンピックの聖火
遂に本島一周を果す

↑ 国産機で遠くギリシヤより運ばれた聖火，遂に国土の聖火コース出発地点那覇へ着く，感激の一瞬

↑ 聖火を迎える，内外の報道陣がつめかけ空港ロビーも騒然たるありさま，マリン隊の撮影班がヘリコプターで取材中

空港より競技場まで日の丸を振つて聖火を迎える人の列 →

← 第三走者宮城康次君奥武山競技場へ到着、どっとあがる歓声と拍手の音、白煙をふき出すトーチをふき出す畑のオレンジ色が印象的

↑ リレー実行委員長、当間重剛氏のあいさつ、宿願の聖火を当地に迎え、リレーできる喜びを語り、聖火団の労をねぎらう

← 国旗掲揚、五輪旗と並んで秋空にはためく4万の観衆もしばらく緊張と厳粛な面ちでそれを見守る

← 沖縄本島一周へスタート，阿波根文教局長より聖火をうけとる正走者の阿波根昌博君

歓迎の人で埋めつくした姫百合の塔前をリレーする。正走者は第二次大戦で父をうしなつた遺児金城君
↓

← 聖火走者南部のコースをつっ走る，バックに見える丘陵は麻文仁丘健児塔はその麓にある牛島中将自決の地に建つ碑が鮮やか

正走者中唯一の女子走者、観衆注視の中で聖火がリレーされるまことに厳粛な瞬間

聖火台で燃える聖火 （嘉陽） →

聖火陣嘉陽に到着，聖火台には第3回アジア大会の聖火台として使用されたもの ↓

← 嘉陽の地に建つ「聖火宿泊碑」除幕式、聖火の宿泊地、村を挙げて聖火歓迎にわきたつ

中部を走る聖火、後方が米軍司令部
↓

↑
聖火リレー第二日目、嘉陽を出発して聖火西海岸を一路那覇へむかつてひと走り、塩屋大橋がひとさわ美しく目にうつる。

← 聖火那覇の都心を走る，熱狂的な観衆の声援，沿道を埋めつくして打ち振る日の丸の旗の波

← 南・中・北部と本島一周を果していま会場へ到着，観客の拍手を浴びながら入場

沖縄本島を一周して聖火再び競技場の聖火台にもどる →

← エキジビジョン，政府立松島中学校の美しい棒体操

寄宮中学校女生徒によるダンス，題して「オリンピックの花」→

← 沖縄特有の空手道　力強い熱演は神原中学校

← 聖火を運んで,ギリシヤより国土の一端につく,任務をおえてほつとする一行

那覇市内中学校のバンド隊の行進 →

← 那覇市内中学校のバトンガールの演技

人材養成計画立案のための
初の〃職場学歴構成調査〃を実施

調査広報課

はじめに

　最近世界各国の教育に寄せる関心はとみに高まつてきた。とくにアジアの国々の教育振興に対する努力は注目される。昨秋東京で初めて「教育計画会議」が開催されたことはそれを裏書きするものである。そこでは教育が日本の社会の急速な発展に果した役割の大きいことが話合われた。

　かく教育が社会発展に寄与することは半面社会的要請にこたえる教育の施策を必要とする考え方に通ずる。教育計画をたてるにあたつて社会的要請がな辺にあるかは握することが強調される所以である。

　このたび文教局が初めて実施しようとする職場学歴構成調査は、実はこのような社会的要請にこたえる教育計画をたてる上に必要な基礎資料を得るための調査である。例えば工場や官庁で技術者が欲しい、不足しているとかよく聞くが、そのような一つ一つの現象や話題だけでは、それに対応する技術者養成の教育施策といつた形で反応し難い。それには、まず技術者の需要量とその産業部門がは握されることが必要である。

　つまり各種産業とそこで働く従業員との関係を見きわめ、さらに社会の過去の経済的発展ならびに将来への指向を想定することによつて、社会がいかなる人材養成を希求しているか推し測ることができると考えるのである。

　文部省は昭和28年9月以来3回にわたつて職場学歴構成調査を行なつており、その結果を数次に及ぶ一連の報告書をもつて公表している。しかもこの調査結果にもとづいて教育計画をねり、既に「高等・中等教育卒の技術・技能者の充足計画」等に調査結果を役立ている。

　このような文部省の調査を参考にして、長時間これまで研究したのであるが、来る11月1日を調査時点として全琉にわたつて広く調査を実施することにした。

調査の目的

　職場学歴調査を実施するわけを若干述べてきたが、さらにこの調査の目的について附言したい。今日の社会は社会的、経済的面からその社会の動向に適応するところの人材を要請する傾向が強くなつてきた。このような社会的要請に即応する合理的な人材養成計画立案が教育上急務になつてきたのである。そこでその基礎資料として、職場の従業員の学歴別、職種別構成の現状をは握する目的をもつてこの調査を行なうのである。

　具体的には産業社会の要求する人材の質と量、学校教育機関が送り出す人材の質と量といつた面の実態を調査することができたら、この者二間の需給関係の実態が測定できるのではないか、かかる、実態の測定にもとづく職業分析が結果的には企業体の人的構成についての教育程度による最適標準の作成を促し、将来の経済、労働状況の見

透しに立つ合理的な需給関係を推定することが可能になつてくる。

このような計画図を描いて，手初めに職場の学歴と職種の関係をは握しようとするのがこの調査である。いわば人材養成計画立案のための第一段の仕事である。

調査の対象

この調査はその実施にあたつてはいろいろ困難点を伴うものである。

まず調査の対象の決定である。1960年12月1日の国勢調査の結果によると沖縄の労働人口は約35万人となつている。その後4年近く経過しており大きく異動しているであろうことは容易に想像できる。1963年度に計画局統計庁によつて部分的な調査が行なわれたのでその結果を勘案して労働人口39万と推計することはできたが，労働人口構成例えば産業分部別の労働人口とか，また企業体の規模等については具体的に，実体をとらえることは困難である。

幸い統計庁の事業所のリストを資料として活用することができたので，次に示す小規模事業所より大規模事業所までの調査対象については一応事業所を選定することができた。

この調査対象の事業所の選定にあたつては，調査の範囲を全琉的に，しかも特定の産業分野にかたよることなく，かつ企業の規模も資料の利用できる限りにおいて考慮し，標本抽出することにした。以下調査対象として抽出した事業所数と抽出率を示すと，

(1) **民間事業所**（a.b.cの区分は文部省の調査区分にしたがつた。）
   a. 小規模事業所（従業員50人未満）
      抽出事業所　1,400（抽出率 7％）
      抽出従業員　約　7,000人
   b. 中規模事業所（従業員50人以上300人未満）
      抽出事業所　60（抽出率33％）
      抽出従業員　約　6,700人
   c. 大規模事業所（従業員300人以上）
      抽出事業所　15（抽出率100％）
      抽出従業員　約　8,400人

(2) **公営事業所**
   a. 政府機関，公社及び地方団体
      抽出事業所　60（抽出率25％）
      抽出従業員　約　3,000人
   b. 教育機関
      抽出事業所　85（抽出率25％）
      抽出従業員　約　1,900人

(3) **その他**
   a. 農漁業自営者
      抽出率　2％
      抽出従業員　約　3,000人

第一回教育調査委員会

b. 軍雇用者
　　　抽出率　15％
　　　抽出従業員　約　2,200人
調査対象を総計すると抽出従業員は約32,200人で，それは労働人口の9％となる。

調査の内容
どんなことを調査するか簡単に説明してみたい。

まず小規模事業所と農漁業自営者及び軍雇用者については，個人票を用いて，産業部門，経営規模，男女別，学歴，専攻学科について調査する。

次に中・大規模事業所及び公営事業所については調査票を事業所単位に集計記入させるようにし，調査内容としては個人票の調査事項の外に，

　　　職種別従業員総数，高等教育卒従業員の専攻学科別，職種別の内訳，中等教育卒従業員の学歴別，職業別の内訳，過去3ヵ年における採用者，転職者退職者の学歴別，学科別の内訳
の各項目について調査することにした。

調査の方法
調査の方法は文教局職員と公立中学校，政府立高校教員の　うち調査員とし　て委嘱される一部教員によつて調査を行なわせるようにしたい。

調査実施前において全琉を幾つかの調査区域に分け，それぞれに小規模事業所と農漁業自営者及び軍雇用者の調査対象数を定めておいて，これが調査を公立中学校一部教員に委嘱したい。

中，大規模事業所と公営事業所については，文教局でその標本を抽出し，局職員と政府立高校教員によつて調査を行なうようにしたい，この調査事業所についてはリストが作成されているので，事業主あて調査の趣旨と調査への協力依頼について文書を送付する予定で仕事をすゝめつゝある。

なお調査員については公立中学校並びに政府立高校とその一部教員の積極的な協力が必要であるため，調査の趣旨を十分理解して協力していただくよう近く要請する予定である。

教育調査委員会
この調査はさきに説明したように調査対象を標本抽出したとはいえ32,000人に及び全沖縄の労働人口の9％に達するものである。しかも調査は被調査者の全幅の協力と政府内は勿論各種の団体の支援がなければ実現が困難なものである。

したがつて10月上旬文部省の調査局調査課長若菜照彦先生を招いてその指導をうけ更に，教育調査委員会を設け，そこで文教局案を十分検討してもらつた。

教育調査委員会は学識経験者として政府外から，
　　　琉球商工会議所事務局長
　　　　　　　　　　　松川久仁男
　　　沖縄経営者協会事務局長
　　　　　　　　　　　新里次男
　　　琉球大学事務局長　真栄城朝潤
　　　琉球銀行人事部長　漢那朝佼
　　　琉球製糖常務取締役　大見謝恒宏
　　　琉球石油常務取締役　下地幸一
　　　沖縄ガス常務取締役　比嘉信光の諸氏
政府内から
　　　琉球政府参事官　佐久本嗣善
　　　琉球政府内務局人事課長
　　　　　　　　　　　玉木重雄
　　　琉球政府計画局統計庁経済課長
　　　　　　　　　　　宮城吉正

琉球政府計画局経済企画課長
　　　　　大城立裕
琉球政府労働局労政調査課長
　　　　　　　三浦賢勇の諸氏に
阿波根文教局長，金城文教局次長，知念義
務教育課長，笠井高校教育課長，安谷屋調
査広報課長が加わつて17名，去る10月9日
第1回調査委員会を開いて，この調査の企
画及び実施上の技術的な問題について審議
し貴重な助言を得た。
　ことに琉球商工会議所並びに沖縄経営者
協会はこの調査の全面的に後援することに
なつた。

第一回教育調査委員会，全委員この調査の必要を強調した

（資料）
職場学歴構成調査における調査対象
産業別　事業所数及び就業者数（抽出）

産業部門	国勢調査に基く就業者総数	対象就業者数	就業者総数に対する対象就業者の割合
（A）農林業狩猟業	147,481	2,886	1.9%
（C）漁業水産業	4,560	477	10.5
（D）鉱　　　　業	576	57	10.0
（E）建　　設　　業	19,652	1,640	8.3
（F）製　　造　　業	19,898	5,232	26.3
（G）卸売・小売業	58,690	4,648	7.6
（H）金融・不動産業	4,061	2,076	51.1
（J）運輸・通信業	13,323	5,361	40.2
（L）電気・ガス・水道	1,827	272	14.9
（K）サービス業	※68,524	※6,450	※9.4
公　　　　務	11,751	2,938	25.0
そ　の　他	216	―	―
合　　　計	350,559	32,037	9.1%

※　軍雇用者・教員を含む

―学校基本調査中間報告―

調査広報課

はじめに

1964学年度の学校基本調査の結果がこのほどまとまった。同調査は、ご承知のように毎年5月1日現在（中・高校卒業後の状況については6月30日現在）をもって行なわれる調査である。

今回はこの調査中主として「学校調査」の調査結果の一部を紹介したい。なお同調査の総合的な報告は近く報告書として、まとめて公表する予定である。

義務教育人口琉球全人口の1/4強

小・中学校の全琉総数は、小学校で2校の増、中学校で1校の減となって、結局小学校231校、中学校155校となっている。

小規模学校間で教育効果や教育財政の上から学校統合を行なっていることは喜ばしいことである。小・中学校においては適正規模は12学級ないし18学級とされている、ところが全小学校のうち25.1%、全中学校のうち16.1%が適正規模であるのに対し、5学級以下の小規模学校が小学校において16.4%、中学校では40.6%も占めている。

とくに中学校の40.6%は、この種の本土の比率、13.9%より極めて高いことが注目される。

小学校における児童数は、近年漸減の傾向にある。本年は昨年より4,690人減少して155,127人となっている。中学校では逆に3,876人増加して82,205人となっている。したがって義務教育学校に在籍しているものは237,332人となる。仮りに沖縄の全人口を92万人とすると、義務教育学校在学者はその25.8%に当ることになる。この義務教育学校在学者の人口比率を本土の人口規模の類似している鳥取、奈良、福井、滋賀高知、山梨、香川、島根、徳島等の県と比較すると、これらの県が17.4%から21.6%の範囲であるのに対して沖縄の人口の1/4強は極めて高率であることに驚かされる。小・中学校に在籍する児童生徒を絶対数で比較すると、さきの9県はもちろん、さらに人口規模の大きい石川、和歌山、富山、佐賀、宮崎、大分、三重、山形といった諸県より在籍が上廻っていることが注目される

中・高校生増加の傾向これから続く

児童生徒の在籍を学年別にみると中学校では第二学年の28,545人が最も多く、つづいて1年3年の順となっている。この中学3年生が小学校6年生より1,600人も少ないことから、中学校の来年度の在籍は本年度より増加することが予想される。

第1表

64.5.1

学年		在籍数
小	1	23,565
	2	25,106
	3	25,619
	4	26,293
	5	26,869
	6	27,675
中	1	27,630
	2	28,545
	3	26,030
計		237,332

学年別在籍は小学校では6年生が最も多く学年がくだるにしたがつて漸減の傾向を示している。

本務教員1人あたり児童生徒数をみると小学校が37.8人、中学校が29.4人である。本土の29.2人、26.8人にはまだ相当な差がある。

昨年より本年は小学校の在籍が減少したが、教員数の減少を最少限にとどめ、中校においても教員の増員に努力したため、教員一人あたり児童生徒数を昨年度と比較すると、小学校で0.8人（中学校では0.1人の増）減少しているから、僅かながら教員の負担軽減に役立つたものと考える。

学級数は小学校が3,590学級、これは昨年より11学級の減、中学校は1,758学級、昨年より72学級の増加となつている。1学級あたり児童生徒数は昨年の小学校44.3人、中学校46.4人に対し本年はそれぞれ43.2人、46.8人となつている。これは本土の小学校37.7人が36.0人に、中学校44.1人が42.5人に減少したことから両者の差が一層大きくなつたことになる。

第2表　　　　　　　　　64.5.1

		生徒数	教員数	教員1人あたり
小学校	本土	10,030,987	343,296	29.2人
	沖縄	155,127	4,109	37.8
中学校	本土	6,475,687	241,619	26.8
	沖縄	82,205	2,794	29.4

特殊学級は、昨年度より小学校で10学級中学校で1学級増加し、それぞれ29学級、4学級となつている。

特殊学級の増加に伴つて児童生徒数も増加した。とくに小学校では昨年の227人に対し334人と大巾の増加を示している。

しかし全琉学校数に比べると特殊学級設置校はまだ少なく、今後ともこれが設置に積極的に努めることが必要であろう。幸い来学年度は沖縄養護学校が設立され、精薄、肢体の施設が教育活動を開始するわけであるが、それと平行して公立の小・中校で特殊教育への関心を増し、恵まれない子どもたちの教育を促進するための努力を期待したいものである。

第3表は公立の小学校における特殊学級で教育される児童を種類別に分類したものである。

第3表　特殊学級児童数（小校）

性格異常者	11
精神薄弱者	220
難聴者	6
弱視者	8
言語不自由児	3
肢体不自由児	83
身体虚弱者	3
計	334

教員異動10％台
異動率は高・小・中の順

本務教員数は小学校が4,109人、中学校が2,794人である。昨年に比べると小学校が34人の減、中学校が120人の増となつている。教諭、助教諭の比率は、小学校が93.3:1.7、中学校が99.5:0.5で、いずれも昨年の教諭の占める比率小校97.8、中校98.3より上昇していることがわかる。

つぎに教員の年令別構成は第4表の通り

である。これを比率でみると，ほとんど昨年と大差がない。

第4表　年令別教員数　1964.5.1

年令階級	小学校	中学校
29才以下	1,107	1,553
30〜39	1,754	691
40〜49	735	328
50〜59	455	192
60才以上	58	30
計	4,109	2,794

教員の新規採用の状況，退職状況ならびに転入教員数について本年新な調査を試みたのであるが，第5表以下でその結果を紹介することにしたい。

第5表　新規採用者

		小学校			中学校		
		男	女	計	男	女	計
一九六三学年度	新制大	30	68	98	201	56	257
	短大	19	77	96	32	32	64
	その他	10	11	21	16	8	24
	計	59	156	215	249	96	345
一九六四学年度	新制大	26	52	78	122	44	166
	短大	8	22	30	17	29	46
	その他	3	11	14	10	3	13
	計	37	85	122	149	76	225

表中1963学年度は1963年4月1日より1964年3月31日までの1ヵ年間の新規採用者であり，1964年度は1964学年4月1日より1964年5月1日までの1ヵ月間の新規採用者である。小学校で女子採用者が多いのに対し中学校では男子の採用者が逆に圧倒的に多い。しかし，男女の差は小中校ともに1963学年度より1964学年度が接近していることがうかがえる。

ただ1964学年度は5月2日以後さらに新規採用者が加わるので，年度間としての採用状況は変動するものと考えられる。

1963学年度間の退職教員数は第6表の通りである。退職者総数は小学校で116人，中学校で77人である。

第6表　退職教員数

	小学校			中学校		
	男	女	計	男	女	計
勧奨退職者	5	—	5	5	—	5
転職者	14	30	44	23	12	35
その他	14	53	67	22	15	37

第7表の1964学年度における転入教員の状況は1964年4月1日から5月1日までの1ヵ月間の教員の異動を受入学校によって調査したものである。調査の結果で小学校間が492人，中学校間が205人，中学校より小学校へ37人，逆に小学校より中学校へ79人異動したことがわかる。転入教員総数は小学校が542人，中学校が292となりそれぞれ教員総数の13.1％，10.4％にあたる。

第7表　転入教員数

	小学校			中学校		
	男	女	計	男	女	計
小学校より	118	374	492	53	26	79
中学校より	23	14	37	152	53	205
高校より	1	—	1	3	1	4
教育委員会より	10	2	12	3	1	4

高等学校の状況

1963学年度30,168人の生徒数が1964学年度は一挙に36,142人に増加した。高等学校生徒の増加の傾向はここしばらく続くこと

が予想される。この高校生急増に対して1964学年度は中部工業高校が新設された。

生徒数は1年が13,980人で最も多く，学年が進むに従つてその数は次第に減少している。第8表は，課程別生徒数とその比率である。この比率は普通課程が昨年(39.0)より伸びていることが注目されるだけで大きな変動はない。本年度は高校における学級数を新に調査したが，その結果第1学年が295学級，第2学年が299，第3学年214，第4学年24学級となつている。

第8表

課　程	生　徒　数	％
普　通	15,010	41.5
農　業	4,396	12.2
水　業	※ 1,225	3.4
工　業	3,221	8.9
商　業	8,723	24.1
家　庭	3,567	9.9

※　水産専攻科23人を含まない

高校の本務教員数は本年は1,572人となり，昨年より192人の増加となつている。本務教員のうち助教諭は95人（6％）である。教員異動は高校へ転入する教員をもつて調べると，中校より42人，高校間185人，文教局から2人計229人で，本務教員の14.6％が異動したことになる。教員構成を年令別にみると第9表に示す通りで一見して高校教員の年令が上昇していることがうかがえる。

第9表

年令階級	1963年度 教員数	％	1964年度 教員数	％
29才以下	787	57.0	836	53.2
30～39	352	25.5	479	30.5
40～49	125	9.1	138	8.8
50～59	96	7.0	90	5.7
60才以上	20	1.4	29	1.8

教員の新規採用の状況をみると，第10表第11表の通りである。高校生急増のための教員採用増の傾向は当分つづくものと予想される。

第10表　1963.4.1～1964.3.31

出身校	男	女	計
新制大学	106	18	124
短期大学	4	―	4
その他	5	5	10
計	115	23	138

第11表　1964.4.1～1964.5.1

出身校	男	女	計
新制大学	169	23	192
短期大学	5	4	9
その他	15	1	16
計	189	28	217

オリンピック東京大会聖火沖縄リレー

保健体育課

　オリンピック東京大会の聖火は，8月2日にオリンピック発祥の地ギリシヤのオリンピアで採火されて，8月22日にアテネを出発し，イスタンブール，ベイルート，テヘラン，ラホール，ニユデリー，ラングーン，バンコツク，クアランプール，マニラ，ホンコン，台北の各都市に立寄り，9月7日正午に那覇空港に到着した。

聖火沖縄リレー

　聖火は，香港において台風にあい，沖縄着が24時間おくれたため，沖縄における日程は次のとおり一部変更して実施した。

月　日	出発時刻	到着時刻	出発地点～到着地点	距　離	区間数
9月7日	12:40	13:00	那覇空港～奥武山陸上競技場	4.0km	3
9月8日	7:00	17:20	奥武山陸上競技場～嘉陽中学校	120.2km	73
9月9日	7:00	17:10	嘉陽中学校～奥武山陸上競技場	118.9km	72
9月11日	15:00	15:20	奥武山陸上競技場～那覇空港	4.0km	3
計				247.1km	151

分　火

　聖火は，9月8日18時55分に久志村嘉陽において分火し，一つは19時に同地を出発して，自動車により運ばれ21時に琉球政府に到着し，同夜は行政主席室に安置された。翌9月9日は早朝自動車により那覇空港に運ばれ，午前7時予定どおり全日空のYS11により鹿児島に向い出発した。

　他の一つは上記のとおり久志村嘉陽から奥武山陸上競技場にリレーされ，同夜と9月10日は行政主席室に安置され，翌9月11日15時50分発の日航の旅客機で福岡に向い那覇空港を出発した。この聖火は9月17日さきに出発した第一コースの聖火と熊本県庁において合火した。

聖火沖縄リレー実行委員会

　沖縄における聖火沖縄リレーの実施，運営にあたつては軍民代表によるオリンピック東京大会聖火沖縄リレー実行委員会（沖縄側の委員長当間重剛）が去つた3月に組織されて，これが準備にあたつた。

　この委員会は次のような小委員会に分かれ，それぞれの業務を分担した。

企画運営小委員会
財務小委員会
広報小委員会
走者選考，訓練小委員会
コース美化小委員会

式典小委員会
リレーコース交通整理小委員会
医療小委員会

リレー走者

リレー隊は、正走者1名,副走者2名,随走者20名で編成された。沖縄コースは151区間に区分されたので,3,473名の青少年が聖火リレーの感激に浴することができた

走者は16才から22才までの青少年から選ばれたが、正副走者は高校生、大学生それに青年会員があてられ随走者の過半数は中学生が占めていた。それに遠く宮古の三つの高等学校の代表20名が来島し、久志村の二見から大浦まで随走した。

全走者が揃いのユニホームを着てリレーした姿は実に立派であつた。正走者のユニホームは、オリンピック組織委員会から、副走者は沖縄の実行委員会から支給され、随走者の分は市町村あるいは所属団体援助されたものである。

聖火歓迎

9月7日に聖火が那覇空港に到着してから、沖縄本島のリレー実施間、式典会場、リレーコースに数十万の観衆が押しよせ、沖縄史上最大のスポーツ祭典であつた。コース沿道には、聖火歓迎のアーチ、のぼり横断幕が立ちならび、きれいに清掃され撒水されたコースの沿道には、老いも若きも一目でも見ようとして、手に手に日の丸の小旗を打ちふり鐘、たいこ、バンドで迎え全く感激そのものであつた。そして大成功のうちに聖火リレーは行なわれた。

祝賀行事

アジアにはじめて迎える聖火を九十万住民がこころから歓迎の意を表し、意義あらしめようと,次のようないろいろな祝賀行事が行なわれた。

9月7日　於　奥武山陸上競技場
エキジビション (13:50～16:40)

演技種目	演技団体	演技人員
徒手及び器械体操	沖縄高等学校体育連盟	50
バンド演奏及びパレード	西部吹奏楽連盟沖縄支部	300
おお東京オリンピック	小禄中学校	700
バンド演奏及びパレード	米軍	
地バーリー	泊復興期成会	60
エイサー	国頭北斗婦人会	200
綱引	那覇公設市場連合会	800

なお、19時30分から21時まで祝賀花火大会を奥武山陸上競場において行なつた。

9月7日　於　嘉陽中学校
エキジビション (17:30～19:30)

マスゲーム	嘉陽中小学校
バンド	キャンプスワーブ
南の島獅子舞	嘉陽区
エイサー	安部　辺野古
組棒おどり	汀間　大川
民踊	

9月9日　於　武奥山陸上競技場
エキジビション (15:40～18:00)

バンド演奏及びパレード（鼓笛隊）	那覇地区小中校	2,400
マスゲーム	首里中学校	400
オリンピックの花	寄宮中学校	500
棒体操	松島中学校	170
バンド演奏及びパレード		米軍
空手	神原中学校	500
スポーツの祭典	上山中学校	750

経　費

　このような盛大なスポーツの祭典が挙行できたのは，政府各局，久志村はじめ各市町村および各機関団体の協力の賜であつた

　実行委員会が使用した経費はオリンピック東京大会組織委員会からの補助金1,057.50＄と，文教局の補助金2,024＄，篤志家の寄付金166.12＄の計3,247.62＄であつた

オリンピツク記念事業

　オリンピック東京大会を記念して，琉球政府では奥武山陸上競技場を建設し，久志村では嘉陽小中校正門前に聖火宿泊記念碑を建立して永久に残した。

１１月９日より３日間
第17回沖縄体育大会行なわる

△趣　旨

沖縄体育大会は広く住民の間にスポーツを振興して，その普及発展とアマチユアスポーツ精神の高揚をはかり，あわせて住民の健康を増進し，その生活を明朗にしようとするものである。

△主　催　　財団法人沖縄体育協会・文教局・那覇市・那覇連合区教育委員会・那覇区教育委員会
△大会期日　11月9日～11日
△会　場　地　那覇市
△競技方法
(1) 競技方法は地方対抗（那覇市，南部，北部，宮古，八重山の対抗）を原則とし，やむえない競技種目は団体競技又は個人競技とする。琉球大学体育会及び沖縄体育大会は一地方とみなす。
(2) 沖縄体育大会の成績順位は地方対抗の種目ごとの採点制による総合成績により決定する。
(3) 沖縄体育大会は，一般男女を対象として行なう。ただし競技種目によつて高校生，中校生の種別を設けることができる。

△参加資格
(1) 沖縄住民であること。
(2) アマチユア競技者であること。
(3) 登録制については，関係団体においてそれぞれ実情に即し，無理のない方法をとる。
(4) 在住地と本籍地が異なるものは，本人の希望によりいずれかの地方からも参加できる。（二地区又は二市町村の予選に参加することはできない。離島出身，本島在住者は出身地区の予選に参加しなくてもよい）
(5) 加盟大学生は所属学校以外から参加することはできない。

(6) その他の事項については各競技の実施要項で定める。

△表　彰
(1) 地方対抗の全種目を通じての総合優勝地方に旗を授与する。
(2) 総合成績及び男女別総合成績三位までの地方に表彰状を授与する。
(3) 各競技ごとの成績三位までは表彰状を授与する。ただし現在ある旗及び杯はそれぞれの一位に授与する。
(4) 個人競技の一位には賞を授与する

△申込方法

参加申込書は所定の様式により二部作成し10月27日までにそれぞれ一通を財団法人沖縄体育協会事務局と各競技団体あて送付するものとする。

△競技種目及び会場

種　　　　目	会　　　場
陸　　　　上	奥武山陸上競技場
バレーボール	開南小学校
バスケットボール	那覇商業高校体育館
軟　式　庭　球	奥武山庭球コート
卓　　　　球	沖縄タイムスホール
相　　　　撲	牧志相撲場
柔　　　　道	警察学校体育館
体　　　　操	琉球大学体育館
剣　　　　道	警察学校体育館
バドミントン	久場崎高校体育館
野　　　　球	奥武山野球場
水　　　　泳	首里プール
弓　　　　道	宮城森弓道場
ボクシング	奥武山ボクシング場
ウエイトリフティング	牧志相撲場
カ　ヌ　ー	漫湖

教育財政校長教育委員研修会
主なる質問事項とその解答

調査広報課

はじめに

当局は1965会計年度の教育財政(とくに文教局予算)について教育委員,学校長等の理解を深めその合理的かつ能率的消化につとめるため9月中旬に研修会を行なつた。同研修会ははじめ局職員による説明、ついで質疑がもたれ教育委員、学校長から要望が述べられたのであるがその主なるものを次に紹介したい。

9月16日　中部連合区
(旧読・嘉,コザ,普天間)

読谷小① 特殊教育の振興の必要を痛感する。その意味で教員と教室に対する特別な措置を考慮しているか。
(義務)給料調整額を設けて教員の優遇を考えたい。さかのぼつて去つた7月分より支給することにしている。
(施設)小校の場合教室の余裕のある学校を優先したい。ピークを超えているので漸次その面の施設計画はよくなると考える。

仲城中② 1935会計年度校舎の保有面積は政府補助の校舎だけで小校78.30%というのは、基準面積に対してか(施設)1963年12月に改訂された現行基準に対する達成率を意味する。

③ 不足教室は本年度の割当てでは充足できないか
(施設)事実上は充足できないが割当てで考慮したい、したがつて特別教室等の割当てを効率的に運用するなら一応対処できるとみている。

④ 教員定数外の教員、養護教員の全校配置について努力したか、進路指導主事はどうか、
(保体)養護教員の実績は実証ずみだ全校へ配置することは必要なことだが、ただ厚生局の事情から本局の要求が通せない。需要をみたせない現状で、本年5、来年4月10名の増を予定している
(義務)進路指導主事については未配置の学校は職務分掌としておくようすゝめている

⑤ 中校教員週持ち時間26時間は多すぎる、緩和策はないか、更に数学教員養成について突つ込んだ策を伺いたい。
(義務)教員定数から言うと1教員あたりの教科時数は24時間で、あと特活の時間が加わつてくる。教員が同じように時間数を配分するようにつとめるとそれ以下になる。
(次長)理数科担当教員養成には

数学を担当して免許状を有しない者，数学担当希望者を琉大で半年教育し教員免許状をあげるようにした，が実際問題として実情に合わない。集中講ぎは教科の性格からいつて効果は期待通りいかない。同一人を二カ年連続受講の形で実施する方法がよいようだ。

物理化学については教員が不足していることに鑑み初任給調整の策をとつているこれらの教科に充当する教員養成の次善の策としている。育英会の国費生，自費生中に将来教員を志望する者を加えることか，琉大学生に奨学金を与えとか方法を講じている。

新制大学は，教員養成計画の上から困難なところが多々ある。

数学専攻は採用人員を増加するよう琉大へ要請してあるが，途中退学があつて実現は困難であり，現在のところ中学校の教員を養成する方が効果的である。

北谷村長⑥ 調整補助金は22万ドルといたがこん度の支出は12万8千ドルとなつている，その理由は

（庶務）調整補助金は22万ドルであるが，16万ドルは交付のめどがついている，のこり6万ドルは財源つまり政府収入のめどがつき次第交付されることになろう，この場合16万ドルのうち80％つまり12万8千ドルが普通補助であると解してよい。

⑦ 基準財政収入額119万3千ドルは再検討の余地はないか，とくに，単位費用の積算において例えば机腰掛が耐用年数10年となつているように実際にそぐわないものがある。内容において積算過程において現場の声をきいて，今一応実際現場になつとくのいく数字を生み出すことが必要だと考えるがどうか，教育の需要額は実は交付税算定の重要な決め手となるから，教育税を廃して交付税方式にきりかえる場合に，需要額の算定はやはり，地方の要望を充分反映する手続きをとつてほしい，また機会をみて具体面を紹介してほしい。

⑧ 教育費については，一面本土とくに類似県との比較も必要かと考える。資料のもち合わせがあれば簡単に紹介してほしい。

（庶務）単位費用の算出にあたつては，やはり文部省の出している資料を参考にし，本土の地方交付税における基準財政需要の積算内容に準じながら，沖縄の特殊性を加味してやつている。これが現場や教育関係者の要望を反映させることについては，今後よりつとめることにしたい，類似県との教育費の比較は文教局で発行している文教時報等で紹介したい。

普天間中 ⑨ 保健室、管理室等の割り当てについて伺いたい。
(施設)割り当て規準を設定してあるが、その場合普通教室の不足している学校を優先するようつとめている。

コザ ⑩ 管理関係室の内部構造について説明してほしい。
(施設)保験室と管理室とは構造は同じである。普通教室とも内部は変らない。学校建通教築は子どもの座学する普室をまず充足することを基本方針と考えている。

コザ教委 ⑪ 高校土地購入は半額は地方教育区が負担する傾向にある。このことは著しく地方教育区の財政を圧迫する。政府立学校として政府有地購入は解決されても、地方としては解決されないまゝで、問題を持ち続けることになる。一方義務教育学校の校地資金で24万ドルのうち75％を買上げ25％は残してある状態で、その面でもなお資金が必要である。
そこで政府が土地購入に地方教育財政を圧迫しないということと更に長期融資たとえば、日本援助を要請するとか、日本政府の支援のもとに長期融資の措置を講ずるとか考慮してほしい。
校地の買収費を全額政府でもつことは無理、貸し入れは検討したい。

北玉小 ⑫ 校舎建築費で手いっぱいの現状でやっと管理教室、便所等が芽が出たといつたところ、一体全校にそれがゆきわたるのは、いつか見通しはどうか，
(施設)1970年で100％にしたい。

⑬ 中部連合区で給食室割当ては昨年度は1校のみでこの調子でいくと全琉にゆきわたるには70年もかかる。そうなると自力でつくる学校もでてくる。その場合どうするか。
(施設)他にかわるべきものを考える方針である。

⑭ 児童数定員の問題は下降線をたどつている。50名以下にすると支障があつて困難ならぜひ来年でも50名にして教員の負担を軽減できないか。
(義務)現在学級編成は学年ごとに行なつている。実際は50名以下の学級が圧倒的に多いが、規準をそこまで下げることは容易ではない。小規模学校との関わりもある。また教室数とのかみ合わせもある。

⑮ 備品費の件だが、政府の補助、委員会，PTAの三つで達成率は年2％だとのこと、抜本的な方策はないのか，
(指導)政府の本年度の備品費は56,000弗であるが350,000弗要求して得られた額だ，やはり資金の増加をまつ外はない，来年度はとくに日米援助の拡大をはかり、要求をいろいろしているが，実現するよう念じていると

ころである。米援の理科備品は拡大できると考えている。

⑯　教育税が市町村税に一本化される場合、税収には限度がある。教育税を廃して、現在より教育費が増加し、運営もうまくという見通しはあるか、また政府の補塡する方法は可能性があるのか。
（庶務）教育税を改正しようとするのは教育財政の強化と負担の均衡をはかるということである。徴税はやりやすくなるし、減収になることもないと思う。政府の補塡も可能性があるとみている

山内中⑰　講堂があればと思う。その施設計画はあるか、
（施設）講堂と体育館共用ののを5年計画でつくりたい。

⑲　他県の促進学級は、ある学年のとくに1,2の教科について指導し他の教科は親学級で学習している当地の方法を本土でとつている例があるか。
（義務）本土では公立で促進学級というのはない。校長の学校経営上とられた措置である。

⑲　文部省行なつている学力テストで特殊学級の児童を除けという、本土でもとつている措置か。
（教研）各県20％抽出とし、のこりは希望数のみとしているが全国90％以上の学校が実施しており、特殊児を除く

ことは全国統一した方法である。除いても全体にえいきようはない。

⑳　校長、教頭研修ばかりでなく、中堅教員の研修や道徳教育に関する研修も必要だと考えるがどうか
（指導）御説の通り必要だと思う中堅教員の研修はいま研究中である。道徳教育については専任指導主事をおくこと。現場の実践を促進する教師の研修を強化することにしている。

9月17日　那覇連合区

那覇区教委①　養護教諭の配置について、3年で配置がえと聞いているが、養護諭が配置されるとPTAが施設備品に力をいれている。教諭が地校へ移されると、せつかく整備されていたものが使えず、その機能が停止してしまう。
（保体）当初は配置規準を1年ごとにし、毎年かえることにしていたが、要望を検討して現在の方法をとつている更に検討したい。

②　完全給食に対する世話をしてほしい。
（保体）指導方針等をあきらかにし、調理人、栄養士を教育区に配置するようにつとめたい。

那覇区区教委③　幼稚園の教員給を65年4月より6月まで40％補助、7月以降75％を補助すると聞いているが、66年4月以降も同じか。

　　　　　（義務）65年6月まで御話の通り
　　　　　　　であるが，それ以降は幼稚
　　　　　　　園進行5ヵ年計画によるも
　　　　　　　のである。
　　　④　政府立の教育研究所設立の計画
　　　　はないのか。
　　　　　（次長）独立の教育研究所を設置
　　　　　　　するよう努力したし，今後
　　　　　　　とも実現するようつとめた
　　　　　　　い。
　　　⑤　高校急増に対して校地のかくと
　　　　く費用は政府が負担すべきもので
　　　　あると考える。敷地購入は政府の
　　　　計画になつているか，ピークを迎
　　　　えた場合教育区へしわよせしない
　　　　でほしい。
　　　⑥　日政の教育援助が増加してく
　　　　る，一層増額するようつとめてほ
　　　　しい。
那覇連合　英語商業高校設立に関連して，
区教委⑦　普通高校の設置が最も急を要す
　　　　るのではないか，中部商高は貴課
　　　　の自主的計画による設置か，146,
　　　　698ドルの必要額に対し，政府は6
　　　　9,892ドル，のこり76,000ドルを
　　　　那覇と浦添で半分ずつということ
　　　　であるが，政府の負担を肩がわり
　　　　している状態となつている。
　　　　高校生急増対策は教科書無償配布
　　　　のしわよせをうけていないか。
　　　　　（高校）中部商業高校は課の主体
　　　　　　　的計画による設置でよる。
　　　　　　　土地購入の件は全額政府負
　　　　　　　担のつもりで予算要求した
　　　　　　　が削除された。
　　　　　　　英語商業高校の設置という

　　　　　　　ことは誤解である。
　　　⑧　教育税を市町村税に一本化する
　　　　政府案に反対である。政府は世論
　　　　に立つて一本化を考えているのか
　　　　　（庶務）教育税一本化について地
　　　　　　　方教育財政の補塡制度が研
　　　　　　　究され，教育長とも話合い
　　　　　　　がもたれた，世論調査につ
　　　　　　　いては連合区を通じて，或
　　　　　　　は委員から意見をきいてき
　　　　　　　た，那覇連合区の委員との
　　　　　　　話合いももつた。
　　　　　　　教育財政の改善を考えてか
　　　　　　　ら法人格の問題，教育税法
　　　　　　　二本建とするかと問題はま
　　　　　　　だ研究中である。
　　　　　　　那覇教育区が反対であると
　　　　　　　いうことは理解できる。し
　　　　　　　かし従来は判然と反対の意
　　　　　　　志表示をしていなかつたよ
　　　　　　　うにみている。その反対の
　　　　　　　意見を新聞でみたが，教育
　　　　　　　区のはつきりした態度を充
　　　　　　　分知つたわけではない。
　　　　　　　地方教育財政のアンバラン
　　　　　　　スを大局的にどう対処する
　　　　　　　かということが最大の問題
　　　　　　　だが，那覇の教育委員会が
　　　　　　　はつきりした態度をとつて
　　　　　　　いるのであれば，教育財政
　　　　　　　のアンバランスにどう対処
　　　　　　　するかの考え方を伺いたい
　　　　　　　政府としてはやはり一本化
　　　　　　　の考え方である。
　　　　　（次長）一本化は市町村税ののび
　　　　　　　方から望ましい，地方教育

<table>
<tr><td>神原小校</td><td></td><td></td></tr>
</table>

委員会制度の長所は生かしていきたい，地方の教育が自主性をもつためには一本化をもって財政力をつけた方がよいと考えている。また日政援助をうけられることを考えた場合交付税方式が有利であり，その場合一本化でないと具合が悪い。

⑨ 文部省の学力調査は目的は従来通り，方法上の問題だと思うから実施したいとの説明だが，本土では既に検討されている。

(数研)やり方については検討したい，その場合充分現場の意見も聴取したい。しかしテストの目的は当初のそれをかえない方針である。

⑩ 学力向上，指導者養成等に力をそそいでいることはわかつた。この際夏季講習，教育指導員等の件で60,000ドルも計上されているが，改善の意図はないか。

(次長)単位取得のための講習を改める，資質を高めていく講習へおきかえていく，従来の単位給をなくし，免許更新給をなくした場合，途中の措置をどうするか，問題を検討中である。
指導者養成は中堅教員の養成を短期間研修でなく長期研修を考えている。例えば琉大で一年間研修させて資質をのばしていくように考えている。

⑪ 関連する質問だが，恒久的な形で教育者の指導者養成の方策はないか，例えば附属校設置のような

(次長)附属校の活用，指導課との連繋によつて指導者の養成を考えたい，附属小校の設置も必要だと考えている

那覇次長 教育財政調整補助金は22万ドルまで伸びているが貧困教育区はうるおうが，補助金の補正係数によつて対応費が多額の場合，補助金を返上しなければならないことが少なくない，対応費を多額要求することは教育区に圧力をかけることになる。

(庶務)補正係数は交付税方式のない現状では勢い貧弱市町村の財政をカバーするようになることは止むを得ないしたがつて市町村税への教育税一本化で財政調整の補填方式から交付税方式にきりかえていくようにすることだと考える。

9月17日（木）
旧辺土名地区財政研修会

① 「教育区財政調整補助金に対し前年度のような二款の学校運営費にのみ予算執行しなくて，才出予算全般に融通性をもたすことはできないか。」予算編成上も不便である。（国頭宮城親昌）

調広課
　教育行政費，学校教育費，社会教育費への配分比を考える必要があろう

昨年度のように学校教育費だけではない。
② 「へき地教育の特別旅費として従来の旅費補助金以外に割当増額をすることはできないか」へき地が多い関係で、へき地教員が都市地区へ出張の際自己負担が多い（国頭宮城親昌）
義務教育課
　　学校教育費のなかの旅費補助で毎年増額を要請しているが、全体の枠でおさえられ、その趣旨にそうた増額は考えていない。
《安田小中古堅校長》一連合区中心の会合が多く名護、那覇での会合に三日もかかる。一級地では予算はその4分の1しか組まれていない。新卒者が多く4弗もらつて10弗も使う、諸手当に税金がかかりへき地は優遇されているとはいえない。へき地教員の研修に対する配慮を希望する。
調　広　課　旅費補助は那覇の20倍もでている。
　　旅費補助だけでは考えないでもらいたい
③ 「自力校舎をもつた教育区には文教局として特別に学校の要望の特別施設をすることはできないか」自力校舎をもつ学校に局は特別の施設を考えるといつてきたが附属施設をやつてもらいたい。
（国頭宮城親昌）
施　設　課
　　局の方針として、①自力校舎をもつ教育区には損をさせない。
　　②自力校舎の質によよつて永久建物については、他の建物をつくる木造建物については、とりかえる。
　　その他の建物をすぐ作つてもらいたいとのことだが、その質によつてテンポの違いがある。
（宮城委員）奥間小の例を挙げる
　　　　　自力校舎は保有面積に含めていない。
④ 「社会教育主事の給料補助金をおくれがちであるので、学校教員の給料小切手と同様に発行できないものか。」
（国頭宮城）
社　教　課
　　申告を期限の10日までに提出すれば責任をもつて2日までに支払いする北部連合区の遅れている例をあげ現場の協力を要望。
⑤ 「学校教育放送についてお伺いします」（辺土名小宮城久勝）
指　導　課
　　著作権問題で実施が遅れている。
　　USCARは現品支給を希望している。
（北国小中知念校長）理科備品（アメリカ製品）の現物支給の改善はできないか。
指　導　課
　　いまのところ考えられぬ。
調広課　設備調査によつて放送施設の有無はわかる。
　　現状では現物支給しかできない。
⑥ 「学校統合に伴う敷地購入補助はどうなつていますか。」（塩屋小中）
義　教　課
　　購入補助金はない。
　　整地補助はある。
⑦ 「勧奨退職はいつまでに法通り60才になるか、見通しはつきませんか」（塩屋小中平良仲蔵）

義 教 課
そう遠くはなく実施される見通し。
調 広 課　立法院には勧告したが姐年度は成立しなかつた。
他の団体とは区別して実施することを考えられるのでその線で努力したい。

⑧　「学校教育補助の中へき地教育振興補助 $110,306 とありますが，その具体的使途につきおうかがいします。」
へき地文化備品 $10,000、へき地手当 $94,036、住宅料補助 $7,870 で計月111,906 となり，それ以外には使いません。

9月18日.

政府立学校長

(小禄高校)
養護教諭は高等学校にも配置する計画をもつているか。
生徒の急増期中は主として教科教員の充実に力を注ぎ，急増期間がすぎたら各学校1名宛の養護教員が配置できるよう計画している。

(那覇高校)
琉球大学の学生数，年次計画と国費自費学生の増員，自費学生の増員計画を承りたい。

財政総合三カ年計画では1966年度3,190人，1967年度3,800人，1968年度4,400人の採用を計画している。
国，自費学生の増員については高校卒業生急増の年度である1966年以降は国自費学生の数も増員できるよう計画し，文部省に要求している。

(前原高校)
財政総合三カ年計画では5年後には校舎が自力校舎を含めて基準の100%になるよう計画されていると聞くが，校舎とは具体的に何をさすか。

校舎とは学校建物のうち，屋内運動場兼講堂，寄宿舎，教員住宅を除く一切の学校の使用に供するための建物で，教室部分と管理関係部分に分けられる。教室には普通教室，特別教室、図書室等が含まれ，管理関係部分には職員室，事務室，給食室，保健室、便所，公仕室等が含まれる。

(工業高校)
財政総合三カ年計画では産業教育備品の充実について基準の80%の達成率を目標としていると聞いたが，ここでいう基準とは何をさしているか。（教育課程の改訂等で現行の基準はかなり低く，しかも現実に即しないと思われるが，これを基準として計画したのであるかどうか）

三カ年計画では産業教育備品の基準は近い機会に改訂されることを前提として，新教育課程による文部省の作成した備品基準を参考にして計画されている。

(工業高校)
戦後最初に建築された (1954年頃) 鉄筋コンクリートの校舎の中には，ブロックが破損し，鉄筋部分が露出して，鉄筋が腐よくしている建物があり，早急に修繕を行なう必要があると思われるが，このような鉄筋コンクリート建物に対する修繕費は計上されているか。

現状をよく調査し，必要あればこれに対する修繕を早急に行ないたい。

〈北農高校〉

財政総合三ヵ年計画の資金面の見通しはどうか。

前の民生五年計画の例もあるが、比較的堅実に見積つてあるようであるので大丈夫と思う。

中部連合区 （旧勝連，与那城，石川）
9月14日

机腰掛の予算150,000ドルについて、一昨年は立派な机腰掛を支給していただいて喜んでいるが，今年度の150,000ドルも現物支給になるのか。腰掛の予算を学校の事情によつて他の備品（たとえば一般備品）に振りかえて使用できないか

他に使用できない

改築対象となる校舎について，木造校舎の改築はどういうものが対象となるか。二階に鉄筋をつき出したまゝ長期間放置すると腐蝕する恐れがあるがそうした場合の増築の計画はどうなつているか。

体育館（講堂兼用となるもの）の建築計画はどうなつているか。

給食について，完全給食の設備備品の補助について具体的にご説明願いたい。

プール建設について，補助金によるプール建設の計画はないかどうかお伺いしたい。

管理室，給食室，保健室，便所の割当ての基準についてお伺いしたい。

公立幼稚園の教員の給与補助について，有資格者だけが対象か，無資格者の給与は補助の対象とならないのかお伺いしたい。

技術家庭科教室について，男生徒は技術教室があつて，学習効果をあげているが女生徒の家庭科教室というのはない状態で片手落ちの感がある。文教局は，家庭科教室の建築資金の補助を民政府に要請する計画はないか。

学校教育放送についてお伺いしたい。文教時報89号12頁の学校教育放送の視聴覚教材120,000＄と28頁の文教局直接支出金の学校教育放送費107,705＄は別途に支出されるものか，つまり両方合計227,705＄が学校教育放送に充当されるのかどうかお伺いしたい。

又視聴覚ライブラリーを二連合区に設置して3ヵ年で全連合区に設置するとのことだがこれを二連合区に限らず，全連合区を同時に少しずつでも設置する方法をとつてもらえないか。

高校急増対策として学校の新設，学級増及び学級定員の増加を考えているようだが学級定員の増加によつて急増をしのこうとするのは納得がいかない。

というのは，小学校，中学校では，漸次学級定員を切り下げていくのに，高校だけが定員増加となるというのは，不当であると考えるからである。

学校統合と校舎割当てについてお伺いしあわせて要望を申し上げます。

恩納教育区は，ここ二，三年校舎の割当てがないが，これは学校統合を見越して校舎割当てがなされなかつたのかお伺いしたい。

統合も進展せず，校舎の割当てもないというのでは困るので統合の目途をはつきりさせて，校舎割当て計画をたてゝもらいたい。

（与那城区教委中村氏）：琉球政府予算総

額のうち文教予算の占める率は33％であるが，それ以上に増額できないか。

（〃）：理科教育振興法，スポーツ振興法，幼稚園振興法とつぎつぎに立法されているが予算の運営は都市中心的になっているが振興法の意を十分に生かして，地方から優先的に実施する考えはないか

（〃）：公立学校用地購入費に補助の計画があるか

（〃）：教育委員協会は教育団体とみなすか，又補助金を交付する意志があるか。

（〃）：へき地教育振興のための特別増俸，校長，教頭の昇格条件にへき地勤務年数を勘案する考えはないか

（〃）：高校特奨生が都市中心，金持ち中心になりつつあるが，いかなる理由によるのか。

（〃）：養護教諭の配置を無医地区から優先する考えはないか。

（〃）：学力テストが教員の勤務評定に使用されるというので教職員会の青年部が反対しているが，将来も続行するか。

（〃）：与勝中学校のような二教育区で設置している教育区についてその設置者をどこにするか困ることがあるが，一部事務組合が設立できるように法律の改正をすることができないものか。

結核休，産休については補充教員が認められているが，従来長期病気休暇の補充教員が認められないために学校では困っているが，それが確保できるように予算措置はなされていないか。もし予算措置がなされていないとすれば，何らかの形で補充できるよう予算のふり向けはできないものか。

中学校卒業認定試験実施について

1、試験期日　　1964年12月12日（土）、13日（日）

2、試　験　場　　沖縄－那覇商業高校、宮古－宮古高校
　　　　　　　　八重山－八重山高校

3、受験資格　　1947年3月以前に、小学校、国民学校、
　　　　　　　　初等学校の卒業又は修了した者

4、願書締切　　1964年11月25日文教局必着

　なお、詳細は、もよりの中学校、連合区事務所に問い合せ下さい。

　　　　　　　　　　　　　　　　琉球政府文教局

研修講座に参加して

宮古鏡原小学校教頭　砂　川　禎　男

　文部省では去る7月6日から18日までの2週間、28回目の「全国校長指導主事等研修講座」を開設した。今学年度第2回目であるが今回は小学校教頭向きと、社会科担当の指導主事対象のものであつた。教頭班が校長5人を加えて計93名、主事班が54名で時に150名 近くの者が一堂に集つて同一内容の講習を受けたり、教頭と主事の両班に分れて、或いは教頭の小集団に分れてそれぞれ別の内容を、または研究発表会や研究討議や演習といつた各種各様講習研修を受け、更には富士の雄姿を仰ぎ乍ら3日間は、御殿場の国立中央青年の家で昼夜起居を共にして、生活訓練修養等数々の尊い経験を致しました。

　戦後約20年にもなるが、規律正しい時間的生活がなされなかつたし、日本全国の各地から、教育者ではあつても、様々な人柄の集りであり、教育の或種の責任的地位の者という意味での同様境遇の者達の集りであり、全国選り抜きの権威者を講師に、又は文教行政の最高責任者の下で、各専門部門の諸先生や係官からそれぞれの立場で、巾広く奥深いものに直接触れ、二週間が二ケ月以上の長期間の豊富な内容を吸収し、自分が相当な学習向上をしたような、洗練され高度化されたような言い知れぬ満足に近い気持になつた。

　灘尾文部大臣の挨拶では、戦後民主教育に切り替えて19年、明治以後の日本の歴史では10年または20年で政治文化教育の転換期になつていることからすると、敗戦によつて人生のめあてを全く失なつた混沌とした逆境の中に、民主教育を押し進め、今日まで発展して来たが、ここらで転換するべきであると思う。そのために、義務教育は勿論、幼稚園高校専門校、大学大学院に到る全教育機関の主に現場指導就中責任的地位の人々を研修するようにしているとのことであつた。事実私達の講習期間中にも、大学生活補導課関係の研修や視聴覚教育全国大会が開催された。而も私達の研修講座も去年からは年5回も持つているというに到つては、教育の転換期が迫つているような気持にもならざるを得ない。即ち日本の民主教育は、従来の外国特に米国の民主教育吸収の時代は過ぎて、新たな方向を目指している。つまり「日本的民主教育の創意工夫確立推進の時」が到来したというのである。

　沖縄は有形無形の教育の基本と、戦災によつて一物も残さずもぎ取られてしまい、教育の目標すらあやふやで、なすべきを知らず向うべきを定めないまゝに、祖国日本に右ならえ式で民主教育を実施はしたものの、各方面からの各種各様の困難や抵抗を排除しつゝも、やつと今日の状態まで伸展せしめて来たことは、教育関係諸先輩方に深い感謝を捧げるものであります。だが日本各地の都道府県からの参集に臨んで見て、矢張り那覇の教育は大きく遅れているここに気がついた。それは教師自らの修

養不勉強から来る師道に対する観念において，教育愛と熱においては確かに勝っていると思われるが教育技術については劣つていることが身に浸みて感じている。

これらの原因はいろいろあろうが，教育予算の貧弱な為め，職員の待遇は劣り，教育環境学校施設備品の不備等から来る教育の困難による所が大きかろうと思われる。本土はもう「日本的民主教育」という新しい転換をしようとするのに沖縄は直ちに歩調を揃えて出来るだろうかと心配する者である。教育関係者の研修に配慮をお願いすると同時に，一般の啓蒙も大いに必要ではなかろうか。

いろいろなことに感じたわけであるが，一つ一つ記述することは出来ない。要はせめて教育権だけでも取敢えず祖国日本へ復帰してもらえば，大方の諸問題が解決するであろう。元来が貧乏な沖縄の多くの施設設備品には殆んど無から出発，財政的大きな負担に負い切れないし，人物も大量に減少したのだから，これらの犠牲を補うだけでも沖縄の力だけでは絶対不可能である。今日までのような日米の援助でも矢張り，差を縮めることはできず益々大きくなるばかりであろう。教育権だけでもよいから日本へ復帰して教育だけは日本国内的に復興に努力すれば，教育以外の他の諸条件問題も整理し易くなることを信じている。ひたすらにこれを希うだけである。

全日本書道教育研究会大分大会に参加して

南風原小学校　教諭　前 泊 福 一

文教局から大分大会のもようを投稿したらどうかとの連絡を受け，沖縄の書写教育に何か参考になればと思い乞われるままに3日間の大会のもようの概略だけを書いてみることにした。

「全書研」の研究大会は，今年度の大分大会が第5回目で沖縄の参加は，第3国福井大会が初回にあたる。大会期日が，8月23日から25日までの3日間で，初日が理事会，2日目が総会，研究大会，3日目が研究授業，分科会，全体会議と型通りの順で進められた。はじめての全国大会参加とあつて一刻も遅れてはならないと思い20日には大分に到着。さつそく教育庁を訪れ国語担当の土屋指導主事に会い，宿舎や会場の指示を受けるようにした。土屋先生の親切なご案内で別府の高砂ホテルに落着きましたが何しろ全国から馳せ参じた会員20余人が同宿なので，まるで修学旅行隊のように賑やかでした。

初日の理事会は，会則の一部改正と会計報告だけが主で，晩は主催者側の歓迎会と親睦会がありましたが，先づ最初に遠来の沖縄側の挨拶と民謡の披露を……と指名され，代表という名誉にかけて勇気百倍，実力以上に発表し満場の拍手を受けた次第です。（？）

第2日目は，別府市の国際観光会館で9時半から総会，研究大会が開かれ，午後は「別府民謡同好会員による歓迎の舞踊，

民謡の会があつて本大会に花を添え印象深かつた。

当日の発表で，感銘深かつたのは理事長の上条周一先生（東京教育大学）が，開会の冒頭「書写は国民生活に必須の基礎技術であり，しかもその発展は抽象造形芸術として世界芸術文化史上に独特の地位を確立しつつある。この重要な教育内容をもつ書写書道が何故に正当の位置づけと時間配当が与えられないのであろうか。」と喝破しておられた事実。②日本の書写教育が国語科の一領域として片すみにおかれその指導法さえあまりにも研究されていない現状を憂慮しての会員の意見発表。③研究発表のテーマが，幅広くいろいろな角度から研究成果の発表があつたこと。その中でも一様に単元の系統表と書写学習計画案を作成し，低学年から系統的な指導研究がなされている発表等でした。研究発表の内容は紙面の都合で記すことはできませんが，姫路市網干小学校の鴨川先生の発表の中で「現行手本のみかた」と「子どもらしい字についての三か条」という題目は参考になるかと思い一つだけ書いてみました。筆者の先生方を前にして実践者の立場からの自信たつぷりな発表振りには感心させられました。

1、手本のみかた

筆　　者	良いところ	筆づかいなどについて
鈴木翠軒	○細い線の中に人をきる鋭さをもつ ○気品と風格のある点では日本一。	○線に円味があり，筆づかいの技法が巧み。　○程度が高く，小・中学生には少し困難。
井上桂園	○字形の整正美において日本一。 ○慎重な書きぶりがみられる。	○線に重々しさがあり，細いところなく，点画の美しさは無比。 ○筆勢もあり，程度高い。
石橋犀水	○点画にこだわらず，思いきつた書きぶりがある。 ○行書は一段とうま味あり。	○速度をもち，起終筆にやや力がはいつているが素直な筆づかいは実によい。　○小，中学生には最適。
上田桑鳩	○一定の規格にはまらず，自由なこと。 ○色々の形や，勢のついた字がある	○サーツ，サーツと素直で速さもあり，特に記筆は無理なくスツとはいるのが特色。
続木湖山	○のびのびと思いきつて書き技術にとらわれない。　○一見平易なようでなかなかまねできない。	○起筆は素直にはいり，無理のない筆づかいがよい。 ○小学生用として最適。
岡崎雲山	○字形は美しい。 ○華麗で整然とした書きぶりがある。	○永字八法を基礎とし，力のはの如く起筆は鋭い。

2、こどもらしい字についての三カ条

　　㋑　用筆に無理がない……点画に必要以上の技巧がない。

　　㋺　形の自然……手本のとおりでない

　　㋩　まとめかたの無邪気さ。

3日目は，会場を大分大学附属小学校に移動し研究授業が行われた。司会者の発表では「参加者が県外200名あまり，大分県内小、中、高、大学参加者が500名。」との発表でした。授業も小学校一年から中学三年までの硬筆，毛筆，クラブ指導が行われたが，午後の全体会議における発表内容でまとめたいと思う。

小学校
　一年　○書写の時間を特設してほしい
　　　　○書写の講習が必要。
　二年　○ひらがなの字源を考えての字形指導について。
　四年　○硬筆、毛筆の関連（一致性）
　　　　○資料の研究。
　五年　○正しい字形指導
　　　　○硬筆指導に寄与する毛筆指導について。
中学校
　　　　○２、３年の書写指導時間の特設について。
高　校
　　　　○中学校の時間特設の問題
　　　　○高校入試に書写書道に関する問題を……
　　　　○専任教師の配置と大学の単位の問題
　　　　○専任指導主事の配置。
大　学
　　　　○大学に芸術科をおき、全国を九ブロック制にして組織の強化を図る。
最後に大会決議の内容を簡単に記したい
１、小学校に、硬筆による書写とともに毛筆による書写を必修として年間三十五時間以上を４年生より課すこと。
１、中学校２、３学年の書写の時間数を年間三十五時間程度特設すること
１、中学校選択科目の中に「国語科（書写）」の項を入れること。
１、教員養成のための教育機関に、次の充実改善をはかること。
　①、全国各ブロックに高校書道科教員養成の課程をおくこと。
　②、教員養成大学に「書道」を２～４単位以上必修として課すこと。
　③、高等学校技術教員検定試験制度の中の「芸能科書道」を早急に実施すること。
１、書道、書写担当指導主事を、教育委員会に必置すること。
１、文部省において指導者養成のための技術講座を実施し、各都道府県に書道、書写研究の実験学校、推進学校および研究協力校などを設置すること。

以上限られた紙数で甚だ要を得ないが、本大会参加にあたつて各面から世話してくださつた全書研究事務局長又吉昌盛先生の活動と郷土の書写教育向上の為に寄せられる情熱を特筆し大会参加の報告にかえたいと思う。

―　図書紹介　―　　**現代の書写・書教育**

○著者……塚田清策……信州大学教育学部講師　昭和36年度夏季講師　塚田康信…広島県賀茂高校教諭　○発行所　東京都千代田区九段４の７　睦教育図書株式会社　○定価　2,000円（320頁美麗箱入り）　推せん者として（藤井信写氏）文部省（勝雲山）信州大　（井上桂園）広島大　（上条信山）東京教育大　の諸氏が推せんのことばを寄せている。５章にわかれてのあとに８つの小論を掲げある。平易で直接小・中・の現場指導者に即効の頁は、第二章読み書き能力と書写教育、第三章硬策書とその指導、第四章書の表現とその指導、第五章鑑賞教育とその指導に合わせて小論中の学習指導要領と書写，書教育との関係であろうか。

立法第51号
琉球政府立法院は，ここに次のとおり定める。

　　　一般職の職員の給与に関する立法の
　　　一部を改正する立法

一般職の職員の関する立法（1954年立法第53号）の一部を次のように改正する。

第三条第一項中「次条」を「第四条」に改める。

第六条第一項を次のように改める。

職員が現に受けている号給を受けるに至つた時から，その号給について給料表に掲げる昇給期間を下らない期間を良好な成績で勤務したときは，一号給上位の号給に昇給させることができる。ただし，第五条又は第七条第一項の規定により号給が決定された場合において他の職員との権衡上必要と認めるときは，人事委員会規則の定めるところにより，当該期間を短縮することができる。

第六条第二項に次のただし書を加える。

ただし，それらの給料月額を受けている職員で，その給料月額を受けるに至つた時から人事委員会規則で定める期間を良好な成績で勤務したものについては，その職員の属する職務の等級の最高額をこえて人事委員会規則の定めるところにより，昇給させることができる。

第六条第四項中「若しくはその勤務成績が特に優秀であるとき」を削る。

第八条第六項中「給与」を「給料」に改め，同条に次の一項を加える。

1　給料の支払日前において離職し，又は死亡した職員には，第五項の規定にかかわらずその際給料を支給する。

第九条第一項中「給料の月額」を「給料の月額（第三条の給料表に定める額と第七条の二に基づき定める額を含めたものをいう。以下同じ）」に改める。

第十六第一項に後段として次のように加える。

これらの支給日前30日以内に退職し，又は死亡した職員で，人事委員会規則で定めるものについても，同様とする。

第十六条二項を次のように改める。

2　期末手当の額は，それぞれの支給日現在（退職し，又は死亡した職員にあつては，退職し，又は死亡した日現在）において職員が受けるべき給料の月額に，その者の在職期間に応じて，次の表に掲げる範囲内における一定の割合を乗じて得た額とする。

第十六条中第三項を第四項とし，第二項の次に次の一項を加える。

3　12月10日に支給する期末手当の割合については，予算及び前項の表の下欄に掲げる範囲内において，公務員法第六十三条の規定に基づく交渉によつて定める。

第十七条の二第一項のただし書を次のように改める。

ただし，在勤1月につき15ドルをこえない範囲内で定額で支給する。

別表第一から別表第六までを次のように改める。（別表省略）

在職期間	割　合	
	8月期	12月期
90日以上の場合	100分の100	100分の180以上100分の210以下
90日未満の場合	100の分70	100分の140以上100分の170以下

「健康の日」実施要項

　オリンピツク東京大会は予想以上の成果をあげて無事におわつた。開会から閉会まで，終始私たちは国民代表として健斗する日本選手に声援をおくつた。この恵まれた機会を記念して本土では「健康の日」が設定された。ここにその実施要項の全文を紹介したい。

1.　「健康の日」設定の趣旨
　　オリンピック東京大会を機会に，わたくしたちひとりひとりが健康の尊さを，よりいつそう理解し，みずからその増進を図るため「健康の日」を設定し，家庭，町，学校，職場などで，自主的，組織的に健康増進運動を推進する。

2.　期　　日
　　「健康の日」は，毎月7日とする。

3.　実践目標
　　実践のための具体的な目標は次のとおりである。
- みんなで運動をしよう。
- つりあいのとれた栄養をとろう。
- じゆうぶんすい眠をとろう。
- 健康診断を受けよう。
- 衛生的な環境を整えよう。

4.　各月の実践事項の例示
　　家庭，地域，職場，学校などで「健康の日」にふさわしい実践事項を選ぶための参考として，月別の例をあげた。この中には，年間を通して実践するのにふさわしい事項も含まれている。
　　わたくしたちの生活環境をよく考えて実践事項をつくり，それを実行することによつて，「健康の日」を有意義にすごしたいものである。

実施月	ねらい	実践事項の例示
1	健康について考えよう。	○ 「健康の日」の計画をたてよう。 ○ 戸外で運動をしよう。 ○ へやの換気に努めよう。
2	健康的な衣服の問題を考えよう。	○ 着ぶくれに気をつけよう。 ○ としよりの健康を守ろう。
3	みんなで健康診断を受けよう。	○ 健康診断を受けよう。 ○ 健康を増進する食事をくふうしよう。
4	自分のまわりをきれいにしよう。	○ 衛生的な環境を整えよう。 ○ はえやごきぶりなどの駆除をしよう。
5	レクリエーションを楽しもう。	○ みんなで運動をしよう。 ○ 幼児の健康に気をつけよう。

実施上の留意点

○ わたくしたちのからだが，この1年間健康を保つにはどのようにしたらよいかを考え，その計画をたてたいものです。地域，職場，学校等では広報機関等を利用して，この日を理解し実施するよう呼びかけ，みんなでわたくしたちの健康を増進するこの運動を推進しましよう。

○ 寒さに負けず戸外に出て，思いきり新しい空気を吸いましよう。そして運動不足になりがちなので，じゆうぶんからだを動かし，身体活動を楽しみましよう。

○ 寒い時期です。暖房に気を使うあまり，とかく室内の空気は汚染されやすいものです。時間をきめて室内の換気をしましよう。

○ 衣服の健康的な着方をくふうしましよう。

○ としよりは，健康をそこなうことが多いものです。みんなでとしよりの健康保持に留意しましよう。2月には，成人病予防週間があります。全国的に健康診断など行なわれると思いますので，それらの機会を利用して，健康相談などを受けるようにしましよう。（成人病予防週間2月1日〜〔 〕7日）

○ 1年に1度は家族の健康診断を受けて健康状態を確かめてみましよう。3月は入学あるいは就職などの準備の時期です。かかりつけの医師あるいは近くの保健所などで，健康相談や健康診断を受けましよう。

○ 栄養の良しあしは，健康を左右します。正しい栄養知識によつて、バランスのとれた食事を毎日くふうしましよう。地域の人たちが集まつて保健所の栄養士などの講習を受けることもよいでしよう。

○ 春の大そうじはたいせつな行事です。まず身のまわりの整理、整頓から始めて、わたくしたちの住む環境を，より衛生的な，こころよいものとしましよう。

○ 職場や各家庭をとわず，地域を通じはえやごきぶりなどの衛生害虫の駆除をしましよう。各戸ばらばらで実施することは効果が少ないので町内や部落でいつせいにしたいものです。

○ 若葉の季節です。戸外に出てのびのびと気持ちよく運動しましよう。地域、職場学校等で，野外活動など，健康的な運動をくふうし、実施しましよう。

○ 5月にはこどもの日があります。こどもの健康に意をそそぎましよう。とくに3歳ごろは将来の成長に影響しやすいときですから，保健所やかかりつけの医師のもとへ健康相談にいきましよう。
（子供の日5月5日）

実施月	ねらい	実践事項の例示
6	つゆどきの衛生に気をつけよう。	○ 手をきれいに洗おう。 ○ 衣服の衛生に気をつけよう。 ○ むし歯の予防に努めよう。
7	からだをきたえよう。	○ ラジオ体操をやろう。 ○ 泳ぎをおぼえよう。 ○ 台所や給食施設の衛生に気をつけよう。 ○ 夏まけをしないよう栄養に気をつけよう。 ○ 健康で安全な職場を作ろう。
8	じゅうぶん休養をとろう	○ じゅうぶんすい眠をとろう。 ○ 伝染病を防ごう。 ○ 海や山に親しもう。 ○ 郷土の民ようを楽しもう。
	つりあいのとれた栄養をとろう。	○ 好ききらいなく何でも食べよう。

実　施　上　の　留　意　点

○ 夏を健康にすごすため，夏に多い消化器の伝染病にはとくに注意し，食事や調理の際には必ず手洗いを励行しましよう。
○ つゆどきはとかく不潔になりやすいときです。つねに衣服は清潔に保ち，快適で健康な生活ができるよう心がけましよう。
○ 最近，発育期にある幼児や学童のむし歯，成人の歯そうのうろうなどが多くなつてきました。6月には歯の衛生週間があります。家族そろつて歯の健康診断を受け，むし歯は早期に手当を受けましよう。（歯の衛生週間6月1日～7日）
○ 朝の涼しいひととき，ラジオのメロデイーにあわせて楽しく元気にラジオ体操をやりましよう。夏を規則正しくすごすためにも，ぜひラジオ体操を行ないましよう。
○ 水に親しむ季節です。職場，地域，学校でみんなが泳げるようにしたいものです。だれもが手近かに，しかも安全に参加できるような計画をたて，練習しましよう。
○ 夏は食中毒や伝染病の多いときです。食べ物は新鮮なうちに食べましよう。台所や調理場の清潔保持に努め，ねずみ，はえ，ごきぶりなどは徹底的に駆除しましよう。給食施設の衛生点検や給食従事者の保菌検査を受けましよう。
○ 暑さと生活の不規則は，夏やせの原因ともなります。暑さに負けず規則的な生活に心がけ，食生活においては，とくに栄養の組み合わせに注意しましよう。
○ 7月には全国安全週間があります。健康な職場は，災害から生命を守ることにもなります。職場の安全に注意いたしましよう。
（全国安全週間7月1日～7日）
○ 夏はすい眠不足になりがちです。とくにこどもたちには適当な昼寝などさせたいものです。
○ 夏は赤痢や伝染病の多い時期です。発熱や下痢などしたときは，早めに医師の診断を受けましよう。とくに，登山，キャンプ，海水浴などを行なうときは，事前に健康状態をじゆうぶん注意したいものです。
○ 海や山で，自然に親しみながら，わたくしたちの強いからだづくりをしたいものです。みんなが楽しく安全に参加できるように計画し，実施しましよう。
○ 盆おどりが町や村で始まります。郷土の民ようやオリンピック音頭で楽しいひとときをすごしましよう。
○ 食べ物に好ききらいがあると，いろいろの栄養欠陥が起こつてきます。食べ物の種類を多く，また何でも食べるように心がけましよう。

実施月	ねらい	実践事項の例示
9		○ 体位や労作に適した食事をとろう。 ○ 家族そろつて健康診断を受けよう ○ 食中毒をなくしよう。
10	スポーツに親しもう。	○ スポーツテストで自分の体力を確かめよう。 ○ 職場体操をしよう。 ○ 目をたいせつにしよう。 ○ 身のまわりをきれいにし，家庭や職場の衛生状態を改善しよう。
11	自然に親しもう。	○ ハイキングをしよう。 ○ 日光浴をしよう。 ○ 寄生虫の駆除に努めよう。
12	健康についての理解を深めよう	○ 正しい食生活をしよう。 ○ インフルエンザの予防をしよう。 ○ 暴飲暴食を慎もう。

実施上の留意点

- 都市と農村ではまだ体位に差があり一部には栄養的に欠陥が多い人もあります。自分の体位や労作の程度に適した食事をとつて，健康なからだをつくりましよう。
- 9月には結核予防週間があります。保健所や，市町村などの呼びかけに積極的に参加し，家族そろつて健康診断を受け，健康状態を確かめましよう。
（結核予防週間9月24日～30日）
- 食中毒の最も多い時期です。清潔で信用のある店から新鮮なものを求め，なまものを食べることはできるだけ避けましよう。とくに調理の際は必ずよく手を洗いましよう。

- 10月にはスポーツの日があります。みんなでスポーツをし、スポーツテストで自分の体力を確かめ，そして不足している能力を高めるよう。
（スポーツの日10月第1土曜日）
- 10月には全国労働衛生週間があります。各種の週間の行事に参加するとともに職場の作業は，からだの一部分を長く使う場合が多いものです。疲労回復と体力増進のため，休憩等の適当な時間を選んで，職場体操を行ないましよう。
（全国労働衛生週間10月1日～7日）
- 10月には目の愛護デーがあります。目の疲労を防ぎ，目の保護をするようにしましよう。（目の愛護デー10月10日）
- 寒い冬が近づくにしたがつて，わたくしたちの生活も，家の中にひきこもりがちになります。秋晴れのよい日を選んで，家庭や職場の清掃をしよう。また，衛生的に好ましくないところはぜひ改善しましよう。
- ねずみはわたくしたちの生活にいろいろな害を与えます。職場，家庭，学校などで，その地域のいつせいねずみ駆除活動をしましよう。

- 自然に親しむ季節です。職場，地域，学校などに適したコースを選びみんなが歩いて自然に親しむような旅行をしましよう。
- 寒さに耐えるからだづくりをしたいものです。できるだけ戸外に出て，日光浴の機会を多くするように努めましよう。
- 寄生虫はわたくしたちの健康に悪い影響を与えます。家族全員で寄生虫検査を受け，完全に駆除しましよう。
- 栄養価の高い緑黄色野菜などの摂取が減つていることや，白米食の傾向が高まつていることは，正しい食生活のあり方とはいえません。みんなで栄養知識を身につけて，正しい食生活をしましよう。
- インフエルエンザの流行する時期です。インフルエンザの予防接種は，近くの医師や保健所に相談して早めに行なうように努めましよう。
- 年末が近づくと，クリスマス，忘年会など，飲んだり食べたりする機会が多くなります。暴飲暴食や不摂生をしないように注意して，新しい年を健康で明るく迎えましよう。

―文部広報No.383より―

4分の1はへき地校
望まれる諸条件の改善

へき地教育の実態
昭和38年6月1日現在の調査結果報告書から

へき地教育改善充実のための基礎資料をうるため,文部省では昭和38年6月1日現在で「へき地学校実態調査」を実施した。

この調査のねらいとするところは,へき地の条件がどうなっているか,へき地学校勤務の教員の住宅事情,給与等の実情を知って,待遇改善,人事交流上の問題点を探り,またへき地学校を包括する市町村の財政状況をとりあげるなど,大局的見地からへき地教育振興策を論じようとして企画されたもので,以下はこの調査の結果の概要である。

図 1

図一 へき地小学校の分布状況

北海道は半数以上

へき地学校の総数は小学校6,585校(本校4,493校,分校2,092校)中学校2,621校(本校2,188校,分校433校)で,全国公立小中学校のそれぞれ25.1%,22.2%に当っている。都道府県別の分布(小学校)については,図1で示したように北海道では半数以上がへき地学校でその割合は非常に高く,四国,南九州,東北の地域が次いで高く,関東が低率となっている。

へき地学校は,当該学校の所在地のへき地条件の程度の軽重によって,一級から五級までの段階に級別されているが,小学校では一級校が半数を占め,二級,三級とへき地性が強まるにつれてその割合は減少し,中学校も同様の結果である。(表1参照)

表1 級別学級数と構成比

区分	計	5級	4級	3級	2級	1級	経過措置
小学校	6,585 (100.0)	235 (3.5)	342 (5.2)	696 (10.6)	1,463 (22.2)	3,343 (50.8)	506 (7.7)
中学校	2,621 (100.0)	152 (5.8)	203 (7.8)	331 (12.6)	585 (22.3)	1,178 (44.9)	172 (6.6)

( )内は％を示す。経過措置とは期限付きのへき地学校をいう。

へき地教育の概念

へき地という概念をはつきり規定することは、きわめて困難な問題であつて、国や地方公共団体では、それぞれの施策の目的に応じて少しずつ異なつた規定をしている。

通常われわれがへき地学校と呼んでいる学校は、「へき地教育振興法」に規定する「交通条件及び自然的、経済的、文化的諸条件に恵まれない山間地、離島その他の地域に所在する公立の小学校及び中学校」のことである。具体的には、当該学校に勤務する教職員にへき地手当を支給するものとして文部省令で定めたへき地学校の所在地のへき地条件の程度に応じた一級から五級までの級別指定基準により各都道府県が条例で指定した学校のこと。

へき地学校のこどもたち

へき地校に在学する児童生徒数は、小学校710,297人、中学校329,162人で合計すると約1400,000人となる。

遠距離通学と長欠

このうち遠距離通学児（小学校児童については4キロ以上、中学校生徒については六キロ以上）は小学校で9.4％、中学校で7.7％いて、しかもそのほとんど（小学校89.3％、中学校71.1％）は徒歩または自転車による通学児で占められている。通学路の整備、スクールバス・ボートの購入（この利用者は小学校0.4％、中学校1.4％である）寄宿舎の設置（寄宿舎からの通学児は小・中学校合わせて1,104人である）等により児童生徒の通学条件改善の施策をさらに推進することが望まれている。

経済的な理由によつて就学困難な児童生徒に対して、教育の機会を保障し義務教育の円滑な実施を図るため、国および地方公共団体では援助の手をさしのべているがこの援助を受けている児童生徒は小学校、中学校ともそれぞれ12.5％いて、全国平均10％と見込んでいる補助対象者の割合より2.5％高い比率を示している。

へき地のこどもの特性の一つとして、従来から長欠児（年間50日以上欠席したこども）の多いことが問題とされているが、昭和37年度のへき地校の長欠児の割合（長欠率）は小学校0.71％、中学校1.66％であつて、全国平均小学校の0.52％、中学校の1.03％に比べやはり高い率となつている。長欠の理由については、小・中学校とも病気によるものが最も多くなつているが、昭和33年度調査の全国平均と比較して目につくことは、へき地校には「学校ぎらい」が少なく「家庭の貧困」が多いということである。

中学卒84％が離村

昭和38年3月のへき地の中学校卒業者は107,469人であるが、このうち高等学校への進学者は38,844人（進学率36.1％）で、全

国の（進学率62.4%に比べると半分程度の低率である。就職者は55,105人いて、卒業者全体の51.3%を占めているが、その就業動向について観察してみると就職者のうち県外へ就職した者は50.2%で半数は県外に職を求めている。（全国の県外就職率は31.7%）しかもその大部分が家を離れた、いわゆる離村就職者であり、さらに県内就職者ではあるが離村就職した者をこれに加えると、就職者のうち実に84%が離村していることになる。これはへき地域内の限定された産業や就職条件等によるのであろう。進路指導の重要性がうかがわれる。

学校の規模と教育条件

へき地学校は、その所在する地域が山間地、離島等であるため、人口稀薄な地域にあり、そのため学校の規模も小さく、単級や複式授業を行なっている学校が多い。すなわち一学校当たり児童生徒数は、へき地学校では小学校は107.9人、中学校は125.6人であるが、へき地以外の平地校は小学校ではその4.5倍、中学校では5.6倍となっている。（図2参照）または児童生徒数による規模によって学校数の割合を比較してみても、301人以上の大規模校はへき地校の場合小学校で6.2%、中学校で9.1%と一割に満たないのに対し、平地校の場合は半数以上が該当し、逆に50人以下の小規模校は平地校では小学校5.2%、中学校1.1%とわずかな割合を示しているにすぎないが、へき地校では小学校33.4%、中学校32.4%となっている。

一般に小規模校では経済的見地や学校運営上幾つかの学校をまとめた、いわゆる複式の学級編制をとることが多く、したがって小規模校の多いへき地校には、複式学級を有する学校が小学校で61.5%、中学校で18.2%もみられるのである。この点、へき地教育にとっては複式学級における学習指導法の研究が重要な課題の一つであるといわれるゆえんであろう。

図2　学校当たり児童生徒数

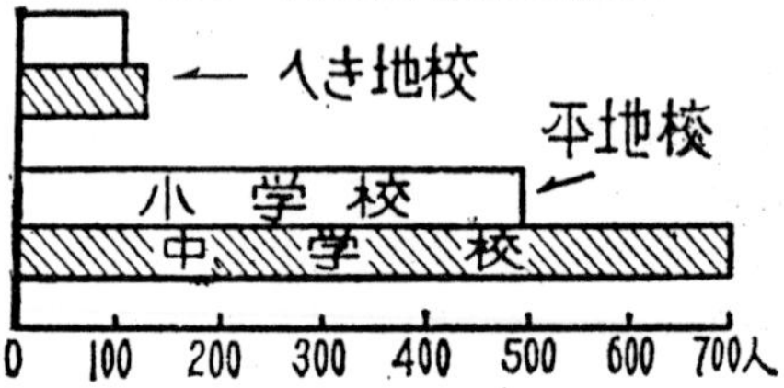

へき地校に勤務する教員

へき地校に勤務する教員は小学校32,711人、中学校17,502人を数え、これは全公立小・中学校教員数に対してそれぞれ9.7%、7.4%に当たる。

女子は男子の半数

最近の傾向として女子教員は全国的に年々増加しており、特に小学校の平地校では男女相半ばする状態にまでなっている。へき地校において女子教員の増加は例外ではない。

しかしながら、小学校で男子の半数、中学校で5分の1を占めているにすぎず平地校に比べるとまだ相当低率である。（表2参照）しかも級地の高いへき地校、すなわち5級、4級という自然的、文化的な生活条件のきびしいへき地校ほど女子の占める割合は低い。（表3参照）

表2　男子100人に対する女子の割合

区　分		34年	37	38
小学校	へき地校	47.7人	50.5人	53.7人
	平地校	84.6	93.0	95.2
中学校	へき地校	20.5	23.8	24.7
	平地校	26.0	30.1	31.7

昭和34,37両年は学校教員調査による

表3　級別男女別教員数の割合（%）

区　分		計	5級	4級	3級	2級	1級	経過措置
小学校	男	65.1	72.5	71.6	68.6	65.5	63.9	62.1
	女	34.9	27.5	28.4	31.4	34.5	36.1	37.9
中学校	男	80.2	85.6	85.4	80.0	80.8	79.3	78.1
	女	19.8	14.4	14.6	20.0	19.2	20.7	21.9

40代が少ない

教員の年齢構成をみると，小学校では25歳～29歳の年代層が最も多く，次いで30歳～34歳，20歳～24歳，35歳～39歳という順である。中学校も同様であるが，中学校では特に25歳～29歳の教員が28.1%いて他の階層に比べて目だつて多い。昭和37年調査の全国小・中学校教員の年齢構成と比較すると，へき地校には30代，40代の中堅層教員が少ないことが目につく。（表4参照）

表4　年齢構成比の比較（%）

区　分	小学校		中学校	
	38年	37年	38年	37年
計	100.0	100.0	100.0	100.0
19歳以下	0.5	0.1	0.1	0.0
20～24	16.3	6.0	18.5	10.5
25～29	19.6	16.8	28.1	22.2
30～34	19.1	27.4	19.2	26.3
35～39	15.2	20.7	12.4	17.8
40～44	8.0	9.5	6.6	7.8
45～49	8.3	8.3	5.7	6.5
50～54	9.9	8.7	6.9	6.7
55～59	3.0	2.4	2.4	2.1
60歳以上	0.1	0.1	0.1	0.1
	34.4	36.1	33.3	34.4

注　37年は学校教員調査の全国（公立）の構成比

勤務年数と経過年数

単級校や複式学級の多いへき地校では，教職経験年数の多少は重要な問題であると考えられるが，教育職員としての勤務年数が5年以下の教員が小学校で29.8%，中学校で42.8%，といちばん多く（全国は14.8%，25.4%）全教員の平均教職年数をみても，全国は小学校で15.7年，中学校で12.5年であるのに対し，へき地校では小学校12.5年，中学校9.5年である。経験年数の少ないことは前述の年齢構成でみたように若年層教員の多いこととも相関があり，へき地校における人事交流の困難さがわかる。

次に現在のへき地校に勤務してからの経過年数であるが，まだ1年にもならない教員は小学校に28.2%，中学校に28.6%（このうちの小学校82.7%，中学校77.7%が昭和38年3月の新卒者である）おり，1年のものを合算すると小学校では半数，中学校では半数を上回るといつた状態である。

なお，現在のへき地校における勤務年数の平均は小学校2.5年，中学校2.2年となつている。

多い「地元出身者」

　出身地について述べると，勤務先のへき地校の学区内を出身地とする，いわば土地つ子と呼ばれる教員は約一割を数え，同一市郡内出身者を合算すると約半数に及びへき地校では教員の半数が地元出身者によつて占められている。級別にこれをみると，へき地性の最も強い5級校（小学校56％，中学校51.3％）と逆にへき地性の最も弱い経過措置校（小学校64.1％，中学校55.8％）に地元出身者の割合が高く，対照的な現像として注目される。

　現在のへき地校に勤務する直前の勤務先がどこであつたか，どこから現在のへき地に転任してきたか。へき地校における教員の受け入れ状況は平地校からの転任者が小学校44.9％，中学校39.3％で最も多く，他のへき地校からの転任者は小・中学校とも37％程度である。これを級別にみると級地の高いへき地校では他のへき地校からの転任者の割合が高く級地の低いへき地校では反対の傾向が現われており，平地校とへき地校との人事交流はへき地性の強い学校ほど活発には行なわれない様子がうかがわれる。

住居は借家借間が多い

　次に住宅事情と家族との関係であるが，まず現在居住する住宅の状況をみると図3のごとく，借家・借間が最も多く，次いで教員公舎，自己所有家屋，学校建物の順となっている。わずかであるとはいいながら（小学校1,359人，中学校301人）住宅とはいえない状態と思われる学校の作業員室，宿直室等を住居としている教員がいるということは，へき地特有の現象とはいえ，1日も早く解決の望まれるところである。

　教員公舎居住者について級別にその割合をみると，小・中学校とも3級校が最も多い（小学校43.2％，中学校42％）。このことはここ数年来へき地教員住宅建築の国庫補助が3級校以上を優して行なつ先ている現われかと思われ，また経過措置校では，自己所有家屋居住者が半数程度いて，土地つ子は経過措置校（注参照）に多いという点との関連性がみられる。

（注）現行法ではへき地校に規定されなくとも，法施行前に条例でへき地校として取り扱われ，引き続き手当てが支給されている場合は，期限付きでその権利を保障している。これに該当する学校を経過措置という。

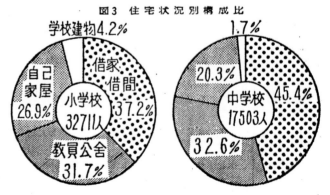

図3　住宅状況別構成比

家族とは別居生活

家族を有する教員は小学校62.8%,中学校59.6%いて,このうち約3割の教員は家族と別居している状況である。(表5参照)そして,その別居の理由は小学校では「子女の教育のため」が半数を越しており中学校でも約45%がこれに該当し特に小学校の5級校では69%,中学校の5級校では57%に及んでいる。別居している教員の割合も級地の高い学校は比較的高いので,へき地性の強い学校に勤務する教員にとつては,家庭のこと,ことに子女の教育問題が最もなやみのたねとなつているようである。

表5　扶養家族の有無別構成比(%)

区分		計	扶養家族あり			なし
			同居	一部別居	別居	
小学校	38年	100.0	42.2	9.4	11.2	37.2
	30年	100.0	48.2	8.5		43.3
中学校	38年	100.0	41.5	8.3	9.8	40.4
	30年	100.0	50.2	8.5		41.3

30年は「へき地教育調査」による。

市町村教委とへき地教育

昭和38年5月1日現在の全国の市町村教育委員会数は3,606(うち組合195)であるが,今回の調査によるとへき地学校を管内に有する市町村は1,703(うち組合22)を数えている。この数は47.2%に当たるわけで,半数近くの市町村がへき地的要素を多少なりとも有しているということになる。

この調査では,組合を除く1,681市町について,市町村の財政運営をみる指標として財政力指数(地方税等による収入に対する支出の割合で,当該地方公共団体の富裕度を示すものと考えられる。)を調べ,その経済的背景として潜在的な経済力を市町村住民の所得からはあく,さらには教育に対する市町村の熱意の度合いをみるものとして行政費中に占める教育予算の割合を知り,これにへき地性の強弱を加味し,へき地市町村の現状をとらえようと試みた。その結果の概略を述べるとまず財政力については,管内にへき地校の数が多い市町村ほど財政力指数は低い数字を示している。すなわちへき地性の強い市町村ほど財政の貧困度が高くなつておりまた,教育予算の割合は平均すると19.7%で「地方教育費調査」によると全国市町村の教育費の割合22.3%を下回り,市町村民一人当たり個人所得も平均46,300円で非常に低い数字となつている。

義務教育諸学校施設費国庫負担法施行令等の一部改正
教室不足の範囲を明示

―文部広報383号―

学級数に応じた校舎必要坪数も

　この改正政令は、昭和39年5月19日政令第153号として公布施され、本年4月1日から適用された。今回の改正は、さる3月31日法律第40号をもつて、義務教育諸学校施設費国庫負担法の1部が、小・中学校の校舎に係る施設基準の改訂を中心として改正されたが、その改正に伴い関連政令を含めて必要な規定の整備を行なつたものである。

　義務教育諸学校施設費国庫負担法施行令の一部改正
（1）「教室の不足の範囲」を定めたこと。（第二条）

　従来、小・中学校の校舎の新増築に要する経費の一部を国が負担する場合は、普通教室の不足に基因する不正常授業の解消のためであつたが、これを教室の不足の解消のため（法第三条第一項第一号および第二号）としたことに伴い従来政令で定められていた「不正常授業の範囲」を「教室の不足の範囲」と改め、その範囲は当該学校の設置者の所有に属する教室の数がそれぞれ次の場合とした。

　1　普通教室の数が当該学校の学級数に満たない場合（注1）
　2　特別教室の種類ごとの数が当該学校の学級数（特殊学校の学級数を除く。）に応じ、**別表1に掲げる数に満たない場合**（注2）

注1　ある一種類のみの特別教室を多数有していても、他の種類の特別教室を有していない場合は、教室の不足に該当する。
注2　特殊学級の数を除いた理由は特殊学級は、普通教室を一般学級より大きくとり、そこですべての教科の教育を行なつているという実態に基づく。したがつて後記の学級数に応ずる必要坪数の積算においても、一般学級の普通教室は20坪、特殊学級の普通教室は34坪としている。

別表1

学級数	特別教室の種類ごとの数			
	理科教室	音楽教室	図画工作教室	家庭科教室
小学校				
1学級から5学級まで	1			
6学級から11学級まで	1	1		
12学級から17学級まで	1	1	1	
18学級から23学級まで	1	1	1	1
24学級から35学級まで	1	1	2	1
36学級から47学級まで	2	1	2	1
48学級以上	2	2	2	1

学級数	理科教室	音楽教室	美術教室	技術教室	家庭科教室	職業教室
中学校						
1学級および2学級	1					
3学級から8学級まで	1	1		1	1	
9学級から14学級まで	1	1	1	2	2	
15学級から20学級まで	2	1	1	2	2	1
21学級から26学級まで	2	1	1	2	2	1
27学級から32学級まで	3	1	1	2	2	1
33学級から38学級まで	3	2	1	2	2	1
39学級から44学級まで	3	2	2	2	2	1
45学級から50学級まで	4	2	2	2	2	1
51学級から56学級まで	4	2	2	3	3	1
57学級以上	4	2	2	3	3	1

㈡学校統合の学級数に関する適正規模の条件に係る例外規定を一般的に設けたこと（第三条第三項）学校統合の適正規模条件

について，第三条第一項第一号に，学級数はおおむね12学級から18学級までと規定されているが，改正前の付則第三項に，昭和41年3月31日までの間，「統合後の学校の学級数が令第三条第一項第一号に掲げる条件に適合しない場合においても，文部大臣が教育効果等を考慮して適当と認めるときは，当該学級数は，同項同号に掲げる条件に適合するものとみなす。」と規定されていたが，これを昭和41年3月31日までの間に限らず，常に文部大臣が教育効果等を考慮して適当と認めるときは，適正規模の条件に適合するものとみなすこととした。

㈢「集団住宅の範囲」に文部大臣が建設を確実であると認めた住宅を加えることとしたこと。（第五条第1項第1号）

改正前の集団的な住宅とは，一団地300戸以上の住宅で①国，地方公共団体または日本住宅公団の建設する住宅②住宅金融公庫の融資により建設する住宅，とされていたが，上記①，②の住宅のほか，最近各地で大会社社宅等各種の集団住宅の建設が見られるので，「文部大臣が建設を確実であると認めた住宅」を加えた

㈣小学校または中学校の校舎に係る学級数に応ずる必要坪数を定めたこと(第六条)

1 特殊学級を置かない学校の場合（第六条第一項）

① 次の②の場合以外の学校については当該学校の学級数に応じ，**別表2**に掲げる算式により計算した坪数

② 学級数が5以下の小学校又は2以上の学年の児童または生徒で編制する学級を置くものについては当該学校の学級数に応じ，**別表3**に掲げる算式により計算した坪数

2 特殊学級を置く学校の場合
（第六条第二項）

当該学校の学級数から特殊学級の数を控除した学級数に応じ上記1の例により計算して得た坪数に次の坪数を加えた坪数当該学校の特殊学級の数×45坪

㈤小学校および中学校の校舎を除く学校建物に係る児童または生徒1人当たりの坪数について，児童生徒数に応じて行なう補正の方法を改めたこと。（第六条の二第二項）

改正前においては，児童生徒数に応ずる補正後の児童生徒1人当たりの基準坪数に基づき必要坪数を算定したとき児童生徒数が増加するのにかかわらず必要坪数が減少する場合があった。今回の改正は，その矛盾を是正したものである。

（その他）工事費を算定するにあたって特例扱いを行なう場合の特例の理由を若干改めたほか，条文の整備等所要の改正を行なったこと。

別表 2

学級数	坪数の計算方法
小　学　校	
1学級から5学級まで	95坪＋35坪×（学級数－1）
6学級から11学級まで	305坪＋35坪×（学級数－6）
12学級から17学級まで	560坪＋35坪×（学級数－12）
18学級から23学級まで	800坪＋35坪×（学級数－18）
24学級から35学級まで	1036坪＋35坪×（学級数－24）
36学級から47学級まで	1488坪＋35坪×（学級数－36）
48学級以上	1940坪＋35坪×（学級数－48）
中　学　校	
1学級および2学級	110坪＋35坪×（学級数－1）
3学級から8学級まで	295坪＋35坪×（学級数－3）
9学級から14学級まで	605坪＋35坪×（学級数－9）
15学級から20学級まで	905坪＋35坪×（学級数－15）
21学級から26学級まで	1135坪＋35坪×（学級数－21）
27学級から32学級まで	1381坪＋35坪×（学級数－27）
33学級から38学級まで	1627坪＋35坪×（学級数－33）
39学級から44学級まで	1873坪＋35坪×（学級数－39）
45学級から50学級まで	2119坪＋35坪×（学級数－45）
51学級から56学級まで	2365坪＋35坪×（学級数－51）
57学級以上	2611坪＋35坪×（学級数－57）

別表 3

学級の種類	学級数	坪数の計算方法
小　学　校	1学級および2学級	60坪＋35坪×（学級数－1）
	3学級から5学級まで	145坪＋35坪×（学級数－3）
中　学　校	1学級および2学級	70坪＋50坪×（学級数－1）

文教時報（第九〇号）　非売品

印刷　一九六四年十月三十日
発行　一九六四年十月三十一日

発行所　琉球政府文教局調査広報課
印刷所　セントラル印刷所
電話　〇九九－二二七三番

文教時報

No.91　　64/11

特集…学校給食十周年

琉球政府・文教局・調査広報課

もくじ

No. 91
特集…学校給食十周年
　　写真の頁

学校給食実施十周年にあたつて………… 中　村　義　永 ………（
（座談会）教育効果の大きい完全給食をすすめる ……………（
　　出席者（喜久山添采・津波古充吉・金城里子・饒平名佐夜子・本部紀久子
　　　　　謝花喜俊・赤嶺潤子の諸氏）

学校給食十年の歩み …………………… 謝　花　喜　俊 ………（1
学校給食の現況 ………………………… 保 健 体 育 課 ………（2
　　完全給食校をたずねて ………………（東江小学校）………（2
　　完全給食を実施してみて …………… 仲　嶺　盛　文 ………（2
　　わが校の学校給食 …………………… 饒平名　佐夜子 ………（2
給食準備室の計画を始める学校のために 照　屋　善　一 ………（3
　　学校給食用物資 ………………（34）　リパック委員会 ………（3
　　学校給食関係予算 ……………（35）　琉球学校給食会 ………（3
　　学校給食と体位 ………………（36）　学校給食用製パン委託加工工場（4
＝講話＝　学校給食と人間形成 ……………………………………（4
　　文部省主催　校長研修会に出席して 新　　城　　力 ………（4
完全給食の促進をはかる ……………… 喜　村　清　繁 ………（4
　　　　偏食はなおせるか ……………………………………………（
　　　　学校給食に対する日米英の国庫補助額の比較 ……………（
　　　　世界各国の学校給食に対する国庫補助実施状況 …………（
　　　　学校給食用パンの製造過程 ……………………………………（
　　　　図　書　紹　介 ……………………………………（33）（
　　　　残菜の取扱いについて ………………………………………（
　　　　献立並びに栄養分析表　ある学校の例 ……………………（
　　　　表　紙……保志門教諭（沖縄工業高校）

調理から整理まで
完全給食の実際
▲ 東江小学校
▲ 前島小学校

↑ 給食調理室全景

← 給食調理中、在籍の増加と設備の増設で、調理室は完全給食開始間もなく狭あいを極めたという

調理中、熱源は石油 →

↑上級生の給食係による献立の紹介第三校時の休みのひととき

さあ給食時間だ，洗面所は一度に笑声と明るい話声でどよめく　　↓

上↑
各学級の給食当番によつてその日の献立が伝達される

下↑
給食当番による食器と食事の運搬，純白の当番の着衣が印象的

同級生の給仕
それを見守るあかるい顔，
一日のうちで楽しいひととき　→

同級生の給仕
一年生は上級生二
人のお手伝いで案
←外手早く配膳をす
ます

一年生のリレー式配→
膳

← 先生もともにいただく

← 給食時間一時間前調理が一段落してやつと各学級への運搬準備にとりかかるところ

すがすがしく緑につつまれた学校環境
↓

←給食すんで,使用後の食器が給食室の調理台いっぱいにつまれる

食器棚のはい面,棚は調理室につづいている
↓

↑
食器棚の正面,給食室前面で当番の子どもたちはここから食器をうけとっている

↑ 給食室のうら，衛生管理でたえず気をつかうところ

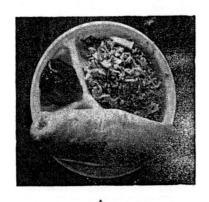

↑
完全給食一人分，おかずは1日3.5セントが標準である

↑
校から給食室や給食実施状況の見学者がたえない，時にはPTAそろっての調査もある

学校給食実施十周年にあたって

保健体育課長　中　村　義　永

沖縄の戦後の学校給食の最初は1953年であるその当時から現在まで沖縄に布教中のカトリック教の牧師マンシニヤ・レイ氏の御好意により同教会の本部から救済物資としてまわしていただいたのである。　当時沖縄の食生活は，子どもの発育に極めて必要なカルシウム分の含まれた食品が少なかつたので，この贈物は大変重宝がられたものである。

しかしこの給食は，53年12月から54年5月までの短い期間で，しかも本島小学校の1，2年を対象に週3回の給食であつたのであるが，これがきつかけとなり，マンシニヤ・レイ氏の御尽力が大きく影響して1年おいて，1955年，国際カトリック教世界キリスト教両奉仕団から沖縄の児童生徒の学校給食用として，粉ミルクの寄贈を受け再びミルク給食の実現をみたのである。

当時からかぞえて今年で十周年にあたるわけである。当時本土の義務教育諸学校では，既に完全給食が実施されていたので沖縄でも早くこのような給食が実施できるようにと教師，父兄，児童生徒のすべてが熱望していたのであるが，59年10月にパン給食が実施できるという朗報がきたので関係者一同非常に喜んだのである。

完全給食とまではいかないが，これに近い待望のパン給食が1960年1月から199,287人の児童生徒に対し，昼食に給与されたのである。　この実現についてもリパック委員会（琉球列島救済物資配給委員会）の方々や，国際カトリック教奉仕団本部のケネリ女史や，世界キリスト教奉仕団の事務局長R.ノーリス，ウイルソン氏，その他米国民政府の関係者の御尽力のおかげである

このように沖縄の学校給食は，極めて多くの方々が，学校給食の重要性を認めてよせていただいた協力によつてミルク給食からパンとミルクの給食へと発展してきた。

次で1960年7月には，学校給食法が立法され法律の裏づけによつて義務教育諸学校の設置者は，当該義務教育諸学校において学校給食が実施されるように努めなければならないとなつたのである。そして1963年6月に琉球学校給食会法が立法され,特殊法人として同年8月4日琉球学校給食会が発足したのである。給食会は物資を適正円滑に供給し，学校給食の普及充実をはかることになつているので今度の活躍が期待される

更に改訂教育課程によつて学校行事等の領域の中に学校給食が位置づけられ単に食事を与えるというだけでなく給食の時間を設け教育の場として実施するようになつているが文部省においてはなおこれが強化をはかるため，義務制にして教育課程の一領域にしたい意向を示し，近く文教審議会に諮問をして2,3年後に実施する準備を進めつつあることと聞いている。このように年を追つて充実強化されつつある中で，沖縄の学校給食も学校現場やPTAの協力と設置者の努力によつて完全給食実施に移行しつつあることは誠に喜ばしいことである。

既に十七校が完全給食を実施しているが今年度は更に増加すると思う。学校給食実施十周年にあたつて過去を反省し，明日からの沖縄教育振興のために，私共教育行政を担当している者は愈々これが充実強化のため施設設備の充実のための処置や管理や指導の面の行政を強化すべく努力致したいと思う次第である。

学校給食十周年にちなんで

教育効果の大きい
完全給食をすすめる

出席者

前島小学校長　　　　喜久山添采
開南小学校教頭　　　津波古充吉
那覇区教育委員会栄養士　金城里子
座安小学校栄養士　　饒平名佐夜子
開南小学校P.T.A
婦人部副部長　　　本部紀久子
文教局 保健体育課 主事 謝花喜俊（司会）
〃　　　 〃　　主事 赤嶺潤子

完全給食へのすすめ
学校側のPTA呼びかけで

　司会　本日はお忙しいところご出席いただきまして，ありがとうございます。今年度は学校給食が開始されて十年めになります。その間ミルクだけの給食が，パンとミルク，そして現在は完全給食校が全琉で17校を数えるようになりました。
　文教局といたしましては全琉の全校が完全給食を実施するという目標のために今後もつとめる方針でありますが、十年という一区切りを契機として、今後の学校給食の方向を明確にし、改めてその発展をはかりたいと考えます。本日は学校給食で実績をあげておいでの学校の先生方栄養士の方，P.T.Aの方をお招きいたしました。
　学校給食についていろいろお伺いしたいと思いますが、この話合いが、これから完全給食を実施しようとする学校の参考に、さらにすでに実施にふみきつた学校の充実

文教当局の指導強化のためにも役立てたいと考えております。
　聞くところによりますと文部省は昭和42年度より学校給食を義務制にしようという企てのようです。学習指導要領の四本の柱の一つ学校行事等から学校給食を独立させて，いわゆる五本の柱にしようというわけです。これは当然学校給食を重視していることの表われであろうかと考えます。そこで私どもは学校給食をぜひ健全なものにしたい、それについてどうやったらよいか、学校給食を完全給食へふみきつた動機とか決意といったことについて喜久山先生の方から一つお願いいたします。

　喜久山　前島小学校は完全給食をぜひという強い動きは教員側からもP.T.A側からも初めはなかつた。パンとミルクの給食で副食物の携行をすゝめていたところ持つてこない子がいる。毎日の副食物の用意で手間どるという父兄の声、子どもたちのもつてくる副食物の内容にどうも著しい違いがある。これを栄養価の面から果してこのままでよいか、ということで、何とかこのような当面の問題を解決するため、東江小と上田小の二校をP.T.Aとくにお母さん方と見てまわったことです。その結果お母さん方がぜ

ひ本校でもという積極的な動きとなつて現れた。学校側のちよつとした呼びかけに逆に父兄が積極的に実施するようつきあげてきたといつた方がよいかも知れません。

司会 PTAが乗り気になつて成功したわけですね。

津波古 開南小学校の場合も大体同じです。PTAの働きが大きかつたわけです。

本部 前島小学校が完全給食を実施したということが影響したと思います。前島小学校の実施状況を見せていただきましたがその結果毎日べん当を用意する私ども母としてはやはり、完全給食をぜひということになつたわけです。

津波古 実は給食室は甚だ狭く衛生的にもよくないものでした。りつぱな施設を見てからは思いきつて使える施設にしようということになつたわけです。図書館として使つていましたのを改造したため完全給食への進行はうまく運びました。

司会 隣校の実施状況を参観するとか、PTA、とくにお母さん方の積極的な協力が大きいようですね、やはり完全給食実施校の実施状況からPTAの方の理解も早くなるわけですね。饒平名さん座安小学校の方はいかがですか。

饒平名 豊見城村は村長さんが意欲的で積極的に研究してほしいと逆に私どもに注文なさる状態です。でも完全給食を実施したもとわといえばやはり、みなさんの学校と大差ないのです。

司会 お話を伺つていますと栄養価の高いのを子どもに与えたいとかといつたことと貧富の差が副食物携行の給食では目立つし、持たない子もでてくる。つまりパンとミルク給食では学校側としても、家庭側としてもいろいろ問題が多すぎる。その解決策として完全給食へ進行したというわけですね。

完全給食の教育効果
非行防止にひと役

津波古 同じかまのメシを食べるという実感ですね、これは人間関係を緊密にする上には極めて効果的だとしみじみ感じますよ。

喜久山 完全給食をしたため母の手がはぶけるということは実施後、まずお母さん方が異句同音にもらす喜びのことばですよとくに沖縄の成長期の子どもたちの栄養価について家庭では十分考えが行き届かない腹一ぱいということより、より栄養価の高いものという面の努力はどうしても乏しいそこを講習会とか講演等で啓蒙するのですね、学校でPTA、母の会等呼びかけると予想以上に効果がある。

饒平名 座安小学校で父兄にアンケートをとつたところが、経済的に困るということが幾分あつたのですが、多くは子どもの性格が明かるくなつた、血色がよくなつたといつて喜んでいるようすが十分うかがえる結果であつた。

司会 ミルク給食からパン給食にかわつた時に非行防止等によいことだといわれたその点完全給食にもそのような影響がありますが口角炎が少なくななつたというデータがでていますが

喜久山 それは見のがせないですね。欠席した子が昨日のおかずは何だつたか尋ねていたという話を耳にしたことがある。

津波古 極端な話ですが事実あつたことです。非行化していて家によりつかない子がいました。完全給食を始めましたら学校はよく出るようになつたのです。家庭の人は子どもをさがしに学校へ来るといつた笑

えない場面もありました。

　喜久山　体重が増加するといつた数量的にはまだはつきりいえる段階ではないが，流行感冒の時期に欠席児が殆んどなかつたことなどあるいは完全給食の影響かとも考えてみたくなります。

　本部　家で朝はパン食をしていますが学校でおひるもパン，パン食に最近よくなれてきましたね。それにすききらいがなくなりました。

　喜久山　にんじんなど子どもがたべたがらない食物でもたべるようになりました。

　津波古　小刻みにわけられないようにできていますよ（笑声）

　金城　きらいなものをとり出すことは学級のおともだちの手前はずかしいということが原因らしいのです。

　饒平名　給食費を増額してもおいしいのをとか，土曜日もという声があります。土曜日休む子も低学年あたりいるようです。給食のない土曜日には休む子も多いということがいえるようですね。

　喜久山　おいしくいただくということですが，パンの量は多いのではないか。

　饒平名　パンをのこす子がいることには少々疑問もあります。コツペですとずい分残るのですが，あげパンだと残りが少ない，多いという原因か，まずいのかということですが，た

だいま原因を追求しているところです。私は多い少いという量より変化をつけるという面への努力が必要だと考えますが。

　金城　確かに変化は必要ですね，しかし反面嗜好の訓練も必要だと思います。普通のパンとあげパンとはやはり違う。あげパンは菓子の一種であるとか，コツペでもそのパンとしての本質を知つてそれをいただくことの意味を理解させることは忘れてはならないと思います。

　喜久山　一年生のパンの量は検討する必要があるのではないかと思います。一人分のパンで先生方は十分のようだ。

給食指導の実践
教師の心遣いが影響大

　司会　パンについては質，量，形の変化ともに栄養士や学校の方からいろいろ要望もでている。何とか考慮したい。給食指導がいろいろ話題になりましたが，学校における指導の現況について一つ。

　津波古　指導要領の目標にそつて指導計画をたてるためにただ今研究中です。その間は，ねらいは楽しい食事ということですが，そのためにどうするかといつたことからメロデイーを流すとか，学級備品を備えるとか，手を洗うとかといつたことに努力しているのが現状です。

　本部　たべた食器を自分で片づけるという生活態度が身についたようですね，完全給食で良い習慣の形成ということで先生方がつとめておられることが実を結んだものと思います。

　津波古　望ましい習慣を身につけることが，そろつておいしくいただくとかいつた態度などが指導の中心で，知識面はこれからというところです。

　司会　指導しつゝ以前と変つたと思う点は？

　津波古　完全給食以前はパンとミルクでやたらに残るし，パンをちぎつて投げ合う子も一，二人いて指導に相当気をつかつたものですが，それがピタリとなくなりましたね。不思議にあの頃より指導しやすくなつたことです。

　金城　パンを完全にいただくことが不思

議がられるくらいですね，パンをのこすということが当然といつたパン，ミルク給食の当時に比べますと……

津波古 食事後の指導もうまくいつているようです。幸い器具も大分揃つていますので。

本部 ミルク給食の頃はよくパンを持ちかえつたものです，家で捨てるのをみつけて注意してやつたこともあります。完全給食はその欠陥をうまくおぎなつてくれたようです。

司会 最近本土の給食研究会辺りでよく使われている給食指導の本，おしい話といつたのはお使いでしようか。

饒平名 使つてないようですね。全学級をまわりますと学級のくせがよくわかります。たまたま担任の先生が休んだ時私はそのようなくせにスポットをあてゝ話をするようにします。例えばミルクをのみたがらない子の多い学級などでは，ミルクをのむと色が白くなる話，身体が伸びるといつたゆめをもたせるくふう，案外ささいなそのようなすゝめがききめがあるのですね，おひるに校内放送でもいろいろやつています。

喜久山 学級によつて違う，受け持ちの先生の指導が大分影響する。その点私はPTA等で父兄にも話し，学校給食に協力してくれるように呼びかけています。子どもが学校給食はまずいともらしたら，「そうだろう一食三仙ていどじやたいしたものもできない」なんて言つたら最早学校給食はその意味を失つてしまう。

学校給食は栄養の点でしつかり考えてつくられたものだということで家庭でも十分認識をもつて指導していただきたい……そのような話をしてまいたわけです。

金城 那覇の方はおいしい給食の本をみんなもつているおいしい話とか手引とか使うようにしていて時には給食週間それも手を洗うとか全部いただくとか，指導にウエイトをかける面をもつ運営のし方で指導を強化するとよい食事のマナーとか習慣形成など効果も大きいと思います。

しかし，現在はいかにして日々の学校給食を行なうか，むしろ運営面に力を注いできておりこれから指導の強化をはかろうというのが実情かと思います。

給食調理人への心遣い
給食主任の強化が必要

司会 ミルク給食で体質によつてのまないなどということで指導にいま一歩ほしいという所もありますね，そのようなことが完全給食の指導でもあるかと思いますが。

津波古 食べ物，飲み物について正しい理解をもたせる，望ましい態度を身につけさせることが必要だと痛感することがあります。

本部 幼稚園児がミルクをのまないので先生がクラッカーをたべさせながらミルクをすつかりのませるといつた指導の場面を目にして感心したことがあります。

金城 食事中教師も生徒も黙つているということは学校給食ではあまりいい雰囲気ではないのですね。今日の料理には何が入つている。何ていう料理だ，栄養的にはどうかなど指導できたらと思います。またいつしよに楽しくいただくという協力体勢をつくることも必要でしよう。

司会 さきほどの喜久山校長先生のお話にありました，どうせ安ものだからという考え方には注意したいものですね。私共はその面の指導を強化する必要がありますねお話のようすから完全給食の指導はミルクパン給食より一段と明かるく，しかもその指導の効果が直接家庭での食生活，態度にあらわれる面をもつているということですが，それには学級の先生方の指導が最も重要な役割を果すということが更に確認されたように思います。それでは給食をうらの面，つまり表には出ないでその準備のために苦心していらしやる調理人のみなさんについてとか，献立の苦心とかについてお話いただきましょう。

金城 那覇は調理の時に栄養士がつきつきりできない，献立を流してもすぐ作れないといつた悩みがあります。沖縄は食習慣から献立を見てもそれを作るにはいろいろハンデーがある。学校側か，だれか主任をおいて，調理の指導にあたるようにする。それはパートタイムでもよいと思います。そうすれば，油でいためる時でも適度を考えるし，調理の順序もくどくど説明しなくてすむ，調理人は経験をはなれて材料の性質と調理の目的に適合した調理方法があることを十分認識してかかることが大切だと思います。

材料の購入については心配ありません，ただ安く手に入れるということで研究したいと思います。

衛生については給食を始める前にいろいろ注意しておきました。また時々気を配つて指導していますが，やはりこれは継続的な指導が必要ですね。例えば，お手あらいに調理室内専用のスリツパでゆくこととがあります，万一室外で汚物でも付着してそれが中毒の原因にでもなつたらと非常にこわいことです。

饒平名 私は座安小学校の専任ですからその点指導が十分できます。午前は調理を直接指導いたします。給食時間は機会をみては実施状況をみてまわつております。翌日の計画，会計事務等をいたします。どういう料理にするという私の計画は計画書，メニューをかいただけでは実は調理人には調理が無理なんですね，第一食料品に標準語と方言の区別がある，うつかりするととんでもないものに変つてしまう。例えて言いますとウドンもマカロニも，ソバもどちらも同じものだと考えているといつたものです。

調理はですから献立をみていかにも家庭の延長といつた形でやられたりすると，せつかくの栄養価がまつたく台なしになつしまうそれで調理現場に栄養士がついているということは大事なことだと思います。

また，あぶら虫とかはえなどに対する注意，衛生観念が乏しいのではないでしようか，なぜならば一匹のはえですと，さして気にしないのですね。

それから学校長や教員は調理人の立場をよく理解してあげる必要があると考えます一般的に調理人は自らを卑下している方が多いようですね，学校職員として調理に当たる方々の苦労も，気持を察してやり．お互いに協力すべきところは協力してやることだと思います。

私はそのような立場から栄養士の専任をおくことを強調したいと思います。

ただたべさせればよいということでは学校給食は無価値になる。そこで調理人の苦労も容易でなくなるし，栄養士の指図も厳しくなる，その辺を先生方は十分理解して真に栄養価の高い学校給食の実施というにと，ともに努めてこそ完全な学校給食は期待できると思います。

給食実施を促すための
物資購入計画の樹立を

津波古 この辺で第五の柱いわゆる学習指導要領の四本の柱を五本にすることが考えられてよいのじやないですか。

調理についてハットする場面に出遭つたことがあります。調理人の一人が怪我して作業ができないというので自分で代理人を連れてきているのです。給食の調理は私でなければできないというプライドとともにその仕事自体極めて責任の重いことであるという正しい理解が十分できなかつたためと思います。

代理人の心配は学校の方でするからと帰してやりましたが……

金城 開南小学校は健康簿がありますね調理人のその日の体の具合。手，足，腹，頭等記入するようになつています。一見して一人一人の健康状態がわかるようになつているばかりか，家族の病気等も一応わかるようになつています。

喜久山 金城先生，給食と金との関係ですが，十分おいしくいただける給食までひきあげるとしたら一体一人分の単価，どの程度あればよいのですか，もち論多いにこしたことはないのですが。

金城 やはり基準量にかなうということから割り出せると思います。それから言うと金の制約は大きいわけですね。規準量にみたないためにビタミンCとか蛋白質とかことに動物性蛋白質が不足するわけです。そこでビタミンの補給はパンを作るときにくふうする。ビタミンB1をふやすことができるわけですが薬品の在庫は20日分しかないのです。ですから毎日その面の措置をしているわけにはいきません。栄養素の不足を薬で補うといつても薬屋は学校給食相手だけで入荷した品を果してさばけるか不安だというので乗気ではない，第一沖縄の需要がつかめない，これは文教局あたりで解決する外ないと思います。

喜久山 薬品からとるより食べ物からとる方がよいと思うが

赤嶺 それにこしたことはないのですが食べ物にそれを期待すると経済的に困難なようです。

饒平名 1人当たり4.3仙でやつたことがあります。マーガリンなどもつかつて子ども達もずい分喜んでいたようです。実は多少単価をあげたらどうかという試験的な気持と折よい，経費に多少余裕があつたことから9月いつぱいやつてみましたが食料品を揃えるのにずい分楽でした。

喜久山 1＄では1月分うまくやつていけませんか。

金城 会計も兼ねるのでしたら月々に変化をつけることができますから，あるいは幾分内容面でちがつてくると思いますが，やはり単価が低すぎますね。

司会 品物がないといつて困つたことはありませんか。

饒平名 え，つとめて市場調査をすることにしています。品物を見て献立てを考えるわけです。ほしい品物があるということは実はそうあるものではないのですね。時期的に使用する食品は変つてきますが，半月分献立をつくつて各家庭へながす，しかし品物を揃えることがむつかしいので変更もしばしばあります。

司会 給食費はどうですか

饒平名 5￠の20回分徴収しています。3.5￠がおかず代，0.95￠がパン加工賃，残りが人件費ということになります。PTAで徴収してますが，PTA会費の納金状態よりよいようですね。

金城 開南小学校は3.5￠，前島小学校は3.3￠をおかず代に使つています。

津波古 委員会から補助があるから少々よくなつたと思います。

司会 4 ではどうですか。

金城 適当な額ではないでしようか、ただ問題は材料購入の上で困る点を解決することが必要だと思います。店頭には家庭用が多く、学校給食といつた団体用には不経済の面が多いのですよ。罐詰めにしても小さいのを10コあけるより大きいのを1コあけた方が、あける時間と、労力的に又金銭的にはるかに得をする。

完全給食実施に備えて
施設への財政措置をまず

司会 政府としては何とか調理人を置くように努力したいと思います。しかしそれにまして当面の問題は完全給食校を増加させることであります、それにはPTAの協力がなければ困難であるということは否めません。

その辺の模様を喜久山先生一つ。

喜久山 建築面では 4,200＄は委員会から出してもらい政府補助500＄残り3,300＄はPTAが負担したわけです。

お母さん方のバックアップがあつたことが最も力になつたのではないかと思います。

津波古 開南小学校の準備室は 4,200＄の委員会支出と1,200＄のPTA負担ででき

ました。備品代としてPTAが4,230＄負担したわけですが、それは30￠の1ヵ年徴収1,000所帯 で不足を生じたため重ねて20￠の3ヵ月追徴となり1所帯 4.2＄の多額負担をお願いすることで解決しました。文教局からの補助金 500＄ 、しかし、まだ施設が十分ではないわけです。消毒器などこれから設備したいと考えています。

司会 給食費の徴収はどうですか。

饒平名 座安の場合は各区長が集めていますが完全に集まります。

津波古 私共は箱を備えつけておき各自その中に入れてもらいます、PTA会費より納入が早いようです。現在まで別に問題なく集まつているようです。

司会 5％のボーダーライン、3％の要保護児、その外にはどのような措置をしていますか。

喜久山 出さなくてもよいというふうにせず、持つてこない子は、督促する家庭と督促しない家庭に分け、出せない家庭の子どもにはそつとしておくといつた方法をとつています。90％以上集まりますね。

津波古 強制的に督促しないことにしていますが成績はいいですね。

司会 PTAの協力といつたことはありませんか

饒平名 座安小の給食費は、救済児童は子ども単位にしないで一家庭あたりの額を考慮している。そこで子ども二人まで一般と同額にし三人の場合月2.5＄ 四人の場合は月3＄人といつた。

司会 完全給食校はこれからどんどん増加すると

考えます。将来実施にふみ切る学校のために考慮すべき問題，検討を要する必要な問題といつた点を一つ。

衛生管理の強化
検便は毎月実施をぜひ

金城 まず施設と物資購入の問題，それから衛生面について，施設は規準線を文教局で設ける必要がある。建物はよいが中はよくないといつたのが多いわけです。最低限の基準を示し，それへの努力を要請することは考えてみるべき問題だと思います。食品の購入，確保については輸入免税の措置はとれないものか業者は給食物資の取扱いで特殊な注文には応じかねる，確実な売りさばきが約束できない限り受け付けられんといつた状態です。だから，学校の上にその物資の周旋をする機構を考えてみてはと思います。

現在まで給食による中毒患者が出ていないのでよいが，しかし対策を強化する必要があります。例えば，消毒を日頃どのようにするか，どの程度か，このような仕事上の，また，公式上の責任者はだれであるかを改めて認識することだと思います。

私は機会あるごとに洗うだけでは消毒ではないと教えてきました。棚の中など細菌にとつて繁殖しやすい好条件のところなんですね。

文教局の予算が考えられたらその面の強化を御願いします。

細菌検査をやること，それと平行して消毒器と保管器の確保についてご指導をお願いしたいと思います。

司会 衛生管理については絶えず気を配ばつてきましたが，気遣いすぎるということはありません。これからも一層努めたいと思います。それから免税の問題，物資斡旋の問題についてはただ今保健体育課の方で研究中です。

饒平名 調理人はやつぱり固定したいものです。PTAの方々が交代で協力しているところがありますが，望ましくないと思います。調理人の講習会，指導の機会をもつことなどいかがですか，それから調理人の検便は毎月1回は必要だと思いますが，

金城 検便については本土のように赤痢菌についてやつてもらいたいものです。回数もふやしてこそ，検便の意味もあろうかと思います。蛔虫ではどうも。

司会 一年一回の現行の規則は改めるべきだと考えただ今研究しているところです赤痢菌に対することも検討しています。

喜久山 物資購入は本土では給食物資として特別措置が行なわれているのですか，その物資は他に流せないように法の規制がありますか。

金城 そうです，それも当地に適用したいものです。ただその前に一つは沖縄の需要をつかむことが必要です。

司会 税制課ではこの件についてはいろいろ難色を示しているようです。

鹿児島県の様子ですが，物資斡旋を法人組織をもつてやつています。

津波古 学校給食を強化したらいかがですか，そして物資購入の労をとつてもらうのです。

金城 その面から出る利潤は学校へ環元されそれが給食施設設備へふりむけるといつたおもしろい方法をとつていますね。

喜久山 完全給食を実施してみて，思つたより仕事はスムーズに運べたと思います「案ずるより産むはやすし」とはよく言つたものとしみじみ思います。

私は未実施校のみなさんに，完全給食の

教育的効果の予想以上に大きいことをご理解いただいて、ぜひつぎつぎとその実現のために積極的に対策されることをおすゝめしたいと思います。

金城 給食の教育的効果は確かに予想しないところに、目にみえてあらわれますねいま一つ給食調理人について若い人を使うよう配慮すべきことをおすゝめします。

鏡平名 私は調理人に調理士の免許をとるよう勉強しないとすゝめているところです。若い人は技術の吸収が早く、旧いしきたり習慣からはなれてやりようによっては研究的でよいと思います。

司会 長時間いろいろ有意義なお話がうかがえて、完全給食をこれから計画される学校に対しては良い資料となりましようし既に実施しつゝある学校にとつても参考になろうかと考えます。
ありがとうございました。

学校給食に対する日英米の国庫補助額の比較

区　分	日本（1959年現在）	英国（1959年現在）	米国（1960年現在）
食施設設備補助	※国庫補助約 56%	施設設備国庫補助100%	―
給食費補助	文部省以外の厚生、農林省の国庫補助を加えると12.6%補助となる。	国庫補助50%	国庫補助27.4%連邦政府補助に州政府の支出を加えると給食費の公費負担は50%となる。
ミルク給食	現在なし	国庫補助100%	
備　考	※施設設備5割補助の建前であるが、実際の補助率は32%となり市町村の実支出額に対しては18%に過ぎない	給食関係補助は5,871万ポンドであるがそれは英国文部省の教育予算総額10,700万ポンドの54.6%にあたる。	1959年度、連邦保健教育福祉省の教育予算総額4億7百万ドルと学校給食補助3億6百万ドル（農務省所管）との合計7億千3百万ドルに対し、学校給食補助は約43%にあたる。

文部省発行「学校給食の完全実施へ」より

学校給食十年の歩み

保健体育課主事 謝 花 喜 俊

沖縄の学校給食は,米国の国際カトリツク福祉協議会と世界キリスト教奉仕団の両宗教団体の寄贈の粉ミルクによつて1955年小学校にミルク給食開始されてから次にのべるように年々拡充強化され,1964年で学校給食10周年を迎えるようになつた。その間ミルク給食からパンとミルクの給食,そうして現在17校が完全給食に踏み切り更に来年度には,30校近くの学校が完全給食実施を予想されるようになつた。これで学校給食もやつと軌道に乗りかけたのである。沖縄学校給食の経過及び現状は大体次のとおりである。

I 学校給食十年の歩み

1953年 (1) 国際カトリツク福祉協議会のマンシニヤ,レイ神父が,沖縄の貧困家庭への援助物資の中から学校給食用として粉ミルクを寄贈。小学校1,2年生と幼稚園の一部に対して試験的にミルク給食を実施。
(2) ミルク給食実施のため,ミシガン大学派遣教授のペツク氏と琉大の翁長君代氏が中心になり,南部中部,北部の三ヵ所でミルクの溶かし方の講習会を実施。
(3) 1人当りの給与量は,0.8オンス(22g)で,これを180ccの水に溶かして与えた。

1955年 (1) マンシニヤ,レイ神父等の斡旋により,米国宗教団体本部と国際協力局で沖縄の児童生徒に学校給食用として粉ミルクを贈ることが承認されたので国際カトリツク福祉協議会と世界キリスト教奉仕団の両宗教団体より各半分づつ物資が贈られ,ミルク給食が本格的に開始された。
(2) 4～5月に南部,中部,北部,久米島,宮古及び八重山の6会場でミルクの溶かし方について講習会を開催,講師は琉球大学の翁長氏とミシガン大学派遣教授。
(3) 給食人員は小学校4年以下(離島,へき地学校は6年まで)の79,960人に対して実施。

1956年 (1) 4月から小学校全児童105,347人にミルク給食を実施。

- (2) 10月には中学校52,238人と高等学校定時制課程の生徒 955人に対してもミルク給食を実施。
- (3) 給食日数を年間 180 日（週5日）で，1人当りの給与量は 0.8 (22 g) オンス，これを180ccの水にとかして与える。

1957年
- (1) 小学校 114,987人，中学校，51,087人に対してはミルク給食を実施。
- (2) 高校定時制の生徒 1,347人に対しては，粉ミルクの外に，次の物資も配布し，完全給食を実施。1人1回当りの給与量 150 g。 米，メリケン粉，コーンミル
- (3) 9月に文教局に保健体育課が新設され，学務課内で取扱つていた給食事務が保健体育課内で行うようになつた。
- (4) 11月マンシニヤ，レイ神父から高校定時制下記11校に対し給食設備費として 1,326弗の寄付があつた。
  糸満，知念，首里，那覇工業，商業，普天間，コザ，石川，北農，宮古

1958年
- (1) 物資量が増加したので，幼稚園児26,430人に対してもミルク給食を実施。
- (2) 粉ミルク1人1回当りの量を次のとおり変更。
  幼稚園　0.8オンス(22g)
  　　　　（水 180cc）
  小学校　1.0〃 (28g)
  　　　　（〃）
  中学校　1.2〃 (34g)
  　　　　（水 210cc）
  高等学校 1.2〃 (34g)
  　　　　（〃）
- (3) 給食人員
  幼　稚　園　　26,430人
  小　学　校　　132,533人
  中　学　校　　48,987人
  高等定時制　　1,583人
  　　計　　　209,533人

1959年
- (1) 1月国際カトリツク福祉協議会本部のケネデー女史が来島。
- (2) 4月世界キリスト教奉仕団本部の事務局長ノーリス・ウイルソン氏来島。
- (3) ウイルソン氏に，政府，教育長協会，PTA，教職員会，婦人連合会，教育協委員会，等の各代表がパン給食実現方要請。
- (4) 4月高校全日制16,786人にミルク給食を実施。
- (5) 9月パン給食の実施が米国宗教団体から承認された。
- (6) 10月〜12月，パン給食実施のため，下記事項について準備をした。
  - (イ) 製パン工場の認可基準案。
  - (ロ) 給食用パンの配合基準案
  - (ハ) 製パン工場の審査
  - (ニ) 製パン工場と学校の組合わせ。
  - (ホ) 加工賃の決定
  - (ヘ) 学校給食法案の準備

- (7) 学校給食用メリケン粉，11月入荷。
- (8) 給食人員
  - 幼稚園　26,614人
  - 小学校　145,929人
  - 中学校　41,289人
  - 高校定時制　2,876人
  - 高校全日制　16,786人

1960年
- (1) 1月の中央教育委員会で全琉40の製パン工場を認可。
- (2) 1月18日から小学校，中学校の全児童生徒203,089人に待望のパン給食を実施。
- (3) 各区教育委員会と各製パン工場が給食パンの委託契約を締結。
- (4) パンの加工賃小学校0.81仙中学校1.00仙に決定した。
- (5) 2月本土から今本直行氏を招へいし，給食パンの試験焼並びに製パン講習会を開催した。
- (6) 7月学校給食法が制定され，要保護，準要保護児童生徒に給食費の補助がなされた。
- (7) 7月物品税法の一部が改正され，給食用の砂糖が免税になつた。
- (8) 10月パンの加工賃を，小学校0.84仙，中学校1.05仙に改正。
- (9) 給食日数 195日に改正。
- (10) 給食人員
  - 幼稚園　28,333人
  - 小学校　163,365人
  - 中学校　39,724人
  - 高校定時制　3,225人
  - 高校全日制　16,000人

1961年
- (1) 1月石川中学校（粟国校長）で，ミルク給食の研究発表会が行われた。
- (2) 同会場でパン給食1周年を記念して，リバツク委員会の下記委員に対し，小波蔵文教局長から感謝状を贈呈。
  - 民政府公衆衛生福祉部，福祉課長テリオドレ，ヤーナー少佐，国際カトリツク福祉協議会，マンシニヤ・レイ神父，世界キリスト教奉仕団，ウイリアム・C・ハラツプ
- (3) 給食人員
  - 幼稚園　28,900人
  - 小学校　165,929人
  - 中学校　50,006人
  - 高校定時制　3,380人
  - 高校全日制　14,222人

1962年
- (1) 4月から高校定時制に給食用としてショートニングを配布。
- (2) 7月学校給食会法を制定
- (3) 8月琉球学校給食会を設定，学校給食用物資は同会で取扱うようになつた
- (4) 7月上田小学校（500人）が沖縄の小中学校の全学校に先きがけて完全給食を実施。
- (5) 11月 東江小学校（1,000人）が完全給食を実施。
- (6) 給食人員
  - 幼稚園　25,500人
  - 小学校　167,851人

中 学 校	63,233人
高校定時制	3,380人
高校全日制	14,222人

(7) 給食日数 200日にした。

1963年

(1) 2月と4月と2ヵ月間小学校,中学校の全児童生徒にチーズを試食として与えた。
　　小 学 校　1人1回13g
　　中 学 校　1人1回15g

(2) 4月パンの加工賃が次のとおり改正された。
　　小 学 校　0.95仙
　　中 学 校　1.15仙

(3) 4月にウイリアム,C・ハラツプさんとアーベンバルトン神父の厚意により,両宗教団体から八重山竹富町の11校に製麺機16台を学校給食製麺用として寄贈。

(4) 4月ポリエチレンの大きな敷紙ををパン箱に敷くようにした。

(5) 10月に2ヵ月分チーズが贈られた。

(6) 11月に前島小学校(1,400人)が完全給食を開始。

(7) 給食人員

幼 稚 園	25,500人
小 学 校	162,993人
中 学 校	75,987人
高校定時制	3,405人
高校全日制	17,682人

1964年

(1) 1月から3月までに座安小,名護小,伊野田小が完全給食を実施。

(2) 4月から7月までに城前小,開南小,南風原中,安慶田小,宜野座小,米須小,糸満小の7校が完全給食を実施。

(3) 6月に上田,東江,前島座安,名護,伊野田,城前,開南,宜野座の各小学校と南風原中学校に対し給食設備補助金を交付

(4) 給食人員

幼 稚 園	25,500人
小 学 校	159,106人
中 学 校	84,945人
高校定時制	4,111人

(5) 9月に長嶺小学校,平良一小学校が完全給食を実施し,10月には豊見城中学校,壷屋小学校が完全給食を実施。

学校給食用パンの製造過程

配 合 基 準 (1袋)

品目	メリケン粉	粉ミルク	砂 糖	ショートニング	イースト	食 塩	水 (吸水率)	計	備考
基準	45,000g	5%	5%	3%	2%	1.8%	54%		
数量	45,000	2,250g	2,250g	1,350g	900g	810g	24,300g	76,860g	

(イ) 機械ロス3.5%, パン1個の生地の重さ小学校165g, 中学校214g
(ロ) 焼上げ4時間後の1個の重さ小学校140g, 中学校180g

学校給食の現況

保健体育課

幼稚園の給食

幼稚園は1958年からミルク給食を実施した。全琉で公認されている幼稚園は、公立34と私立12合計46園となつており、園児数は6,362人である。現在給食を受けている園児数は25,500人となつているので、中央教育委員会で認可されていない施設が多いわけである。

給食にあたつては22gの粉ミルクを180ccの湯に溶かして与えている。給食施設、設備は小学校に併置されているところではそこの施設、設備を利用しているが部落に設置されたところではほとんど部落の公民館や事務所に簡単な炊事場を設けて調理しているが衛生管理が十分でないところが多い。

小学校，中学校の給食

小学校は1955年から中学校は1956年からミルク給食を実施したが、1960年に粉ミルクの外にメリケン粉が学校給食用として二つの宗教団体から贈られたので、同年1月パンとミルクに家庭から持参したおかずで給食をするようになつた。

給食が実施される前は、中食時に食事のため家庭に帰る児童、生徒が多く、生活指導の面でも学校では大変困っていたが、給食を教育課程の中に位置づけして指導するようになり児童生徒、父兄並びに学校からも大変感謝されている。

パンとミルクでは主としてビタミンA及びCの栄養素が不足するので家庭から持参するおかずは、この面を補うような献立をするよう指導している。

このような給食では栄養面について問題があり、またおかずに個人差等もあつて給食指導で困難な点が多いことから完全給食の早期実現を要望する声も多かつたが、その中で1962年7月に豊見城教育区の上田小学校が全琉の学校に先んじて完全給食を実施するようになり、それに名護教育区の東江小学校が続き、現在では北部地区3校、中部地区2校、那覇地区3校、南部地区7校、宮古地区1校、八重山地区1校、計17校が完全給食を実施している。

完全給食を実施している学校では、PTAの協力が極めて大きく、調理室の施設の設置、備品購入等にあらわれている。給食費は、おおかたパンとミルクの給食では1日1仙、完全給食を実施しているところでは1日5仙徴収している。

給食人員は現在、小学校159,105人、中学校84,945人で計244,051人となつているが、その中、小学校15,854人、中学校1,827人計17,681人が完全給食を実施している

施設、設備も各学校毎年整備充実されつつあるので来年度においては、30校ほどに完全給食校がふえるものと予想される。

給食物資の給与量やパンとミルクの栄養分析並びに完全給食校の献立及び栄養分析表は次のとおりである。

第1表　粉ミルクの給与量

校種	1人1回当の量	とかす水の量	備考
幼稚園	0.8オ(22g)	180cc	
小学校	1.0オ(28g)	180cc	
中学校	1.2オ(34g)	210cc	
高等学校	1.2オ(〃)	210cc	

第2表　　給食用パンの配合基準

区分	メリケン粉	粉ミルク	ショートニング	砂糖	イスト	食塩
配合基準	100	5 %	3 %	5 %	2 %	1.8 %
小学校	100g	5 g	3 g	5 g	2 g	1.8 g
中学校	130	6.5 g	3.9 g	6.5 g	2.6 g	2.3 g

第3表　　パンとミルクの栄養分析表

校種	食品名	熱量	たん白質	脚肪	ユカウルムシ	鉄分	ビタミン (mg) A	B1	B2	C	備考
小学校	パン (100g)	418	10.6 g	4.0 g	89mg	1.13	(2)	0.68	0.48	0 mg	
	ミルク (28g)	101	10.0	0.3	364	0.13	(11)	0.10	0.55	2.0	
	計	519	20.6	4.3	453	1.26	(13)	0.78	1.03	2.0	
	基準所要栄養量	600〜700	23(10)〜27(11)	10〜12	300〜400	3.0	1,000 (3,000)	0.6	0.6	30〜40	
中学校	パン (130g)	544	13.8	5.3	117	1.4	(2)	0.88	0.61	0	
	ミルク (34g)	126	12.1	0.3	442	0.2	(14)	0.12	0.67	3.0	
	計	670	25.9	5.6	559	1.6	(16)	1.00	1.28	3.0	
	基準所要栄養量	850	35 (14)	14	500	4.0	1,000 (3,000)	0.7	0.7	45	

(1) たん白質のうち（　）内の量は，それぞれ動物性たん白質の量とする。
(2) ビタミンAの（　）内の量は，カロチンのみで摂取した場合の値を示す。

高校定時制の給食

　高校の定時制では1956年中学校と同時にミルク給食が開始されたが夕食もとらずに登校する勤労学徒もいたので，リバツク委員会としてはその健康状態を憂慮し，1957年から定時制課程の全生徒に対して米，メリケン粉，コンミール，等の物資を配布して完全給食を開始した。
　当時はどの学校も給食施設，設備が極めて貧弱であつたが，現在17校中15校は総べてりつばな給食調理室ができている。
　現在定時制の給食の問題点は給食費を増額することが困難なことである。最も高い学校で月70仙，少い学校では月50仙にも足りないところもある。これではいかに苦心してもおいしく，栄養価のあるものは食べられない。
　今後この面について慎重に検討し，おいしく栄養価のある給食にすべきである。
　また給食時間は，下校の時刻の都合もあつて，第1時間終了後の6時50分から7時5分までの15分間で行なわれているが，今後研究を要する問題である。

献立表並びに栄養分析表　　（南部地区某小校の10月の献立）

月	献立名	食品名	カロリー パンミルク	カロリー おかず	カロリー 計	たん白質 g	脂肪 g	カルシウム mg	ビタミンA l.u	ビタミンB1 mg	ビタミンB2 mg	ビタミンC mg	経費 おかず 仙	経費 パン 仙	経費 計 仙
10	パン，ココア，ミルク，ちくわとコンニャクの味そに	パン，脱脂粉乳，バター，砂糖，ココアコンニヤク，ちくわ，ねぎ，人じん，玉ねぎ，油，チーズ，みそ，砂糖，醤油，塩	519	111	630	28	11	510	2,138	0.7	1.2	21	3.4	0.95	4.35
〃	パン，ミルク，厚あげのカレー煮	パン，脱粉，バター，砂糖，あつあげ，人じん，いんげん，きやべつ，アラー油，カレー粉，塩	519	184	703	19	17	490	2,040	1.37	1.1	33	3.3	0.95	4.25
〃	パン，ミルク，さんまの姿煮，ぽてとの空揚，トマト	パン，脱粉，バター砂糖，さんま，砂糖，しよう油，ぽてと，ゴマ，油，塩，トマト	519	211	730	32	15	599	1,334	0.8	1.06	19	3.3	0.95	4.25
〃	パン，ミルク，にまめときんぴら	パン，脱粉，バター，砂糖，うずら，大豆，ごぼう，人じん，いんげん，ショートニング砂糖，しよう油，塩	519	275	784	31	12.4	529	3,392	0.9	1.05	28	3.4	0.95	4.35
〃	パン，ミルク，いかの中華風に	パン，脱粉，バター，砂糖，いか，人じん，うすあげ，もやし，とうがん，玉ねぎ，長ねぎ，しよう油，塩，油	519	133	652	30.2	24.3	536	724	0.75	1	29	3.3	0.95	4.25
〃	パン，ミルク，エツグ入マカロニ，サラダ	パン，脱粉，バター，砂糖，たまご，きやべつ，じゃがいも，人じん，きゆり，マヨネーズ，油，塩，ガーリック	519	177.2	696.2	24	11	487	2,184	0.8	1.1	39	3.7	0.95	4.65
〃	パン，ミルク，もみじあげと野菜ソテ	パン，脱粉，バター，砂糖，ちくわ，小麦粉，人じん，もやし，きやべつ，ショートニング，塩，こしょう，油	519	181	700	23.5	17.5	504	4,063	0.8	1.2	61	3.6	0.95	4.55
〃	パン，ミルク，スパゲーテ，サラダ	パン，脱乳，バター砂糖，スパゲテー，人じん，きやべつ，玉ねぎ，きゆうり，ソーセージ，油，サラダオイル，す，辛子，砂糖，塩	519	238	755	28.3	18.6	486	1,379	0.84	1.15	22	3.7	0.95	4.65
〃	パン，ミルク，ゴマあげたつたあげ	パン，脱脂乳，バター，砂糖，魚，油，生ガ，しようが，小麦粉，でんぷん，きやべつ，人じん，もやし，白ゴマ，砂糖，しよう油	519	217	736	30.9	24.5	471.4	1,395	1.37	1.1	19	3.6	0.95	4.55
〃	パン，ミルク，マツシエポテト	パン，脱粉，バター，砂糖，ぽてと，人じん，リンゴ，くじら，チーズ，玉ねぎ，マーガンリ，ショートニング，塩，砂糖	519	209	728	29.5	10	505	2,569	0.9	1.06	40	3.6	0.95	4.55
	1食当り平均摂取量		519	193	711	27.6	16.1	516.7	2,121	0.9	1.1	31	3.5	0.95	4.5
	1食所要栄養基準量				600~700	23(10)~27(11)	10~12	300~400	~1000	0.6	1.06	30~40			

== 東江小学校 ==

完全給食校をたずねて

仲宗根校長

あと2週間で完全給食2周年めと微笑する仲宗根校長と島袋教頭のお二人にこもごも話していただく。実施前は反対7割。3割賛成といつてもそのうちの7割は給食費納入に不安顔そこでまず学校職員が完全給食の功罪について論議，共通の理解にたつてあとは父兄の説得にあたつたという。

田園と都市の相半ばするうましめ水ののどかな環境はえてして新しいものの到来を拒む，延々3ヵ月の説得は教師の部落通いで効を奏したが，子どもたちのためにいいことをしたと思うとしみじみ語る。

学校給食の運営は給食委員会の計画指導のもとに行なわれるが，初め危惧していた父兄も理解するや，遂によき協力者に一変した。地域の食改善は学校給食から，と思いがけない学校給食の功徳に父兄の肝入りは並々でないという。

まず給食費の徴収は父兄が一手に引き受け毎月指定する3日間の納入期日に納付するようにしているが，二ヵ年近い現在までほとんど100％に近い納入率である。また北部町村共通の悩みである清浄蔬菜は東江小校区でもとうてい需給に間に合わないというが栽培時期になると半値以下で校区民が供給しているという。

正午30分過ぎて給食が始まつた。さすがにどの学級も手なれて準備に手間どることがない。胸をはつて当番の配膳を見守る子どもたちの顔はあかるい。

好き嫌いがあつて残菜の始末もひと仕事でしよう。何かその面の指導はとの問いに食べなれない献立てや，材料に接した場合だが，そこでそのようなのを部落集会やPTA参観などで紹介したり試食し合つたりしているが効果がある。校長，教頭ご自慢の地域の食改善は学校当局のかかる努力がみのりつつある証左であろう。1食600カロリーの楽しいおひるの一時は，子どもたちの健康とともに円満な人がらをはぐくんでいる。給食の時間はいま学校教育の大事な時間である。貧血児がいて，体育学習時見学を余儀なくされていたのが今は見違えるばかりではほとんど見当らないという。

別れぎわに給食校の悩みや要望として，

△ 物資購入でコスト高，物価の上昇においつけない。初め月一弗一人あての費用で間にあつたが，最近はやりくりに心を砕いているしまつ，免税糖のように免税措置が給食物資や燃料の上にもぜひ，

△ 南，北，中部に給食モデル校を設置して完全給食の振興策を強力にすすめてほしい。

△ 給食調理人の給与をPTAが負担している現況だがぜひ救済措置を。

△ やることはいつぱいある。全琉で二番めにできたことで，不備の面がめだつ調理室の拡張，消毒施設の設置，等々，当面の大きな課題の話がつきたところで退散した。

(登川)

島袋教頭

完全給食を実施してみて

城前小学校長 仲 嶺 盛 文

当校ではPTAの自主的活動に力を得て児童の体位向上のために是非完全給食を実施しようと、学校PTA一体となり1962年よりその準備をすすめ、文教局の指導のもとに仕事をなし、この程諸般の準備がととのい去る5月4日から全校一斉に完全給食の実施にふみきつた。

実施直前まではこれで大丈夫だろうかと大そう心配であつたが、いざふみきつてみると案ずるより産むは易しで子どもたちも親たちも大よろこび、給食費（月額児童一人1弗）の納入状況もよく運営は順調に進んでいる。中部連合区では初の実施校なので5月以降これまで連合区を主として那覇南部、北部の各地区から数10校の校長、PTA会長や教育委員その他多くの方々が来校され、完全給食の研究をされている事は将来の沖縄のにないてである多くの子どもたちのしあわせのために、ほんとによろこばしく思う。

私は実施してみてしみじみ思う事はふみきつてほんとによかつたという事である。その著るしい例として9月になつてから全校に一人の口角炎児もいなくなつたということである。これは例年だとこの月は30人から40人の口角炎の児童を見うけるのであるが。5月から実施してきて4カ月にしかならないけれども栄養のバランスのとれた一日一食の給食がこうも早く効果が現われたのかとおどろくとともによろこびにたえない。テレビでオリンピックを見ると選手の多くが1m70cmから1m90cm台のりつぱな体格をしている。私はこれからますます完全給食を充実させて当校の児童達をして将来オリンピック選手にも劣らないようなりつぱな体格の持主に育てあげていきたいと念じている。

目下全琉で完全実施校は13校ときいているが望みたいのは全琉の各学校が一日も早く完全給食の実施にふみきつていただきたいということだ。これは一日も早い方がよい、やつて見れば自らわかる。やればできる、勇気と信念をもつてふみきることだ。将来の沖縄のにないて、われらのあとつぎである子どもたちのしあわせのために一、

それで今日は当校における完全給食の実際についてこれまでの記録をとおしてありのままを述べ実施先達校のご批正をいただくとともに未実施校のこれから実施されるについてのご参考にとも思い以下順をおつてかくことにする。

1. 完全給食実施まで

1960.6 　当校 PTA会長渡口精一氏福岡市において開催された第8回全国PTA大会に出席し学校給食分科会に参加，完全給食の研究をなし会終了後熊本県の広安小，益安牛，鹿児島県の松原小の完全給食実施諸校を視察し学校における完全給食実施の必要性を痛感し帰任後学校当局，PTA会員一同に早急に完全給食を実施したい旨強調する

1962.12.19 　母親学級において完全給食の副食づくり講習、講師栄養士石川ミツ氏、母親37名出席。

〃 12.20 　定例学校参観日に母親たち集まり早く完全給食をしてくれと申し出る。ところが給食室や施設の

		不備でできない。
1962.	1.13	母親学級講座，題目完全給食の実施について，講師渡口精一氏，母親78名出席
〃	1.16	PTA役員10名東江小給食状況視察
〃	1.23	城前校完全給食準備委員会結成
〃	1.24	完全給食実施と，給食室建設のことで中村保健体育課長の助言をうける。
〃	6.29	PTA総会において完全給食を実施する事について決議する。
1963.	7.31	中教委より当校へ給食室割当らる
〃	8.11	給食室敷地決定（このため文教局，施設課，保健体育課，石川保健所の助言をうける）
〃	9.18	給食室建設についてPTA評議員会開催
〃	10.30	給食室起工式
〃	10.31	校長10月14・25日の両日岡山市において開催された第11回全国PTA大会に参加，学校給食分科会に出席研究をなし会終了後，東京に出て，品川区台場小給食室，施設状況を視察する（全校は完全給食優秀校として文部大臣賞をうけている）
〃	2.2	校長，横浜市鶴見区潮田小給食室，全施設状況視察する。全校はPTAが320万円出して給食室の内部を完備している
1964.	2.5	給食室竣工
〃	2.18	校長上田校完全給食実験学校発表会に出席
〃	2.25	学校給食委員会結成
〃	3.9	6年生174名に対しこの日より1週間完全給食を実施してテストケースにする，成績良好
〃	3.14	完全給食実施についての諸問題についてのPTA評議員会開催
〃	3.27	校長東江小訪問，完全給食実施運営上の諸問題について研究する。
〃	3.30	校長，前島小訪問全右
〃	4.14	完全給食実施について1区PTA総会
〃	4.15	〃 2区 〃
〃	4.16	〃 3区 〃
〃	4.17	〃 4区 〃（これで校区全部終了）
〃	5.4.	全校一斉に完全給食実施

2, 完全給食を実施して

いよいよ5月4日から全琉一斉に実施にふみきつたがそこで感じた事は実施と同時に学校全体がとたんに明かるくなつた事である。どの子の顔も表情が明かるい，血色がよくなつた，肉もついてきた，どの子もどの子も学校生活をほんとにたのしんでいる。そのようすを見るとよろこびがこみあげる。完全給食は栄養のバランスを考えた食事というだけでなく円満な人間関係，それのもたらす学習活動への影響しつけなどに大きな教育的効果をもたらしている。

学力向上は体位向上から，体位向上は完全給食から，体位向上と学力向上は比例すると考える。完全給食を実施して見て何一つ悪いと思われるものはない。すべてがプラスになる事ばかりである。その利点について次に箇条がきに述べてみたい

1. 子どもたちの性格があかるくなる，みんないつしよに同じものをいただくから不必要な気をつかう事がない卑屈感をなくして明かるい性格を育てることができる。

2. いつでもあたたかい食事をいただく

事ができ食事に対するよい習慣とよい態度を身につけさせる事ができる
3. 偏食がなおる，今まできらいでたべなかったものもみんなといっしょだから食べるようになり偏食がなおった。
4. 校外に出なくなる，出る必要がなくなつたのだ，買い食いがなくなる，欠席しなくなる，体の調子がわるくても給食まではがまんする，子どもの不良化を防止する事ができる。
5. 口角炎が一人もいない（9月に養護教諭による調査の結果）例年はこの時期30名位の口角炎児が見うけられたが今年は一人もいなかった。
6. 共同炊事をするため安くて栄養価の高い食事をいただく事ができる。当校の目下の献立表によると大体において700カロリー前後で子供たちは家に帰つてもおやつをほしがらないという。一食の経費は一人当 3.5仙程度である
7. 毎朝の母親の忙しさが緩和される。
8. 児童の家庭と学校との結びつきが深まつて学習指導や，生活指導に大きくプラスする。
9. 栄養知識が増し，家庭の食生活の改善に役立つ学校では日々の献立表を各家庭に配布しそれに資している。

3, 運営の実際
(一) 施設，設備，備品
1. 給食室107.51平方m (32.58坪) 6,100弗 (図面別紙)
2. 設備，備品
鍋7マイ4コ40弗　ミルク2重釜1200人用300弗　野菜裁断機1台200弗　球根皮むき機1台190弗　ステンレス調理台1台140弗　ブラシ付洗条機1台100弗　洗条機用ボイラー（バーナー共）一式150弗　東浜バーナーコンプレッサー5セット330弗　完全給食々器300弗　配膳台300弗　はかり40弗　冷蔵庫150弗　換気扇87弗　給水施設124弗
3. 経費9,451弗
政府補助金3,861弗（建物3,136弗　備品725弗）石教委，石川市補助金3,500弗　PTA負担2,070弗

(二) 1, 学校給食運営規約
第一条　本校の学校給食運営機構は次の通りとする。

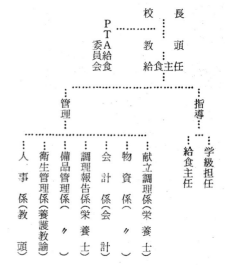

第二条　学校給食運営の適正円滑を図るため給食委員会を設ける。
第三条　給食委員会は給食運営に関する重要な事項について協議して校長の職務の執行を助ける。
第四条　委員会は校長が主宰し左の者を以て組織する。
「学校長，教頭，給食主任，衛生主任（養護教諭）学年主任，栄養士，PTA会長，副会長，各部長自治会長，婦人会長」または校長が必要と認めるもの。
第五条　給食費は月壱弗として毎月10日迄

第六条　学校給食の会計は毎学期一回会計監査をうけるものとし，その監査にはPTAの監事が当る。
第七条　給食調理人は当分左の通りとする
　　　(イ)　栄養士　　1名
　　　(ロ)　調理婦　　5名
第八条　規約の改正は運営委員が当り評議員会の同意を得る。
第九条　給食運営上必要な諸帳簿は備えつけなければならない。
　2，給食費について
　　給食費はパン加工賃も含めて一日5仙の20日分として月額一弗集めているが納入状況はよい。去る9月17日第一学期分の給食費会計監査の結果納入率は99％である。ここで参考として私が視察した本土の学校の状況を次にかいてみる。
　　給食費の例児童一人当り1ヶ月分
　　　東京大田区台場小1．2．3年580円4．5．6年660円　兵庫尼ケ崎若葉小〃　480円〃　500円給食費の納入は各教育隣組（校区で68）で組長責任で当番制にし，それをその区の婦人会長にもつていき婦人会長は毎月10日までに学校の給食会計に納入する事になつている。
　3，栄養士について
　　栄養士一人石川教委の職員として当校に配置されている。給食の物資，献立，調理報告，備品管理，指導にあたつている。
　4，調理婦について

調理婦　5名，PTAの中から希望者をつのりその中から銓考して保健所の身体検査に合格したものを採用している。期間を一か年としての誓約書をとつている。勤務は給食日午前8時から5時半頃まで給料は月額20弗である。

4，おわりに
　沖縄の学童の体位は全島最低の鹿児島にもまだ及ばないという。本土では昭和29年に学校給食法が立法されほとんど完全給食が実施されている。昭和40年までに小学校は全部完全給食，昭和45年までに中学校全部完全給食という目標で進んでいる。沖縄のわれわれがぼやぼやしているうちに沖縄の子どもたちの体位は本土と大きくひらいていくのではないかと思う。オリンピックを見てとくにその事を痛感する。できるだけ早く全琉の各学校が完全給食にふみきつていただきたい事を再度切望する次第である。
　完全給食を実施するには，給食費は自分の子どもの営養価のたかい共同炊事の経費であるという事に保護者がよく理解する事が大切である。
　次に困窮家庭の給食費問題であるがこの事は目下準窮家庭には政府から半額の補助があるがこれは救済家庭も準窮家庭も全額政府が補助していただければ完全給食校の普及度は急に高まるだろうと思う。是非そうしていただきたい，それから施設，設備の完備については文教局も，区教育委員会も市町村ももつともつと力をいれてもらいたい。

わが校の学校給食

座安小学校栄養士　饒平名佐夜子

本土より十数年遅れて発足した沖縄の完全給食……。遅れはしたものの実施に踏み

切つて方々にうぶ声をあげ，児童の発育増進のため本当に喜ばしいことです。幸いにして当校は校長始めPTAの方々の協力を得て今年の2月に沖縄で4番目の完全給食校として出発し10カ月めを迎えようとしております。

当校の食数は1,084食でそれに対して6名（栄養士1名調理人4名給仕兼手伝人1名）の人員で調理に従来しております。当校は多くの人々の理解により発足と同時に栄養士がおかれ，その責任のもとに管理し運営されているために給食に対する不要や心配が少なく，他校よりまがりなりにも，早く軌道に乗つたといつても過言でないと思います。

校長，諸先生方の熱心な給食指導によりまた栄養士の衛生的配慮のもとに栄養的にバランスのとれた料理が児童のもとに運ばれ喜ばれております。後にも触れますが，教育的効果，体力的効果が現われて来つあるように思えます。しかしこゝまでもつてくるのも並たいていでなく，相当の苦心談もありますが，当校の今日まで経験し痛感した事について少しだけ触れたいと思います。

調理面から先ず，
(1) 栄養価の高いミルクを完全にいただけるようにする。
(2) スムーズに給食のオカズを受け入れるようになること。

この二点を目標としました。その解決法とし現在使用されている脱脂乳にバター等を混入して環元牛乳（自然の牛乳に類似している）にしております。また目先に変化をつけるためにし好品（コーヒー，ココア）を微量（1人当り0.03g）使用します。し好品を用いた場合はいつもミルクを残していた児童の残量が激減し喜んでいただいているようです。

残量調査などやりますが子どものすき，嫌いや学級主任のこれに関連した栄養指導の熱意が現われ，残量を出す学級はほとんど少なくなつております。少しでも残量を減らすためこれからの指導，オカズとミルク，季節等の関連性も調査研究しています。

次にオカズの問題ですが最初は日常いただいている材料を使用し煮物等を作りました。それ等は口に馴れているので喜んでいただいています。それに最初は敬遠されていたサラダ類，中華風的味のものを少しずつ加えてゆきましたが現在はどんな料理でもいただいております。

次に給食室において解決できないものとしてパンがあります。上級下級の量の差また年中同じパンの形などを何とか喜べるパンとして考慮していただきたいものですパンの残量はこのようなことが原因となつている事は見逃がす事はできません。以上当校の給食の一端を述べました。

給食はいろいろの目的を持つて発足されますが万全の準備を整えて実施されないと安心していただける給食はできません。実施されたからには完全な管理のもとで児童の反響をすばやくは握しそのつど善処する事です。そのためには是非専任の栄養士をおき安心していただける給食にする事が一番大切な事ではないでしょうか。

なお，付け加えますが当校で実施3カ月目に父兄対象に給食を実施して良かつたか問題点はなかつたか等の調査をしましたところ，95％の人がいろいろの理由で実施を喜んでおります。また給食をいただいている児童にどんな変化が見受けられるかの問いに性格が明かるくなつた。顔色が良くなり元気になつた。嫌な食物をいただくようになつた事等精神的肉体的にも非常なプラスとなつてる事が現われております。しかし，経済的に苦しいと云うのがわずかではありますが問題点としてあがつております。

以上の事から考えますと身心共に健康な児童にするために1日でも早く一校でも多く完全給食の実施できる事を望むものです

給食準備室の計画を始める学校のために

保健体育課　照　屋　善　一

1. 計画委員会を組織しよう。
    校長，教頭，給食主任，調理従事職員，その他経験豊富な方等できるだけ多くの意見を聴取，検討できるようにしよう。
2. 位置の選定
   (1) 校舎全体の配置の上から
       ア　校舎の中央で，運搬，後片付けに便利のよいところ。
       イ　職員室や宿直室に近いところ。
       ウ　東南向きで日当りがよいところ。
       エ　校門に近いところ。
   (2) 保健衛生上から
       ア　採光通風のよいところ。
       イ　排水のよいところ。
       ウ　便所，汚水から離れたところ。
   (3) 学習上から
       騒音，臭気，蒸気，煤煙等が発生するので教室から適当に離れた独立専用の棟がよい。
3. 給食準備室の規模，内容
    児童生徒数，学級数，設備備品の種類と数量，調理従事員の数，倉庫の保管量，方法によつて異つてくるが，学校給食の実施に必要な施設および設備については
    「学校給食実施基準」（1962年中教委規則第10号）に示されているが，これはあくまで最低の線であるので計画に当つては基準の2，3割増しで計画した方がよい。
4. 給食準備室の動線
    作業の能力を高めるには，作業動線が短かく，線が単純なほうがよい。

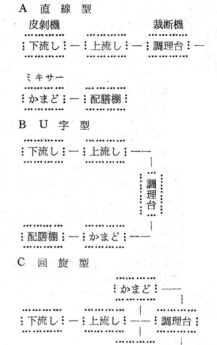

註　給食準備室が将来2階又は隣接施設がある場合は動線も自ら制限を受ける

5. 各施設
    調理室は食品を直接取扱う所で，児童生徒の健康に及ぼすことが大であるので最も明るい清潔な場所を選び働く人の保健，安全，能率の上からも考慮すること。
   (1) 採光，換気
       換気がよくないところでは，40°位室内温度が高くなるところもあるの

で調理従事者の保健，安全，能率を考え，臭気，蒸気，熱気を屋外に速かに出す工夫が必要である。
　ア　天井の高さは3m以上とする。
　イ　構造に支障のない範囲で大きく窓をとる。
　ウ　自然換気が出来るよう換気筒や，ペンチレーターを使用する。
　エ　屋根のこう配を利用し排気が自然に出来るようにする。
　オ　自然採光がよくないところは，人工照明を考慮する。
(2) 排　水
　　床面は排水および耐湿に考慮し排水口に向い傾斜をつけ，コンクリートモルタル仕上げよく，タイル張りはすべり，ひびが生ずることがある。
　ア　排水溝は調理室の中央を通し，鉄製スノコ蓋をつけ，床面と同一面にする。
　イ　排水溝は排水をよくするために大きくとり，溝の隅を丸くして清掃がよくできるようにする。
　ウ　排水溝の出口は金網をつけねずみ昆虫の侵入を防ぐ。
(3) かまど
　ア　平がまを用いるかまどの高さは，調理従事者の身長や作業動作を考慮に入れ定める。
　イ　かまどの側面は傾斜又はけこみを設けバーナー等の機具が身体にふれないようにする。
　ウ　かまどは壁際から離し，四面から作業や清掃が出来るよう工夫する
　エ　薪を使用するところではたき口は室内につけず，外側に設けたほうが衛生上よい。
(4) 流　し
　○　受領した野菜等は下流しで調整してから上流しへ運ぶ。
　○　流しの内側は，ステンレス製か，とぎ出し，タイル張り（ひび生ずることがある。）でもよいが，内側の隅は必ず丸味をつける。
　○　流しの排水管，給水管は太目を用い首振蛇口が便利である。
　○　上，下流しとも下部にけこみをつける。
　○　上流し2つ以上区分するときは深浅を設けたほうがよい。
(5) 調理台
　○　移動式が便利で，四方から使用されること。
　○　ステンレス製の調理台がよい。
　○　高さは調理従事者の身長を考慮して定める。
(6) 調理従事員室
　○　事務室，更衣室，休憩室も兼ねるよう工夫する。
　○　従事員の外履物と調理室内履物と混用しないように区別する。
　○　入口に手洗い，鏡を取り付ける。
　○　室は食糧貯蔵室，調理室内，配膳棚等が見通しがきくよう窓を考える。
(7) 食糧貯蔵室
　○　床面は防湿のため周囲より高くする。
　○　壁の上部と下部に開閉できる換気窓し鉄窓格子）を設ける。
(8) 荷受場所（準備室）
　○　毎日の材料の荷受場所を設け，下処理をしてから調理室へ運ぶ。
　○　計量器，球根皮剥機もこゝにあつた方がよい。
(9) 受け渡し場（カウンター）
　○　受け渡し場は学級数，児童生徒の数を考え混雑しないよう面積をと

- る。
- 外気，雨が直接当らないようにする。
- 配膳棚の高さは児童生徒の身長を考慮して定める。
- 配膳棚が高すぎたり，奥行が深すぎると介助者が必要となる。
- 受け渡し場前に手洗い施設を設けたほうがよい。10人に1コの割で蛇口がほしい。（主事）

配膳棚の型　（参考）

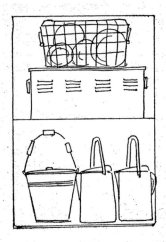
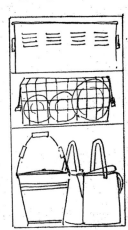
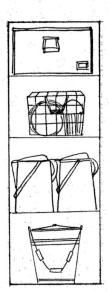

◁ 図書紹介 ▷

文部省視学官　小杉　巌　著
文部省編　「学校給食指導の手びき」解説
Ａ5判　240頁　定価　600日円　発行所　全国学校給食協会
東京都中央区教育会学校給食部編
学校給食献立100集　（調理法指導）
Ｂ5判　106枚　定価　860日円　発行所　全国学校給食協会

学校給食用物資

1955年ミルク給食実施以来児童,生徒の給食用として国際カトリック福祉協議会と世界キリスト教奉仕団の両宗教団体から寄贈された物資の量及び物資の種類は,第1表及び第1図のとおりである。これらの物資は毎年両宗教団体から各半分ずつ贈っていただいている。

物資の量は毎年増加し1964年度においては,1,640万ポンドという多量にのぼっており,また物資の種類も逐次増加し学校給食の充実強化に極めて大きな貢献をなしている。特に1964年及び1964年度に学校給食用としてチーズが給与されたことは,劃紀的なことといえよう。

第2表は1964年度の給食用物資を市価に換算したものである。

総額にして120万弗となっていて,この金額は普通教室が約355教室できる金額であり,体育館(230坪)であると18陳建設することができよう。

第1表　　年次別給食用物資量調べ

年次	粉ミルク	メリケン粉	米	コンミール	バルガー	ショウトニング	チーズ	計
	ポンド	ポンド	ポンド	ポンド	ポンド	ポンド	ポンド	ポンド
1955	581,500							581,500
1956	1,194,100							1,194,100
1957	1,609,400	26,623	32,076	21,490				1,689,589
1958	1,974,800	33,827	40,755	26,898				2,076,280
1959	2,203,500	61,600	74,217	48,983				2,388,300
1960	2,550,000	3,796,600	83,000	55,620				6,485,220
1961	3,448,775	10,199,870	95,348	61,070				13,805,063
1962	3,864,980	11,886,435		92,100	20,650	28,887		15,893,052
1963	3,823,710	11,299,800		45,500	34,650	14,858	266,122	15,484,640
1964	3,772,350	12,192,200		13,770	69,600	26,750	332,060	16,406,730

第2表　　1964年度物資量及び価格

品目	物資量	単価	換算数量	金額
	ポンド	$		$
粉ミルク	3,772,350	6.72	69,858箱 (54ポンド入)	467,445
メリケン粉	12,192,200	5.00	121,922袋 (100ポンド入)	609,610
バルガー	69,600	6.45	696袋 (100ポンド入)	4,489
コンミール	13,770	5.95	137袋 (100ポンド入)	815
ショウトニング	26,750	8.31	743箱 (36ポンド入)	6,174
チーズ	332,060	15.00	7,906箱 (42ポンド入)	118,590
計	16,406,730	—	—	1,207,123

学校給食関係予算

政府の学校給食に対する予算は，1955年度以降年々その額は増加されてきたが，1960年学校給食法の立法と1962年学校給食会法の立法によつて一層その額が増加されるようになつた。

学校給食関係の経費については，学校給食法には，次のとおり規定されている。
（経費の負担）
第6条　学校給食物資の輸送取扱い，保管及び確保に要する経費は政府が負担するものとする。
2　学校給食の実施に必要な施設及び設備に要する経費並びに学校給食の運営に要する経費は義務教育諸学校の設置者の負担とする。
3　前二項に規定する経費以外の学校給食に要する経費以下（「学校給食費」という。）は学校教育法第6条の規定にかかわらず学校給食を受ける児童又は生徒の同法第24条第1項に規定する保護者（以下「保護者」という。）の負担とする。この場合において保護者が学校給食費を負担することができないと認められるときもその児童及び生徒に対して学校給食をしなければならない。

（政府の補助）
第7条　政府は，公立又は私立の義務教育諸学校の設置者に対し，中央教育委員会規則で定めるところにより予算の範囲内において前条第2項に規定する経費の全部又は一部を補助しなければならない。
2　政府は，学校給食を受ける義務教育諸学校の児童又は生徒の保護者で次の各号の一に該当する者に対して学校給食費として予算の範囲内においてその経費の全部又は一部を補助しなければならない。
一　生活保護法（1963年立法第55号）第6条第2項に規定する要保護者（その児童又は生徒について同法第13条の規定による教育扶助で学校給食費に関するものが行われている場合の保護者である者を除く。）
二　生活保護法第6条第2項に規定する要保護者に準ずる程度に困窮している者で中央教育委員会規則で定めるもの。
3　前項の補助金に関する事項については，中央教育委員会規則で定める。

学校給食会法には，経費について次のように規定されている。
政府の補助
第31条　政府は，給食会に対し，予算の範囲内で次の各号の金額の補助金を交付することができる。
1．第19条の業務の運営に必要な経費
2．第19条の業務のための借入金の利子に相当する金額

以上の規定に基づき，政府は次のような予算を学校給食関係の経費として計上している。

学校給食費予算

項目	1964年 $	1965年 $	備考
学校給食費	79,676	101,431	
委員手当	30	36	
管内旅費	136	113	学校給食費補助
委員等旅費	18	61	
学校給食補助金	18,940	15,102	
給食会補助	60,545	86,112	学校給食設備補費
雑費	7	7	

上記以外に調理室12教室44,400＄が計上されている。

学校給食と体位

沖縄の児童生徒の体位を1939年(昭和14年)と1963年を比較すると第1表のとおりの増加を示していて,これを校種別に平均すると身長は,小学校男子5.7cm,女子6.2cm,中学校男子10.0cm,女子8.0cm,体重は,小学校男子2.3kg,女子2.8kg,中学校男子7.0kg,女子6.4kg,胸囲は小学校男子1.5cm,女子1.8cm,中学校男子3.7cm女子3.5cmそれぞれ戦前より向上している。

第1表　沖縄の児童生徒の戦前よりの向上比較

区分		年令	6	7	8	9	10	11	12	13	14
身　長		男	4.5	5.2	5.2	5.7	6.7	6.7	9.0	10.2	10.7
		女	4.2	5.3	5.7	6.2	7.2	8.3	9.4	7.9	6.8
体　重		男	1.4	1.7	2.2	2.4	2.9	3.4	5.6	7.2	8.3
		女	1.4	1.9	2.3	2.7	3.5	5.0	6.7	6.7	5.8
胸　囲		男	1.4	1.3	1.5	1.6	1.6	1.8	2.1	3.2	5.9
		女	1.4	1.1	1.4	1.5	2.2	3.2	4.7	4.8	5.5

昭和14年の沖縄の児童生徒の体位は,本土の明治33年頃の児童生徒の体位とほぼ同じであったので,その当時は35年ほど本土よりも体位が劣っていたことになる。1963年度においては沖縄の児童生徒の体位は本土の昭和30年(1955年)頃の児童生徒の体位とほぼ同じであるので8年前の本土の児童生徒の体位と同じということになり,戦前よりは著しく本土平均に近ずいたことになる。

第2表は,沖縄,鹿児島,本土の児童生徒の身長と体重の1955年と1963年を表にしたものである。1955年においては,沖縄の児童生徒の体位は本土で体位の最も下位である鹿児島県の児童生徒の体位より身長2cm体重0.7kg程劣っていたが1963年には本土平均にはまだ大部差があるが,鹿児島県とはほぼ肩を並べるようになった。

第2～5図(図は省略)は,第2表を棒グラフにしたものである。この図の示す通り1955年以降の沖縄の児童生徒の体位の伸長の度合は,本土並びに鹿児島よりはるかに大きいのである。

第6図(省略)は沖縄の児童生徒の身長(男子)の発育の増加量を1939年を基点にして示したものである。この図によると1939

第2表　沖縄・鹿児島・本土の体位の比較

身長 (cm)

区分		年次	6	7	8	9	10	11	12	13	14
男子	沖縄	1955	107.0	111.6	115.7	120.5	124.8	128.6	133.9	139.0	145.0
	鹿児島		108.0	113.0	117.8	122.6	126.7	130.7	135.5	140.7	146.9
	本土		110.3	115.6	120.3	125.1	129.6	133.9	139.2	145.3	151.7
	沖縄	1963	110.2	115.3	120.3	124.8	129.3	134.0	140.1	146.4	152.9
	鹿児島		110.3	115.4	120.5	125.2	129.9	134.1	140.1	146.6	153.2
	本土		112.6	118.0	123.2	128.0	132.7	137.5	143.4	150.7	157.1
女子	沖縄	1955	106.2	110.8	114.8	120.1	124.9	129.6	135.8	140.6	144.4
	鹿児島		107.2	112.2	116.8	121.8	126.5	131.1	137.2	142.2	146.1
	本土		109.3	114.6	119.4	124.5	129.5	134.9	141.0	145.7	148.9
	沖縄	1963	109.5	114.5	119.6	124.5	130.2	136.2	142.3	146.2	148.6
	鹿児島		109.5	114.7	119.4	124.8	130.3	135.9	142.2	147.1	150.5
	本土		111.6	117.0	122.2	127.4	133.3	139.3	145.4	149.5	151.8

体重 (kg)

区分		年次	6	7	8	9	10	11	12	13	14
男子	沖縄	1955	18.1	19.7	21.3	23.5	25.5	27.6	30.7	34.0	38.7
	鹿児島		18.3	20.2	22.2	24.4	26.4	28.5	31.3	34.9	39.5
	本土		18.7	20.6	22.7	25.0	27.3	29.7	33.2	37.6	42.7
	沖縄	1963	18.7	20.7	22.8	24.8	27.0	29.7	33.9	38.6	44.2
	鹿児島		18.7	20.6	22.6	24.9	27.3	29.7	33.4	38.3	43.8
	本土		19.3	21.4	23.6	26.0	28.6	31.5	35.6	40.7	46.6
女子	沖縄	1955	17.6	19.1	20.7	22.9	25.2	28.0	32.3	36.8	40.0
	鹿児島		17.7	19.5	21.6	23.9	26.2	28.9	32.7	37.0	41.2
	本土		18.1	20.0	22.1	24.5	27.1	30.5	34.9	39.4	43.2
	沖縄	1963	18.3	20.2	22.3	24.5	27.4	31.3	36.3	40.4	43.6
	鹿児島		18.3	20.3	22.0	24.7	27.4	31.0	35.8	40.7	44.3
	本土		18.8	20.8	23.1	25.7	28.8	32.9	37.8	42.3	45.8

年から1953年までの向上は極めて徐々であり，1953年から1955年までは発育向上はあまりみられないが，しかし1955年以降の体位の発育向上は極めて著しい。以上のことからこのような沖縄の児童生徒の体位の向上は戦後特に1955年以降の全住民の食生活の向上と学校ミルク給食の結果によるものと思われる。即ち栄養が体位の向上に大きな効果をもたらしたものとみている。

リバック委員会

リバック委員会とは，沖縄に贈られてくる援助物資について，年間の需要計画を樹立したり，贈られてきた物資を適正に割当てること及び物資を有効に使用されるよう援助と指導を与えることを目的として組織された団体であつて (Ryukyu. Iland Volontary Agency Commitee) の頭文字 (RIVAC) をとつた略称である。

委員の構成は，米国民政府の代表と物資を寄贈された国際カトリック福祉協議会並びに世界キリスト教奉仕団の各代表者からなつており，琉球政府は文教局と厚生局から関係職員が参考人として列席している。

会議は毎月定例に1回行われ，ここで割当て決定した学校給食用物資は，総べて琉球学校給食会が取り扱いをなし，現場の学校や製パン委託加工工場に配布される。

この援助物資が沖縄に入荷するまでには次のような順序を経ている

(1) 琉球政府は，年間の物資の需要計画書をリバック委員会に提出する。

(2) リバック委員会は，琉球政府から提出された上記計画書を検討し，沖縄で年間必要な援助物資の需要計画書を作成し，ニューヨークの両奉仕団の本部に提出する。

(3) この計画書は，ニューヨークの両奉仕団本部で検討され，ここから世界食料援助計画を監理する米国政府の国際協力局に提出する。

(4) 国際協力局では，沖縄からの需要計画書を各国から提出された需要計画とともに検討して沖縄向けの物資の必要品目及び数量を承認する。沖縄向けの物資が承認されると両奉仕団本部からただちに沖縄向け物資を送り出すことになる。

なお，現在のリバック委員会の委員は，次のとおりである。

米国民政府公衆衛生福祉部
　福祉課長　ウインストン・H・サン
世界キリスト教奉仕団
　ウイリアム・C・ハラップ
国際カトリック福祉協議会
　アーミン・バルトン神父
琉球政府側から参考人として
琉球政府文教局保健体育課
　課長　中村義永
琉球政府厚生局民生課
　課長　宮城常敏

◁ 図書紹介 ▷

小田原市立町田小学校長　　与野堅磐先生編

おいしい話（お話による給食指導）

A5判　330頁　定価　800日円　発行所　全国学校給食協会

琉球学校給食会

1955年学校ミルク給食が実施されて以来学校給食計画,学校給食指導,学校給食用物資の取扱い(荷受け,保管,輸送,配布等)等はすべて文教局で取扱つていたが,1960年1月から小学校,中学校の全児童生徒に対しパンとミルクの給食が実施されるようになり物資量が著しく増加したので,給食関係職員は物資取扱いのみにおわれ給食指導面は十分ゆきとどかないようになつた。

そこで1962年学校給食用物資を適正円滑に供給することと,学校給食の普及充実とその健全な発達をはかる目的で学校給食会法を制定し,特殊法人して琉球学校給食会を設立し,これにすべての学校給食用物資の取扱いをさせたのである。

琉球学校給食会は設立してまだ日が浅いので宗教団体から贈られている1,600万ポンドの援助物資の取扱いのみであるが将来は援助物資以外の給食用諸物資の取扱もするように計画を進めている。

琉球学校給食会は,役員として理事長(常勤)1人,理事(非常勤)5人,監事(非常勤)2人,評議員(非常勤)12人と職員6人が任命されている。

両宗教団体から年間4回は分けて物資が贈られてくるが,入荷した物資は荷受け,保管,輸送,配布等すべて給食会で責任をもつて取扱つており,給食会の予算は全額政府が補助して運営に当らしている。

琉球学校給食会の予算は次のとおりである。

1965年度琉球学校給食会予算

項 目	1965年度	1964年度	増 減	説 明	
物資経理	76,498 $	51,203 $	25,295 $	輸送費	20,226 $
役務費	76,495	51,200	25,295	保管料	10,773
予備費	3	3	0	荷役料	13,834
業務経理	15,870	9,348	6,522	へき地輸送費	1,400
給 与	9,161	7,248	1,913		
旅 費	593	568	25	燻蒸料	716
事務費	2,695	1,429	1,266	過年度支出	29,545
車両購入費	3,000	0	3,000		
退職手当	183	0	183		
返還金	1	0	1		
予備費	100	103	△3		
計	92,368	60,551	31,817		

学校給食会の機能をあげて
完全給食の促進を図る

琉球学校給食会理事長　喜　村　清　繁

　琉球学校給食会は1962年8月4日に発足して満2ケ年を経過致しました。発足当時文教局保健体育課に属していた学校給食用物資の取扱いを当会に移管され、業務を始めました処物資の管理について複雑な業務を遂行致しましたが、1ケ年間は諸法規に準ずる運営及び物資の完全管理に全能力を発揮致し、健全な会運営を致しましたが業務執行上不備を生じ各関係筋から指摘された事項もあり、当会としては職責の重要性を感銘し常に各学校及び各製パン委託工場又は一般社会から信頼できる給食会を構成する信念のもとに業務を行ない漸くその趣旨に副うようになって参りましたことは各関係筋特に文教局の御指導に対して深く感謝している次第であります。

　現在小中校に於いては完全給食を実施した学校が全琉で17校でありますが逐次増加すると思います。現在も完全給食関係の器具、機材及び副資材等の良質品を安い価格で入手できるよう斡旋致して居りますが近い将来当会で運営するよう検討致して居ります。

　学校給食の目的を達成するため政府当局としても重要政策を構じて居られますので当会もこの政策がより効果あらしなるべく今後とも物資取扱の完璧を期するとともに各関係業務及び各学校に対し、管理面の御協力を希望してやみません。併せて沖縄の児童、生徒が日本本土に劣らない身心共に健全になるよう願う次第であります。

　なお、当会として各学校に対して給食用物資の管理及び使用について次のとおり要望致します。

1，粉ミルクの保管を完全にし、受払事務を適切、正確にしてもらいたい。
2，基準使用量による給食を履行し、飲み残しのないようにしてもらいたい。

問　残菜の取扱いについてご指導ください。

答　残菜のあるなしでにわかに学校給食がおいしくいただけたかどうかは判断できないと思います。

　しかし、残菜で子どもの摂食状態の判断、食物に対する子どもの味覚の度合を判定することは必要だと考えます。さらにすすんで残，調査をすることによって、栄養指導の計画をたて実践することや、献立をくふう改善することが大切だと思います。

学校給食用製パン委託加工工場

1960年1月から米国宗教団体の援助により，小学校，中学校の全児童生徒に対しパン給食が実施されるに先だち中央教育委員会が制定した学校給食用製パン委託加工工場の認可基準に適合するよう製パン業者は内部の機械設備等を整備し，委託加工工場として認可を受けて，学校給食用製パンの委託加工をするようになつた。

現在の沖縄の製パン工場の施設，設備の状況は本土の最新の機械を設えた大型の工場には及ばないが，ほとんどの工場が近代的な施設，設備をそなえるようになつた。

1964年7月現在学校給食用製パン委託加工場として認可されている工場は，北部12中部8，那覇10，南部5，宮古6，八重山3，久米島1，計45となつている。

最近，へき地や離島でも製パン委託加工場ができつつあるので今後はへき地の給食も大部よくなるものと思われる。

これらの工場で大きいのは，学校給食用メリケン粉を1日30袋(45kg入)と市販用20袋(22kg入)を使用しており，小さい工場では，1日1袋(500食)という離島，へき地の工場もある。現在沖縄全体では1日に560袋(45kg入)を学校給食用として使用しており，年間使用量は11万袋にのぼつている。

パンの製法には加糖中種法とか，無糖中種法とか，その他いろいろあるが現在沖縄の学校給食パンの製法は無糖中種法を用いておる。できた給食パンはコツペパン一本立てとなつているが，現場学校では，形を変えてもらうよう強く要望している。

製パン工場では前日夕方までにできた給食用パンを，最初50個ずつ裸のまま大きなパン箱につめて各学校に配達していたが，衛生面を考慮して1963年4月からは50個をポリエチレンの大きなふろしきで包みそれをパン箱につめて配達するようにした。

この製パン委託加工場は免税糖の取扱いやパンの品質の向上，その他各工場間の連絡を密にする必要から沖縄学校給食パン協会を組織し，相互の親和を図るとともに学校給食関係団体に対しいろいろ協力している。

地区別給食パン食数別製パン工場調べは次のとおりである。

地区別給食パン食数別製パン工場調　1964. 11.

食数	北部	中部	那覇	南部	宮古	八重山	計
1,000食以下	1			2	2	2	7
1,000～2,000	4			2		1	7
2,000～3,000	3				1		4
3,000～4,000	1				1		2
4,000～5,000	1		4	1			6
5,000～6,000		1	1	2	2	1	7
6,000～7,000	1		2				3
7,000～8,000		1				1	2
8,000～9,000		4	1				5
9,000～10,000	1		1				2
10,000～11,000			1				1
11,000～12,000			1				1
12,000～13,000		1					1
13,000～14,000			1				1
合計	12	7	12	7	6	5	49

学校給食と人間形成

＝天野 貞祐 先生講演＝　　　給食広報より

　人間は身体を持つた存在者であるから，身体の健康がいかに重要であるかは論を要しない。一般人にとつて，健康なくしては幸福はありえない。しかも，学校給食が学童の体位向上に対して非常な貢献をすることは事実の証明するところである。それ故に，ここでわたしは，人間形成の精神面に於いて，われわれは学校給食からいかなる効果を期待しうるかを考えてみたい。

　われわれは，学校給食によつて，少年に種々のよき習慣を養うことができる。少年時の習慣づけについては，ギリシャの大哲学者アリストテレスがこういつている——「夙に年少の時から或る仕方に習慣づけられるか，他の仕方に習慣づけられるかということの差異は僅少ではなくして絶大であり，むしろそれがすべてである」（高田訳「ニコマス倫理学」による）。そうして，習慣づけは，観念的抽象的な訓話によつては困難であるが，食事という生きた体験を媒介とすれば，比較的容易になされうると思う。

　第一に，礼儀を学童に習慣づけることができる。これは実に重要である。というのは，それによつて法精神をかん養しうるからである。

　法というと，人は，法律と解するのが普通であるけれども，礼儀も法である。学校規則も道徳法も法である。法律はもちろん法である。さらに，その根源を尋ねるならば，形而上的秩序であるところの道も法である。礼儀を会得することは，道の会得に通ずる。単純素朴な礼儀の会得が，深くはるかな道の会得に通ずる道理を思うべきである。

　かくして，礼儀の会得は，心を正しくし善意志を養う。善意志は，道徳性の柱である。これなくしては，道徳性はありえない。例えば，才能，勇気，健康，財産のごとき人生の宝も善意志がなければかえつて有害となることは，才能のある悪人とか，勇気のある盗人などについて考えるならば事理明白である。礼儀という法の会得は，おのずから道徳法の会得として，この道徳性の中心を体得せしめるのである。年少時においてこの習慣づけを受けることが，その人の一生を通じて，いかに重大な意義を持つことであろうか。しかも，この会得を促すために，食事という具体的体験によることの極めて適切なることもまた，一般に承認される事柄であろう。

　第二に，偏食を矯正することができる。どういう食物でも一般にひとの食べるものは喜んで食べるという習慣は，人の一生において，きわめて大切なことだと思う。健康上の利益はしばらくおくも，それによつて，人生は，どれだけ快適にされるか知れない。

　しかし，この関係における最重要なことは，欲望の抑制によつて，克己の習慣を身につけることである。好まぬ食物を食べるためには，自己の欲望を否定せねばならぬ。換言すれば，自己を欲求から解放し，自由にせねばならぬ。人は，しばしば好むものは食べ，好まぬものは食べぬのが自由だと思う。好むものをも場合によつては食べず，好まぬものを食べるのを不自由だと思う。もし，それが自由であり，不自由であるならば，動物の方が人間よりも自由だと言わねばならぬ。しかし，人間をして人

間たらしめる自由は，欲求や衝動を否定して，広義の法に従うところに成立する。

この自由の会得が，人生において実に重要である。戦後社会の一つの欠陥は，法観念のゆるみにあると考えられるが，その有力な原因は，一般に法に従うことは人間の自由に反すると考えることで，それは，自由の誤解に存する。自己の欲求を否定して法に従うことこそ，真の自由であることが会得されねばならぬ。しかも，この会得が学校給食において，基礎づけられることを思うべきである。人の一生において，克己のいかに重要な性質であるかは，すぐれた人物の一様に体験するところであろう。

第三に，友情がつちかわれる。同じカマの飯を食うことが人生を親密にすることは広く知られている人生体験である。昼食にさいして，学友の弁当をのぞきこむようなふんい気と，みんなが同じカマの飯を食う気持ちとを比較し思うならば，学校給食の意味はおのずから明らかであろう。それでなくても，激しい受験の競争者として，とかく友情のそこなわれがちな時代において学童を人生のうるおいに浴せしめる意味の重要性は，どれほどであろうか。この事情は，さらに，わが社会の一大欠陥というべき社会道徳のかん養に貢けんすることが多い。

もともと，国家のねうちは，国民の文化創造の力量と道徳性にありと考えられるが文化の創造力においては，わが民族の優秀性は自他ともに許すところであると思う。古代における芸術品を見ても，日本仏教，日本儒教にしても最近の自然科学の発展にしても，さらに，端的には，西独のそれに匹敵する戦後の復興にしても，いずれも卓超した文化創造を示している。また，道徳性においても，根本において他の民族に劣っているとは思われないが，社会道徳においては，欧米諸国の民族に比して劣ることは，残念ながら認めざるをえない。道徳的社会性を養うことにおいても，一緒に食事をする，お互いに友情を持ち，うるおいのある生活をする，他人に迷惑をかけないという点などでは，寄与しうるであろう。

第4に，学校給食は，国が学童の食事にまで配慮することになつて，国が学童の健康にも留意し，学童を大切にすることを事実をもつて知らしめ，小さい時から国家的自覚を培養することが，重大な意味をもつ。なお，同時に父母に対しては，子供が親の単なる私有物でなくして，国の大切な宝であることを自覚せしむるに役立つと思う。国民的自覚は，言葉ではなかなか培養できない。むしろ，給食のような具体的事実による方が，有効であると思われる。

学校給食は，体位向上という関係だけですでに国家が大いに力をつくすべき事業であることは明らかであるが，教育指導の面よりも，指導よろしきをうれば，幾多の効果を目ざしうることを理解し，日本の前途のために大いに発展することを願望し，期待するものである。

ようやく今日に至つて，われわれの社会は，学校給食の重要性を認識するようになつたが，すでに40年，羽仁もと子先生が，自由学校の創設にあたり，また，ほぼ同じころ，平生釟三郎先生が，甲南高等学校の設立において，学校給食の教育的意義を重視し，その行きとどいた設備をした卓見に敬服せざるをえないのである。

おことわり

ここに掲げた天野先生のご講話はすでに久しい時間を経過したものである。しかし学校給食，ことに完全給食の教育に及ぼす影響の大きいことを教えた講演として敢て教職員のみなさんへご紹介したいと思う。

(編集子)

文部省主催第29期
校長指導主事等研修講座のもよう

湧川中学校長　新　城　力

　8月31日から9月12日迄の2週間，私はあげな小学校長前堂清昌氏及文教局指導主事仲宗根氏と共に虎の門に新しくできた教育会館で研修を受け多大の感銘を受けた。

　講座内容は，文部大臣の講話，森戸辰男先生の「わが国教育の基本問題」高山岩男先生「現代の思想」，鈴木清先生「青少年問題」，平塚益徳先生「世界の教育」，福田教育局長「初等中等教育の諸問題」，坂田二郎NHK解説委員「国際政局と日本」西村勝巳課長「校長の職務」，玖村敏雄先生「学校経営」高橋恒三課長「教育委員会と学校管理」，清水成之課長「教職員の人事管理」内海巌先生「道徳教育」，宇野哲人先生の特別講義等，我が国教育界の第一人者の先生方の貴重な講義の連続でほんとにすばらしい講座を，受けることのできた幸福をしみじみ味わうことができた。

　現代教育の諸問題点や世界の動静等についてくわしく知ることを得どの講義も感銘深い内容ばかりで，要約するには余りにもつたいない気がするが，2千字以内と制限を受けているので特に必要と思われる内容を紙数のゆるす範囲内で簡単に書きたいと思う。

. 教育改革の功罪
　現行六三制や4年制単純化大学制度は再検討の時期にきている。個性に即し，能力に応じて伸びる力のある者はどこまでも伸ばし得る教育制度が樹立されねばならない。米国民主教育の誤解から生じた平均的，画一的教育は全体主義教育である。

（能力差による学校差が考えらるべき）民族に根をおろした教育であれ。機会均等とは総べての者に等しいものを与えることではなく，個々の能力に応じたものが与えられることである。

2. 道徳教育
　教育で最も大切なことは，立派な人間を作ることである。近時学力や体位は著しく向上したが，精神教育が伴わず，青少年の非行が激増した。　森戸辰男先生
○日本の地位と使命に鑑み，公正な愛国心を培う。
○道徳教育は先ず教育の養成から。福田教育局長
○基本的行動様式を幼時から躾ける必要性
○叱るべき年令に於て，叱られずに育った不幸な子ども達（幼児教育強化の重要性力説）鈴木清先生
○排他的愛国心を排除し，我が国の特有性（歴史，伝統，民族性等）を発揮することにより，他から愛される愛国心の養成
○愛国心の本当のあり方を学習集団の中に生かし，他を認め，相互に助け合ってゆける集団の育成。
○いろいろの教科によって得た知識を，自分なりにまとめて，如何に生かし，統一に導くかが道徳の時間の役目であり，すべての教科及び行動の要として，自己を高めるために，道徳時間は必要である。
大内進視学官

3. 世界の教育　　平塚益徳先生
Ask not, what can do the country for yon! Ask, what can yon do

for country!! —Kennedy—
1. ソ連の教育の特色
   (イ) 教育を真剣に考える。（興国の第一の力として）
   (ロ) 幼時の教育を重視する。
   (ハ) 教育と労働の結びつき。
   (ニ) ソ連に残っていた質の高い宗教の活用。
   (ホ) 生徒守則20ケ条（骨子は道徳教育）第一条あらゆる努力と忍耐を以て知識を獲得し，ソ連国家栄光の為に徹底的に奉仕する。
   (ヘ) 徹底した系統学習とつめこみ教育
2. イギリスの教育（ラグビーの道徳教育）
   (イ) 広いキャンバスの中心に礼拝堂を作つた。
   (ロ) 信頼できる立派な教師を集めた。
   (ハ) 人格形成の基礎をスポーツにおいた結果，スポーツマン即ゼントルマン
      (a) 約束を守り，ルールを守る。
      (b) ルールの下で各個人が最善をつくす。
      (c) ルールを守ることが全体にプラスになる。
      (d) 負けた者が，勝つた者を祝福する。（スポーツを通して立派な敗者の態度養成）
   (ニ) 共同生活（寄宿舎生活）を重視した教師は全生徒を知る。（身体，社会性，知能等）
3. フランスの教育
   徹底した科学性，合理性，明確さ，フランスの社会観，価値観では知的能力と肉体的能力の価値に差がない。
4. アメリカの教育
   (イ) 人工衛星の成功から徹底的に変つてきており，子供の興味，自己活動重視の古い教育から教え込む教育，詰込み教育に変つてきた。
   (ロ) 青年に夢を与え，世界に対する使命感育成の教育をしている

諸外国の熱心な教育活動から私共が教えられるこれからの教育の目標は「日本のすぐれた処を充分わきまえさせ，世界の為に貢献し得る人間の育成」である。（以上平塚先生の講義から）

×　×　×

今度の講座の12日間の内容はどの部分をとつても重要なものばかりで2千字以内に限られた，わずかな紙数では到底まとめ上げることができない。それでこのようなおかしな報告になつてしまつて申訳ないと思つている。

校長の職務権限や委員会とのつながり，その他についても報告したいことがらがたくさんあるが，何かの機会にゆずることにして，ひと先ず，この報告書をしめくくりたいと思う。

偏食はなおせるか

食べ物にすききらいがあるのは，ごく自然である。子どもの偏食は食べ方の指導を家庭でうまくしなかつた結果であると言つてよい。

健全なる心身を育成するためには，このようなこのみからくる偏食は矯正する必要がある。7，8年も家庭で育つてなおせなかつた偏食が実は学校給食をはじめて僅かの期間に効果的に矯正できるというのである。

ニンジンのきらいな子がたべるようになつたという話は完全給食校ならたいてい話題にするところである。

ところで，先生方は偏食しませんが，完全給食が行なわれるとしたら，まず校長先生，教頭先生は何でもいただけますか。

給食の効果的指導を考えあわせて改めてたべ物のすききらいを一考したいものである。

世界各国の学校給食に対する国庫補助実施状況

国	調査年次	実施対象	普及率	補助	備考
アメリカ	1953	初等学校 中等学校	児童生徒の60%	国庫補助27.4% 州負担23.6% (1960年)	給食費の5割公費負担
イギリス	1959	小学校 中学校	〃 84%	1食当り約110日円、国庫補助約60日円	公立学校は義務実施、ミルク給食は無償、給食費の5割補助
スエーデン	1956	小学校 中学校 職業学校	小—70% 中—45% 職—30%	1食当り約51日円中国庫補助均42日円(1950年頃)国庫補助金約12億日円(1948年)	無償給食を原則として1951年には全生徒の53%(40万人)が無償給食
エジプト	1959	幼児学校 小学校 中学校 工業学校 高等学校	児童生徒の90%	結食費国庫補助は36億5千万日円	無償給食
セイロン	1957	幼児学校 初等学校 下級中等学校	児童生徒の大部分	給食費国庫補助は総額約7億6千万日円小麦粉,粉乳はケアの援助	無償給食を原則
デンマーク	1949	小学校 中学校 実習学校	大部分の学校において実施	中央政府と地方自治体とがすべての経費を負担することを原則としている。	全児童生徒の51%が無償給食
イタリヤ	1949	保育学校 小学校	全児童の1割強	国庫補助は,15000万リラ地方により学校委員会が給食費補助を行つている。	1956年には初等教育管理局と外国援助管理局の協定により、学校給食を大巾に拡大することが可能となつた。

文教時報（第九一号）

印刷　一九六四年十一月十五日
発行　一九六四年十一月十六日

非売品

発行所　琉球政府文教局調査広報課
印刷所　セントラル印刷所
電話　〇九九一二三七三番

文教時報

特集…教育財政の現状とその推移

65/1

No. 92

琉球政府・文教局・調査広報課

も く じ

No. 92　特集…教育財政の現状とその推移

序　　　　　　調査広報課長　安谷屋玄信 ・・・・・・ 1

はじめに ・・・・・・・・・・・・・・・・・・・・・ 3

A　教育費の推移 ・・・・・・・・・・・・・・・・・ 4
　　1　小学校教育費の推移 ・・・・・・・・・・・・ 10
　　2　中学校教育費の推移 ・・・・・・・・・・・・ 13
　　3　幼稚園教育費 ・・・・・・・・・・・・・・・ 17
　　4　教育行政費の推移 ・・・・・・・・・・・・・ 17
　　5　社会教育費の推移 ・・・・・・・・・・・・・ 19
　　6　地方における教育費の財源について ・・・・・ 21
　　7　教育税の推移と問題点 ・・・・・・・・・・・ 23

B　公立小・中学校の生徒1人当り教育費の本土比較 ・・・・・ 32
　　1　小　学　校
　　　(1)　教員の給与 ・・・・・・・・・・・・・・ 33
　　　(2)　建　築　費 ・・・・・・・・・・・・・・ 37
　　　(3)　その他の教育費 ・・・・・・・・・・・・ 38
　　　(4)　所定支払金 ・・・・・・・・・・・・・・ 39
　　　(5)　債務償還費 ・・・・・・・・・・・・・・ 40
　　　(6)　ま　と　め ・・・・・・・・・・・・・・ 41

　　2　中　学　校
　　　(1)　教員の給与 ・・・・・・・・・・・・・・ 43
　　　(2)　建　築　費 ・・・・・・・・・・・・・・ 49
　　　(3)　その他の教育費 ・・・・・・・・・・・・ 49
　　　(4)　所定支払金 ・・・・・・・・・・・・・・ 50
　　　(5)　ま　と　め ・・・・・・・・・・・・・・ 50

　　3　私費による教育費 ・・・・・・・・・・・・・ 51

C　問題点と結び ・・・・・・・・・・・・・・・・・ 53

　　教育委員会法の一部を改正する立法（案） ・・・・・・・・ 61

　　　　表　紙 ・・・・・・・・浦添中学校教諭　稲嶺成そ

序

文教局調査広報課長

安 谷 屋 玄 信

　教育委員会法の改正をめぐつて、ようやく論議が活発になつてきた。この立法は、立法当初から多くの問題を含んでいて、機会あるごとにその改正が要望されていたところであるが、最近に至り、立法院をはじめ教育関係者及び社会一般から、"沖縄の現状に即応するような改善をしてもらいたい"という声が一段と大きくなつてきた。

　この改正要望の理由を掘り下げて考えてみると、まず1952年2月に教育法（布令66号）が公布されたが、この布令公布によつて大きな改革を見たのは、教育の行財政の極端な地方分権であるが、その反面、教育の均等化という配慮があまり顧みられらず当時から問題含みであつたことは周知のとおりである。

　その後、文教局は、現実のこの制度を教育の発展のためによい意味で活用することに努力するとともに、当時の世論に応えて布令の教育法を民立法に切り替えるために最善の努力を払つたのであるが、立法院で可決された教育委員会法案は二度も廃案にされ、1957年3月に至り、布令66号を法律上の体系を整えた形にした、いわゆる布令165号が公布されたのである。したがつて、布令165号もその内容は布令66号と大差ないものであつた。その間も民立法の努力はつづき、立法院は1957年12月ついに教育委員会法案を可決し、1958年1月に署名公布され今日に至つたものである。

　しかしながら当時の状勢としては止むを得ないことではあるが、この民立法の教育委員会法も本質的には、布令66号、布令165号と同じく、大きな改革を見るに至らなかつた。だが、立法院で審議されたこの法案のうち、立法院の会議録が示すように最も大きな論議を呼び、耳目を集めた事項は、いわゆる「教育税」

の問題であつた。この法案中の「教育税」に関する事項が如何に論議され変転して来たかということは，現在もその研究と検討の資料としてその価値高く評価されてよいと思う。

即ちその中には「教育税」の法的地位，委員会法にそれを規定することの妥当性，税制を確立せんとする努力，或は「教育税」の将来をどうすべきか，またはこれに伴う教育区交付金の問題等幾多の問題が論ぜられて興味深い。

このように堀り下げた論議に対して，明確に法律上の規定を下すことができないままに立法化された委員会法は，当然の結果ではあるが，今日，委員会法改正の論議の焦点が再びここに集つたわけである。ただいま改正法案は，中央教育委員会で審議されているのであるが，"教育税„といつても，これはあくまで地方の教育費を均しく充足させるための手段であつて，教育税そのものが目的ではなく教育の財政を確立し，教育の機会均等の原則を守り，教育の目的を実現せんがための一つの方法に過ぎないのである。

この意味で，現在論議されていることは，"教育税„というよりも，もち論それを含めた広い意味の"教育財政„に論議が移つたと見るべきである。このようにして，約10年間にわたり論議に論議が続いているのに，いまだにその決定的な法定上の裁定は見ていない。それにもかかわらず教育は加速度的な社会経済の発展とともに日進月歩の勢で進んで止まない。しかしながら，教育行政の規模と内容を定める教育財政の進歩がこれに伴なわなければ一体私たちの子弟は、日本を含めて世界の子どもらと比べてどうなることであろうか。子どもの成長と発達に"中止„がないのと同じく教育の仕事には中止は許されるものではない。また経済の発展に伴つて教育の内容はいよいよ加速度的に近代化されつつあつて，これまた莫大な財政需要を示すに至つた。そして，私たちが過去10年間も教育財政の論議を重ね重ねている間にも生きている教育は，どのような財政水準を保つて来たのであろうか。

この文教時報で解明する沖縄の教育財政は、沖縄の子どもらが過去10年間どのような財政水準で教育されて来たかを振り返えるために編集された白書的なもの

である。この編集に当つては調査広報課の前田主事が各関係主事の協力を得て当課が行なつている行財政調査の結果はもとより，文部省より寄贈された重要なる資料を研究分析して，比較，対照，推計を試みつゝ編集したものである。十数年をケミした沖縄の教育財政制度の転換期に当り，この研究結果をつゝしんで皆様方にお送り申し上げる次第であります。

はじめに

　教育の向上発展をもたらす要因はいろいろあろうが，教育財政の充実はその中で最も重要なるものの一つであることは，ここに申し述べる必要のないことである。戦争によつてすべてを破壊され，全くの無から立上つた沖縄の教育は，住民はもとより，政府，教育関係機関等のたゆまない努力により，除々に整備され漸く今日に至つている教育の伸びを支える教育財政についても国民経済の発展とともに年々充実してきており，教育のために投資される経費は，現今では10年前の2倍以上に達している。

　しかし，教育の諸条件を本土のそれと比較した場合，今日でも未だ幾多の格差が認められ，これらの改善には多くの財政上の措置が必要とされており一方地方教育においては，教育需要の急速な伸びと自主財源である教育税収入との間の不均衡に原因する教育財政のいきづまり現象等と，これらの諸問題解決が急を要することだけに，ある意味では沖縄の教育財政は現在大きな転換期を迎えているといつても過言ではない。

　このときに当つて，ここに教育の過去のあゆみを財政面から振返つて，これを将来の発展への礎石とするという意図のもとに，数字の上からその推移を捉え，可能な限り本土と比較しつつその分析を行ない，これから生ずる問題点の解決のための方策についてもいろいろと解説を試みてみたい。

　なお，教育費の推移や現況等の解説に当つては，その焦点をしぼるため今回は地方教育に関する面のみを主として取り上げてみた。政府の直轄している高等学校の教育については，後期中等教育の改善充実や高校生の急増対策とも関連して重要な問題を多く内蔵しており，財政面でも多くの施策を必要としているが，これは次回に稿を改めて解説してみることにする。

教育費の推移

　教育財政調査が沖縄で始めて実施された1955会計年度より，1963会計年度に至る9カ年間の沖縄及び本土の公教育費（政府または教育区によって支出された高等学校以下の公立政府立の学校教育費，中央地方を通ずる社会教育費，教育行政費をいう。ただし，本土との比較のため公費に組み入れられた寄付金及び地方債は除いてある。以下この文章で公費と呼んでいるものについてはすべて同じ範囲で取扱われている。）の実額及び1955年度を100とした各年度の指数を示したのが第1表及び第1図である。

第 1 表　　公教育費総額の推移

	1955会計年度 昭和29	1956 (昭30)	1957 (昭31)	1958 (昭32)	1959 (昭33)	1960 (昭34)	1961 (昭35)	1962 (昭36)	1963 (昭37)
沖縄	実額 千弗 5,130	5,003	5,447	7,289	6,952	8,564	9,508	12,002	14,370
本土	実額 千弗 858,389	866,167	932,134	1,038,881	1,119,615	1,204,856	1,412,858	1,707,223	2,033,457
沖縄	指数 100	98	106	142	136	167	185	234	280
本土	指数 100	101	109	121	130	140	165	199	237

　この表及び図よりみるとおり，公教育費の増加の状態は沖縄の方が本土より高い。このことは，近年にいたるまでの政府及び教育区の教育に対する財政的努力の大きかつたことを示すものとして，よろこばしい現象である。

　ただ，このような指数表示の解釈で注意しなければならないことは比較の開始年度である1955年度が両者の間でどういう条件のもとで出発しているかということである。本土と沖縄ではその規模の大きさや教育の制度その他いろいろの条件の違いがあるので教育財政の規模の面で一概にこれを比較することは極めて困難なことであるが，人口やその他の条件よりおおよその見当

第1図 公教育費総額の推移

(1965年会計年度（昭29年）を100とした指数表示)

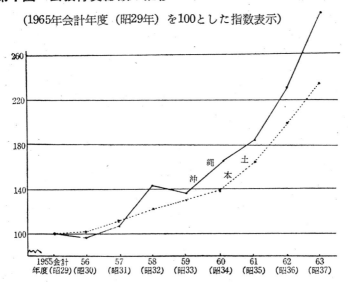

をつけるならば，沖縄の財政規模は本土の約$\frac{1}{100}$と仮定することができる。

この比率でいくと，1955年度においては公教育費の5,130千弗は本土標準（昭和29年度の本土教育費の$\frac{1}{100}$）8,584千弗の約60％ということになる。このようなハンデイキヤツプのもとに出発して，その格差を縮めるために努力が払われてきたことになるが，数字的には1963年度までには約10％増の70％台まで引き上げられてきたことになる。

しかしながらこのような解釈は教育の内面的な特異性を全く考慮に入れない単なる規模の面からみたものであり，実質的な教育の向上を示す尺度としては余りにも単純すぎる結論である。従つて更に一歩すすめて教育費の総額についての内面的分析を行なつてみたい。

まず，学校教育費について考えてみよう。学校教育の対象は生徒であり，児童生徒の増減は直接教育費の大小につながることは申すまでもない。生徒が増えれば，先ず教員が要るし，校舎や机腰掛その他の施設設備の需要が増加してくる。その他の一般需要についても同様である。従つて生徒数の増加はそのまま教育需要の増加となつて現われる。

もち論，教育は単に学校教育だけで

なく社会教育や教育行政もともに重要であることは云うまでもない。ただ、教育費の代表としてここに学校教育のみを取り上げたのは第2表にみるとおり、教育費の約92％が学校教育費のために支出されていることと、学校教育費の全教育費の中に占める比率が本土、沖縄と地理的条件の相違や年度間の相違を超越してほぼ一定であるという事実にもとずいたものである。

第2表 公教育費の中に占める学校教育費の比率

		1955会計年度(昭昭29年)	1956(昭30)	1967(昭31)	1958(昭32)	1959(33)	1960(昭34)	1961(昭35)	1962(昭36)	1963(昭37)
比率 %	沖縄	93.5	92.6	90.1	92.8	92.7	92.6	91.4	92.6	92.3
	本土	93.0	93.2	93.6	92.7	92.2	92.2	91.7	92.7	92.7

従って学校教育費の実額の推移は公教育費の実額の推移とほぼ平行していると考えてよかろう。そこで学校教育費の推移の大きな目安ともなる児童生徒数の増減が過去にどのような状態であったかを本土と比較することによりこれを公教育費の推移と関連づけてみよう。

第3表及び第2図は公立（政府立）小・中・高等学校の生徒数の推移について1955会計年度（本土の場合は昭和29年度）を100とした指数で示したものである。

第3表 公立（政府立）学校生徒数の推移

(1955会計年度（昭29年）を100とした各年度の指数)

		1955会計年度(昭29)	1956(昭30)	1957(昭31)	1958(昭32)	1959(昭33)	1960(昭34)	1961(昭35)	1962(昭36)	1963(昭37)
沖縄	小校	100	107	118	133	149	161	163	164	162
	中校	100	96	93	85	75	76	96	120	139
	高校	100	113	124	132	136	138	136	129	132
本土	小校	100	105	108	111	115	114	107	101	94
	中校	100	104	105	101	92	91	104	122	131
	高校	100	101	103	106	109	112	112	109	113

(注) 1. 沖縄の場合の在籍数は会計年度と一致させるために，その前年5月1日現在の在籍数とその年度の5月1日の在籍数を3:1の比に加重平均した数をもって会計年度の在籍数とした。例えば1957会計年度の在籍数は1956年5月1日現在の在籍数と1957年5月1日現在の在籍数を3:1の比に加重平均した数によって算出した。以下この解説における生徒数，教員数はすべてこの方法によった。
2. 本土の在籍数はその年度5月1日現在の数である。
3. 高校は全日，定時を合計したものである。

第2図 公立（政府立）学校生徒数の推移

(1955会計年度（昭29）を100とした各年度の指数)

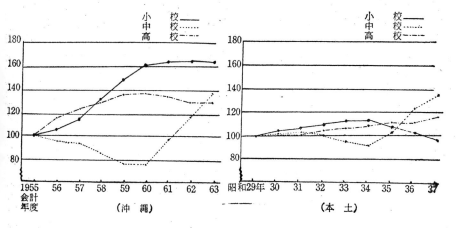

この表及び図よりわかるように，沖縄の場合は，どの学校種別をみても生徒数の増減が著しく，小学校の58～60年間の急増。中学校の61～63年間の急増，高等学校の56～60年間の急増と，本土に較べてかなりの生徒数の増が目だっている。いま，これら小，中，高等学校生徒総数の変動を指数表示すれば第4表のとおりとなる。

第4表　公立（政府立）小・中・高校生徒総数の推移

		1955 会計年度(昭和29年)	1956(昭30)	1957(昭31)	1958(昭32)	1959(昭33)	1960(昭34)	1961(昭35)	1962(昭36)	1963(昭37)
沖縄	生徒総数	171,426人	179,028	190,087	202,192	214,029	226,032	238,691	251,664	260,658
	指数	100	104	111	118	125	132	139	147	152
本土	指数	100	104	107	107	108	107	107	108	102

　すなわち，本土の場合総数の変動が8％以内であるに対し，沖縄の場合は過去9ヵ年に約9万人と一倍半にまで生徒数が増加していることになる。従って教育費の伸びが本土より高いのは，この意味で当然の姿でなければならない。

　ここでは小・中・高校生徒数の計について教育費との関連をみたが，これをもっと細かく分析してみよう。ご承知のように小学校，中学校，高等学校では教育課程の内容その他の面から生徒1人当りに要する経費が異なることは当然である。小学校生1人当りの教育費と中学校生1人当りの教育費の比率はどうあらねばならないかという基準はもち論あり得ない。従って便宜上，本土の過去5年間の学校種別の生徒1人当り教育費の比率より算定すると，小・中・高校生徒1人当り公教育費は小学校1に対して中学校1.4，高等学校（全・定平均）2.0という数字がでてくる。即ち中学校生徒1人の教育費は小学校生徒1.4人分に相当し，高等学校生徒1人の教育費は小学校生徒2人分に相当することになる。従って高等学校生の1名の増加は教育財政面からいえば小学校生2名の増加に当るわけである。

　このような考え方で生徒数の増減を再検討してみよう。各年度の生徒数について，小学校については1，中学校については1.4，高等学校については2.0を掛けた数を算出し，これらの数について初年度（1955年）を100とした指数で表示したのが第5表である。この指数は，いわば財政面からみた生徒数推移の表示指数とみることができよう。

第5表 校種別の生徒1人当り教育費を加味した生徒数の推移

	1955 会計年度 (昭和29年)	1956 (昭30)	1957 (昭31)	1958 (昭32)	1959 (昭33)	1960 (昭34)	1961 (昭35)	1962 (昭36)	1963 (昭37)
沖　縄	100	104	110	116	121	127	134	143	149
本　土	100	104	106	107	107	106	107	109	109

　第1表の公教育費の推移を示す指数を第5表の指数でわつた値（指数）が実質的教育費の伸びを示すもの見ることができるのでこの数値を算出してみると第6表および第3図のとおりとなる。

第6表 教育費の実質的伸びの指数

	1955 会計年度 (昭和29年)	1956 (昭30)	1957 (昭31)	1958 (昭32)	1959 (昭33)	1960 (昭34)	1961 (昭35)	1962 (昭36)	1963 (昭37)
沖　縄	100	94	96	122	112	131	138	164	187
本　土	100	97	103	113	121	132	154	183	217

第3図 教育費の実質的伸びの指数

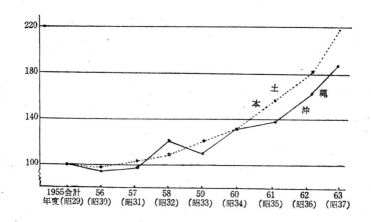

この表及び図をみると、沖縄と本土では1960会計年度までは、さ程の差異がみられないが61年度以降本土の伸びが著しく、従って、最近ではかなりの開きがあることがわかる。また本土の伸長の度合が実にきれいなカーブをみせて伸びているに対し、沖縄の場合は年度間にかなりのむらがある。これは財政規模の大きさにもよると思われるが、財政上の計画性の問題にも関係することではなかろうか。

さきに沖縄の教育費は55年以降9ヵ年の間に本土の60％台から70％台まで伸長したと述べたが、上のような分析の上からいえば、逆に60％台をも保持していないことになる。この事は次の学校別の教育費の推移を見れば一層判然としてくるものと思う。ここでは先きにも述べたように主として地方教育についての解明に止めるため、学校教育費については小学校、中学校と幼稚園に分け、そのほか地方の社会教育や教育行政についてもふれてみよう。

1. 小学校教育費の推移

小学校の生徒1人当り公教育費の推移を示せば次の表と図のとおりとなる。

なお、参考のため1964、65会計年度についても、その推計を試みた。（その方法については第7表注欄参照）

第7表 小学校公教育費生徒1人当り額の推移

		1955会計年度(昭29年)	1956(昭30)	1957(昭31)	1958(昭32)	1959(昭33)	1960(昭34)	1961(昭35)	1962(昭36)	1963(昭37)	1964(昭38)	1965(昭39)
生徒1人当り公教育費	沖縄	$22.98	23.68	20.97	26.66	23.06	27.14	27.12	32.94	38.57	(推計)42.74	(〃)49.55
	本土	$35.03	33.97	35.82	39.08	41.20	44.26	52.27	63.28	79.33	(推計)95.37	(〃)112.27
差額		$12.05	10.29	14.85	12.42	18.14	17.12	25.15	30.34	40.76	52.63	62.72
比率		% 65.6	69.7	58.4	68.2	56.0	61.3	51.9	52.1	48.6	44.8	44.1

(注) 1. 1955～63会計年度（昭29～37）はいずれも地方教育財政調査報告書による。

2. 1964，65年の2ヵ年は推計値である。その方法は次のとおり。

（イ）沖縄については政府予算，教育区予算より推計した。

(ハ) 本土の場合は最近3ヵ年間の小学校公教育費実額の平均伸長率（13.8%）より実額を推計，これを各年度の生徒数で除して算出した。

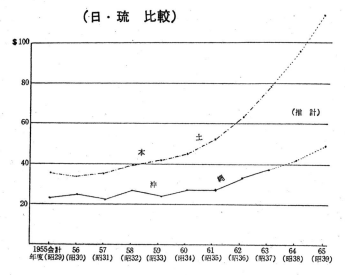

第4図　小学校公教育費生徒1人当り額の推移
　　　　（日・琉　比較）

　この表及び図よりみるとおり，本土の場合昭和35年以降急速な伸長が認められ，これが当分維持されるような状況にあるに反し，沖縄では1962年より漸増の傾向に転じては来たものの，その伸び率が余り大きくなく，従つて本土との格差は拡がる一方で，1963会計年度においては遂に本土の半分以下になつている。

　この生徒1人当り公教育費は生徒数の増減の度合いに直接影響するため，小学校生徒数の減少の著しい本土においては，実額が伸びなくても1人当り生徒額は年々高くなつてくることが予想される。従つて沖縄においては，今後相当な教育費の支出がなければ，本土水準とますますその開きを大きくするのではないかと懸念されるところである。

　一方，角度を換えて小学校教育費実額の対前年度伸長率の推移を本土比較の上でみよう。

　第8表は，その推移を示したものである。

第8表 小学校公教育費実額の対前年度伸長率の推移

		1956会計年度(昭30)	1957(昭31)	1958(昭32)	1959(昭33)	1960(昭34)	1961(昭35)	1962(昭36)	1963(昭37)	1964(昭38)(推計)	1965(昭39)(推計)
対前年度伸長率 %	沖縄	10.5%	△2.4	43.2	△2.9	26.7	1.3	22.5	15.5	9.4	11.1
	本土	△5.6%	8.4	12.0	9.9	6.4	11.1	13.5	17.4	…	…

△印は減少

　この表よりみると，沖縄の場合実額の伸長率は年度によりかなりのむらがあることがわかる。本土の場合は年度によって若干の変動はあるが，全体としてみたら年度毎に漸増の傾向がみられ，特に注目すべき点としては本土の小学校生徒数の減少し始めた昭和35年度以降は，伸長率が逆に11％，13％，17％と急増していることである。

　このことは小学校生徒1人当り教育費の最近年次における急激な上昇は，単に生徒数の減少に起因するものではなく，このような実額の伸びが大きく左右していることを示すものである。

　一方，沖縄の場合をみると，小学校の生徒数がピークを過ぎる年度においては，同時に中学校の急増を迎えるため，1961年度以降は1962年度を除き，（1962年度の上昇は教員給与の大幅ベースアップによる）伸長率が停滞ぎみであり，これは限られた資金源では中学校生急増対策のための資金確保が優先し，小学校の教育条件改善への財政的余裕が見出せなかつたことによるのではなかろうか。

　いずれにしても1963年度において小学校生1人当り教育費が本土の半額以下であることは厳然たる事実であり，どのような経費が少いため，このような数字的結果が生じたかは究明する必要があり，また，これに応ずる施策のあり方等についても可能な限り検討していきたいが，これは「Ｂ公立小中学校の生徒1人当り教育費の本土比較」に精しく解説するとして，将来の見通しについて今一度深く検討してみよう

　学校教育費の推移は，その対象である児童生徒の推移に直接関係してくることは前にも述べたし，また将来の見通しについて，沖縄も本土も，ここ数年は児童数減少の傾向は示すが，減少の度合いが沖縄においては本土より極めて小さいことも示したが，これを一層鮮明にさせるため，児童数の長期推

計をグラフによつてみよう。

第5図は昭和37学年度（1962学年度）の児童数を100とした，それ以降の各年度の児童数を指数表示したものである。基準年度を昭和37年にとつたのはこの年度は教育財政調査結果のでている最新年度であるからである。

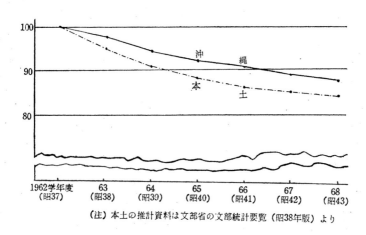

第5図　小学校児童数の長期推計の本土比較
（1962学年度を100とした指数）

（注）本土の推計資料は文部省の文部統計要覧（昭38年版）より

上の図のとおり，本土の小学校児童数の減少率はこの数年は沖縄より5％近く大きいので，第7表，第4図で推計してあるとおり，沖縄が財政的に根本的な飛躍がなければ1966会計年度以降においても生徒1人当り教育費は，その格差が益々拡がつていくであろうことは容易に想像できる。このように地方の教育財政については，小学校に関する限り，残念なことに楽観的な要素は見出せない。では，中学校についてはどうか。小学校の場合のように過去から振返つてその推移をみることにしよう。

2.　中学校教育費の推移

中学校の生徒1人当り公教育費の推移を示したのが第9表及び第6図である。

第9表　中学校公教育費生徒1人当り額の推移

		1955会計年度 (昭29年)	1956 (昭30)	1957 (昭31)	1958 (昭32)	1959 (昭33)	1960 (昭34)	1961 (昭35)	1962 (昭36)	1963 (昭37)	1964 (昭38)	1965 (昭39)
公教育費生徒一人当り	沖縄	$ 30.51	25.79	27.58	37.60	36.46	44.03	48.44	54.04	60.45	(推計) 67.25	(〃) 71.04
	本土	$ 44.47	42.51	44.77	50.21	57.04	63.49	71.77	78.67	83.29	(推計) 100.81	(〃) 123.16
差	額	$ 13.96	16.72	17.19	12.61	20.58	19.46	23.33	24.63	22.84	33.56	52.12
比	率	% 68.6	60.7	61.6	74.9	63.9	69.3	67.5	68.7	72.6	66.7	57.7

(注) 1. 1955～63会計年度はいずれも地方教育財政調査報告書による。

　　 2. 1964,65年の2カ年は推計値である。その方法は次のとおり。

　　　(イ) 沖縄については政府予算・教育区予算より推計した。

　　　(ロ) 本土の場合は，最近3カ年間の小学校公教育費実額の平均伸長率(13.8%)より実額を推計し，これを各年度の中学校生徒数で除して算出した。

第6図　中学校公教育費生徒1人当り額の推移
（日・琉　比較）

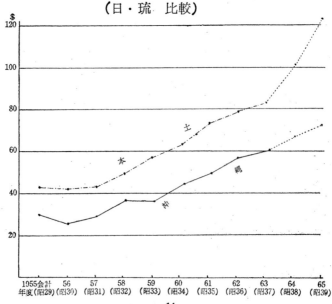

この表及び図よりみると，沖縄の中学校における生徒1人当り教育費については，1955会計年度より63会計年度までを通じて，本土とは差額にして20弗内外，比率にして60～70％台となつており，比較開始年度の格差を考えに入れないとすれば，一応順調な伸びを示している。

しかしながら，第2図の示すとおり沖縄の生徒数は本土に較べて，この期間の増減の度合いが激しく，特に55～60会計年度間は生徒数の激減にも拘らず生徒1人当り教育費の伸びが余り大きくないのは，この期間における小学校生徒数の激増のための一種のしわ寄せとみることができよう。

前に最近年次における小学校費の伸び悩みの原因が中学校生徒急増によることを述べたが，この逆の現象が1955～60会計年度の中学校1人当り教育費の中に表現されていることは，沖縄の教育財政の絶対的貧困さを物語っている。このことは中学校公教育費の対前年度伸長率を示している第10表と生徒数の増減とを比較した場合一層はっきりしてくる。

第10表　中学校公教育費実額の対前年度伸長率の推移

		1956会計年度 (昭30)	1957 (昭31)	1958 (昭32)	1959 (昭33)	1960 (昭34)	1961 (昭35)	1962 (昭36)	1963 (昭37)	1964 (昭38) (推計)	1965 (昭39) (〃)
対前年度伸長率 ％	沖縄	△18.5	3.3	24.7	△14.1	21.3	39.0	39.4	30.2	16.8	10.5
	本土	△7.4	6.7	15.7	△3.6	9.9	28.7	28.7	17.3	…	…

△印は減少

61年度以降の実額の高い伸長率に較べて，生徒1人当り教育費の伸びがそれ程でないのも，この年度間の生徒数の急増が大きかつたことを示している。

次に将来についての予測をする場合沖縄については既に64，65両会計年度は政府，教育区とも予算額が確定しているので，それによって推計できるが，本土の場合，小学校同様に過去3カ年間の中学校費実額の伸長率をとることは疑問とされる。というのはこの期間は中学校生の急増期であり多分に臨時的支出が加わっていると予想されるに反し，昭和38年度以降は本土においては生徒数が減少してくるので，条件に大きな相異がある。従って昭和38，

39年度の教育費推計に用いる実額の伸長率は，同じ条件で生徒数の減少を示している小学校の過去3カ年間の伸長率13.8％をとつた方が，より実態に即していると考えられる。

第9表及び第6図の推計値はこの方法をとつている。（第9表の注2の（ロ））。（因みに中学校の過去3カ年の実額の伸長率は24.2％となつている。）これで算出された将来の生徒1人当り教育費の推計によれば，昭和38年度以降は本土においては中学校生徒1人当り教育費に大幅な伸長が予想される。これは小学校における昭和35年度（生徒数の減少し始めた年度）以降の現象（第4図の本土のグラフ参照）より類推しても，あながち無理な推測とはいえないだろう。

一方，沖縄においては1964会計年度以降は高等学校生徒の急増があり，そのためか中学校生徒1人当り教育費の伸びは余り大きく期待できず，第9表に示すように，1965年度においては本土の60％の線を割ることが予想される。しかも第7図に示すように中学校生徒数は本土においては急激に減少の傾向にあるに対し，沖縄の場合は推計の最終年度においてさえ62学年度の104％（本土は68％）という状態である。この点からみても将来の中学校生徒1人当り教育費の本土との格差縮少はわずかな財源や施策の改善のみではとうてい不可能であるという結論もでてこよう。

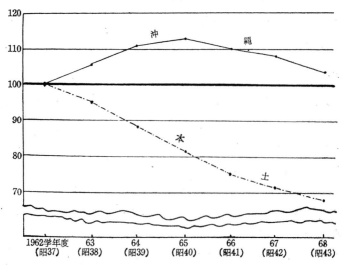

第7図　中学校生徒数の長期推計の本土比較
（1962学年度を100とした指数）

3. 幼稚園教育費

　学校教育費の大半を占める小学校費中学校費について 1,2にその推移を述べてきたが、幼稚園教育費についても一言ふれてみよう。ただし、幼稚園教育費については、沖縄におけるこの面の資料が小・中学校と較べ極めて不整備であり、教育財政調査で教育費の調査が行なわれたのは1963会計年度で第2年目にしかならない。従って過去数年に亘っての本土との比較ができないので資料の求められる2カ年について、本土比較をしてみよう。第11表は1962、63会計年度の幼稚園教育費の本土比較である。

第11表　幼稚園公教育費生徒1人当り額の本土比較

		1962会計年度(昭36年)	1963(昭37)
生徒一人当り公教育費	沖　縄	$ 19.62	19.44
	本　土	$ 44.61	52.65
差	額	$ 24.99	33.21
比	率	% 44.0	36.9

　この表にみるとおり、幼稚園教育費1人当り額は本土の半分以下の額しかなく、過去2カ年を通してみた場合その比率は低下の傾向にある。すなわち沖縄では1963年度は前年度より若干減額しているに反し、本土では18%も上昇している。従って比率も44%から37%に落ちている。63会計年度までは政府からの財政補助が皆無であった上に、本土のように交付税の積算基礎としての幼稚園教育需要が繰り込まれていないため、このような格差が生れたものと考えられる。

　幼稚園教育については、それが陶冶性に富む義務教育前の幼児の健全な育成という意味で重要な地位を占めることは申すまでもないし、まだその経費の大半を法に定められた補助を政府から受けている義務教育諸学校と異り、地方教育区の自主的管理運営を中核とするこの分野の教育の振興こそ、地方教育区としては大いに力を注がねばならないところであろう。これが上表のような現実となっているのは、財政上の外にもいろいろな原因があろうが、大いに考慮すべき問題であろう。

．教育行政費の推移

　教育行政のために要する経費は学校教育、社会教育の推進のためのじゅん滑油的性格のもので、これが充実如何は直接教育の向上にかかわる重要なものであることは異論はない。従って教育行政水準の高低は一応支出された教

育行政費によって測定することができる。

ただ，教育行政費の本土比較を行なう場合，その数字上の検討に先立つて考慮に入れなければならないことは沖縄の教育行政組織が本土とかなり相異していることである。

学校教育については，その組織や運営の方法等については全く本土と同様であると見てよいので，これに要する経費の大小で直接学校教育における教育条件の良否を比較することができるが，教育行政については，その根拠である法規や組織が全く異質であり，しかも沖縄の特殊性から中央（琉球政府）における教育行政の中には本土でいえば国家業務に相当するものもかなり含まれているので本土の都道府県とその内容がかなり異つてくる。

これらの事を念頭において，本土との教育行政費の推移を比較してみよう。第12表は公費による教育行政費の人口1人当り額とこれを中央（都道府県，琉球政府）と地方（市町村，地方教育区）に分類した額について過去9カ年の推移を示したものであり，第8図はそのグラフである。

第12表 教育行政費の人口1人当り額の推移（公費）

			1955会計年度(昭29年)	1956(昭30)	1957(昭31)	1958(昭32)	1959(昭33)	1960(昭34)	1961(昭35)	1962(昭36)	1963(昭37)
沖縄	計		¢ 45.2	38.0	48.0	50.4	48.6	60.8	74.3	79.1	92.0
	中央		32.9	22.8	24.6	24.9	19.4	26.5	26.2	29.2	33.5
	地方		12.3	15.2	23.4	25.5	29.2	24.3	48.1	49.7	58.5
本土	計		¢ 42.8	42.2	42.5	45.6	47.8	51.4	60.6	73.9	90.3
	中央		16.4	16.9	17.2	17.8	19.5	19.2	23.9	28.1	35.3
	地方		26.4	25.3	25.0	27.8	28.3	32.2	63.7	45.8	55.0
本土を100としたときの沖縄の指数			106	90	113	111	102	118	123	107	102

（注）1. 中央とは沖縄では文教局直接支出，本土では都道府県支出をさし，地方とは沖縄では教育区，連合区の教育行政費，本土では市町村支出の教育行政費をさす。
2. 各年度の人口は教育財政調査の数字による。

第8図 教育行政費の人口1人当り額の推移
（本土比較）

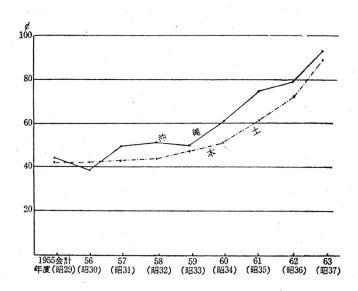

　この表及び図よりみると，教育行政費については1956会計年度を除き，いずれの年度も本土より高いことがわかる。これによつて直ちに沖縄の教育行政水準は本土より高いという結論はだせないが，一応諸種の条件を堪案しても学校教育費に較べれば本土水準に近いことはたしかであろう。しかしながら，教育行政については，その業務の内容の分析，それに要する定員の比較，職員の給与，維持費等の比較と細かく分析しなければその水準の比較は不可能であり，また，これは事実上，不可能なことである。従つてここではあくまでも調査に現われた数字のみで大よその結論をだすに止めておこう。

　なお，教育行政費を中央，地方に分けた場合，最新年次では沖縄で36：64本土で39：61となつており，大体似かよつた比率となつている。

5. 社会教育費の推移

　社会教育費についても教育行政費と同様にその推移を本土と比較してみよう。第13表，第9図は社会教育費の人口1人当り額の推移を示したものである。

第13表 社会教育費の人口1人当り額の推移（公費）

		1955会計年度(昭29年)	1956(昭30)	1957(昭31)	1958(昭32)	1959(昭33)	1960(昭34)	1961(昭35)	1962(昭36)	1963(昭37)
沖縄	計	4.9	8.6	18.3	12.3	11.1	11.6	17.5	18.8	27.2
	中央	4.5	4.5	11.2	2.9	3.9	4.3	8.8	11.8	19.9
	地方	0.4	4.1	7.1	9.4	.2	7.3	8.7	7.0	7.3
本土	計	25.6	23.6	24.7	30.0	32.5	36.4	40.8	51.7	65.3
	中央	4.4	4.2	4.7	5.6	6.9	8.9	10.3	11.1	14.5
	地方	21.2	19.4	20.0	24.4	25.6	27.5	30.5	40.6	50.8
本土を100としたときの沖縄の指数		19	36	74	41	34	42	43	36	42

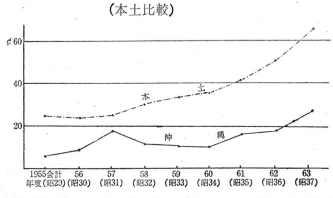

第9図 社会教育費の人口1人当り額の推移
（本土比較）

　この表及び図の示すとおり，社会教育費は本土の半分以下のレベルしか保持していないことがわかる。社会教育については教育行政のように組織の相異というものはさ程考慮に入れる必要は考えられないので，実質的にも，この数字の示す格差を認めざるを得ない。内容面を検討すると中央経費は近年においては沖縄の方が本土より高くなっているが，これは戦争で皆無になつた社会教育施設の建設等の経費の支出に負う所が大きいためである。

　一方地方の社会教育費は，沖縄においてはここ数年来人口1人当り7～8￠台で，殆んど何らの進歩をみせていない。地方の社会教育費の財源別比率

を最近3カ年について調査したのが第14表であるが，この表にみるとおり，地方における社会教育費の支出の割合いは政府5，地方教育区5の割合となつているが，ひも付き補助である政府補助の伸び悩みと，教育区支出の主

第14表　地方における社会教育費の財源別内訳（沖縄）

	1961会計年度		1962会計年度		1963会計年度	
	実額	構成比	実額	構成比	実額	構成比
	千弗	％	千弗	％	千弗	％
計	76.4	100	63.4	100	64.7	100
政府支出	38.1	50	33.6	53	35.5	55
教育区支出	38.3	50	29.8	47	29.2	45

財源である教育税の伸びに応ずるだけの財源を社会教育のために確保できない地方教育財政の貧困（これは多分に学校教育費需要の伸びのしわ寄せと考えられる）等に起因して，このような結果となつたものと考えられる。

一方本土の場合は地方（市町村）における社会教育費の人口1人当り額は最近年次においては実に沖縄の7倍近くの額となつており，過去の推移をみても，その額が国民所得の伸びに応じて伸長していることが，はつきり示されている。これは本土における社会教育に対する意識の高さを示すとともに，一方では，財源不如意の市町村に対しては国からの交付税としてその積算内容に含められ，ある程度の基準的需要が完全に支出できるように制度化されていることにも大きな原因があろう。

すなわち，社会教育においても地方への交付税の中に需要分が積算されていない沖縄との財政的相異が歴然と現われている。従つて地方における社会教育の振興のためにも本土同様に交付税よりその需要が支出されるよう，財政上の措置の必要性が痛感されるところである。

6. 地方における教育費の財源について

これまでは，地方教育費の推移について教育の各分野に亘つて本土と比較をしながら解説をすすめてきたが，これらの教育費の財源はどうなっているかを年次別にみよう。

第15表は地方の公教育費を政府支出金，教育区支出金に大別し，更に教育区支出金を教育税とその他に細分した実額とその構成比を年次別に示したものである。ここにいう地方教育費とは，中学校以下の学校における学校教育費，地方（連合区，教育区）の社会教育費，教育行政費をいう。

第15表　地方の公教育費の財源別・実額及び構成費の推移

a　実　額

（単位千弗）

		1955会計年度	1956	1957	1958	1959	1960	1961	1962	1963
合　計		4,046	4,044	4,116	5,575	5,251	6,547	7,443	9,525	11,434
政府支出金		3,700	3,657	3,700	4,949	4,618	5,617	6,249	8,204	9,888
教育区支出金	教育税	267	299	384	545	599	837	1,036	1,150	1,363
	その他	79	88	32	81	34	93	158	171	183

b　構成比

（％）

		1955会計年度	1956	1957	1958	1959	1960	1961	1962	1963
合　計		100.0	100.0	100.0	100.0	100.0	100.0	100.0	100.0	100.0
政府支出金		91.4	90.4	89.9	88.8	87.9	85.8	84.0	86.1	86.5
教育区支出金	教育税	6.6	7.4	9.3	9.8	11.4	12.8	13.9	12.1	11.9
	その他	2.0	2.2	0.8	1.4	0.7	1.4	2.1	1.8	1.6

この表よりみると，地方の公教育費は過去9年間に2倍以上の伸長を示している。政府支出金も同様に2倍以上の伸びをみせているが，特に教育区支出金の中の教育税による支出が近年著しく増加していることが注目される。これは後で述べるように地方における教育財政の危機をもたらした要因ともなつている。

このような教育税の伸びによって55会計年度における財源区分は，政府対教育区の比率91:9から，63会計年度で

は86:14まで変ってきた。これはある面では地方教育の財政的自主性確立の方向への好ましい道程にあるとも考えられるが，一方これによって一部地域によっては住民の担税力の限界とも関連して，教育の機会均等の大きな障害ともなりつつあることも見逃せない事実である。

焦点を更にしぼって，教育税についての現在までの経過や問題点にふれてみよう。

7. 教育税の推移と問題点

地方財政の主たる自己財源である教育税による教育費支出が近年急激に増加したことは前に述べたが，これを収入の面から検討してみよう。

第16表は教育税が創設されて以来1963会計年度に至るまでのその年度分の教育税の賦課額，徴収額，収納率の推移を示したもので第10図はこれをグラフにしたものである。

第16表 教育税の賦課・徴収状況の推移

	1953会計年度	1954	1955	1956	1957	1958	1959	1960	1961	1962	1963
賦課額	千弗 458	387	381	397	435	623	768	863	999	1,183	1,381
徴収額	千弗 347	277	276	272	316	491	572	705	828	982	1,192
収納率	% 75.6	71.6	72.5	68.4	72.7	78.9	74.5	81.7	82.8	83.0	86.3

第10図 教育税の賦課徴収状況の推移

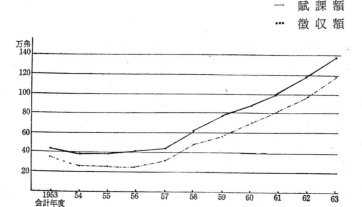

教育税の賦課，徴収額の伸長はたしかに顕著なものがあり，特に1957会計年度以降は高い比率をもつて伸びてきたことがよくわかる。従つて教育税の地方教育に対する貢献の度合は極めて大きいことが充分認知されよう。一方収納率も70％台から60会計年度以降80％以上の高率を示しており，住民の教育に対する理解や教育税そのものに対する認識の程度も近年極めて高くなつてきていることを物語つている。

　では，教育税課税額が国民経済の伸長の度合を無視して伸びているかどうかという点について検討してみよう。ご承知のように教育税には課税標準も税率も規定されていないので，市町村税の附加税性格のもとに賦課，徴収されているのが実情であるので，例えば全体的に教育税が市町村税に較べて重いという声があるならば，教育税の伸長率は市町村税のそれをはるかに越しているという結論に達する。しかしながら事実はこれに反している。

　第17表は1958会計年度から62会計年度までの市町村税の賦課額，教育税の賦課額（いずれも単年度分のみ）とその比率を示したものであるが，この表よりみると過去5年を通して教育税の賦課額は市町村税のおよそ52〜3％台で殆んど一定である。

　従つて市町村税の賦課額の伸長が住民の負担力の伸長に応じているとするならば，教育税についてもこの事はあてはまることになり，総額においては教育税の負担過重という結論はでない。

第17表　市町村税と教育税の賦課総額の比較

	1958会計年度	1959	1960	1961	1962
市町村税賦課額A	千弗 1,395	1,336	1,654	1,869	2,250
教育税賦課額　B	千弗 623	768	863	999	1,183
BのAに対する比率	％ 44.7	57.5	52.2	53.5	52.6

（注）市町村税額についての資料は地方課発行の市町村財政資料による

　いままでの解説によると教育税は住民の負担力にも応じており，且つ収納率も年々向上の一途にあり，地方教育財政上不可欠な財源として，極めて健

全に伸びていることになり，なんらの問題も介在し得ないように見える。

しかしながら，これは表面上のことであり，更に深く堀り下げてみると，いろいろの矛盾や問題点に相遇する。これを逐一解説していくことは紙数の関係等もあり，また既に前に文教時報号外第9号で精しく説明されているので，ここでは主として住民の負担力と課税額との関連について指摘しておくに止めたい。

教育区の財政力即ち住民の負担力の測定は極めて困難なことであるが，市町村交付税の積算に用いる基準財政収入額は，ある程度その市町村即ち教育区の財政力を表わす数値としてもっとも適当と思われるので，この基準財政収入額を人口で除した人口1人当り基準財政収入額と人口1人当り教育税の賦課額とを各教育区別に比較すれば、住民が負担力に応じて教育税を負担しているかどうかがわかる。これを財政力上位の5教育区，中位の5教育区，下位の5教育区にわけ，それぞれの平均値を1959年，61年，63年の3カ年にわたつて比較てみよう。

第18表　教育区の財政力と教育税賦課額との関係の年次別推移

	1959会計年度			1961会計年度			1963会計年度		
	財政力下位	〃中位	〃上位	財政力下位	〃中位	〃上位	財政力下位	〃中位	〃上位
人口1人当り基準財政収入額平均　A	28.1¢	55.3	195.4	23.5	51.3	309.7	24.7	64.3	363.8
人口1人当り教育税賦課額平均　B	59.9¢	86.4	126.5	79.1	98.6	149.9	109.5	117.1	194.0
$\frac{B}{A}$	2.13	1.56	0.64	3.37	1.92	0.48	4.43	1.82	0.53

この表及び図よりみると財政力の低い教育区は，財政力の高い教育区の数倍の教育税の賦課を受けていることが歴然と現われている。しかも，この傾向は59年より61年，61年より63年と年と共に強まつてきていることも知られる。なお，第19表に示すように各年度の基準財政収入額の計は教育税賦課額の計にほぼ等しいことから，住民の負担力に平衡して教育税が課税され

第11図 教育区の財政力と教育税賦課額との関係

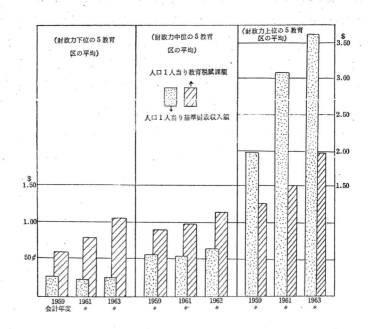

たとするならば，その額は第18表の人口1人当り基準財政収入額平均（A）になり，従って1963会計年度においては，財政力下位の教育区では標準の4倍以上の負担をしているに反し，財政力上位の教育区では標準の半分の負担しかしていないことになる。

第19表 市町村基準財政収入総額と教育課税総額との関係

	1959会計年度	1961会計年度	1963会計年度
市町村基準財政収入総額 A	$916,683	1,014,734	1,454,164
教育税賦課総額 B	767,805	999,217	1,381,203
$\dfrac{A}{B}$	1.19	1.02	1.05

では，何故に住民の負担力をある程度無視してまで，このように教育税を賦課しなければならなくなったかについて考えてみよう。結論的に云えば解答は極めて明白である。即ち，それだけ教育費の需要が大きいことを示しているのである。

　このことを一層鮮明にするため，次のような資料を提供したい。

　いま，昭和37年度における本土の市町村交付税の積算基礎となる基準財政需要の教育費分から学校建築費を除いた各教育分野別の単位費用を求め，これに1962学年度の各教育区の学校数，学級数，児童生徒数，人口を乗じて加え合せた額（これを基準教育財政需要と呼ぼう）をその教育区の人口で除した人口1人当り基準教育財政需要額と前掲の人口1人当り教育税賦課額とを比較する表を作ってみた，ここでA～Eは財政力下位の教育区，J～Nは中位，V～Zは上位の教育区を示している。

第20表　教育税の賦課額と教育費の需要との関係

財政力下位の教育区				財政力中位の教育区				財政力上位の教育区			
教育区	人口1人当り教育税賦課額 ㋑	人口1人当り基準教育財政需要 ㋺	㋑／㋺	教育区	人口1人当り教育税賦課額 ㋑	人口1人当り基準教育財政需要 ㋺	㋑／㋺	教育区	人口1人当り教育税賦課額 ㋑	人口1人当り基準教育財政需要 ㋺	㋑／㋺
A	$1.12	$5.37	0.21	J	$1.25	$4.92	0.25	V	1.85	2.49	0.74
B	1.35	3.23	0.42	K	1.12	2.98	0.38	W	2.44	2.50	0.98
C	1.03	5.57	0.18	L	1.20	2.65	0.45	X	2.33	2.34	1.00
D	1.27	2.26	0.56	M	1.38	2.45	0.56	Y	1.15	2.04	0.52
E	0.71	2.36	0.30	N	0.91	2.09	0.44	Z	1.93	1.94	1.00
平均	1.10	3.76	0.29	平均	1.17	3.02	0.39	平均	1.94	2.26	0.86

　この表よりみるとおり，財政力が下位の教育区ほど人口1人当り基準教育財政需要は高くなっていることが，はっきり示されている。これは財政力がその地理的条件に大きく左右され，従ってへき地や人口が小規模の教育区に財

政力下位のところが多く，これらの教育区においては小規模学校が多く，1人当り教育費は当然嵩まつてくるからである。従つて下位の教育区においては教育税を住民の負担力以上に賦課徴収したにしても，なおかつ需要の30％に達せず，一方財政力上位の教育区においては，比較的ゆとりのある賦課で基準の86％にも達するというのが現状となつている。しかも，このような財政力の豊かな教育区は6～7教育区しかなく，それ以外の教育区においては住民の負担力以上の教育税を賦課せねば，現実において教育委員会の運営が困難となつている。しかも，年々教育の進展や学校における教育課程の内容の改善等により教育費需要は増加する一方であり，教育費需要と住民の教育税負担力とは極度に不均衡をみせつつあり，これが根本的改革を早急に講じなければ教育委員会そのものの存亡にもかかわつてくるような事態に立至つているのが，いつわりのない現状である。

政府としては，教育委員会法に記されている義務経費として教職員の給与や校舎の建築費の全額補助を始め，20数種の補助金を教育区に対して支出している。特に全額補助である給与，建築費以下の補助金については、その使途の条件において，できる限り財政的平衡交付の方式をとり，教育の機会均等の確保につとめている。

これらの実状について数字的に示してみよう。本土の昭和37年度の地方交付税積算の基礎となつている基準教育需要で国庫支出や自己財源より支出する経費を含めた教育需要額を人口で除したものを人口1人当り標準教育費と呼び，これに対して1963会計年度において上記の15の教育区が，どれだけの教育費（但し教職員の給与及び建築費の政府支出分を除く）を実際に支出したかを財源別に示したのが第21表及び第11図である。

第21表　人口1人当り標準教育費と実支出教育費との関係

区　分	教育区	人口1人当り標準教育費 ㋑	人口1人当り実支出教育費 ㋺	㋺の財源別内訳		㋺ ㋑	㋩ ㋺
				政府支出 ㋩	教育区支出 ㋥		
財政力下位の教育区	A	$5.76	$4.04	$2.80	$1.24	0.70	0.69
	B	3.58	3.26	1.69	1.57	0.91	0.52
	C	6.04	6.51	4.74	1.77	1.08	0.73
	D	2.56	1.92	0.93	0.99	0.74	0.48
	E	2.68	1.72	1.41	0.31	0.64	0.82
	平均	**4.12**	**3.49**	**2.31**	**1.18**	**0.84**	**0.66**
財政力中位の教育区	J	5.88	5.67	4.42	1.25	0.96	0.78
	K	3.34	2.61	1.76	0.85	0.78	0.67
	L	2.99	2.58	1.09	1.49	0.86	0.42
	M	2.69	2.50	1.40	1.10	0.93	0.56
	N	2.53	2.10	0.59	1.51	0.83	0.28
	平均	**3.49**	**3.00**	**1.85**	**1.24**	**0.89**	**0.60**
財政力上位の教育区	V	2.81	2.48	0.65	1.83	0.88	0.26
	W	2.97	3.61	1.39	2.22	1.22	0.39
	X	2.53	4.43	1.26	3.17	1.75	0.28
	Y	2.34	2.46	0.81	1.65	1.05	0.33
	Z	2.23	2.83	0.72	2.11	1.27	0.25
	平均	**2.58**	**3.16**	**0.97**	**2.19**	**1.22**	**0.31**

　この表及び図をみてわかるとおり，標準教育費については前の基準教育財政需要額の場合と同じく，財政力下位の教育費ほどその額が大きいのは同じ理由で当然のことであるが，これに対する実支出額は下位の85％台，中位

の90％台，上位の120％台と上位になるほどよくなっている。

これは前に述べたように財政力下位の教育区では負担力以上の財政的苦慮を払つても必要額に遙かに及ばないことを示している。

一方，実支出額の財源別区分をみると，第20表の最右欄 $\frac{(A)}{(B)}$ の示すように，財政力下位の教育区ではその約 $\frac{3}{5}$ が政府支出の補助金に依存しているに対し，上位の教育区の政府依存度は $\frac{1}{5}$ 弱となつている。

このように政府としても補助金交付に当つては、教育委員会法の趣旨に従つて、地域の経済的条件等を考慮して，適当な補正係数を定めて支出しており、教育の機会均等に努力を払つている訳であるが，補助金の性格上すべてに全く財政力に応ずる補正のみを行うことが困難である上、また，適当でない事もいろいろと生じてくるので、補助金のみによつて完全な財政上の機会均等を確保するということは事実上不可能に近い。

第12図　標準教育費と実支出教育費（人口1人当り）との関係

(1963年会計年度)

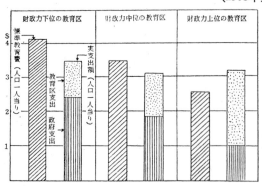

例えば修繕補助金を増額して，これに完全な財政力補正を加えて交付したとすれば，財政力の弱い教育区に対しては多額の補助金が交付されるであろうが，教育区の実情によつては，この補助金は半額にしても他の補助金をその分だけ増額して貰つた方が効率的であるという場合が生じてくるであろう。しかしながら「ひも付き補助」というかなしさはこれを教育区において

より必要な他の経費に廻すことはできない相談であるので，限られた使途の範囲内で処理せざるを得ない。

　従つて教育の財政的効果の面からみても単に補助金を増額しただけでは，それに比例して効率が高まるとは考えられない。また，教育に要する費用は多岐に亘る上，教育区の需要の状況は千差万別であるので，これを限られた種類の補助金のみによつて，機会均等の確保をしようとすること，そのものが無理であるという結論にも達する。

　以上のことを述べてくれば結論はきわめてはつきりしてくる。すなわち，地方の財政力の強弱を均衡化するためにはフリー・ハンドの資金即ち交付税制度にまたねばその解決はできないことになる。交付税制度が教育費にも適用されるようになれば，いままでの平衡交付補助金はすべてこれに一括され，一方その一部は純粋の奨励補助としてこれを活かし，教育向上への意欲を盛り上げる活生剤として，行政的にこれを運用することができ教育の効率は数段と高まつていくことは必至である。

B 公立小・中学校の生徒1人当り教育費の本土比較

(1963会計年度―昭和37年度)

Aにおいては,主として地方教育費について過去から現在に至るまでの推移を分野別に捉え,解説を行なってきたが,ここでは学校教育費のうち小・中学校について,その現状を精しく分析していくため,1963会計年度(昭和37年度)の教育財政調査結果に基づき主として生徒1人当り教育費をその支出項目別に検討し,必要な解説を加えていきたい。ここでいう教育費はAと同じ範ちゅうに属するものをとった。即ち公費のなかから地方債,公費に組み入れられた寄付金を除いて取扱うことにしてある。

1. 小学校

小学校における,生徒1人当り公教育費の支出項目別内訳の本土比較をみると第22表のとおりである。

第22表　生徒1人当り公教育費本土比較　―小学校

支出項目	沖縄A	本土B	差額B-A	比率$\frac{A}{B}$	備考
公教育費総額	$ 38.57	$ 79.33	$ 40.76	0.49	
1. 消費的支出	33.52	65.98	32.46	0.51	
(1) 本務教員の給料	23.40	32.26	8.86	0.73	
(2) 〃 手当	4.96	14.32	9.36	0.35	
(3) その他の教授費	2.57	2.86	0.29	0.90	
(4) 維持費	0.86	4.56	3.70	0.19	
(5) 修繕費	0.59	1.16	0.57	0.51	
(6) 補助活動費	0.52	3.19	2.67	0.16	
(7) 所定支払金	0.62	7.63	7.01	0.08	
2. 資本的支出	4.99	11.54	6.55	0.43	
(1) 土地費	0.08	0.91	0.83	0.09	
(2) 建築費	3.64	8.28	4.64	0.44	
(3) 設備備品費	1.19	2.21	1.02	0.54	
(4) 図書購入費	0.08	0.14	0.06	0.57	
3. 債務償還費	0.06	1.81	1.75	0.33	

この表を支出項目別にみると，本土との差の大きいものの順にあげると，①本務教員の手当($9.36) ②本務教員の給料($8.86) ③所定支払金($7.01) ④建築費($4.64) ⑤維持費($3.70)となり，比率で，もつとも大きく開いているのは①所定支払金（本土の8％）②土地費（9％）③補助活動費(16%) ④維持費 (19%) ⑤債務償還費 (33%) の順となつている。所定支払金及び維持費が差額においても，また比率においても開きが大きいのが注目される。第23表は項目が細分化されているため，分析の上では便利であるが，解説の都合上次表のように再分類してみる。

第23表　生徒1人当り公教育費の大分類別本土比較ー小学校

支出項目	沖縄A	本土B	差額B-A	比率$\frac{A}{B}$	格差実額 (A-B)×162.96
公教育費総額	$ 38.57	$ 79.33	$ 40.76	0.49	万弗 664.0
教員の給与	28.36	46.58	18.22	0.61	296.8
建築費	3.64	8.28	4.64	0.44	75.6
その他の教育費	5.89	15.03	9.14	0.39	148.9
所定支払金	0.62	7.63	7.01	0.08	114.2
債務償還費	0.06	1.81	1.75	0.33	28.5

　この表で「教員の給与」とは教員の給料，手当の合算額であり，「その他の教育費」とは，その他の教授費（教授費のうち本務教員の給与を除く分で事務職員の給与，旅費，教科書給・貸与費，消耗品費，修学旅行費，特別教育活動・学校行事費等が含まれる）維持費，修繕費，補助活動費，土地費，設備・備品費，図書購入費の合計額をいう。なお，この表の最右欄の格差実額とは本土，沖縄の差額に沖縄の小学校生徒数(1963会計年度162,896人)をかけたもので，本土並みの生徒1人当り教育費に到達するために増額すべき資金の量を示している。

　各項目別に更にその内容を分析していこう。

(1) 教員の給与

5項目のうちで，もっとも格差が大きいが，その事由として考えられる要素を挙げると，

① 教員1人当り平均給料の差
② 教員1人当り平均手当額の差
③ 教員数（定数）の差となる。

①については第24表に示すとおりである。

第24表 教員1人当り平均給料の比較ー小学校

教員1人当り平均給料（月額）	沖縄	$ 79.72
	本在	87.69

ここに掲げてある教員1人当り平均給料の算定方法は教育財政調査による公費支出にかかる給料総額をその学年度の5月1日現在の本務教員数（沖縄の場合は学年度と会計年度が一致しないため，1952年5月1日現在の本務教員数と1953年5月1日現在の本務教員数とを3:1の比に加重平均した教員数）で割ってこれを12等分（12ヵ月）した額であるので，通常とられているある時点での教員平均給とは多少意味の異ることを予めことわっておきたい。

本務教員1人当りの平均給料の差額は月$7.97で，これを実額にすると$7.97×12月×3,983人≒38万弗となるこれは(1)の格差296万8千弗の12.8％程度であって，格差の生じた大きな事由としてはとり上げられないとみてよい。しかも，教員の給料額の決定は，給与制度の相異はもとより，本人の学歴，資格，経験年数等にも影響してくるので，一概に数字の上だけでこれを格差と断定することは困難である。従って因みに過去5ヵ年間の平均給料月額の推移をみよう。第25表は第24表と同じ方法で算出した過去5年に亘る教員給料の推移で，第13図はこれをグラフ化したものである。

第25表 本務教員平均給料月額の推移

	1959会計年度（昭33）	1960年（昭34）	1961年（昭35）	1962年（昭36）	1963年（昭37）
沖縄	$ 48.76	54.14	57.50	76.85	79.72
本土	$ 54.38	57.96	67.56	77.75	87.69

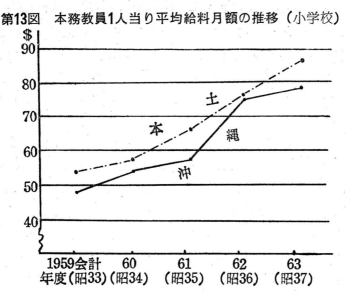

第13図 本務教員1人当り平均給料月額の推移（小学校）

この表及びグラフの示すとおり、平均給料の格差は1962会計年度には1弗未満まで縮まってきたが、1963会計年度は本土の伸びに応ずる伸びがなく（1963会計年度は教員のベースアップは行なわれなかった）従ってまたその差が開いてきた。しかしながら全般的にみれば沖縄の場合給料の上昇率が不規則である以外は一応本土の上昇に足並みを揃えているとみてよかろう。

なお、1962年6月1日現在の公立小学校教員の平均勤務年数を本土と比較すると沖縄の13.9年に対し本土は15.7年となっている。

②については、本務教員の月平均手当額と年間手当総額の給料月額に対する比率を示すと次の第26表のとおりとなる。

第26表 本務教員1人当りの平均手当月額の本土比較―小学校

	月平均手当額	年間手当総額の給料月額に対する比
沖縄	$ 16.91	254.5％
本土	38.94	532.9

この表にみるとおり、手当額の格差は極めて大きく月$22.03となっているこれを年総額にすると

$22.03×12月×3,983人≒105万3千弗

となり、これは給与の格差の約35.5％を占めており、沖縄における手当はその種類も少く、その率も低いことを示している。即ち上表によれば本土では年間に諸種の手当を合せて月の給料額の5倍以上の手当を得ているに対し、沖縄ではその半分以下の2.5倍程度に

すぎない。さきの格差の105万3千弗には給料の違いも含まれることになるが、仮りに本土同様532.9％の手当額を現在の給料額で支出されるとしてもその格差は

(5,329－2,545)×$79.72×3,983人≒88万4千弗となる。

沖縄の手当額はその殆んどが期末手当であると考えることができるが、これについては近年その支給率が著しく改善されてきたとはいえ、本土の5倍以上（給料月額の）には、未だはるかに及ばないところである。この面の改善については、単に教員だけの問題ではないので、早急な改善は望めないにしても、漸次本土の線に近づけるよう努力する必要があろう。

③については、教員1人当り生徒数による比較によってみよう。第27表は1963会計年度（昭和37年度）における本務教員1人当り生徒数の比較を示したものである。

第27表　教員1人当り生徒数の比較―小学校

教員1人当り生徒数	沖縄	40.89人
	本土	32.62

沖縄の場合教員1人につき本土より8.3人も多くの生徒数を受持っており従って教員数においてもかなりの差異があることがわかる。いま、本土並みの教員数とそれに対する差（実数との）を算出すると、

162,869÷人32.62＝4,993人 …… 本土並みの教員数

4,993人－3,983人＝1,010人 …… 本土並みにするための必要教員数

従って本土並みの教員を確保するためには、給料だけで

1,010人×12月×$79.72÷96万6千弗

を必要とし、手当額を合せると

1,010人×12月×($79.72＋$16.91)≒117万1千弗となる。これは給与格差の約39.5％に相当する。このようにみると教員給与における本土の格差要因ははっきりしてくる。

即ちもっとも大きく作用しているのは教員定数だということになる。本土並みにするには、あと25％の教員が必要だという事になる。もっとわかりやすく云えば現在教員数40人の学校にあと10人の教員が配置されてしかるべきだということになる。

ただし、先きにAの第2図でも示したように小学校生徒数は本土においては既にこの時点の2年前から減少の傾

向を示しているに対し，沖縄では今会計年度までピークの生徒数を擁しており，64会計年度以降漸く減少に向うので，教員1人当り生徒数も今後漸次改善されてくることは大いに期待できるのであるが，本土では昭和43年を目標に1学級最高45人まで引下げるよう計画され，既に昭和39年はその第1年次として実施中である。

　従つて教員定数の改善については，長期の視野に立ち，財政の裏付けをもつた確乎たる計画をもつ必要性が痛感される。幸い，政府としても財政総合三カ年計画で「学級編成及び教職員定数を年次的に改正し，70年までには本土の基準線までそれを引上げる」よう打出してあるので，教育条件の改善の上での根本的な問題として，計画だけに終らず，それが実現を期したいものである。

　①②③を総合して，本務教員の給与については，
　　a．教員定数の改善
　　b．諸手当の増額
が改善への根本条件となり，この2つの条件が満たされるならば生徒1人当り教育費は$12.62だけ増し，本土との格差も$28.14と縮まり，達成率も49％より65％まで伸びるという計算がでる

　このうち諸手当の増額は沖縄の一般経済や他の公務員との均合い等もあつて教員のみの問題ではないので，その改善も一挙にはできないが，教員の定数改善は単に教育費の増加という単純な問題ではなく教育の効果に最重要なる影響力をもつものであることを考えると，1年でも早く本土の水準に到達できるようにしたいものである。

(2) 建築費

　1963会計年度の沖縄における小学校の建築費は公費のみで59万3千弗となつているが，生徒1人当り教育費から割り出した本土並みの経費との差額を算出すると第23表にみるように約75万6千弗となる。

　いま，普通教室1教室の単価を仮りに$3,500とすれば，これだけの資金額は216教室分に相当する。このように資本的支出である校舎建築についても現状のままでいくとすると，これだけ毎年格差がついてくることになる。

　文教予算の中には毎年多額の校舎建築費が計上され，漸次教育施設も整備されてきたようにみえるが，出発点（戦後）の格差を考慮に入れないとしても，このような格差は本土との教育条件を益々開かせる結果になることを考えるとき，校舎建築の資金面でも改め

て検討する必要があろう。

(3) その他の教育費

小学校教育費の中から義務経費である教員の給与，建築費と所定支払金，債務償還費を除いたものを一括して「その他の教育費」と呼んだが，この額は第23表に示すとおり沖縄の生徒1人当り$5.89は本土の $15.03の39%にしか相当していない。

これらの経費は教育の一般需要と考えられる部分で，現在沖縄では政府のひも付き補助金と教育税によって賄われているものである。一方本土では，これらの経費の大部分が地方交付税の教育費需要としての積算項目になっており，制度化された財政補償が確立されている。これが両者の差額を大きく拡げる要因になっていることは明らかである。例えば教員の旅費，宿日直手当，用務員の給与等について，1学校当り或いは1教員当り額の比較の上でその差異をみよう。

第28表　「その他の教育費」の項目別本土比較一小学校

項　目	単　位	金　額 沖縄 A	本土 B	A/B
事務職員及び教育補助員の給与	1校当り年	$277.15	$332.59	0.83
旅　費	1教員当り年	13.22	22.53	0.59
教材用消耗品費	1校当り年	111.97	128.61	0.87
宿　日　直　手　当	〃	107.09	379.48	0.28
用　務　員　の　給　与	〃	349.46	943.72	0.37
給　食　職　員　の　給　与	〃	76.86	721.67	0.11
教　材　用　備　品	〃	111.97	128.61	0.87

この表よりみると，先ず事務職員の給与は本土の83%であるので，教員の給与の場合の格差（特に手当額の）から類推すると，1校当りの事務職員の配置状況は本土と沖縄では殆んどその差がないとみてよい。

しかしながら，その他の人件費については用務員の給与が約⅓，給食職員

の給与が約½となつていることから、給与面の格差を考慮に入れたとしても本土の場合は用務員において1校当り沖縄の2倍以上の数が配置されているとみてよい。

　一方、給食職員の数については、学校における完全給食の実施率にも関係するし、事実において、本土の方が実施率においてかなり高いようであるから、そのままの数字での比較は不可能であるが沖縄の方が本土より条件がよいとは考えられない。（用務員の場合から推して）

　このように、沖縄においては学校の維持運営のための職員数の少ないことが、事務職員や教員への仕事の一部肩替りとなつて現われてくることは必至であり、教員定数が少ないという条件も加わつて、それが正常な教育活動への阻害となつていることは否めない事実であろう。

　宿日直手当については、本土の3割以上の支給率となつており、正常な勤務に対する報酬としては、その額が本土に較べて余りにも少なすぎよう。

　教材用消耗品費や備品費は本土の87％を示しており、これが学校運営上不可欠な経費であるだけに、なにはさておいてもこれだけは…という事情の程を物語つている。

　「その他の教育費」の財源は沖縄では全額補助の事務職員の給与（定数分）を除き、若干の項目について、ひも付き補助金が交付されている以外は、すべて設置者である教育区の自己財源、即ち教育税によつて支出されている。

　従つてAの7で示したように教育区によつて、かなりのむらがあることは充分考えられ沖縄の教育条件向上のためにも、教育税の補塡財源の確保が急務とされる所以となろう。

　なお本土との「その他の教育費」の格差は「教職員の給与」に次ぎ実額で150万弗近くにも昇つていることから交付税制度の確立は学校教育の進展に大きな役割りを果すであろうことは充分予想されよう。

(4) 所定支払金

　この項目の内容は①共済組合負担金②恩給・退職・死傷手当③保険料、地代、借料④学校安全共済掛金の4種類に大別できる。そのうち①②は主として教職員の福祉のための経費④は生徒の福祉のための経費となつているが、まず職員の福祉にかかる経費について教員1人当り年額（実際には職員も加

えるべきであるが職員数についての資料が不整備のため止むを得ず教員のみをとつた)の本土比較を第29表でみよう。

第29表 教員1人当り共済組合負担金及び恩給・退職死傷手当の支出額本土比較—小学校

	沖縄	本土	比率
共済組合負担金	—	$49.50	—
恩給・退職・死傷手当	$13.61	171.65	0.08
計	13.61	221.15	0.06

本土では公立学校共済組合が設置されており、それに対して設置者側(雇用主)の負担金として教員1人当り年額$49.50の支出をしている。これは主として教職員の福祉改善のために教職員に還元されており、公的性格を持つたこのような制度が沖縄にまだ設置されていない現状と較べて、教師が安心して自分の職務に精励できる度合を考えてみた場合、それが直接教育の効果にもたらす影響は極めて大きいといわねばならない。恩給費(退職年金・一時金等)退職・死傷手当についても本土の8%の支出経費となつており、特に年金制度の施行されていない沖縄の実態は、先きの共済組合制度の問題とともに、単に教職員の福祉改善という局面として考えず、大きく沖縄における社会保障制度確立への先きがけとしてでも早急に施策を講ずる必要があろう。

学校安全会共済掛金については、1963会計年度(昭37年度)本土が生徒1人当り年額5.3¢を公費で支出しているに対し、沖縄では1.7¢の公費支出となつている。この面でも本土の30%台ということになる。特に学校安全会は沖縄では1960年4月に設置されたばかりで、安全会法の立法も見ていないのであるが、児童生徒の学校における事故の防止とその補償についても、一日も早く本土並みにもつていきたいものである。なお、安全会共済掛金の支出については本土では交付税の積算基礎に組み入れられている。

(5) 債務償還費

生徒1人当り教育費として本土の1人$1.81に対して沖縄で$0.06とかなりの開きがみられるが、これは制度の相異によるものである。即ち本土では校舎建築に要する経費は小学校で国がその½を補助することになつており、残り½を自己財源で充当しているが一度に多量の建築を施行する場合、市町村では他の経常費にしわ寄せができ

るため，起債認可を得てその資金を調達している。従つてこれは主として建築費の再掲的経費とみることができ，その格差を論ずる必要はない。

(6) まとめ

(1)～(5)の各項について本土との教育費の比較を数字の上から説明してきたが，ここに必要施策と金額の面から総括すると次の表及び図のようになる

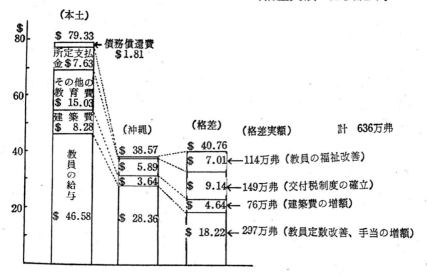

第14図 小学校における学校教育費の本土比較
（格差実額に必要施策）

本土並みにするための必要金額

(1) 教員定数の改善 ｝……297万弗
(2) 教員の手当の増額 ｝
(3) 交付税制度の確立………179万弗
(4) 教員の福祉の改善………114万弗
(5) 建築費の増額…………… 76万弗
　　　計 ………………………636万弗

上記のように小学校において本土水準に到達するためには財源として636万弗を必要とすることになるが，1963会計年度の小学校公教育費総額（地方債，公費に組み入れられた寄付金を除く）が628万弗である事実と対照した場合，その目標が余りにも，かけ離れ

― 41 ―

ていることに驚くが，上記(1)～(5)の中には，直ちに施策を講じて改善していくのが諸般の情勢の上から極めて困難なものもあろうが，理想を高くもち一歩一歩本土の線に近づけていくよう関係者の一層の努力を期待したい。

2. 中 学 校

中学校も小学校同様，まず生徒1人当り公教育費の支出項目別内訳の本土比較を第30表で示してみよう。

第30表　生徒1人当り公教育費の対本土比較一中学校

支 出 項 目	沖縄A	本土B	差額B-A	比率$\frac{A}{B}$	備　考
公 教 育 費 総 額	$ 60.45	$ 83.29	$ 22.84	0.73	
1. 消 費 的 支 出	42.06	62.90	20.84	0.67	
(1)本務教員の給料	29.91	32.77	2.86	0.91	
(2) 〃 　手　当	6.39	14.64	8.25	0.44	
(3)その他の教授費	2.88	3.83	0.95	0.75	
(4)維　　持　　費	0.95	3.71	2.76	0.26	
(5)修　　繕　　費	0.71	1.07	0.36	0.66	
(6)補 助 活 動 費	0.53	1.32	0.79	0.40	
(7)所 定 支 払 金	0.69	5.56	4.87	0.12	
2. 資 本 的 支 出	18.22	18.31	0.09	1.00	
(1)土　　地　　費	0.41	1.43	1.02	0.29	
(2)建　　築　　費	13.32	13.44	0.12	0.99	
(3)設 備、備 品 費	4.40	3.28	1.12	1.34	
(4)図 書 購 入 費	0.09	0.16	0.07	0.56	
3. 債 務 償 還 費	0.17	2.08	1.91	0.08	

支出項目別に，本土との生徒1人当り教育費の差の大きいものの順にあげると，①本務教員の手当（$8.25）②所定支払金（$4.87）③本務教員の給

料（$2.86）④維持費（$2.76）⑤債務償還費（$1.91）となり，比率で，格差の大きいものの順からは①債務償還費（本土の8％）②所定支払金（12％）③維持費（26％）④土地費（29％）⑤補助活動費（40％）となつている。

所定支払金，維持費，債務償還費が実額においても比率においても開きが大きいのは小学校の場合と同じである。

この表で最も注目されるのは設備・備品費が本土の平均を上廻つていることで，学校教材備品の貧弱な現況に鑑み，これらの充実のために多くの財源が取られたことは喜ばしい現象といわねばならない。

第30表を小学校の場合と同様に再分類すると次のようになる。

第31表　生徒1人当り公教育費の大分類別本土比較ー中学校

支出項目	沖縄A	本土B	差額B-A	比率$\frac{A}{B}$	格差額 (A-B)×74,993 千弗
公教育費総額	$ 60.45	$ 83.29	$ 22.84	0.73	71.3
教員の給与	36.30	47.41	11.11	0.77	83.3
建築費	13.32	13.44	0.12	1.00	0.9
その他の教育費	9.97	14.80	4.83	0.67	36.2
所定支払金	0.69	5.56	4.87	0.12	36.5
債務償還金	0.17	2.08	1.91	0.08	14.3

上の大分類項目毎に検討していこう

(1) 教員の給与

5項目のうちで最も格差の大きいものである。これについても小学校の場合と同様に

　①教員1人当り　　平均給料額
　②　　〃　　　　　平均手当額
　③教員数

の3つの角度から分析してみよう。

①については第32表に示すとおりである。

第32表　教員1人当り平均給料の比較ー中学校

教員1人当り平均給料（月額）	沖縄	$ 76.53
	本土	82.26

本務教員1人当り平均給料の差額は月$5.73で，これを実額にすると，$5.73×12月×2,442人÷16万8千弗で小学校の場合のおよそ半分の額となっている。これは(1)の格差83万3千弗の20.2%に当り，格差の生じた一因であるが，その大きな要因とはなっていない。

中学校における本務教員の過去5カ年における平均給料の推移を小学校同様に示せば第33表及び第15図のようになる。

第33表　本務教員平均給料額の推移

	1959会計年度 (昭34)	1960〃 (昭34)	1961〃 (昭35)	1962〃 (昭36)	1963〃 (昭37)
沖　縄	$ 53.59	58.81	60.13	76.77	76.53
本　土	55.88	59.26	67.43	74.33	82.26

第15図　図本務教員1人当り平均給料月額の推移（中学校）

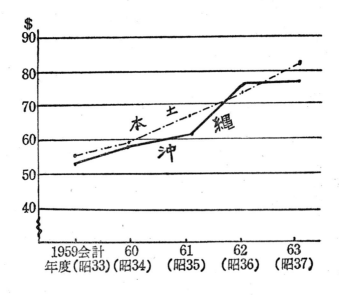

この表及びグラフの示すとおり，前年度（1962会計年度（昭和36年度））においては平均給料は本土より沖縄が高くなっていた。これはこの年度に米国援助による教員給料の大幅なベースアップが行われた結果による。しかしながら，63会計年度は本土が一様な伸長を示しているに反し，沖縄では逆に前年度よりわずかに低くなっているが，これは63学年度（63会計年度期間中の3カ月）生徒の増により教員が約13％も大幅に増加し，これが殆んど新卒の採用によったため全体として平均給の下降をみたものと思われる。なお，この会計年度においてはベースアップはなかった。

　このように給料の格差というものは小学校同様に本土と大きな開きが考えられないことは結論としていえることと思う。

　中学校教員の平均給料を小学校のそれと比較してみると沖縄では61年度までは中学校の方が高かったが，62年度以降は逆に小学校の方が高くなってきた。これは義務教育人口の内部の変動によるもので，第2図に示すように61年度以降，中学校の生徒数が急増し，小学校はこの年度を境に増加が停止したためで教員の新規需要が中学校側に移ったことによる。この傾向は本土でもみられ，昭和34年までは中学校側が高かったが35年度以降は，小学校の方が上廻っている。

　1962年6月1日現在の公立中学校教員の平均勤務年数は本土が12.5年に対し，沖縄9.6年となっており，これを小学校教員の平均勤務年数と比較すると，給料の小・中学校の差が一層はっきりしてくるし，沖縄と本土を較べて小・中学校を通じて平均2年半も勤務年数が低いことから実質的給料の格差は殆んどないと見ることが一層確かめられよう。

　②については，月平均手当額と年間手当総額の給料月額に対する比率を示すと次の第34表のとおりである。

第34表　本務教員1人当り平均手当額の本土比較－中学校

	月平均手当額	年間手当総額の給料月額に対する比 %
沖　縄	$ 16.34	256.2
本　土	36.75	536.1

　この表よりみるとおり，その格差は小学校同様極めて大きく，月$20.41となり，これを年総額にすると

$20.41×12月×2,442人≒59万8千弗

となる。

これは給与格差の実に72%を占めている。

給料の格差を除外して年手当額が本土同様給料月額の5.361倍支給されると仮定しても、その必要額は

　(5.361−2.562)×76.53×$2,44人≒52万3千弗となる。

このように手当額の増額は直接生活給としての給与の改善につながるものであるので、年々の改善が希望されるところである。

③については、教員1人当り生徒数の比較をみると第35表のとおりである。

第35表　教員1人当り生徒数の比較―中学校

教員1人当り生徒数	沖縄	30.71人
(1963会計年度(昭37))	本土	30.12

この表からみると、生徒数に対する教員数の配置状況は沖縄と本土では殆んど差異がみられない。

即ち本土並みの教員数確保のためには

　74,993人÷30.12=2,490人

　2,490人−2,442人=48人となり、年間給与増額必要分は

　($76.53+16.34)×12月×48人≒5万3千弗という僅かな額で格差には殆んど影響しないことになる。

しかしながら、これはあくまでも表面に出た数字の上での結論であつて、例えば沖縄においては学級編成の基準は小・中学校とも全く同一のものであり、教員定数基準においては、小学校が学級担任制であり、中学は教科担任制であるためその算定は異なる訳であるが、それにしても小学校の教員1人当り生徒数40.90人に対して30.71人と開きがある。

一方、本土では小・中学校の間にこの数字にさ程大きな開きはない。これは結論から先きに云えば、沖縄の中学校は小規模学校が極めて多く、従っていわゆる不経済な学級編成又は教員配置を余儀なくされているためとみることができる。

第36表は1962年5月1日現在の学校基本調査による沖縄の公立・政府立中学校の学校数・教員数・生徒数などを5学級以下の学校（分校を含む）と6学級以上の学校に分類してみたものである。

第36表　学校規模分類による学校数・教員数・生徒数

（中　学　校）

		学校数	教員数	生徒数	教員1人当り生徒数	1学校当り生徒数
5学級以下の学校	A	75	348	6,222	17.88	83
6学級以上の学校	B	89	2,018	67,674	33.54	760
計	C	164	2,366	73,896	31.23	451
$\dfrac{A}{C} \times 100$ (%)		45.7	14.7	8.4		

　この表でみるとおり，沖縄の中学校の半数近くが5学級以下の学校でありこれらの学校の教員1人当り生徒数は僅か18人たらずであるに対し，残りの学校では平均学校在籍760人で，教員1人当り生徒数も33.5人という不均衡な状態となつており，本土の（昭和37年）1962年5月現在の公立中学校（分校を含む）のうちで，5学級以下の学級編成になつている学校の全学校に占める比率は23.4％で，全国平均としての1学校当り生徒在籍数が588人（沖縄の場合は第36表に示すように451人）であることに較べた場合，沖縄の中学校にいかに小規模学校が多いかがよくわかり，これが教員1人当り生徒数の引き下げに大きく作用していることが明白となる。

　これについて更に分析をすすめてみよう。

　いま，仮りに5学級以下の学校75校のうち45校が6学級以上の15校に（平均3校を1校に）統合されたとすると，5学級以下の学校の全学校に占める比率は22.4％，全琉で1校平均在籍も551名となり，学校規模の状態が本土の昭和37年の実態と似かよつてくる。この場合，教員数を沖縄の基準で算定した場合と，本土と同じ条件にした場合とを比較してみると第37表のとおりとなる。ただし，この計算では5学級以下の学校については本土も沖縄も同一基準と仮定した。

第37表　学校規模を本土と同条件と仮定した場合の教員数比較

	学校数	生徒数	教員数	
			現行基準	本土と同条件
5学級以下の学校	30	2,490	139	139
6学級以上の学級	104	71,406	2,153	2,351
計	134	73,896	2,292	2,490

　これでみると，沖縄の場合は小規模学校の存在のために教員1人当り生徒数が小さくなつていることが明白となる。即ち小規模学校の統合により学校規模を本土並みにしたとすれば，現行基準で算定するならば2,292人の教員ですむことになるに対し，本土ではその条件で2,490人の教員を必要とするという算定になり，ここに沖縄の基準と本土の基準が同一でないことがよくわかる。

　従つて現行のように小規模学校の75校は現在の教員数に止めたと仮定しても，6学級以上の学校では210名の教員数を増さねば実質的な本土水準とはならないという計算がでる。

（計算過程）

　71,406人÷2,351＝30.37……（本土と同条件にした場合6学級以上の学校における教員1人当り生徒数）

　67,674人÷30.37＝2,228……（上の条件における6学級以上の学校の必要教員数）

　2,228人－2,018人＝210……（本土水準における増加教員数）

　これは表面に現われていない格差とみることができる。これらの教員の給与の総額は

　210人×（76.53$＋16.34$）×12月
　　　≒23万4千弗

となり，この金額は教員定数の面から分析した，かくれた格差となる。

　統合により浮く教員数は現行基準で74名とみることができるが，これにより6学級以上の教員の配置基準を改善することができるが，それでも，なおかつ本土の水準に達し得ないという結論がでる訳である。

　このように，中学校では

　(a) 小規模学校の統合による教育財政の効率化と教育内容の向上充実が絶対条件として取り上げられ，これによ

り教員配置の再編成が実質的に可能となり，

(b) 中・大規模学校の教員数増加と相まつて教育効果を一段と高めることが可能となつてくる。

(2) 建 築 費

1963会計年度において中学校のために支出された建築費の総額は98万7千弗で，生徒1人当り教育費からみた本土との格差も殆んどない。これは中学校生徒急増のため，予算が重点的に中学校の方に振り向けられたためによると思われる。そのため，小学校では本土の半分以下であつたことをみてもこのことがわかる。

即ち，財源にゆとりがないため火急の用のために，予算が重点的に使われたということになり，当然の措置ではあるが，校舎建築の基準達成率が本土よりかなり低い現状から考えて，全般にいきわたるよう予算措置が講ぜられたいものである。

(3) その他の教育費

教員給，建築費以外の教育費について本土と比較してみると本土と生徒1人当りの差額は$4.83となつており，本土の約$\frac{3}{4}$の経費となつている。これは小学校に較べて差額においても比率においても本土との格差はあまり大きくないが，小規模学校の多い沖縄においては，その経費は必ずしも生徒数に比例しない。そのことは第38表の項目別本土比較をみればよくわかる。

第38表 「その他の教育費」の項目別本土比較ー中学校

項 目	単 位	金　　額 沖縄A	本土B	$\frac{A}{B}$
事務職員及び教育補助員の給与	1校当り(年)	$ 614.71	$ 698.39	0.88
旅 費	1教員当り 〃	18.15	23.31	0.78
教材用消耗品費	年1校当り 〃	129.62	243.19	0.53
宿 日 直 手 当	〃	91.59	405.28	0.23
用 務 員 の 給 与	〃	226.89	997.99	0.23
給食職員の給与	〃	46.64	98.00	0.48
教 材 用 備 品	〃	1,510.14	1,330.00	1.14

この表にみるとおり，教材用備品を除いて，いずれも本土の1校（又は1教員）平均額より低く，特に宿日直手当や用務員の給与の人件費が少ないのは小学校と同様であり，教育の一般需要を満たしていないことを示しており，ここでも補塡財源の確保による教育税のカバーという問題が教育水準の向上に必須条件であることが十分伺える。

(4) 所定支払金

この項目の内容を小学校同様，教員の福祉向上のための経費とみられる共済組合負担金，恩給，退職・死傷手当に分けて1教員当り公費支出額の本土比較をみれば第39表のとおりとなる。

第39表　教員1人当り共済組合負担金及び恩給，退職死傷手当の支出額本土比較　― 中学校

	沖縄	本土	比率
共済組合負担金	―	$47.27	―
恩給，退職死傷手当	$11.65	103.83	0.11
計	11.65	151.10	0.08

ここにも小学校同様に教員の福祉面の支出に大きな開きが認められ，本土で整備されている公立学校共済組合及び年金制度の早期実現が切望される所以である。

(5) まとめ

(1)～(4) の各項に亘って，中学校における本土との教育費の比較をしてきたが，小学校同様これを施策の面からまとめると次表及び次頁の図のようになる。

(1) 教員定数の改善 23万4千弗（※）
(2) 教員の給与の改善（定数改善の含む）83万3千弗
(3) 交付税制度の確立 36万2千弗
(4) 教職員の福祉改善 36万6千弗
　計 179万5千弗

注）※は表面に表われていない格差これは63会計年度の中学校教育費（公費）453万3千弗の約39％に相当する額となつている。このように中学校においても小学校ほどの開きはないにしてもかなり大きな格差がみられ，しかもこれらは大部分が小・中学校共通な内容となつており，教育の重要施策として，これが改善に積極的努力を続けているものであるが，現状を一層確認し，これが実現に一層の努力を必要とするものである。

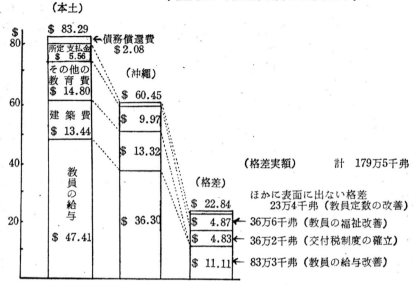

第16図 中学校における学校教育費の本土比較（格差実額と必要施策）

(3) 私費による教育費

1,2では小・中学校の公教育費について本土比較をしてみたが，父兄負担教育費の現状はどうかを検討してみたい。

第40表は1963会計年度（昭和37年度）における生徒1人当りの私費による教育費の大分類別本土比較を示したものである。

第40表 生徒1人当り私費による教育費の大分類別本土比較

a 小 学 校

支出項目	沖縄A	本土B	差額 B-A	比率 A/B	公教育費に対する比率	
					沖縄	本土
公教育費総額	$ 2.14	$ 2.02	$△0.12	1.06	5.5%	2.5%
教員の給与	0.00	0.01	0.01	—	0.0	0.0
建築費	0.02	0.16	0.14	0.02	0.1	1.9
その他の教育費	2.10	1.80	△0.30	1.17	35.7	12.0
所定支払金	0.02	0.05	0.03	0.40	3.2	0.7
債務償還費	—	—	—	—	—	—

b 中学校

支出項目	沖縄A	本土B	差額 B-A	比率 A/B	公教育費に対する比率	
					沖縄	本土
公教育費総額	$ 2.82	$ 2.59	$ △0.23	1.09	4.7%	3.1
教員の給与	0.02	0.03	0.01	0.67	0.1	0.1
建築費	0.17	0.15	△0.02	1.13	1.3	1.1
その他の教育費	2.59	2.35	△0.24	1.10	25.9	15.9
所定支払金	0.04	0.06	0.02	0.67	6.2	1.1
債務償還費	—	—	—	—	—	—

　この表に示すとおり，公費の生徒1人当り額と逆に私費負担は沖縄の方が小・中学校とも高くなつている。特に「その他の教育費」は小学校では公費額の倍以上もあり，中学校でも倍以上もあり，中学校でも倍以上を占めている。これは教育需要の絶対必要性をはつきり裏付けるものであり，背に腹をかえることはできず，止むなく公費の肩替りとして，私費が投ぜられているとみることができる。公費に対する比率は小学校で5.5％，中学校で4.7％という高い数字を示しているし，実額においても小学校は34万9千弗，中学校では21万1千弗という多額の私費負担が行われていることが調査されている。沖縄の場合前会計年度は生徒1人当り私費負担額が小学校$1.64，中学校$2.36であつたのに較べて可成りの私費負担の増加がみられる。

　一方本土では前年度小学校$1.82，中学校$2.52であつたので小学校,中学校とも前年度は本土の方が私費負担が大きかつたのであるが63会計年度は小・中学校とも沖縄の方が本土より高いという結果がでている。政府としても教育への私費負担の軽減ということに関してはいろいろ施策を講じているが，現実はこの状態であり，特に「その他の教育費」に私費負担が大きいのは，何度も繰返すことになるが教育税への補塡的性格として私費負担が行われていることになり，これが解決はあらゆる面から緊急且つ重大であることを益々痛感させられる。

C. 問題点と結び

過去を顧み,現況を分析した教育費の概況は述べてきたとおりであるが,私たちは,ここに問題点を摘出し,これの解決をはかるような努力を傾けなければならない。

しかも,これからひき出される予定の問題は,ひとり文教局のみの努力をもってしては,到底これらの解決をはかることは不可能に近い。そのためには行政府はもとより,立法院,教育関係諸団体をはじめ,ひろく一般社会父兄の理解と協力が必要な事である。その意味である程度の問題解決の糸口までは述べることにしたい。

1. 総人口に対する義務教育人口の重圧

現在の全琉人口は約940,000人と推定されている,これに対する現在の義務教育人口は,237,000人で総人口の約25.2%を占めている。総人口の約4分の1が義務教育人口ということになるが,沖縄内だけでみるこの数字については別にどうといった感じはもたないだろうが,これは実は日本本土のそれと比較して見た場合,何と私たちの義務教育人口の大きさに今さらのように驚かざるを得ないのである。

次にこれを日本と比較してみよう。

	日 本	沖 縄
総 人 口	98,700,000人	940,000人
義務教育人口	16,248,564	237,000
総人口に占める義務教育人口	16.5%	25.2%

日本本土の16.5%に対して沖縄の25.2%は,どうしてこのような結果が生まれたのであろうか。日本本土でも戦後のベビーブームということはよく聞かされたが,沖縄では本土のそれをはるかにしのぐ勢のブームであつた10数年前のこの現象は今日では義務教育費の重圧となつて,政府はもち論地方公共団体の肩に巨大な荷物となつてのしかかつている。これを小学校についてみると,本土の場合児童数は1958学年度をピークにして急速な減少をはじめたが,沖縄の場合は本土より3年遅れた1961学年度にピークを迎えたものの,その後の減少はこれまた至つてゆるやかで本土のような急減を見ていない。

その概況は下図のとおりである。

小学校児童数推移の日米比較（指数）
(1955学年度の在籍数を100とした場合)

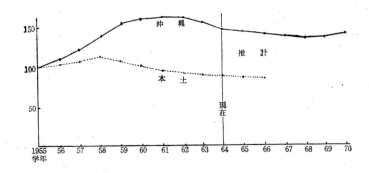

沖縄の小学校児童数1964学年度（現在）で155,101人，これは全国，沖縄を含めた47都道府県で既に30位になってしまった。九州で宮崎，大分，佐賀，四国で徳島，香川，高知の諸県は沖縄よりも小学校の児童数がいずれも少いのである。しかるに大分県など人口約1,300,000人，沖縄が940,000人であることを想えば，少人口の沖縄が如何に大きな小学校児童数をかかえているかが，かわるであろう。

この事は，これら諸県の教育費をもってしては，もはや沖縄で教育の財政水準が本土並みに保ち得ないということであって，さらに戦後これまでの遅れを推算すればなおさらのことであるなお，この問題は，すでに中学校，高等学校，大学と，次々にその教育費を増大させる結果を招きつつある。

2. 生徒1人当り教育費の格差の増大

生徒1人当り教育費は国際的にも，その国の教育財政水準を図る一つの方法として知られているが，次の図表は沖縄のそれが過去10年間，本土の水準に対して，何％を占め，どのような方向を辿っているかをみたものである。この図表は第7表「小学校公教育費生徒1人当り額の推移」よりとったものである。

年度別小学校公教育費生徒一人当り額の日本の平均に対する比率

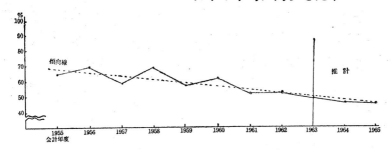

上図でみるように，小学校生徒1人当り教育費は，1955会計年度で約65%であつたのが1965年会計年度の推計では，もはや日本本土の44%の程度にしか保てないような現状となつた。しかもその傾向は年々本土の水準から遠ざかつてゆくような現象を示して来た。これは勿論，本土の児童数が急減したことにも起因しているが、沖縄の児童数が本土のように減少しないことを理由にして，その教育水準が本土から年々遠ざけられるようなことがあつては重大なる問題である。今日の教育の遅れは取りかえしができないという覚悟で，この問題を直視する必要がある。

しかしながら，これは公教育費のあらゆる支出内容が含められているので，もつと詳細に解明する必要があろう。即ち如何なる内容の教育費の問題を解決することによつて，この大問題が根本的に解決するかを考えなければならない。

3. 教育費の日琉格差の問題点

前にのべたようにして，沖縄の生徒1人当りの公教育費は，日本のそれに比較して年々その格差を増大している現況であるが，これは総体的にみた場合であつて，この水準引上げを行う段になると，如何なる点に努力すべきかという問題にすぐぶつかるのである。本論でのべたような格差の内わけは，それを究明せんがためのものであつたその内容は大分すれば次のとおりである。

a. 教職員定数の問題

教員1人当り生徒数日琉比較が示すように，教員の絶対数が生徒数に比較してまず少いのである。従来，教員定数は中央教育委員会

規則によってその補助定数を定めてきているが、およそ政府が給与の全額を負担する教員数を法律事項にするのが建前であって、規則事項にしてきたことにも問題があるのではないだろうか。

　それは日本本土の場合も、生徒数に対する適正なる教員数の確保が、他の教育施策のうちでも最重要事項の一つであるために、法定化されてきたと見るが正しいだろう。またこれに要する教員給与費は義務教育費のうちでも、大半を占める重要最大な経費であることからも伺い知ることが出来る。このように考えてくると、義務教育諸学校の学級編成と教職員定数を立法化するという重要課題に、どうしても取り組まなければならない。

b.　**地方交付税の算定に当って教育費を算入する問題**

　この問題は刻下の文教政策の重要課題として昨今論議の中心問題になっていることがらであるが、この問題に対する詳細なる論証は後日にすることにして、まず、小・中学校生徒1人当り教育費で大きな格差を見せた第二番の原因がここにあることに注目しなければならない。即ち〃その他の教育費〃という本論の名称で大きな差を生じている。〃その他の教育費〃とは何であろうか。それに含まれる内容は維持費、修繕費、給与以外の教授費等が含まれているが、そのいずれを見ても交付税の積算内容になっていることがらであって、交付税の問題を解決することによって、この問題に関する日琉格差が短縮されることは火を見るより明らかである。

　現在の教育税が現行制度で存続する限りこの問題の解決は甚しく困難であるので、中央教育委員会は、去る12月の会議で教育税を廃止し、教育費を市町村税やその他の収入から支出することができるようにし、更に市町村交付税法を改正することによって、教育区の貧富の差を均らすことができるような立法案を採択した。

　一面、考えれば教育税が教育行政の不偏中立性を維持してきたことは衆人の認めるところであろうが、反面〃その他の教育費〃にこのような格差を生じしめたことも、限度に達した教育税の功罪と

して認めねばならないと思われる。ともあれ、この問題は、最早政府が黙視できないような状態になつてきたし、この問題解決のために各位の御協力を期待して止まない次第である。

C. 教職員福祉制度の問題
　　（所定支払金の格差）

　小学校、中学校ともに教員給与、〃その他の教育費〃について日本のそれと大きな格差をみせているのは、この報告書が示すように〃所定支払金〃である。所定支払金の含む内容は、共済組合負担金、退職年金・一時金・退職死傷手当等がその大きいものであるが現在の沖縄の制度で、これらに該当するのは退職手当と公務災害補償費のみである。最も大きい共済組合負担金と恩給費（年金及び一時金）は、その制度すらできていない現況であつて、この制度創設がまず何よりも急務である。

　もち論、この制度創設のためには政府の財政負担を伴うことは当然であるが、同時に意を払わなければならないことは、公立諸学校教職員の身分を規定した立法が是非必要であるということである。

私的な団体で行う共済的な事業の場合は、その身分を法定化する必要はないでしようが、政府や公共団体が、その職員に対して社会保障を講ずるための財政負担を行う場合、その身分は法によつて規定し保障するのが当然であろう。また教職員の社会保障問題は、いつかは、日本政府の援助等によつて本土なみに実現しなければならないだろうが、その場合の前提条件は、やはり日本本土なみの教職員身分法を立法しておくことであろう。この問題はいろいろ複雑な困難性があるにしても、沖縄の教育前進のために、8千余の教職員一人一人が真剣に考慮すべきことである。要するに日本政府の援助は、将来の復帰にそなえて、同一性のパイプにこそ通ずることを念頭において援助の拡大を主張すべきであると考える。

d. 学校建築の問題

　学校建築／戦後、灰じんの中から再開された沖縄の教育史で、軍民両政府はもとより、市町村、教育区、社会一般父兄に至るまで、この問題について努力を続けた。その功績は特筆されるべきであり

高く評価さるべきである。また、今日もそれに対する努力は琉球政府に全面的に義務づけられ、毎年度苦しい文教局予算の中で最大の努力を払った事項の一つである。

しかしながらそれにもかかわらず、生徒一人当り校舎面積の示す数字は、本土のそれと比較してあまりにも小さいのは一体どうしたことだろう。日琉の学校基本調査の結果による面積比較は次のとおりである。

昭和38年度（1963年度）日琉生徒1人当り校舎面積

	小学校	中学校	高等学校
日　本	4.55㎡	4.03㎡	5.39㎡
四国4県	4.96〃	4.10〃	4.86〃
沖　縄	2.30〃	2.25〃	3.67〃

日本本土の過去の調査を辿ってみると、生徒1人当り面積の増加は、大約次の三つに分けられる。まず、生徒数の減少率が沖縄より大きいこと。戦災が沖縄よりはるかに軽く戦前からの校舎が相当残ったことであるが、それにもまして大きな理由は、本土の校舎建築の生徒1人当り額が年々沖縄より大きいという事実である。即ち沖縄も相当に努力はしてきたが、本土の場合は沖縄以上の大きな努力を払っているということである。

本報告書が示す小学校・中学校の建築費の格差は実額にして、約83万弗となるが、83万弗といえば、現在の教室単価で見積って約210教室分となるのである。これだけの教室数分が年々本土と差がつけられているのである。本土は、最早普通教室建築の時期を過ぎ、特別教室、屋内運動場、管理関係諸室、寄宿舎、プール等の建築時代に入っていのを考えると、全く日暮れて途遠しの感を深くするのである。

4. 国民所得と政府財政及び教育費

本土の教育費と比較された沖縄の教育費は、この報告書が一貫して示すように、絶対額においても、またその内容についてもはるかに本土の水準より劣っているが、われわれはこの問題を解決するにあたつて教育財政のみならず、義務教育公教育費の約85％を賄っている政府財政、なお、政府財政を支えている国民経済の規模との関係もと

らえなければならない。

年次別 国民所得政府予算文教局予算及び地方負担教育費
（単位弗）

項目 \ 会計年度	1958	1959	1960	1961	1962	1963
A 国民所得	144,560,000	154,640,000	175,620,000	209,200,000	212,160,000	251,730,000
B 政府予算	22,616,680	23,189,989	25,834,929	27,348,305	33,352,853	42,633,488
C 文教局予算	6,897,227	7,117,306	8,363,259	9,540,588	12,137,171	14,340,574
D 地方の教育区財政支出実額	773,332	804,597	1,077,144	1,340,409	1,707,175	2,016,573
$\frac{B}{A} \times 100$ (%)	15.6	15.0	14.7	13.1	15.7	16.9
$\frac{C}{B} \times 100$ (%)	30.5	30.7	32.4	34.9	36.4	33.6
$\frac{C+D}{A} \times 100$ (%)	5.3	5.1	5.4	5.2	6.5	6.5

上表で見るように1963会計年度において，政府才出予算は国民所得の約17％を占め，文教局才出予算は政府才出予算の約34％を占め，更に公教育費としての文教局才出予算と地方教育区の財政支出額を合算すると国氏所得の6.5％を占めている。

この表中の国氏所得に占める教育費の比率は，その国が教育に対して示した度を見る有力な数字として国際的にもよく使用されるので，次に日本本土とこれを年次別に比較してみよう。

年次別 国民所得に対する公教育費の比率（％）

日琉 \ 年度	1958年度	1959	1960	1961	1962	1963
日 本 本 土	5.35	5.66	5.19	5.13	5.24	5.67
沖　　縄	5.3	5.1	5.4	5.2	6.5	6.5

このようにして沖縄は所得相応の努力も，日本本土なみにはらっていることがうかがえるのであるが、国民所得そのものの絶対額も1人当り額も日本本土よりはるかに小さいのだから、その努力の結果もまた上述したように小さいのである。このことは，琉球政府予算についても，言えることであつて規模の小さい琉球政府が国家業務と都道府県業務を併せ行つている現在，その財政需要が実は非常に大きいのにかかわらず，収入はこれに追いつけないのが現状であるし，収入としての国民の租税負担もまた過重であることは承知のとおりである。

　このような琉球内部だけでは解決のつかない問題が我が沖縄の教育には山積しているのであつて，日米の援助によってこれらの問題の解決を図ろう声が大きくなってきていることもまた必然の勢であると考える。日米の教育援助を大きくする／これは大へん結構なことで，政治家や行政家がこの要求の実現のために努力するのは当然なことであるし，積極的に援助の拡大をはからなければならない。日米の教育援助の拡大をはかる／現在の教育財政水準の向上をはかるには，解決しなければならない最重要な問題であることは，この報告書から見て明らかになつたと考える。

　しかしながら，ここに重要なことは〃援助〃ということに対する深い考察をしなければならないということである。援助はあくまでも援助であつて，もしもここに援助される主体性の確立がなされない場合は，全くの他力依存であつて，そこには何らの自主性，積極的も生れて来ない。即ちただ援助を求めるのが能ではなく，求めた援助を十分に受入れ，消化できるような体制の確立こそ，今の沖縄教育には重要課題である。

　これはまた，教育の日本復帰体制を意味する。戦後20年の沖縄の教育は，学力調査の結果をはじめ，教育の客観的諸条件を日本本土と比較した場合，そのズレの大きさに驚かざるを得ない。繁栄せんとする社会の青少年教育は正に万人のものである。20年のズレを取り返す／実に困難ではあるが，行政当局はもとより住民の正しい勇気と果てしない希望，英知，実行力をもってこの問題に取り組むべきであろう。

議案第十二号

　教育委員会法の一部を改正する立法案を次のとおり定める。
　　　　1964年12月30日

　　　　　　　　　　　　　中　央　教　育　委　員　会

教育委員会法の一部を改正する立法（案）

　教育委員会法（1958年立法第2号）の一部を次のように改正する。
　第二条第一項中「教育区」を「市町村教育区（以下「教育区」という。）」に改め、同条第二項中「教育区教育委員会」を「市町村教育区教育委員会」に改める。
　第七条を次のように改める。
　（経費の負担）
第七条　中央委員会及びその所掌に係る経費並びに地方委員会（連合区委員会及び区委員会をいう。以下同じ）及びその所掌に係る経費は、それぞれ政府、市町村及び教育区の負担とする。
　第九条を次のように改める。
第九条　削　除
　第十条（見出しを含む）を次のように改める。

　（住民の意義及び権利義務）
第十条　市町村と教育区は、同一の区域とし、市町村の住民は、教育区の住民とする。
2　住民は、この立法の定めるところにより、その属する教育区の財産及び営造物を供用する権利を有し、法令の定めるところによりその負担を分任する義務を負う。
　第十一条第四項を削る。
　第三十二条の見出中「制度」を「制限」に改める。
　第四十五条から第五十一条までを次のように改める。
　（市町村負担教育費の見積）
第四十五条　区委員会は、毎会計年度才入才出予算を作成するに当つて、政府補助金及び教育区の財源をもつて支弁するものを除き、市町村が負

担する教育費（以下「市町村負担教育費」という。）の見積に関する書類を作成し，これを年度開始前三十日までに市町村長に送付しなければならない。

2　前項の市町村負担教育費の見積を提出するときは，区委員会の才入才出予算見積，財産表，市町村負担教育費の説明その他財政状態の説明資料を提出しなければならない。

（市町村負担教育費の見積の減額）

第四十六条　市町村長は，毎会計年度才入才出予算を調製するに当って，区委員会の送付に係る市町村負担教育費の見積を減額しようとするときは，あらかじめ区委員会の意見を求めなければならない。

（同　前）

第四十七条　市町村長は，市町村負担教育費の見積を減額した場合においては，区委員会の送付に係る市町村負担教育費の見積原案を才入才出予算に添付するとともに，市町村の議会が市町村負担教育費の額を修正する場合における必要な財源についても明記しなければならない。

第四十八条　市町村負担教育費に係る既定予算を追加し，更正し，又は暫定予算を作成する場合においては，前三条の例による。

（市町村負担教育費の交付）

第四十九条　市町村の議会において市町村負担教育費の予算を議決したときは，市町村長，市町村負担教育費の予算額に相当する金額を，七月，十月，一月，四月の四回に分けて教育委員会に交付しなければならない。

（教育区債）

第五十条　教育区は，市町村の議会の承認を経て，教育区債を起すことができる。

2　教育区が，教育区債を起し，又は起債の方法，利息定率及び償還の方法を変更しようとするときは，中央委員会の許可を受けなければならない。

3　教育区債は，次の各号に掲げる事業の財源としてのみこれを起債することができる。

　一　教育区の行なう建築に要する経費の財源とする場合

　二　学校設備に要する経費の財源とする場合

　三　校地を買収するために要する経費の財源とする場合

（一時借入金）

第五十一条　区委員会は，予算内の支出をするため，市町村の議会の承認

を経て，一時の借入をすることができる。

2　前項に規定する借入金は，その会計年度内の収入をもつて償還しなければならない。

第二編第二章第四節第四款の款名を次のように改める。

第四款　予算，出納及び決算

第五十五条から第五十九条までを次のように改める。

（予算及び会計年度）

第五十五条　区委員会は，毎会計年度開始前に，市町村負担教育費及び政府の教育補助金を含む教育区の予算を調製し，市町村議会の承認を経なければならない。

2　区委員会は，毎会計年度の予算を決定したときは，三十日以内に予算書を文教局長に提出するものとする。追加，更正，暫定予算についても同様とする。

3　教育区の会計年度は，政府の会計年度による。

（予算の追加又は更正，暫定予算）

第五十六条　区委員会は，既定予算の追加又は更正をすることができる。

2　区委員会は，必要に応じて，一会計年度中の一定期間内にかかる暫定予算を編成することができる。

3　前項の暫定予算は，当該年度の予算が成立したときは，その効力を失うものとし，その暫定予算に基づく支出又は債務の負担があるときは，その支出又は債務の負担は，これを当該会計年度の予算に基づく支出又は債務の負担とみなす。

（継続費）

第五十七条　教育区の経費をもつて支払する事件で，数年を期してその経費を支出すべきものは，市町村の議会の承認を経て，その年期間各年度の支出額を定め，経続費とすることができる。

（予備費）

第五十八条　区委員会は，予算外の支出又は予算超過の支出にあてるため予備費を設けなければならない。

2　特別会計には，予備費を設けないことができる。

（特別会計）

第五十九条　区委員会は，市町村の議会にはかつて特別会計を設けることができる。

第六十条から第六十二条までを削り第六十三条を第六十条とし，第六十四条を第六十一条とし，第六十五条を第六十二条とし，同条第二項及び第三項を次のように改める。

2　区委員会は，出納閉鎖後六月以内に決算を市町村長及び文教局長に報

告するとともに、これを告示しなければならない。

第二編第二章第四節第五款の款名を次のように改める。

第五款　補　則

第六十三条から第六十五条の四までを次のように加える。

（市町村交付税法の運用）

第六十三条　行政主席は、市町村交付税法（1957年立法第38号。以下「交付税法」という。）の運用に当つて、地方教育区の教育費に係る測定単位及び単位費用を設定し又は変更しようとするときは、中央委員会に対し、資料及び意見を求めるものとする。

（市町村負担教育費の予算）

第六十四条　市町村長は、市町村交付税を含む市町村の収入を財源として、当該区委員会の見積に基づく市町村負担教育費を、才入才出予算に計上しなければならない。

（市町村議会の招集）

第六十五条　区委員会は、この立法の定めるところにより、市町村の議会に附議すべき案件がある場合には、市町村長に対し、議会の招集を要請することができる。

2　前項の要請がある場合は、市町村長は、十日以内に議会を招集し、区委員会の要請に係る案件を、議会に提出しなければならない。

（行政主席及び中央委員会の措置要求）

第六十五条の二　中央委員会は、地方教育委員会の教育に関する事務の管理及び執行が法令の規定に違反していると認めるとき、又は著しく適正を欠ぎ、かつ、教育本来の目的達成を阻害しているものがあると認めるときは、当該地方教育委員会に対し、その是正又は改善のための必要な措置を講ずべきことを求めることができる。

2　行政主席は、この立法及び他の法令の定めるところにより、市町村が行なうべき教育に関する事務に関し、著しく適正を欠ぐものがあると認めるときは、市町村長に対し、その是正又は改善のための必要な措置を講ずべきことを求めることができる。

（予算執行に関する市町村長の調整）

第六十五条の三　市町村負担教育費に関する予算の執行については、市町村自治法（1953年立法第1号）第百七十一条の三の規定を準用する。

（市町村の負担を伴う規則等制定の制限）

第六十五条の四　区委員会は，規則その他の規程の制定又は改正が市町村の負担を伴うことになるものであるときは，あらかじめ市町村の議会に諮ってこれを定めるものとする。

第二編第二章第四節第六款の款名を削る。

第七十一条を次のように改める。

第七十一条　削　　除

第八十四条を次のように改める。

（教育長及び教育次長の任期）

第八十四条　教育長及び教育次長の任期は，それぞれ四年とする。ただし，教育長は，同一地方教育区においては二年を限つて再任することができる。

2　教育次長が同一地方教育区において教育長に選任された場合は，通算して八年まで当該教育区に在任することができる。

第九十九条第一項中「前三十日以内に行なう。」を「の三十日以前に行なつてはならない。」に改める。

第百三十三条を次のように改める。

（事務の委任及び臨時代理）

第百三十三条　教育委員会は，教育委員会規則の定めるところにより，その権限に属する事務の一部を文教局長又は教育長に委任し，又はこれをして臨時に代理させることができる。

2　文教局長又は教育長は，前項の規定により委任された事務の一部を学校その他の教育機関の長に委任し，又はこれをして臨時に代理させることができる。

3　行政主席は，教育のための割当資金の請求の権限を，文教局長に委任することができる。

第百三十六条及び第百三十六条の二を次のように改める。

（政府が全額を負担する経費）

第百三十六条　次に掲げる経費は，全額政府の負担とする。

　一　公立の義務教育諸学校の教育職員（補充教員を含む。以下「教育職員」という。）の給料

　二　前号の教育職員の給料以外の給与で中央委員会規則で定めるもの

　三　義務教育諸学校の校舎建築に要する経費

　四　義務教育諸学校の教科用図書の無償供給に要する経費

　五　中央委員の選挙に要する経費

2　前項の教育職員の定数は，予算の範囲内において中央委員会規則で定める。

3　第一項の教育職員の給与については，一般職の職員の給与に関する立

法（1954年立法第53号）及びこれに基づく人事委員会規則の規定を準用する。

（政府補助金の対象）

第百三十六条の二　政府は，地方教育区に対し，次の各号に掲げる経費について，その全部又は一部を補助することができる。

一　校舎の維持及び修繕に要する経費

二　義務教育諸学校の設備，備品の充実に要する経費

三　連合区委員会の教育長，教育次長及び事務局職員並びに区委員会の社会教育主事の給与

四　その他地方教育区の教育に要する経費

2　前項の補助金の交付に関し，必要な事項は，中央委員会規則で定める

第百三十九条を次のように改める。

第百三十九条　削　　除

附　　則

　この立法は，公布の日から施行し，1965年7月1日から適用する。ただし第八十四条の規定は，1965年4月1日から適用する。

文教時報

93

特集…中・高校卒業者の卒業後の状況

65/2

No. 93

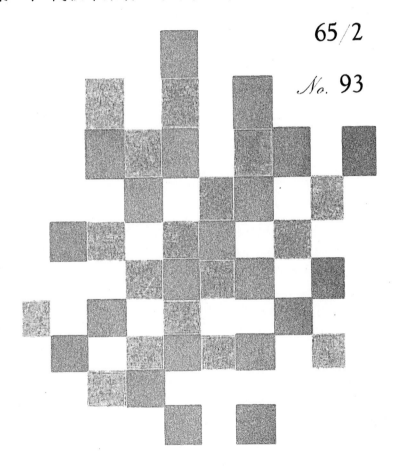

琉球政府・文教局・調査広報課

もくじ

No. 93　特集…中・高校卒業者の卒業後の状況

- ー特別寄稿ー　根性について……………………高瀬　保………1
- 1963学年度　中・高校卒業者の卒業後の状況……調査広報課………3
- 中校卒業者の県外就職先をたずねて………調査団　大田正吉………8
  　　　　　　　　　　　　　　　　　　　　　　泉川寛清
  　　　　　　　　　　　　　　　　　　　　　　玉木春雄
  　　　　　　　　　　　　　　　　　　　　　　仲間　一
- 【対談】沖縄の職業教育振興を願つて………………新里次男………15
  　　　　　　　　　　　　　　　　　　　　　　高瀬　保
- 【資料】1964学年度高校入学志願者と入学者…調査広報課………22
- 精神的〃空白〃に新たな理想……………文部広報　第393号…24
  　期待される人間像
- 【資料】小・中・高校の校舎概況…………調査広報課…………40
- 【研修報告】
  - 東日本学校給食栄養管理講習会…南風原中校　金城光子………49
  - 全国幼稚園研修会………………伊波幼稚園　玉城勝子………52
- わが国の教育水準………………………文部広報　第390号より…54
  - 職場学歴構成調査中間報告……………………………………21
  - 南極観測船船名募集要項…文部広報　第393号より…66

―特 別 寄 稿―

1965年1月16日

"根性"について

高 瀬　保
（スタンホード大学）

　昨年東京オリンピックで日紡女子チームが金メダルを獲得した。そのあと大松監督は、これは"根性"による勝利であると語つた。このスポーツにおける"根性"は、あらゆる人間社会の行動に関係してくる。よく会社の社員採用基準にスポーツをやつた青年を求むと云われる。それは即ち、スポーツをやる人間は、個人競技にせよ、団体競技にせよ、勝敗にかかわらず全力をつくして、立派に戦うという根性を体得しているからである。だから、やとわれた新入社員が、あたえられた仕事に対して、責任をもつてやり抜くことが期待され得るからである。

　今回、沖縄における今後の教育計画調査のため、各現場企業の人たちからどういうタイプの人間を要求されるかと聞いてみたところ、教育に要望するものは、"根性"をもつた人間の養成にあると、どこでも同じような声が出された。特に新卒の高校生を雇つた場合、この問題が痛切に感ぜられると語つておられた。

　現在、沖縄に各種の企業があり、その職種は各様である。建設業あり、運輸業あり、水産業あり、そして商業ありである。このような条件の中で、新卒の学生諸君が、自分がえらんだ職業について、果して熟慮の上、ついたであろうかと云うことである。現場の声は、いくつかの憂慮すべき事例を伝えている。たとえば、建設業においては、土木建築を専攻した工業高校生が、その職場に入つて、その翌日から事務所の中で設計図を引けるが如き、錯覚をもつて入社してくるとのことである。やはり一人前の技術者になるためには、現場で労務者と一緒になつて、暑さ寒さにめげず仕事の実体を体得しないかぎり、不可能なことである。又

最近の新聞で報道されたように水産高校を出た学生が，実際に船に乗りたがらず陸上勤務を希望したり，自分の学んだ水産以外の職業につくことが多い。これは，船にのることのつらさによって容易な方向に走つていくということに外ならない。

　ここに"根性"ということが具体的にあらわれている。自分のえらんだ仕事に対する誇りと，そして喜びを見出せないために，ちよつと仕事がつらかつたり，又は自分の抱いていたネクタイをしめて，白いYシャツをきているサラリーマンとしてのステレオタイプ的イメージと異つた場合，容易に職場をかえて行くということである。どの職場においても，仕事の苦しさは同じである。現場の労務者は，労務者なりに，又管理者は，管理者なりに，一つの職場の下にその苦しみをわけあつているものと思う。現在の沖縄の青少年で，容易な方向をえらび，自からの職業を通して，社会への責任を果していかない者が多いことは，甚だ残念である。人はこれは沖縄のおかれた特殊な条件からくると言うかもしれない。しかしそのような条件の中にあるからこそ，もつと人一倍の努力をし，沖縄の将来をになうべき青年の正しい方向が必要となつてくると思われるのである。

　教育における"根性"の問題を以上のように考慮した場合，結局，そこに使命感ということにつきあたつてくる。教育は，単なる知識の授与ではなく，その地域社会に奉仕しうる人間の養成にあると思う。米国において，〃よい市民になるため〃と云われているのと同じであろう。"よい市民"とは，その社会に対して建設的に参加し，その発展に努力する人間である。そのような意味で，沖縄の社会において，この概念が欠けているように見える。現実にこの沖縄の指導者たちが一つの理想像をかかげ，その下に人々を結集して行く，そしてこの地域社会の発展をはかる，そこに教育の持つ重要な役割がでてくる。

　"根性"をもつた人間とは，どのような場合にせよ，一つの仕事に対して使命感をもつた人間であるに外ならない。今後の沖縄教育に課せられたものは，このような人間形成にあると思われる。

1963学年度中・高校卒業者の卒業後の状況

調査広報課

昨年3月の中学校卒業者は、公立23,164人、政府立142人、私立7人、計23,313人である。一昨年の3月卒業者より490人少ない。また高等学校の方は、政府立6,046人、私立463人、計6,509人で、一昨年の卒業者より1,245人減少している。以下公立政府中学校、政府立高等学校の順で、卒業後の状況について述べることにしたい。

※　　　※

中学校卒業者を進学、就職、その他に大別すると第一表の通りで、それぞれ比率で示すと54.9%、26.0%、19.1%となっている。前年度の進学、就職その他の比率57.9%、29.0%、13.1%に比べると、その他の占める比率の高くなっていることが注目される。

第一表　中学校卒業者

	男	女	%
総　数	11,944	11,369	100.0
進学者	6,245	6,036	52.7
就職者	3,059	3,004	26.0
就職進学者	244	269	2.2
その他	2,396	2,060	19.1

中学校卒業者で高校進学を希望した者は、17,409人で卒業者全員の74.7%にあたる。この進学希望者のうち高校へ進学した者は12,794人で希望者の73.5%である。これを課程別にみると、普通課程5,793人、職業課程7,001人、両者の比は45：55である。また全日、定時別にみると全日11,528人、定時1,266人両者の比は90：10である。この普通対職業、全日対定時の比率は、ここ2,3年来同様の傾向を示し、大きな変化はない。

次に中学校卒業者の就職状況を職業と産業の両面からながめてみたい。はじめに職業別就職状況についてであるが、第二表であきらかなように農林業作業者が23%で最も高率で、続いてサービス業の16.3%、他の職業はいずれも7%以下になつている。各種技能工は集計すると29.1%になる。

この就職傾向は昨年とほとんど変らない。これを男女別にみると男子は農林業作業者として30.9%、技能工生産者30.0%、次いで単純労務者9.9%、販売従事者8.1%の順となっている。

第二表　職業別就職状況

		男	女	%
総 数		3,303	3,273	100.0
事務従事者		11	20	0.5
販売従事者		267	444	10.8
農林業作業者		1,022	490	23.0
漁業作業者		136	11	2.2
採鉱・採石		34	—	0.5
運輸通信業		96	197	4.5
技能工	金属材料製造・加工	245	1	3.7
	電気機械	184	34	3.3
	製糸・紡繊	10	311	4.9
	裁方・縫製	16	313	5.0
	飲食料品	162	177	5.2
	上記以上	374	84	7.0
単純労働者		328	68	6.0
サービス業		183	890	16.3
上記以外		235	233	7.1

また女子は、技能工生産者が27.9%で最も高率で、サービス業従事者26.9%、農林業作業者14.8%、販売従事者13.4%の順となつている。

技能工生産者について男子は金属材料製造並びに加工作業者が最も高率で、電気機械器具組立修理工、食品製造作業者がこれに次いでいる。また女子の場合は、製糸・紡繊作業者が9.4%でトップ、裁断、縫製作業者、食品製造作業者がこれに次いでいる。

次に産業別の中学卒就職状況をながめてみたい。まず第一、第二、第三次産業別にみると、それぞれ1,920人、1,723人、2,933人となつており、29.2%、26.2%、44.6%の比率になつて、就職者の半数近くが第三次産業に就職したことがわかる。

これを男女別にみると、まず男子は、第一次産業に35.8%、第三次産業32.5%、第二次産業31.7%の順であるのに対し、女子は、第三次産業56.8%、第二次産業27.4%、第一次産業は僅かに15.8%である。男子が第一次、第二次、第三次大差ないのに対し、女子は圧倒的に第三次産業就職者が多いのが注目される。

産業別就職状況を地区ごとに就職者に占める比率を高い順に示めすと、農業では宮古の47.3%、八重山の27.8%、南部23.1%が高率である。

製造業では、那覇の48.2%が最高の率で、次いで中部26.6%、北部21.0%となつている。またサービス業は北部25.7%、中部21.3%、南部20.0%となつている。

第三表　産業別就職状況

		男	女	%
総	数	3,303	3,273	100.0
農	業	1,018	504	23.1
建 設	業	206	14	3.3
製造業	食　品	150	158	4.7
	金属製品	133	2	2.1
	電気製品	132	34	2.5
	繊維製品	9	236	3.7
	衣　服	16	381	6.0
	その他	400	72	7.2
卸	売	102	99	3.1
小	売	177	378	8.4
運	輸	88	192	4.3
サービス業		252	709	14.6
そ の	他	620	494	16.9

本年度は前年度にひき続いて，琉球外就職者について調査をした。琉球外就職者といつても本土就職者と読みかえても誤まりないと思う。

1964年3月中校卒業者のうち琉球外就職者は，男子就職者272人，女子就職者451人，計723人である。そのほぼ¾にあたる527人が第二次産業に就職している。第三次産業のさらに細部にわたって就職状況をみると，最も多いのは繊維工業で160人，次いで衣服その他の繊維製品製造業135人，金属製品製造業60人となつている。

琉球外就職者の出身地区を地区別にみると最高は那覇の201人，次いで宮古の141人，中部139人，北部92人，南部88人，八重山55人となつている。これをその地区の就職者に対する比率でみると，那覇16.9％，宮古15.1％，八重山12.0％，南部8.8％，中部8.0％，北部7.5％の順となつている。

琉球外就職状況を昨年の結果と比較すると就職総数では209人の増，男女比では昨年の33対67に対して，本年は僅かながら男子の率が高く38対62となつている。

地区ごとに本年度琉球外就職者を昨年度のそれに対比してみると那覇197％，宮古191％，八重山128％，中部114％，南部106％，北部103％といずれの地区も昨年度より増加していることがわかる。とくに那覇と宮古は増加率が昨年の2倍近いことが注目される。

※　　　　※

次に高等学校卒業者について進学，就職別に卒業後の状況を概観してみたい。

まず第四表で明らかなように卒業者6,509人のうち1,298人(20.0％)が進学し，3309人(50.8％)が就職している。

第四表

	全日	定時	計	%
総　数	5,878	631	6,509	100.0
進学者	1,139	36	1,175	18.1
就　職進学者	88	35	123	1.9
就職者	2,801	508	3,309	50.8
その他	1,850	52	1,902	29.2

そのうち政府立高校卒業者について課程別にみると，第五表の通りで，普通課程33.0%，商業課程24.5%，農業課程16.4%，家庭課程12.1%，工業課程8.9%，水産課程5.1%の順となる。

第五表　政府立高校卒業者

課　　　程	卒業者数	%
普　　　通	1,994	33.0
商　　　業	1,483	24.5
農　　　業	994	16.4
家　　　庭	731	12.1
工　　　業	538	8.9
水　　　産	306	5.1

さらに各課程別に卒業者の進学，就職，その他に大別して分類してみると第六表の通りである。

第六表

	進学	就職	その他
普　　通	785	282	927
商　　業	204	1,032	451
農　　業	99	661	234
家　　庭	65	413	253
工　　業	25	432	81
水　　産	32	206	68

（注）就職進学者を含まない。

まず普通課程であるが卒業者のうち進学したのは785人で普通課程卒業者のうち39%，就職したのは282人で14%，その他の47%には進学希望者30%，就職希望者7%が含まれている。

職業コースについて課程別就職者のそれぞれの卒業者に対する比率の高いのを順にみると，工業課程の80%，商業課程69%，水産課程67%，農業課程66%，家庭課程56%となつている。次に就職者の職業別就職状況について課程別にみてみたい。第七表は職種の中で主なるものについて課程別にみたもので，就職者の少ない職種については表から省いた。

この就職状況をさらに産業別にみると第八表に示す通りとなる。この表も就職者の多い産業を主として作成してあるため若干省かれた産業部門がある

第七表　主なる職種の就職状況　　（実　数）

職　種＼課程	普通	農業	工業	商業	水産	家庭
専門的・技術的職業従事者	8	61	328	19	10	23
事務従事者	94	86	14	531	3	80
販売従事者	65	39	6	209	1	120
農林業従事者	9	138	1	8	—	6
漁業従事者	1	—	—	—	46	—
運輸通信従事者	16	25	10	25	56	5
技能工・生産工程作業者	46	164	57	106	82	71
サービス職業従事者	33	69	4	107	4	87

(注) 就職進学者を含む

第八表　産業別就職状況　　（実　数）

	普通	農業	工業	商業	水産	家庭
農業	9	142	1	8	—	7
漁業・水産養殖業	1	—	—	1	51	1
建設業	5	43	110	20	—	2
製造業	73	205	220	175	87	88
卸売・小売	67	32	—	449	—	137
金融保険業	7	—	2	65	—	1
運輸通信業	26	19	9	60	61	15
サービス業	40	69	54	133	4	106
公務	17	32	6	74	1	18

第七表・第八表から推測できることは，普通課程卒業者は事務・販売等の仕事に従事する者が多く，概して第二次・第三次産業に従事している者が最

多である。また職業コースの農・工・商・水・家庭の各課程はやはり専攻の学科と関連した職業，産業部門に従事している者が圧倒的に多いが，反面多種多様の職種に就いていることがうかがえる。

本年は昨年に引続いて琉球外就職者についても調査した。調査の結果から本年は463人になつていて昨年より137人増加している。この人数は政府立高校卒就職者総数の11.3％にあたり，昨年の9.5％より若干伸びている。

これを課程別にみると商業137人が最も多く，次いで工業126人，水産71人，家庭50人，普通40，農業39人の順となつている。また男女比較をしてみると65対35で男子の琉球外就職者が多数を占めている。

中校卒業者の県外就職先をたずねて

石垣中学校　　教頭　　　大　田　正　吉
越来中学校　　進路指導主事　　泉　川　寛　清
佐敷中学校　　　〃　　　玉　木　春　雄
平良中学校　　　〃　　　仲　間　　一

はじめに

本土就職者の視察調査を命ぜられた第3回派遣団の私たちは出発前に次のようなことを話し合いました。

公的出張が意図的に効率的に営まれるようにするにはどうすればよいか，話し合いの結果として

1. 団を結成し団の組織化強化を図ること。
2. 団の名称を統一すること。
3. 視察調査の観点を明確化すること。
4. 行先の地理，事業内容，その他の研究を充分なすこと。
5. その他

このような基本態度を堅持して各職場を訪問いたしました。それは殆ど休養日のないような強行でしたが幸にして団員の皆が健康に恵まれ且つ人の和よろしきを得て無事に初期の目的を果すことができました。なお私たちの公用に際しましては公私御繁忙な折にもかかわりませず大阪雇用連絡所長さん

や東京事務所の主事さんたち関係者多数の心からの歓迎ならびに御指導御助言や細心の御配慮を賜つたこと等に対し感謝しまた敬意を表するものであります。職場をあちこち見てあるき、この報告書を作りながらも中学校における進路指導の重要性を再確認するものであります。中学校に勤める校長始め全職員は子どもらの共通の幸福のためにお互いに進路指導の充実強化に最善を尽したいものだと思います。この報告書はもとより派遣団自体満足するものではないが、本土就職を望む子らのために多少なりとも話合いの資料ともなれば幸と存じます。

1. 目的と視察調査の観点

本土就職者（主として本年中学卒）の職場を視察調査し工場施設（働く者のための施設も含む）や、その管理面就職者の現況（条件適応満足感その他）等をつぶさに見たり、聞かされたりし、それを資料として彼等が将来よりよい社会人として否職業人としての最適な生活を営むことができるように指導激励のための訪問をなし、なお必要に応じては会社に対し改善を要望し、併せて就職若年少者の代弁の労もとることなどを目的とし視察調査の観点を次のようにした。

※ 工場の立地社会衛生面の環境はどうか。
※ 施設や労働条件は安全で且つ健康的かどうか
　労働時間、諸休日、諸給与、福利厚生施設、保険関係等
※ 工場経営と人間関係は円滑にいつているか。
　人事、労務管理面、寮生活（寮父母との関係）
※ 職場職種の長短ならびに将来性について。
※ 働く子らは来てよかつたと満足しているか、不平不満はないだろうか。
※ 改善などを要望すべき点はないか、どこに問題があるだろうか
※ その他

2. 視察事業所

A　丸松紡績　森田紡績　帝産第二　岸和田　南海毛糸紡　中井金糸　西遠紡績　東綿紡績　山陽紡績　南海レイヨン

B　三立電気　三菱電気　日本電気　トヨタ自動車工業

C　桑原商会　和気産業　栄進工業　坪井鉄工所　吉田製作所　三和車両

D　東京撚糸　与玉綿業　東真織物

泰久織物　播州織物共同組合
児島被服　泰光織物　石井産業
スクールタイガー　つちや学生
服　河合商事　三光被服　小郷
産業　石井被服　鳩間メリヤス
背板被服　島屋被服　丸進工業
武鎚織布　日本被服

E　愛知県保健医協会　西熊谷病院
　　毛呂病院　石川病院　小林病院
　　安間眼科医院

F　共和化成工業　芦森工業

G　ロッテＫＫ　西脇市南部給食セ
　　ンター

H　勢能体育用品ＫＫ

I　東洋リネンサプライ

鉄工所で、職場訪問の調査員とひるやすみのひととき

3. 訪問視察所見（その一）

見たり感じたりした道順による

1. 同一中学校出身者の多い事業所では方言使用が多い傾向である

2. 事業所内における学園は働く者にとって大きな魅力であるが、その実状は千差万別である。専任校長の配置。普通教室、特別教室等充実している所。設置は申し訳的で、施設不備不完どころか土、月は休講の所も多い。

3. 都市地区に比較して郊外事業所就労者は貯金額が概して多く、余暇もうまく善用しているようである。

4. 小使銭の使途が無計画結局荒いと評されていた事業所もある。リーダーに欠けているのも一因だが、弗対日円観念の不明確と経済事情に馴れないためとも思われる。

5. 多年経験者のよい寮母に恵まれた事業所では、明るく伸び伸びと活気に溢れた生活をしている。寮母の果す人間的つながりや役割の重大性を見せつけられた反面、寮母の冷たい所では不平不満も多く楽しい生活をしていないように見たが、ともあれ寮母の再

教育も必要ではなかろうか。
　　寮母による働く子の家庭訪問は定着に効果的であることを会社側は認識する必要がある。
6. 各事業所は進んで安全策を講じて欲しいが、中には安全策が手放しの状態に置かれているような工場もあつた。かかる点は私達の指摘する以前の問題でなかろうかと思われる。
7. 若年少者の就労場所としては、労働条件上不適であり、寮施設も不潔であり、入浴場さえもない職場があつた。早急の改善と施設を要求した。
8. 某所では社会的性格的に不適応な者が就職したために周囲から沖縄人はと悪評されている。補導の面よりむしろ送り出し側の学校側に問題があると思料される。雇用主の身にもなつて求人に応ずべきではないでしょうか。送り出しは量よりも質の面にもっと検討を要する問題のようです。
9. 工場経営の内容を知ることは困難だが、工場経営を有利にするため及び働く子らのための配慮も小さいことながらされている工場が多くなりつゝあることは喜ばしいことです。工場長指針や寮生活の指針などの標語，ポスターなどが多く作られ活用されている。
10. 採光，通風，換気不良の工場，事業所もありその都度改善を要望した。

4. 視察調査所見（その二）

1. 求人に際し本人は求人票の条件を充分研究する必要を認める。なお公共職安学校も職種内容等に就て具体的に周知徹底せしむるよう一段の指導強化を望む。求人内容を知らず応じた者が案外多い。不平不満のもととなる。
2. 就労者は概して勤労意欲は旺盛で忍対力に富み実直ではあるが機敏性を欠き時間観念に乏しくなお意志表示の能力に劣る。学校教育の強化を痛感する。
3. 各団体による職場訪問は形式に流れぬようにしてほしい。話し合わずに会社側へのあいさつだけで帰られる位ならむしろ訪問しない方がよいとは彼等の声です。同感です。
4. 働く女性の生理有給休暇を彼女等は知らなさすぎる。現場教育

もしたが渡航前にもその面の教育は必要である。同休暇の要求に対し会社側は余りよい顔をしないらしい。
5. 求人に応じて渡航し僅か働いてこの事業所を足場として他へ転職する者や，緑故関係と称して離職させる者は沖縄関係に多いという問題がある。かかる不心得者を出した原因はどこにあるか究明すべきことである。
6. 渡航に際し支給された支度金を親が取りあげ，本人の旅行中はもち論就労上に支障を来す子のいることを，親も，職安も，学校もしってもらいたい。
7. 大企業で大成するのは財閥であるが，中・高卒も30～40年の長続勤務可能な者は，高給サラリーマンとして生活も保障されよう。中・高卒の大企業における短期雇用はやめた方が賢明である。大企業に就労する心構えは一生をこの仕事で終る覚悟が重要かと思われる。
8. 職場からお便りしても郷里から返信がない。あつても少いようですから各家庭，学校，友人はつとめて多く手紙を出してもらいたいとこぼしていた。
9. 某地区での公共職業安定所は管内各事業所をよく掌握管理し，なお事業所間の横の連繁もよく，市内の各機能を動員し働く女性の保護育成，教養の向上面に立派な施設と施策を以て万全を期し大いに見るべきものがあり。なお定時制高等学校も市立で働く少年らのために他に見ることのできない二交替制の運営をなし，沖縄の子らは特恵に浴している。まさにその地区は教育と産業の新興都市の観を呈している。
10. 個人企業や小中企業は大企業に比し，人事面の結びつきはよく人間関係はうまくいつている。むしろ定着の要はすばらしい。待遇，豪華な寮や有名を誇る会社工場名よりも，むしろ大切なことは会社の配慮する人事管理労務管理その他の人間関係のよさにあるのではなかろうか。
11. 各事業所とも門限をきびしくしていることは大いに結構なことである。特に女性をもつ事業所においてはなおさらのことである。

5. 見ての考察

　紡績業ならびに織布業の工場は現代化され，工場の機械施設衛生面の諸配慮はもち論，法の保護のもとに労務もよく管理され昔日の女工哀史の名残もなく明るい職場である。しかし原綿工程では綿の飛散はまぬかれない状態にある。鉄工業所には沖縄関係者が多い。それは小・中企業であるが，それなりに生産工程は分業的である。最初から鉄工業全般的技術の修得を夢見て来るのが多い。これらも求人職種内容未知のためから来るものである。現代工業の特性としての分業化をよく理解することが大切である。しかしある期間には全工程の技術を身につけ近き将来の中堅技術員ともなれるし又自営も可能である。

　大企業の場合憧れだけでは甚だいけないのである。あの騒音の中に機械的に働ける人間になるので意志の強さと忍耐力が強要されるのである。作業のあまりにも単調性と流れてやまぬ単一作業の特性よりして外向性にはよいかもしれないが，内向性の子には適性でないことだと言えよう。

6. 要望あれこれ

1. 本土就職者の送り出しについて責任者（公共職安，学校）は本人の学力，適性，推せん等は慎重を期されたい。本人が希望だから送り出すというやり方は後日問題を起すもとになる。

2. 本土就職に対する心構えを各自にはつきり堅持させておくこと。物見遊山の気分や都市に憧れたり，見聞を広くするための方便であつたりするような考え方や態度は根本的に是正してやり，真に働く職業人としての態度の確立を中学校教育に要求しなければならない。

男子寮の一室で訪問客とひざをまじえての話いを喜ぶ進職者

3. 職場視察派遣団の構成について働く女性の多い立場から女子職員をまぜるのが望ましい。なお団員は各地区代表で構成するのがよく、且つ内1人はその経験者であることが計画的合理的であり。効果的に運ぶのに効果がある。
4. 本土就職者の予備教育（合宿訓練）には食生活について重視した計画を特に樹て実施されたい食生活の変化は食欲不振をまねきそれが原因となつて病気になつたケースもある。
5. 企業の拡大に伴いレクレーションの広場が失われつゝあり、最少限度の屋外広場を確保せしむるようにしたいものである。
6. 生産目標達成のためか時間外勤務（深夜業？）を強要する事業所もある。かかることのないよう指導監督の要あり。
7. 民間による「紡績女工募集」の噂が往々あるが、それらの行為は徹底的に取り締まり正式ルート（職安）による求人の強化がのぞましい。
8. 本土就職前の合宿訓練は各地区とも最大評価されているので、予算の倍増による指導強化の徹底を期すると共に、高校卒一般にもそれに準じたものを実施してはどうか。
9. 高校卒業生の本土就職のあい路打解策を早急かつ具体的に樹てる必要はないだろうか。暫定的施策と恒久的施策があるように思われる。
10. 駐日琉球政府大阪雇用連絡所、および同東京事務所の職員組織を増置強化いたし、職場の開拓、よろずの相談など各面に大いに活躍させて欲しい。

──対　談──
沖縄の職業教育振興を願つて

スタンホード大学……高瀬　保氏
沖縄経営者協会………新里次男氏

はじめに

　高等弁務官府の招きでスタンホード大学附属フーバー研究所の高瀬保氏が来島された。沖縄の職業教育振興のために側面的にアイデアーを提供して協力していただくということである。

　先の来島の際に職業教育の現況を視察され，今回は各種企業の指導者の方々と話合われ資料収集につとめられた。その貴重な時間を僅かばかりさいていただいて，沖縄経営者協会事務局長新里次男氏と話合つていただいた。1時間たらずの短時間であつたため十分意を尽したは言えないが，あくまでも職業教育振興を願う教育界以外の方々の意見として参考に値する話合いだつたと信ずる。ご一読をおすすめしたい。
（登　川）

技術労働をきらう新規卒業者

高瀬　先日はどうも。各種企業の代表者の方々との話合いからぜひ突込んで話合つてみたいと考えておりました。どうです新規卒業者の採用について。

新里　職場管理をしたり，各種企業体の幹部の方々の意見をきいてみますと職業高校出の人たちがブルーカラーをきらう，ホワイトカラーにあこがれるという傾向があります。時には技術を必要とする作業に従事する職種をすゝめると拒否する者もいます。技術軽視の傾向はいまにはじまつたことではないのですが，かなり強い。北・中・南の農林高校を出た人の就職に関わつたことがありますが，事務員を希望するのが多いのですね。工業高校を出てもエンジニヤをいやがるのですね。

　これは教育のし方に問題があると思うのです。新規卒業生の

場合，採用して暫らくは使いみちにならない。大学を卒業後3年はかゝる。中堅幹部としてやはり採用してから指導を施す必要がある。商業高校を出て伝票記入が出来ない者が多い。1年ばかり指導する，やはり時間がかかります。

高瀬　私はそれには二つの問題，原因があると思います。

一つは，職業高校としての劣等感，職業高校へ入学したのは，高校卒のレッテルが欲しいためで決して目的意識があったわけではない。そういった生徒が案外多いのですね。ですから誇りがない，学ぼうという気慨が欠ける，職業人として将来身をたてるという理想がないのです。職業教育の根本問題であろうかと考えるのです。このようなことはアメリカもあって，問題になった，そこで適材適所といった考えが強調されるようになった。本土では中堅技術者としてのプライドをもたせることに努力するようになった。

いま一つは，教授内容がおくれているということです。それには企業との密接な関係を考える。基本的な知識をもたせる。中堅技術者をつくる態度をもつと強調すべきだと考えます。

産業教育振興にはもっと積極的な政策が必要

新里　ただ今は当地の産業界では総合開発で問題になり，種々の調査がおこなわれ，官民ともに強い関心を示しています。計数整理がまとまれば，どの程度の技術者がいるかはっきりすると思いますが，とにかく一次産業の徹底的な改革は必至です。戦前は農家では甘藷づくりに精出しました。実はそのおかげで貧乏になったと言えると思います。農家の疲ヘイはいもにあると考えます。戦後はきびに代わりました。これもご承知の通りきびは余り希望のもてる産業ではない，ここで何かにきり替えるべきだ，私は化学産業が困難であるとすれば海洋資源に着目し，畜産，観光資源に開発の手を加えることがよいと思う。

私たちの社会は近く動物性蛋白質の需給でアンバランスがく

ると思います。動物性蛋白質の需給は民のみでなくかなり軍の需給もみたしている。だから動物性蛋白質のマーケットを確保するための対策が必要であると思います。そこで新たな畜産の振興が考えられるべきでしよう

　これまでその問題が結実しなかったのは技術者がいないことにあるのです。文教政策への要望として農林高校の畜産科をもっと強化すべきだと申上げたいと思います。さらに農林高校として一次、二次産業の振興を考えることは当然ですが、私は観光関係の三次産業をになつてたつ技術者の養成に目をむけてもよいと考えます。

　政府としては販路の問題としてマーケットの確保に本腰をいれ、企業体に対しては資金の融資その金利の政府負担を考え軌道にのれば保護策たたてといつた考え方で積極的にすゝめてほしいものです。

管理者による採用後の指導を強調

高瀬　先日観光ホテルの支配人にあつて、ホテル従業員のトレーニングをどう考えるかと尋ねてみました。観光ホテルとしては熱海や日光あたりがよく話題になるのですが、そこへゆくとどうもかゆい所へよく手が届く、その大きな原因は食生活のちがいだと思う。そこから客に対するサービスがちがつてくるのではないかと話しておりました。

新里　支配人は、まだ沖縄を知つていないですよ、支配人は充分当地の事情を観ていないようです。当地出身のホステスは大体人情があるのにそれを表現する努力がたりない。それは食生活がちがうのではなく、客に接する、サービスするいろいろのものをすゝめるといつた経験が余りにも足りなさすぎる。人はどなたも好みがあるわけですが、そのような好みを聴き出して、サービスするといつたことはにわかに身につかないのですね。

　かつて観光ガイドの指導やホテルのホステスを教育したことがありますが、大方は生活程度が低いものだから笑われまいかという不安やコンプレックスがついてまわる。

私はそこで逆にホテルの運営と訓練に問題があると指摘したいと思います。企業体としては職員採用に際してはやはり一貫した訓練を考えるべきです。その企業体に有能な人物になるために計画的に訓練を施すことだと思います。また各自の個性をそこでひき出すことを考えてやるべきです。だから本土のホテルがこうだから沖縄のホテルもというゆき方は新規卒業者の人たちにはむしろショックであり、勢い内攻的な殻をつくる結果を招きやすいと思います。

人材養成の一環としての職業教育

高瀬　なるほど、指導の必要性ですねところでほほえみが足りないともよくききますが。

新里　"すべからず方式"ですね、教えられた内容で、行動するようにしつけることから脱皮したいものです。本当に職場の一員であるという従業員に育てる管理者の努力と思いやりがほしいですね。ホテルなどで外人客も国内客も一緒だという経営のし方には無理があります。外人に対する誤解を与えてしまってはよくないですよ。誤解を解きほぐせばアイソがよくなりますが。

高瀬　日光ホテルでの経験ですが、担当のホステスと話ができるまでに3日かかった。何かしらカベがあるようで消極的であるが、いったん話だすとまるで別人のようです。

新里　従業員を開放的にさせる訓練ですね、そして自信を与えることだと思います。仕事を教える反面、働いている職場の楽しい雰囲気をつくるよう管理者が気を配ればば、お客に対するサービスは積極的になってくるのではないですか、職業高校に観光科をおいてはと考えます。文教予算も人材開発のために多くとりたいものです。何といっても資源は豊富な人口ですよ。

　大体東南アジア地域にマーケットをもつことは困難です。政情不安では希望できません。地下資源が乏しい上に、土地は狭あいときています。産業をおこすためには市場がいります。技術があってもそれを存分に発揮するには市場が制限をうけてい

る現状です。そこで人材を数多く造つて後進国へ派遣する。各面の技能者を東南アジア地域へおくることを考える。私はその点強調したいのです。今後の総合開発計画は文教政策が一つの柱とならねばならないと思います。

試験場・研究所の性格再検討が必要

新里　きびはいろいろ制約があつて，これ以上開発の希望がもてない，そ菜は相当な収穫がある。農家の保守性，例えばきび一辺倒といつたところは改めるべきでしよう。農業の体質改善が先です。

　アメリカのインデイアナ州には沖縄人が農業に従事している人がいて，人をひきいれ土地を開発し，その土地の温度が高いことからそ菜栽培に成功し，サンフランシスコの供給源になつている。琉大がそういうところへ目をむけて，沖縄の今後の農業の在り方，方向といつたものを指導することがあつてよいと思います。

　去つた1月7日の経済懇談会で主席と話合う機会を得ました。その際に申し上げたことですが，政府の機関である各試験場は何をしているかということです。例えば農事試験場では水稲の研究をしている。水稲は沖縄ではあまり見込みがない。水稲の研究など，むしろ大学へ任してよいのじやないですか，私はこれから沖縄の農業はどうすゝめるかという根本問題にふれることだと考えます。

　工業も同じですね。研究の成果があがつていない。沖縄の業者から実際的な問題をじかにきゝとることがないでは困る。全く排他的なところから現状を着実に前進させる希望はもてないでしよう。試験場，研究所のあり方というか，機能を存分に発揮するために所員のみなさんの努力を望むところです。

高瀬　かい庁というより補助金を出して研究をやらせる委託調査式で運営する方法もありますね。最近話題になつている砂糖問題は恒久的な対策で臨むべきですね。

新里　全くです。きび作りで，ことし

FOBは295$，合理化しても190$以下にはさげられない。あぜつくりや，道つくりをしても，また会社の機械を使つて集約的農業にきりかえても190$が限度です。ところが台湾は78，キューバは73，その原因の一つにかぶ出しがあるが，台湾では20年，キューバになると50年は大丈夫だというのです。沖縄は2回が適当ですね。原料の上からコスト高にするといつたハンディーがついてしまう。そこには施肥などの労務賃もついていよいよコスト高を決定的なものにする。

しかし沖縄の糖業は社会政策的なものが影響しています。換金作物としてきびを考えたということです。きびの外に目を向けることが必要だつたのです。

台湾にあれほど戦前糖業開発の政策をおしすゝめたのは故なしではないのですね。

職場の要望をとり入れた職業教育を

新里　現在人材開発の問題，社会開発の問題等で調査をすすめ，計数整理を急いでいます。いろいろデーターを集めているところですが統計資料の信ぴよう性で悩まされているところです。実際具体的な総合開発の計画をたてることは困難なんですね。その事前の資料あつめとか，調査をするとかで時間を費していますが，ここで人材を呼びよせ，産業構造の問題と人材開発の問題とを関連させて，真に総合計画が樹立されるよう望みたいものです。

高瀬　産業の振興とか，企業の合理化という立場から学校教育に期待したい，要望したいということが少なくないと思いますが。

新里　え，既に話合いの中で出たことですが，要するに職場としては，採用された人達ができるだけ早く一人前の職業人として使えるように希望するわけです。これは教育課程などとも関係すると思いますが，採用して，時間がかゝりすぎるということでは困るわけです。

私は在学中に職場をよく観察させ，実習の機会等を通じて産業人としての気構えを培つておくことが必要だと考えます。在

学中に抱いた職場と実際に飛び込んで体験する職場との間に大きなギャップを生むことは好ましくないことでしよう。そこで職場と学校とが職業人を育てるということで緊密に提携しつゝつとめるということですね。

高瀬 どうもありがとうございました。総合開発の計画は骨が折れると思います。しかしその推進はそれにもまして大変だと考えます。来島して以来多くの方におあいし，直かに職場を見せていただき，教育現場をお尋ねして，産業のみならず人材開発にも積極的施策をなすべき時がきていると痛感しました。その意味でみなさんの一層のご健斗をお希望申し上げます。

── 職場学歴構成調査中間報告 ──

職場学歴構成調査の中間集計がこのほどまとまった。以下民間の個人ならびに企業体について調査結果の一部を紹介したい。下表には官公庁，公社，学校職員等は含まない。

規模	雇用者 0				1～4人				5～49人			
学歴	計	初	中	高	計	初	中	高	計	初	中	高
実数	4,908	4,378	483	47	798	585	177	36	3,325	2,203	987	135
%	100	89.2	9.8	1.0	100	73.3	22.2	4.5	100	66.2	29.7	4.1
抽出率(%)	2%				5				14.3			

規模	50～299人				300人以上			
学歴	計	初	中	高	計	初	中	高
実数	6,912	4,321	2,270	321	7,988	5,666	1,950	372
%	100	62.5	32.8	4.7	100	70.9	24.4	4.7
抽出率(%)	33.3				100			

ここでいう雇用者 0 は自家営業等の雇用者なしである。1～4は従業員1人ないし4人を指す。以下300人以上まで同様。学歴では，初は義務教育学校卒業以下の学歴。中は高等学校卒業者。高は大学，短大，高専卒業者である。中途はそれぞれ下位の学校に含めた。

1964学年度高校入学志願者と入学者

調査広報課

A 学校別入学志願者

			実		数					%			
			総計	男	女	1964.3卒 男	1964.3卒 女	1963.3卒 男	1963.3卒 女	その他 男	その他 女	総数	1964.3卒	1963.3卒	その他

			総計	男	女	男	女	男	女	男	女	総数	1964.3卒	1963.3卒	その他
	総数		21,606	11,537	10,069	10,216	9,439	1,161	586	160	44	100.0	91.0	8.1	0.9
政府立	全日	計	15,485	8,234	7,251	7,533	6,905	662	337	39	9	100.0	93.2	6.5	0.3
		普通	9,613	3,975	5,638	3,673	6,381	286	256	16	6	100.0	94.2	5.6	0.2
		職業	5,872	4,259	1,613	3,860	1,524	376	81	23	3	100.0	91.7	7.8	0.5
	定時	計	2,477	1,358	1,119	1,116	1,003	169	93	73	23	100.0	85.5	10.6	3.9
		普通	1,585	713	872	585	781	78	70	50	21	100.0	86.2	9.3	4.5
		職業	892	645	247	531	222	91	23	23	2	100.0	84.4	12.8	2.8
私立			3,644	1,945	1,699	1,567	1,531	330	156	48	12	100.0	85.0	13.3	1.7

(注) 普通は普通課程をおく高校・職業は職コースの高校をさす。

(政府立) 全日 86.2%　　　普通 62.3%　　　男子53.4%
　　　　 定時 13.8%　　　職業 37.7%　　　女子46.6%

B 学校別合格者

			総計	男	女	男	女	男	女	男	女	総数	1964.3卒	1963.3卒	その他
	総数		13,825	7,098	6,727	6,419	6,341	586	361	93	25	100.0	92.3	6.8	0.9
政府立	全日	計	10,337	5,190	5,147	4,863	4,939	310	205	17	3	100.0	94.8	5.0	0.2
		普通	7,242	2,981	4,261	2,819	4,089	156	169	6	3	100.0	95.4	4.5	0.1
		職業	3,095	2,209	886	2,044	850	154	36	11	—	100.0	93.5	6.1	0.4
	定時	計	1,344	674	670	545	588	84	64	45	15	100.0	84.3	11.2	4.5
		普通	914	374	540	293	470	44	55	37	15	100.0	83.5	10.8	5.7
		職業	430	300	130	252	118	40	12	8	—	100.0	86.0	12.1	1.9
私立			2,144	1,234	910	1,011	814	192	89	31	7	100.0	85.1	13.1	1.8

(注) 普通は普通課程をおく高級・職業は職業コースの高校をさす。

(政府立) 全日 88.5%　　　普通 69.8%　　　男子50.2%
　　　　 定時 11.5%　　　職業 30.2%　　　女子49.8%

$\dfrac{A}{B}$　　　全日 1.50　普通 1.37　政府立 1.54
　　　　定時 1.84　職業 1.92　私　立 1.70

A 学科別入学志願者（政府立）

		実 数								%			
		総 数			1964.3卒		1963.3卒		その他		総数	1964 .3卒	1963 .3卒	その他
		計	男	女	男	女	男	女	男	女				
全日	総数	15,485	8,234	7,251	7,533	6,905	662	337	39	9	100.0	93.2	6.5	0.3
	普通	5,438	3,111	2,327	2,899	2,256	198	67	14	4	100.0	94.8	4.9	0.3
	商業	2,615	895	1,720	809	1,642	83	74	3	4	100.0	93.7	6.0	0.3
	農業	2,565	1,659	906	1,550	848	107	58	2	—	100.0	93.5	6.4	0.1
	工業	1,913	1,710	203	1,535	194	164	9	11	—	100.0	90.4	9.0	0.6
	水産	859	859	—	740	—	110	—	9	—	100.0	86.1	12.8	1.1
	家庭	2,095	—	2,095	—	1,965	—	129	—	1	100.0	93.8	6.2	0.0
定時	総数	2,477	1,358	1,119	1,116	1,003	169	93	73	23	100.0	85.5	10.6	3.9
	普通	420	197	223	146	191	35	24	16	8	100.0	80.2	14.0	5.8
	商業	1,473	603	870	505	788	59	67	39	15	100.0	87.8	8.6	3.6
	農業	213	187	26	167	24	16	2	4	—	100.0	89.7	8.5	1.8
	工業	371	371	—	298	—	59	—	14	—	100.0	80.3	15.9	3.8
	水産	—	—	—	—	—	—	—	—	—	—	—	—	—
	家庭	—	—	—	—	—	—	—	—	—	—	—	—	—

（政府立） 普通 26.8%
職業 73.2%

B 学科別合格者（政府立）

		実 数								%			
		総 数			1964.3卒		1963.3卒		その他		総数	1964 .3卒	1963 .3卒	その他
		計	男	女	男	女	男	女	男	女				
全日	総数	10,337	5,190	5,147	4,863	4,939	310	205	17	3	100.0	94.8	5.0	0.2
	普通	4,566	2,509	2,057	2,383	2,008	120	48	6	1	100.0	96.2	3.7	0.1
	商業	1,748	478	1,270	445	1,221	33	48	—	1	100.0	95.3	4.6	0.1
	農業	1,425	997	428	941	406	54	22	2	—	100.0	94.5	5.3	0.2
	工業	844	766	78	711	75	55	3	5	—	100.0	93.1	6.3	0.6
	水産	440	440	—	383	—	53	—	4	—	100.0	87.0	12.0	1.0
	家庭	1,314	—	1,314	—	1,229	—	84	—	1	100.0	93.5	6.4	0.1
定時	総数	1,344	674	670	545	588	84	67	45	15	100.0	84.3	11.2	4.5
	普通	240	112	128	80	108	18	14	14	6	100.0	78.3	13.3	8.4
	商業	824	300	524	243	464	32	51	25	9	100.0	85.8	10.1	4.1
	農業	120	102	18	92	16	9	2	1	—	100.0	90.0	9.2	0.8
	工業	160	160	—	130	—	25	—	5	—	100.0	81.3	15.6	3.1

（政府立） 普通 41.1%
職業 58.9%

$\dfrac{B}{A}$ （政府立）

全日66.8　普通84.0　商業66.8　農業55.6　工業44.1　水産51.2　家庭62.7
定時54.3　普通(定) 57.1　商業(定) 55.9　農業(定) 56.3　工業(定) 43.1

精神的空白に新たな理想

「期待される人間像」―中間草案

　中央教育審議会は十一日，文部省で総会を開き，第十九特別委員会（主査＝高坂正顕氏）で審議中の「期待される人間像」の中間草案の報告を受け，その全文を発表した。草案は三十八年六月の諮問「後期中等教育の拡充整備について」に関連，こんごの国家社会において期待される人間像はいかにあるべきかという課題にこたえて作成されたもの。中間発表の全文はつぎのとおりだが，戦後の精神的"空白"に対し，日本人が日本人に期待される理想像を示した意義は大きく，また論議を呼ぶであろう――。

序　論

当面する日本人の課題
１，人間像の分裂と第一の要請

　今日，新たな人間像に対して期待がもたれるのは現代社会，現代世界における人間像の分裂，さらにはその喪失に深い根拠がある。現代文明の一つの特色は自然科学のぼつ興にある。それが人類に多くの恩恵を与えたことはいうまでもない。医学や産業技術の発展はその恩恵のほどを示している。そして今日は宇宙時代と呼ばれるにいたっている。それは何人も否定することができない。しかし産業技術の異常な発達は，人間が利用すべきはずの機械が，逆に人間を拘束する危険を示してきた。ここに人間の機械化と呼ばれる現象が生じた。社会学者や文明批評家の多くが指摘するように，人間が機械化され，手段化されつつあるともいえるのである。

　また自然科学的思考法の優位は，とかく人間を単なる動物の一種にすぎないもののように考える傾向をもたらした。その誤びゅうは，もし人間を単なる動物として取り扱つたとき，彼ははげしい抵抗を示し，人間の基本的人権の擁護を叫ぶところに認められるであろう。しかしそれにもかかわらず，人間を単なる動物のように考え，動物的

享楽を追う傾向が認められることは否定できない。ここに人間の動物化というべき現象が生じている。

以上指摘した人間の機械化および人間の動物化の現象は、理想的人間像を喪失させ、人間性の回復を要求させるにいたつているのである。ここからつぎの第一の要請が現われる。

第一の要請——人間性を高めつつ人間能力を開発せよ

＝今日は技術革新の時代といわれる。こんごの日本人はこのような時代にふさわしいものでなければならない。しかし科学技術の一方的重視は、人間性の喪失を招く。日本における戦後の経済的復興は、世界の驚異とされている。しかし経済的繁栄は一部に享楽主義の傾向を生み、精神的空白を生じた。このように欲望の増大だけがあつて、精神的理想が欠けた状態がもし長くつづくならば、長期の経済的繁栄も期待することができない。

とくに今日の機械文明は、多分に人間性をゆがめる恐れがある。それは是正されなければならない。かつ日本の工業化は人間能力の開発を要求する。しかし人間能力を開発することは、同時に人間性の向上を意図して行なわれるものでなければ人間を単に生産手段の一つとするだけである。

日本人は技術革新の時代にふさわしく、自らの能力を開発しなければならない。そうしなければ日本は世界歴史の進展から取り残される。しかしそれは人間性を高めることを同時に意図して行なわなければならない。人間性を高めつつ、しかも人間能力を開発せよ。これが当面要請される第一の点である。

2，民族性の忘却と第二の要請

以上は現代社会に共通する課題であるが、今日の日本人には特殊な事情が認められる。第二次世界大戦における敗北は、日本の国家と社会のあり方および日本人の思考法に重大な変革をもたらした。戦後新しい理想が掲げられはしたものの、その理想実現のために配慮すべき具体的方策の検討はなおじゆうぶんではない。とくに敗戦の悲惨な事実は、過去の日本および日本人のあり方がことごとく誤つたものであつたかのような錯覚を起こさせ、日本の歴史および日本人の国民性を無視する結果を招いた。そのため新しい理想が掲げられても、それが定着すべき日本人の精神的風土は荒廃に帰している。

日本および日本人の過去には改められるべき点が少なくない。しかし，そこ

には継承され，発展させられるべきすぐれた点も多い。もし日本人の欠点を指摘し，それを除去するのに急であつて，その長所を伸ばす心がけがなくては，日本人の精神的風土にふさわしい形で新たな理想を実現することはできないであろう。われわれは日本人であることを忘れてはならない。ここからつぎの第二の要請が現われる。

第二の要請――世界に開かれた日本人であれ　＝今日の世界は，文化的にも政治的にも一種の危機の状態にある。たとえば平和ということばの異なつた解釈，民主主義についての相対立する理解の並存にそれが示されている。

戦後の日本人の目は世界に開かれたという。しかしそのみるところは，とかく一方に偏しがちである。開放経済の段階にはいつた今日の日本人はじゆうぶんに目を世界に見開き，その複雑な情勢に対処することができなければならない。日本が西と東，北と南のかけ橋であることを知らなければならない。日本人は世界に通用する日本人となるべきである。しかしそのことは日本を忘れた世界人であれというのではない。日本の使命を自覚した世界人であれというのである。真に日本人であることによつて，われわれは初めて真の世界人となることができる。そのことを各国の代表的な思想家，芸術家政治家，実業家が示している。

今日の世界はさしあたり安定の姿を示し，原爆等による世界戦争の危険も一応ないといつてよいであろう。しかしその平和は冷戦的平和であり，多くの危険をはらんでいる。それには冷静に対処できる知恵と勇気がなければならない。世界に開かれた日本人であれという第二の要請は，このような内容をも含むのである。

3 民主主義の未成熟と第三の要請

しかし今日の日本について，なお留意しなければならない重要な事がらがある。戦後の日本は，民主主義国家として新しく出発した。しかし民主主義の概念に混乱があり，民主主義はなおじゆうぶんに日本人の精神的風土に根をおろしていない。

それについて注意を要する一つのことがある。それは民主主義を考えるにあたつて，自主的な個人の尊厳から出発して民主主義を考えようとするものと，階級闘争的な立ち場から出発して民主主義を考えようとするものとの対立があることである。

民主主義の史的発展を考えるならば，それが個人の法的自由を守ること

から出発して，やがて大衆の経済的平等の要素を多分に含むようになつた事実が指摘される。しかし民主主義の本質は個人の自由と責任を重んじ，法的秩序を守りつつ，漸進的に大衆の幸福を樹立することにあつて，法的手続きを無視し，一挙に理想境を実現しようとする革命主義でもなく，それと関連する全体主義でもない。性急に，後者の方向に片寄るならば，個人の自由と責任，法の尊重から出発したはずの民主主義の本質は破壊されにいたるであろう。しかし今日の日本は，世界が自由主義国家群と全体主義国家群の二つに分かれている事情に影響され民主主義の理解について混乱を起こしている。

また注意を要する他の一つのことがある。由来日本人には民族共同体的な意義は強かつたが，その半面，少数の人々を除いては個人の自由と責任，個人の尊厳に対する自覚が乏しかつた。日本の国家，社会，家庭において封建的残滓（ざんし）と呼ばれるものがみられるのもそのためである。また日本の社会は開かれた社会のようにみえながら，閉じられた社会の一面が根強く存在している。そのことが日本人の道徳は縦の道徳であつて，横の道徳に欠けているとの批判を招いたのである。

戦後の日本はかつての民族共同体的な長所を喪失し，しかも確固たる個人の自覚にはまだ達していない。この埋没された自我を新しく掘り起こしつつ，民族としての共同の責任をになうことが重要な課題の一つである。したがつて，ここからつぎの第三の要請が現われる。

第三の要請――健全な民主主義を樹立せよ ＝この第三の要請は具体的には以下の諸内容を含む。

民主主義国家の樹立のために，なによりも必要なことは自我の確立である一個の独立した人間であることである。かつての日本人は古い封建制のため自我を失いがちであつた。その封建制のワクはすでに打ち破られたが，それに代わって今日のいわゆる大衆社会と機械文明は，形こそ異なつているが，同じく真の自我を喪失させる危険を宿している。

つぎに留意されるべきことは社会的知性の開発である。由来日本人は，こまやかな情緒の面においてすぐれていた。寛容と忍耐の精神にも富んでいた。豊かな知性にも欠けていない。ただその知性は社会的知性として，人間関係の面においてじゆうぶんに伸ばさ

れていなかった。ここで社会的知性というのは，他人と協力し他人と正しい関係にはいることによって真の自己を実現し，よい社会生活を営むことができるような知性を意味する。それは他人のために尽くす精神でもあるのである。しいられた奉仕ではなく，自発的な奉仕ができる精神である。

さらに必要なことは，民主主義国家においては多数決の原理が支配するが，その際，多数を占めるものが専横にならないことと，少数の側に立つものが卑屈になったり，いたずらに反抗的にならないことである。われわれはだれも完全ではないが，しかしだれでもそれぞれになにかの長所をもっている。お互いがその長所を出しあうことによって社会をよりよくするのが，民主主義の精神である。

以上が民主主義国家樹立という第三の要請の中で，とくに留意されるべき諸点である。

4, 日本人の象徴

以上述べてきたことは，今日の日本人に対してひとしく期待されることである。世界は平和を求めて努力しておるが，平和への道は長くかつ険しい。国内的には経済の発展や技術文明の進歩のかげに多くの問題を蔵している。今日の青少年が歩み入るあすの世界情勢，社会情勢は必ずしも楽観を許さない。新たな問題も起こるであろう。これに対処できる人間となることが，わけても今日の青少年に期待されるのである。

その際注意すべき一つのことがあるそれは，それぞれの国はみなその国の使命あるいは本質を示す象徴をもち，それに敬意を払い，その意義を実現しようと努力しているという事実である。世界の国々が互いの国旗に対して敬意を払い，自国の国旗を大切にするのもそのためである。それは互いの国々の伝統と使命を尊重するからである

われわれは日本の象徴として国旗をもち，国歌を歌い，また天皇を敬愛してきた。それは日本人が日本を愛し，その使命に対し敬意を払うことと別ではなかった。

天皇は日本国の象徴であり，日本国民統合の象徴である。われわれは祖国日本を敬愛することが，天皇を敬愛することと一つであることを深く考えるべきである。

今日は世界的に民族的自覚が高まってきている。それをわけても多くの新興諸国家群が示している。むろん偏狭な国粋主義はあくまで避けるべきであ

る。われわれは他国の使命と価値をあくまで尊重すべきである。しかしそれとともに、自国の歴史のもつ意味を尊重し、自国に課せられた任務を思い、日本人としての自覚をもたなければならない。

以上述べてきたことは、要するに人間としてのまた個人としての深い自覚をもち、種々の国民的、社会的問題に対処できるすぐれた知性をそなえ、かつ世界における日本人としての確固たる自覚をもてということに帰着する。

国民各位に意見を問う　　　　　　　　　主査談話要旨
　—期待される人間像（中間草案）発表に際して—

　中央教育審議会は、「後期中等教育の拡充整備について」審議するため、第十九および第二十の二つの特別委員会を設けました。とくに第十九特別委員会では、後期中等教育の拡充整備をはかるうえに必要な後期中等教育の理念を明らかにするため「こんごの国家社会において期待される人間像はいかにあるべきか」という課題について、今日まですでに十七回の会議を開き慎重に検討してまいりました。

　本日、これまでの審議内容を、第十九特別委員会においてひとまず草案としてとりまとめ、これを総会に報告した結果、課題の重要性にかんがみこの段階で試案として中間発表し、広く国民各位の意見を求めることとなりました。

　ついては、教育関係者のみならず、国民の各方面からこの草案についての忌憚（きたん）のない、そして建設的なご意見をお寄せくださるよう希望いたします。

　　　　　　　　　　　　　　　　　　　　　昭和40年1月11日

本論

期待される人間像

　以上が今日の日本人に対する当面の要請である。しかし人間形成は，単に当面の要請にこたえるだけでじゅうぶんであるといえない。人間形成の原則と呼ばれるに値するものは，いわば恒常的かつ普偏的なものでなければならない。つぎに示すものがそれである。このような恒常的かつ普偏的なものを基礎としないでは，以上に示した当面の諸要請もゆがめられて理解される恐れがあろう。

第一章　個人として

1，自由であれ

　人間が人間として単なる物と異なる理由は，人間が人格を有するからであり，そのために物は価格をもって売買されるけれども，人間は売り買いできず，不可侵の尊厳を有するものとされるのである。基本的人権の根拠もここに存する。そして人格の中核をなすものは自由である。しかし自由であるということは，かつて気ままにふるまうことでもなく，本能や衝動のままに動くことでもない。それでは本能や衝動の奴隷（どれい）であつて，その主人でもなく自由でもない。人格の本質をなす自由は，自ら自分自身を律することができるところにあり，本能や衝動を純化し向上させることができるところにある。これが自由の第一の規定である。

　しかし自由の半面には責任が伴う。単なる物には責任がなく，人間にだけ責任が帰せられるのは人間は自ら自由に思慮し，判別し，決断して行為することができるからである。権利と義務とが相関的なのもこれによる。今日，自由だけが説かれ，責任は軽視され，権利だけが主張され，義務が無視される傾きがあることは自由の誤解である。自由の半面は責任である。これが自由の第二の規定である。人間とはこのような意味での自由の主体である。われわれは自由な人間を期待する。

2，個性を伸ばせ

　しかし人間は単に人格をもつだけではなく，同時に個性をもつ。人間がそれぞれ他の人と代わることができない一つの存在であるとされるのは，この個性のためである。人格の面では人間はすべて同一であるが，個性の面では互いに異なる。そこに個人の独自性がある。それは天分の相違その他による

であろうが、それを生かすことによつて自己の使命を達することができるのである。したがつてわれわれは、また他人の個性を尊重しなければならない。

人間性のじゆうぶんな開発は、自己だけでなされるのではなく、他人の個性の開発をまち、相補つて初めて達成されることを忘れてはならない。ここに家庭、社会、国家の意義もある。家庭、社会、国家は経済的その他の意味をもつことはもとよりであるが、人間性の開発という点からみても基本的な意味をもつのである。家庭、社会、国家が人倫態と呼ばれるのはこのためである。人間は以上のような意味において人格をもち個性をもつが、それは育成されることによつて初めて達成されることを忘れてはならない。

3，正しく自己を愛する人となれ

人間には本能的に自己を愛する心がある。われわれはそれを尊重しなければならない。しかし重要なことは、正しく自己を愛することである。正しく自己を愛するとは、自己の才能や素質をじゆうぶんに発揮し、自己の生命を粗末にしないことである。それによつてこの世に生をうけたことの意義と目的が実現される。単に享楽を追うこ とは自己を滅ぼす結果になる。単なる享楽は人を卑俗にする。享楽以上に尊いものがあることを知ることによつて、われわれは自己を正しく愛することができるのである。まして享楽に走り怠惰になつて、自己の健康をそこなうようなことがあつてはならない。健全な身体を練成することは、正しく自己を愛することであり、われわれの義務である。そしてわれわれの生涯の幸福も、健康な身体に依存することが多い。

また正しく自己を愛し、自己を伸ばすことができる人はすなおな心の持主でなければならない。ひねくれた心、疑い深い心、世をすねた心は自己を伸ばすことができないばかりか、世の中を暗いものにする。

4，頼もしい人となれ

われわれは頼もしい人、勇気ある人とならなければならない。頼もしい人とは、付和雷同しない思考の強さと意思の強さをもつ人である。和して同じないだけの勇気をもつ人である。
しかも他人の喜びを自己の喜びとし、他人の悲しみを自己の悲しみとする愛情の豊かさをもち、かつそれを実行に移すことができる人である。

近代人は合理性を主張し，知情を重んじた。それは重要なことである。しかし人間には情緒があり意思がある人の一生にはいろいろと不快なことがあり，さまざまな困難に遭遇する。とくに青年には一時の失敗や思いがけない困難に見舞われても，それに屈することなく，つねに創造的に前進しようとするたくましい意思をもつことを望みたい。不撓（ふとう）不屈の意思をもつことを要求したい。しかしだからといって，他人に対する思いやりを失ってはならないことはいうまでもない。頼もしい人とは委託できる人のことである。信頼できる人のことである。お互いに不信をいだかなければならない人々からなる社会ほど不幸な社会はない。近代人の危機は，人間が互いに人間に対する信頼を失っている点にある。

　頼もしい人とは誠実な人である。おのれに誠実であり，また他人にも誠実である人こそ，人間性を尊重する人なのである。このような人こそ同時に，精神的にも勇気のある人となることができるのである。

5，　建設的な人間であれ

　われわれは建設的な人間，創造的な人間でなければならない。建設的な人間とは自己の仕事を愛し，それを育てそれに自己をささげることができる人である。ここにいう仕事とは農場や工場に働くことでもよく，会社の事業を経営することでもよく，学問，芸術等の文化に携わることでもよい。それによって自己を伸ばすことができ，他人の人々に役立つことができる。このようにして初めて文化の促進が可能となる。

　今日の大衆文化はとかく消費と享受と模倣に傾き，生産と蓄積と独創に乏しい。また破壊はやすく，建設には忍耐と計画が必要であることも忘れられてはならない。単に消極的・否定的な批評はなにものをも生まない。われわれは創造的な人間でなければならない。

6，　幸福な人間であれ

　われわれはお互いに幸福な人間でありたい。幸福な人間となるためには経済的・政治的な条件が整えられる必要があることはもとよりである。しかしそれよりもいっそう大切なのは心構えであり，心のもち方である。そしてそれは感謝と畏敬（いけい）の念である不平不満の種はいろいろとあろう。しかし絶えず不平不満だけを感じる人ほど不幸な人はない。それに反し小さな

好意や親切にも感謝できる人は幸福である。それによって社会は明るくなり、健全な進歩が期待される。憎しみと恨みによる変革は逆作用を伴う。

またわれわれは生命の根源に対して畏敬の念をいだくべきである。われわれは自ら自己の生命を生んだのではない。われわれの生命の根源には父母の生命があり、民族の生命があり、人類の生命があり、宇宙の生命がある。しかしここにいう生命とはもとより、単に肉体的な生命だけをさすのではないわれわれには精神的な生命がある。このような生命の根源に対する畏敬の念が真の宗教的情操であり、人間の尊厳と愛もそれにもとづき、真の幸福もそれにもとづく。しかもそのことはわれわれに天地を通じて、一貫する道があることを自覚させ、われわれに人間としての使命を悟らせる。その使命により、われわれは真に自主独立の気迫をもつことができるのである。

第二章　家庭人として

1, 家庭を愛の場とせよ

家庭は愛情の体系である。われわれは愛情の体系としての家庭の意義を実現しなければならない。夫婦の愛、親子の愛、兄弟姉妹の愛、すべては愛の特定の現われにほかならない。それらの互いに性格を異にする種々の愛が集まって一つの体系を構成するところに、愛情の体系としての家庭が成立する。

われらの愛は自然の情である。しかしそれらが自然の情にとどまる限り盲目的であり、しばしばゆがめられる。愛情が健全に育つためにはそれは純化され、きたえられなければならない。家庭に関する種々の道徳は、それらの愛情の体系を清めつつ伸ばすためのものである。道を守らなくては愛は育たない。貞とか孝とか悌（てい）とか呼ばれるものはそれである。

2, 開かれた家庭であれ

家庭は社会と国家の構成要素でありその基盤である。家庭が乱れては社会も国家も乱れるほかはない。しかしそれだけに、家庭は家庭の利己主義に堕してはならない。家庭は社会と国家に対して開かれていなければならない。家庭における愛の諸相が展開して、社会や国家や人類に対する愛ともなるのである。

3, 家庭をいこいの場とせよ

戦後、経済的その他さまざまな理由が家庭生活を混乱させ、その意義を見失わせた。家庭は経済共同体の最も基本的なものであるが。家庭のもつ意義

はそれに尽きない。すでに述べたように，家庭は基本的には愛情の体系である。愛情の共同体である。

今日のあわただしい社会生活のなかにおいて，健全な喜びを与え，清らかないこいの場所となるところは，わけても家庭であろう。大衆社会，大衆文化のうちにおいて，自分自身を取りもどし，いわば人間性を回復できる場所も家庭であろう。そしてそのためには家庭は清らかないこいの場所とならなければならない。家庭の意義が今日，世界的に再認識されつつあることは重要である。家庭が明るく，清く，かつ楽しいいこいの場所であることによって，われわれの活力は日日に新たになり，それによって社会や国家の生産力も高まるであろう。社会と国家も家庭が健康な楽しいいこいの場所となるように配慮すべきである。

4, 家庭を教育の場とせよ

しかし家庭はいこいの場所であるだけではない。家庭はまた教育の場でもあるのである。しかしその意味は，学校が教育の場であるのは当然に異なる。学校と家庭とは協力しあうべきものであるが，家庭における教育の特色は，それが無意図的に行なわれる点に認められる。家庭のふんいきがおのずから子どもに影響し，健全な成長を可能にするのである。子は親の鏡であるといわれる。そのことを思えば，親はお互いに身をつつしむであろう。親は子を育てることによって自己を育てるのであり，自己を成長させるのである。しかし子はまた成長の途上にあるものとして，親の導きに耳を傾けなければならない。親の愛とともに親の権威が忘れられてはならない。それはしつけにおいて，とくに重要である。子どもを正しくしつけることは，子どもを正しく愛することである。

第四章 社会人として

1, 仕事に打ち込む人となれ

社会は生産の場であり種々の仕事との関連において社会は成立している。われわれは社会の生産力を高めなければならない。それによってわれわれは自己を幸福にし，他人を幸福にすることができるのである。しかしそのためには，われわれは自己の仕事を愛し，仕事に忠実であり，仕事に打ち込むことができる人でなければならない。また相互の協力と和合が必要であることはいうまでもない。そしてそれが他人に奉仕することになることをも知らなければならない。仕事を通じてわれわれは自己を生かし，他人を生かすので

ある。

社会が生産の場であることを思えばそこからしてもわれわれが，自己の能力を開発しなければならなないことがわかるであろう。社会人としてのわれわれの能力を開発することは，われわれの義務であり，また社会の責任である。

2， 機械を支配する人となれ

現代は機械化・工業化の時代であるわれわれはこのような近代化の方向を促進しなければならないのはもとよりである。しかしその弊害に対してじゅうぶんな注意が必要である。たとえば工業化は人間を自然から遠ざけ，とかく自然の美を破壊しがちである。しかし自然から遠ざけられた人間は非人間的となり，不健康である。自然の美を守り，自然の生命力を尊重することが，それに対する対応策である。大地に耕す心が失われてはならない。

また機械化はややもすれば人間を機械の奴隷とする。しかし機械を使用し機械に使用されない人間となることこそ必要であろう。そしてそのためには想像力・企画力が必要なのである。創造的知性が必要なのである。さらに物質文明はとかく人間を物質の奴隷にする。人間は機械の奴隷であつてはならないだけでなく，総じて物質の奴隷であつてはならない。

3， 大衆文化，消費文化に溺れるな

現代はまた大衆の時代であり，大衆文化の時代である。文化が大衆化，一般化することはもとより望ましい。しかしいわゆる大衆文化には重要な問題がある。それはいわゆる大衆文化はとかく享楽文化，消費文化となりがちであるということである。さらに単なる享楽と消費とは，人間を卑俗ならしめ，動物化する。動物的欲望の充足にだけ走ることは，かえつて精神的な心の欲求を満たさない。それは精神的空白を生じる。われわれは単なる消費的文化ではなく，生産的文化の建設に努力すべきである。そしてそのためには勤労や節約が美徳とされてきていたことを忘れてはならない。

今日，生産力の増大と経営の合理化は，われわれに多少とも生活のゆとりを与え，いわゆるレジャーを楽しむ余裕を与えた。しかし，レジャーはしばしば誤つて使用されている。レジャーを快楽と慰安のために利用することは当然であるが，しかしそれがレジャーの使用法のすべてではない。もともと祭日や休日は神を祭るために定められた一面もある。

われわれはレジャーの正しい使用法を知らなければならない。レジャーは人間の動物化のために使用されるべきではなく、人間性の回復のために使用されるべきである。思索と自己反省のためにも使用されるべきである。

4, 社会規範,社会秩序を重んじる人となれ

日本の社会の最大の欠陥は、社会的規範力の弱さにある。社会人としての礼儀を欠き、秩序を無視するところにある。それが混乱をもたらし、社会を醜いものとしている。また日本人は社会的正義に対して比較的鈍感であるといわなくてはならない。それが日本の社会の進歩を阻害している。社会のさまざまな弊害をなくすため、われわれは勇気をもって社会的正義を守らなければならない。

社会規範を重んじ社会秩序を守ることによってわれわれは日本の社会を美しい社会にすることができるのである。われわれは日本の社会をよりよくするために、じゆうぶんな努力をつくさなければならない。そしてその根本に法秩序を守る精神がなければならないのはいうまでもない。法秩序を守ることによって外的自由が保証され、それを通じて内的自由の領域も確保されるのである。

かつわれわれは日本の社会をより美しい社会とし、われわれのうちに正しい社会性を養うことによつて、同時によい個人となり、よい家庭人ともなることができるのである。われわれは社会と家庭と個人の相互関連を忘れてはならない。日本人のもつ社会道徳の水準は、遺憾ながら低いといわなくてはならない。しかも民主化されたはずの戦後の日本社会においてその弊がいちじるしい。それを正すためには共公心をもち、公徳を守ることが必要である。われわれは公私の別を明らかにしまた公共物を大事にしなければならない。このように公徳を守ることによつて、明るい社会を日本に築くことができるであろう。

第四章 日本人として

1, 正しく日本を愛する人となれ

今日、世界において国家を構成し国家に所属しないいかなる個人もなく、民族もない。国家は世界において最も有機的であり、強力な集団である。個人の幸福も安全も国家によるところがきわめて多い。世界人類に寄与する道も、国家を通じて開かれているのが普通である。国家を正しく愛することが国家に対する忠誠であり、ひいては人

類を正しく愛することに通じることを知らなければならない。自国を正しく愛するとは，自国の価値をいつそう高めようとする心がけであり，その努力である。自国の存在に無関心であり，その価値の向上に努めず，ましてその価値を無視し，その存在を破壊しようとする者は自国を憎むものであり，ひいては人類を憎むものである。われわれは日本を正しく愛さなければならない。

2, 心豊かな日本人であれ

今日，幸福と教養と平和を願わない人はない。福祉国家とか文化国家とか平和国家とかの理想が説かれるのもそのためである。福祉国家となるためには，経済的に豊かであるべきことは当然である。しかし単に富裕であり，生活が保証されることだけで人は幸福になるのではない。それだけでは人間はとかく卑俗となり堕落する。そこに真の幸福はない。真の幸福は自己の才能を伸ばし，自己の仕事に打ち込むところから得られる。あるいは人のために奉仕し，人のために尽くすところからも得られる。

日本は豊かになり，日本人は心豊かにならなければならない。すなわち単に物質的にだけではなく，精神的・道徳的にも豊かにならなければならない。それによつて日本は初めて福祉国家の名に値するものになることができるであろう。

3, 美しい日本人であれ

日本人は美を愛する国民といわれるしかし日本人は美を愛するわりには醜を憎まない。われわれは醜をしりぞげることを学ばなければならない。そこに真の生活文化が生まれる。われわれは日本を美しい国にしなければならない。日本は風土の美に恵まれた国である。それを損じ，汚してはならない。しかし国の美しさはわけても人情風俗の美しさによる。

今日，教養の重要性が説かれる。機械文明の進展が人間性をゆがめ，人間を自然から遊離させることに対する当然の主張である。しかし教養は日常生活の場で生かされなければならず，文化は具体的には生活文化とならなければならない。学問芸術の重要性が説かれるだけでは，いまだ文化国家ではない。それが日常生活に浸透して，初めて文化国家の名に値するものとなるのである。

4, たくましい日本人であれ

日本は強くたくましい国とならなければならない。それによつて日本は初

めて平和国家となることができる。もとよりここでいう強さ，たくましさは武力の意味ではない。人間としての精神的道義的な強さ，たくましさの意義である。世界平和を乱す危険を蔵する国々は，とかく精神的・道義的に弱い国，乱れた国である。われわれはこのような意味において世界平和の負担となつてはならない。日本は与えられる国ではなく，すでに与える国になりつつある。日本も平和を受けるだけではなく，同時に平和を与える国にならなければならない。

すでに述べたように，日本の使命が西と東のかけ橋であるだけではなく，北と南，先進国と後進国のかけ橋となる点にあることを思うべきである。そこに現在の世界における日本の存在理由があり，世界に貢献できる固有の立ち場がある。またそこに日本人の責任があるのである。そのことはもとより，日本の独善であつてはならない。狭あいな国粋主義はかえつて日本を誤らせる。しかし自国を忘れた国際主義は故国のない根なし草である。真の国際主義，世界主義は，自国の使命を感じ，国家を通じて達成されるものであることが忘れられてはならない。世界に恥じることのない日本であることによつて，日本は世界のよい一員となることができるのである。われわれはこのような意味において，世界的日本人でなければならないのである。

5，風格ある日本人となれ

世界史上，およそ人類文化に重要な貢献をしたほどの国民は，それぞれに独自な風格を備えていた。それは今日の世界を導きつつある諸国民についても異ならない。すぐれた国民性と呼ばれるものは，それらの国民のもつ風格にほかならない。明治以降の日本人が近代史上において重要な役割りを演じることができたのは，批判されるべき多少の面を含んでいたにせよ，彼らが気骨をもち風格を備えていたからである。しかも彼らには近代日本建設の気力と意欲があふれていた。彼らが願つたものは日本の確固たる自主独立であつた。敗戦後の日本は大きく改革された。しかしそのことは日本の美しい伝統，国民性の喪失を意味してはならない。たとえば自然と人間に対する愛情のこまやかさ，寛容の精神等がそれである。われわれはそれらについて，過去の日本人に感謝しなければならない。しかしその愛情のこまやかさには広さと深さが欠けていた。また寛容の精神もとかく自主性を欠いていた。

しかしわけても注意されなければならないのは戦後の日本人にややもすればみられる気迫の欠如である。それがなくては豊かな日本人，美しい日本人であれとの理想も実現することができない。たくましい日本人であれと述べた理由の一面もまたそこにある。しかしそのたくましさが，日本の伝統と歴史にかんがみつつ洗練されることによつて，初めて風格ある日本人となることができるのである。われわれは進取の気に富まなければならないが，風格ある日本人となることによつて，世界的日本人となることができるのである。

以上をつぎの三点に要約することも可能であろう。

一，生きて自由な性格であれ。正しく自己を愛し他人に頼もしい人となれ。つねに前進を忘れるな。自己の仕事を愛し，責任を忘れず，積極的に築く人であれ。

二，家庭をいこいの場および教育の場とし，社会に出ては社会生活の規範を重んじ，自己に望むように他人に奉仕を忘れない心の持ち主であれ。

三，日本人であることを誇りとするように，自国の価値と品位を高めようと望む心の持ち主であれ。自国を世界の平和と進歩に貢献できるように，自己の場において努力を怠らない，たくましく心豊かな人であれ。

第19特別委員会委員

△会長＝森戸辰男（日本育英会会長）△副会長＝木下一雄△主査＝高坂正顕（東京学芸大学長）△委員＝天野貞裕（独協大学長）石田壮吉（東京都立第三商業高校長）大河内一男（東京大学学長）久留島秀三郎（同和鉱業株式会社相談役）高橋雄豺（読売新聞社副社長）高村象平（慶応義塾大学塾長）平塚益徳（国立教育研究所長）諸井貫一（秩父セメント株式会社社長）△臨時委員＝出光佐三（出光興産株式会社社長）坂西志保（日本ユネスコ国内委員会委員）野尻清彦（大仏次郎－日本芸術院会員）松下幸之助（松下電器産業株式会社長）▷専門委員＝内藤誉三郎（前文部事務次官）

小・中・高校の校舎概況

調査広報課

はじめに

　文教局調査広報課が実施している学校基本調査の1964学年度分がまとまった。次にその校舎施設について保有面積,基準面積,不足面積状況を教育区・高校別に紹介したい。学校基本調査は毎年5月1日を調査現在として行なわれるもので,以下の資料は1964年5月1日における調査結果である。

　ここでいう保有面積とは,調査現在保有している校舎面積のことで,普通教室,特別教室とその準備室,図書室給食室,便所,洗面所等が含まれる。基準面積は生徒1人当たり校舎面積にその教育区の公立学校の在籍 (1964.5.1)を乗じて得たものである。この基準面積より保有面積を減じたのが不足面積であるが,小規模学校等においては保有面積が基準面積を上回わるところもあり,その場合達成率100%として処理した。

　構造別永久校舎率における永久校舎は,鉄筋ブロックならびに鉄筋コンクリート校舎を本体としており,したがつて石造,れん瓦造はこれに含まれないことになる。これ等永久校舎は殆んど政府補助によるもので,他に若干教育区や,PTA等の支出によるものがある。財源別政府支出はこの政府負担による建築校舎にあたる。

小　学　校

	保有面積 ㎡	基準面積 ㎡	不足面積 ㎡	達成率	構造別永久校舎率	財源別政府支出
				%	%	%
全　琉	358,039	434,787	80,537	81.5	72.3	74.7
公　立	356,964	434,289	80,437	81.5	72.3	74.7
国　頭	6,083	6,675	769	88.5	67.7	69.6
大宜味	2,814	3,682	868	76.4	70.6	66.9
東	1,633	2,096	463	77.9	56.0	71.6

	保有面積 m^2	基準面積 m^2	不足面積 m^2	達成率 %	構造別永久校舎率 %	財源別政府支出 %
羽　地	4,416	4,679	290	93.9	79.4	79.0
屋我地	1,150	1,530	380	75.1	73.2	71.5
今帰仁	5,917	7,309	1,392	80.9	65.6	69.7
上本部	2,535	2,980	445	85.1	74.9	78.8
本　部	7,199	8,685	1,486	82.9	58.9	74.1
屋　部	2,318	2,285	232	89.9	68.2	63.9
名　護	7,692	8,591	899	89.5	84.9	75.2
久　志	3,163	3,725	593	84.1	65.9	71.3
宜野座	2,687	2,430	45	98.2	82.9	83.5
金　武	3,715	3,938	457	88.4	83.1	83.0
伊　江	3,229	4,300	1,071	75.1	68.3	69.0
伊平屋	2,003	2,362	359	84.9	47.9	79.5
伊是名	1,961	2,874	913	68.3	67.5	67.4
北　部	58,515	68,141	10,662	84.4	70.2	73.3
恩　納	3,182	4,709	1,526	67.6	53.1	60.8
石　川	6,846	7,496	795	89.4	79.0	79.6
美　里	8,145	9,449	1,343	85.8	67.1	76.0
与那城	6,658	8,718	2,060	76.4	57.9	72.7
勝　連	5,442	7,012	1,571	77.6	64.7	74.6
具志川	15,449	16,636	1,937	88.4	76.0	87.8
コ　ザ	16,967	20,571	3,604	82.5	71.1	71.2
読　谷	7,159	9,920	2,761	72.2	54.8	64.0
嘉手納	4,666	6,437	1,770	72.5	57.6	67.7
北　谷	4,322	5,159	838	83.8	75.4	75.7

	保有面積 ㎡	基準面積 ㎡	不足面積 ㎡	達成率	構造別永久校舎率	財源別政府支出
				%	%	%
北 中 城	2,193	3,157	964	69.5	48.8	56.3
中 城	4,515	5,519	1,004	81.8	76.2	76.0
宜 野 湾	11,283	14,098	,858	80.0	65.8	73.2
西 原	3,517	4,799	1,284	73.3	63.5	70.1
中 部	100,344	123,680	24,315	80.4	66.9	73.7
浦添(新設校舎)	7,197	12,152	4,955	59.2	58.3	56.5
那 覇	77,217	92,612	15,731	83.1	79.8	77.6
(久)具 志 川	2,836	2,913	77	97.3	91.5	87.8
仲 里	4,901	5,615	717	87.3	77.6	81.5
北 大 東	503	720	217	69.8	65.8	56.6
南 大 東	1,396	1,716	321	81.3	37.1	73.9
那 覇	94,050	115,728	22,018	81.0	77.0	75.6
豊 見 城	4,510	5,381	871	84.0	66.4	71.8
糸 満	13,737	16,630	2,893	82.6	76.4	76.6
東 風 平	3,423	4,543	1,120	75.3	61.0	67.1
具 志 頭	2,777	3,541	764	78.4	73.5	73.3
玉 城	4,364	5,031	667	86.7	81.0	74.6
知 念	2,360	3,171	811	74.4	68.8	71.0
佐 敷	2,849	3,770	921	75.6	64.9	71.3
与 那 原	2,937	3,912	976	75.1	59.7	69.1
大 里	2,515	3,552	1,037	70.8	65.0	64.9
南 風 原	3,560	4,404	844	80.8	78.8	70.8
渡 嘉 敷	727	922	195	78.8	78.8	67.8

	保有面積 ㎡	基準面積 ㎡	不足面積 ㎡	達成率	構造別永久校舎率	財源別政府支出
座 間 味	1,096	1,363	267	80.4%	44.1%	71.0%
粟 国	977	1,152	175	84.8	84.8	81.7
渡 名 喜	635	840	204	75.8	75.8	68.5
南 部	46,467	58,212	11,745	79.8	68.0	72.4
平 良	14,522	16,298	1,790	89.1	86.5	82.4
城 辺	7,046	8,592	1,546	82.0	79.4	77.9
下 地	2,052	2,944	892	69.7	67.7	60.8
上 野	1,922	2,462	540	78.1	75.7	73.8
伊 良 部	4,378	5,591	1,212	78.3	73.8	71.7
多 良 間	1,363	1,401	39	97.3	75.7	95.7
宮 古	31,283	37,288	6,019	83.9	81.1	78.0
石 垣	10,791	13,723	2,931	78.6	74.9	75.8
大 浜	8,028	8,254	566	93.2	90.6	89.4
竹 富	5,319	6,450	1,534	76.3	73.9	75.6
与 那 国	2,167	2,813	647	77.0	66.7	75.0
八 重 山	26,305	31,240	5,678	81.9	78.1	79.3
政 府 立	223	154	—	100.0	……	100.0
私 立	852	344	100	71.0	……	——

中 学 校

	保有面積 m²	基準面積 m²	不足面積 m²	達成率	構造別永久校舎率	財源別政府支出
				%	%	%
全 琉	186,494	277,360	91,639	67.0	57.4	54.0
公 立	183,812	275,016	91,616	66.7	57.4	58.3
国 頭	3,850	4,358	617	85.9	68.9	69.3
大 宜 味	2,346	2,796	493	82.4	77.1	73.3
東	1,037	1,582	546	65.5	40.2	46.9
羽 地	2,370	3,221	851	73.6	70.2	61.6
屋 我 地	721	1,070	349	67.4	49.3	58.2
今 帰 仁	3,614	5,224	1,610	69.2	55.1	58.3
上 本 部	1,096	1,833	736	59.8	43.6	52.7
本 部	4,036	6,397	2,361	63.1	45.9	53.3
屋 部	1,020	1,454	434	70.1	55.8	60.4
名 護	3,736	5,632	1,896	66.3	58.7	58.2
久 志	1,970	2,729	821	70.0	69.0	66.8
宜 野 座	1,375	1,429	54	96.2	77.1	65.9
金 武	1,865	2,490	625	74.9	77.9	70.8
伊 江	1,153	2,380	1,227	48.4	42.4	47.2
伊 平 屋	1,142	1,441	299	79.3	66.5	66.5
伊 是 名	1,423	1,661	238	85.7	68.4	61.0
北 部	32,754	45,697	13,157	71.3	59.8	61.0
恩 納	2,853	3,225	421	87.0	83.7	66.9
石 川	3,137	4,731	1,594	66.3	51.5	53.7
美 里	3,873	5,829	1,956	66.4	50.8	54.7
与那城（与勝中は勝連へ）	2,037	2,526	505	80.1	62.4	78.7

	保有面積 ㎡	基準面積 ㎡	不足面積 ㎡	達成率	構造別永久校舎率	財湯別政府支出
				%	%	%
勝 連	4,434	6,566	2,152	67.3	49.7	60.3
具 志 川	5,722	10,017	4,295	57.2	41.1	49.3
コ ザ	9,399	12,886	3,487	73.0	59.6	66.4
読 谷	3,563	5,561	1,998	64.1	42.8	53.2
嘉 手 納	2,702	3,751	1,049	72.1	57.5	66.6
北 谷	1,876	3,063	1,188	61.3	61.2	55.2
北 中 城	1,472	1,994	522	73.9	61.8	59.9
中 城	1,323	3,102	1,779	42.7	36.6	36.6
宜 野 湾	5,200	8,165	2,964	63.7	61.5	58.4
西 原	2,213	2,890	678	76.6	75.6	72.1
中 部	49,804	74,306	24,588	67.0	55.9	58.4
浦 添	4,245	6,861	2,616	61.9	61.8	58.2
那 覇	41,103	61,663	20,560	66.7	57.0	58.0
(久) 具 志 川	1,357	1,977	619	68.7	56.6	60.6
仲 里	2,280	3,460	1,179	66.0	62.2	60.0
北 大 東	326	468	142	70.3	69.6	69.6
南 大 東	558	973	417	57.3	57.2	57.2
那 覇	49,869	75,402	25,533	66.2	57.8	58.2
豊 見 城	1,853	3,153	1,300	58.8	47.9	46.0
糸 満	6,267	10,498	4,230	59.8	53.9	54.3
東 風 平	1,784	2,881	1,098	61.9	39.7	46.6
具 志 頭	1,356	2,033	677	66.7	66.0	62.8
玉 城	1,818	2,958	1,140	61.5	58.6	57.2

	保有面積 m^2	基準面積 m^2	不足面積 m^2	達成率 %	構造別永久校舎率 %	財源別政府支出 %
知　　念	1,261	2,104	844	59.9	54.4	63.8
佐　　敷	1,357	2,433	1,076	55.8	52.2	51.1
与　那　原	1,865	2,790	925	66.9	59.2	59.2
大　　里	1,117	2,106	989	53.1	45.3	48.2
南　風　原	1,801	2,751	949	65.6	64.0	57.5
渡　嘉　敷	433	631	198	68.7	59.0	53.3
座　間　味	675	1,105	430	61.1	58.7	54.3
粟　　国	639	915	276	69.9	56.2	62.7
渡　名　喜	257	611	353	42.2	42.2	40.1
南　　部	22,485	36,969	14,485	60.9	53.9	54.0
平　　良	6,453	9,733	3,293	66.2	59.9	61.4
城　　辺	3,690	5,424	1,734	68.1	60.3	58.4
下　　地	1,504	1,964	459	76.7	69.8	62.9
上　　野	1,097	1,630	533	67.4	54.1	54.1
伊　良　部	2,016	3,295	1,279	61.2	47.5	56.9
多　良　間	610	937	327	65.2	54.4	54.4
宮　　古	15,370	22,983	7,625	66.9	58.4	55.5
石　　垣	5,382	9,169	3,787	58.7	53.6	55.0
大　　浜	3,689	4,863	1,174	75.9	72.0	69.0
竹　　富	3,293	4,055	861	78.8	65.8	75.2
与　那　国	1,166	1,572	406	74.2	61.2	73.1
八　重　山	13,530	19,659	6,228	68.4	61.3	64.1
政　府　立	2,602	2,241	－	100.0	100.0	100.0
私　　立	80	103	23	77.7	……	－－

高　　校

	保有面積 ㎡	基準面積 ㎡	不足面積 ㎡	達成率	構造別永久校舎率	財源別政府支出
				%	%	%
総　　数	114,777	190,695	76,049	60.2	55.4	49.3
政　府　立	98,761	163,406	64,777	60.4	55.7	57.6
辺　土　名	1,774	2,734	960	64.9	63.4	59.9
北　　山	2,362	3,148	785	75.1	67.7	64.4
名　　護	5,339	7,339	2,001	72.8	65.5	70.0
宜　野　座	2,211	2,282	71	96.9	86.8	86.8
石　　川	2,389	3,783	1,394	63.2	55.1	61.6
前　　原	4,410	6,060	1,651	72.8	72.7	72.7
読　　谷	3,978	4,534	556	87.8	75.5	74.4
コ　　ザ	5,198	6,143	945	84.7	72.0	78.3
普　天　間	4,779	7,328	2,549	65.3	62.4	60.5
首　　里	6,545	9,497	2,952	69.0	67.0	67.0
那　　覇	6,431	9,839	3,408	65.4	58.6	62.9
小　　禄	2,971	5,828	2,857	51.9	50.9	51.0
知　　念	2,932	5,721	2,788	51.3	36.3	44.8
糸　　満	3,124	6,047	2,923	51.7	45.2	48.6
久　米　島	2,049	3,436	1,386	59.7	59.6	58.3
宮　　古	2,424	4,347	1,923	56.0	53.7	51.1
八　重　山	2,306	4,103	1,798	56.2	56.2	49.5
北　　農	2,994	6,687	3,693	44.8	38.7	44.5
中　　農	4,264	9,470	5,206	45.1	39.9	41.0
南　　農	3,583	9,037	5,455	39.7	38.1	38.1
宮　　農	2,804	6,166	3,362	45.5	44.4	45.5

		保有面積 m²	基準面積 m²	不足面積 m²	達成率 %	構造別永久校舎率 %	財源別政府支出 %
八重	農	3,303	6,681	3,315	50.0	36.8	49.9
沖	工	7,558	13,492	5,934	56.1	55.9	56.0
中	工	1,871	4,838	2,967	38.7	35.0	38.7
那	商	4,805	7,381	2,576	65.1	65.0	63.9
沖	水	3,541	4,863	1,322	72.9	71.3	70.9
宮	水	2,816	2,685	—	100.0	85.9	100.0
私	立	16,016	27,289	11,272	5 8.7	52.4	—
沖	縄	4,890	8,874	3,984	55.2	55.1	—
中	央	6,189	11,166	4,977	55.5	43.4	—
興	南	4,937	7,249	2,311	68.2	66.5	—
盲ろう学校		2,015	3,849	1,834	52.4	52.3	52.3
盲　学　校		828	1,244	415	66.7	66.5	66.5
聾　学　校		1,187	2,605	1,418	45.6	45.5	45.5

東日本学校給食栄養管理講習会に参加して

南風原中学校　金城光子

　去る1964年8月17日～19日の3日間，山梨県甲府市で開かれた学校給食栄養管理講習会に参加いたしましたので報告をかね雑感を述べさせていただきます。

　まず講習内容ですが
(1) 本年度の学校給食の課題……文部省学校給食課　小泉武
(2) 新しい栄養学の諸問題……慶応大学　原　実
(3) 食事内容向上のための具体的方策……文部省学校給食課　茂木博枝
(4) 調理と味の科学……お茶の水女子大　吉松藤子
(5) 学校給食における衛生管理の問題点……文部省学校保健課　荷見秋次郎

　以上の五項目ですが紙面の都合上要点だけを御紹介いたします。

　第一項の本年度の学校給食の課題として
(1) 学校給食の社会的使命の再確認
(2) 学校給食の効果判定と周知徹底
(3) 学級給食の現状分析

(4) 学校給食助成諸施策等の問題がとりさげられましたが国際的に劣る日本人の栄養を改善し，その低い体位を伸長するとともに社会道徳性を高め民主的な人間関係，合理的生活態度を育成し，また国民全体の栄養改善は困難であつても成育期にあるすべての児童生徒に計画的継続的に栄養を改善していく事によつてその社会的使命も十分生かされてくるものと思います。

　次に現状分析ですが本土では小学校76.1％，中学校14.7％が完全給食を実施しており，給食費でも15.6円(4.3仙小学校)で沖縄と1仙以上の差があり，その上人件費はPTA担負は僅か3.1％で，しかも毎年半分ずつが公費負担になついる。栄養士の配置状況でも完全給食をやつている委員会の30％，小・中学校の10.2％が配置されていて，学校に栄士養のいない所は委員会の栄養士が巡回指導を行つています。

　以上の様な人的構成，普及状況，給食費等の現状を全くうらやましく思うと同時に私達もこの事を本年度の課題

をすべきだと強く感じました。

次に茂木先生の食事内容向上のための具体的方策についてですが，先生の講演は本講習の花型で私達に大きな感銘をあたえました。まず現行食事内容についての問題点として

(1) 小学校給食の食事が味や質の面において家庭の食事に比べて劣ること

(2) 給食費が概して安い。

(3) 栄養基準量が全国的平均値で示されているため地域によって実情に適しない給食になるおそれがある。

(4) 都道府県間の栄養摂取の不均衡がはなはだしい。

(5) 施設設備の不備，調理人の不足給食費の低れん等の給食に及ぼす影響を強く指摘し，また食事内容を改善する具体的方策として。

(1) 学年別，性別，個人差等に応じた給食の実施。

(2) 地域を考慮した学校給食栄養内容の検討（家庭栄養調査等）

(3) パンの減量とおかずの増量による食品構成の改善。

(4) 給食のミルクをおいしく作るくふう。

(5) パインの品質の向上とコッペパンの2個取り制の実施。

(6) 二品料理による給食の実施と給食施設設備の改善，給食要員の確保，適正給食費の検討等をあげ，現行給食に強い批判をなされ，また私達も大いに反省させられました。

特に茂木先生は学校給食の改善について，最近学校でミルクやパンの残が多い事を耳にするが残が多いのはそれがまずいから残すのではなく毎日同じ状態だから残すのではないか，また生徒の残したパンを家庭にもちかえすのも良くない。従来の学校給食料理から脱すべきである。学校給食だからという事にあきらめをもつてはいけない。子どもの食生活改善に大きな力を与えるものでなければならない。

外国ではすでに子ども達の好みによるものを与える事が出来ないものかという所まで発展してきている。また一般の食生活水準はずい分向上して来たのに学校給食が進展しないのは何故か，今後に課され大きな問題である。給食施設設備の問題でも，現在殆んどの学校が鍋だけにたよっているが鍋は煮たり，茹たりするもので焼いたり，むしたりする事は出来ない。給食に変化をつけるためにも学校給食の施設々備も是非家庭の台所なみに引き上げていかねばならないのではないかという事を強調しておられました。

次に調理と味の科学では
(1) 食物の味，
(2) 調味料の種類とその使い方
(3) 調理と味の三つについてでした

かなり科学的につっこんでお話していらっしやいましたが結論としては料理において最も大事な事は調理法と調味料の使い分け，時間との関係等であるので常に科学的（判断）観念をもつてあたつて欲しい。腕からは味は出ないので，だしや材料に関心をもつてじようずに使い分けしなければならない事を強調しておられた。

次は学校給食における衛生管理の問題ですがその問題点として

(1) 全国的な赤痢，食中毒の発生状況の出現からその実態を良く知る（年間通じて発生していることには注意）
(2) 自校の給食衛生管理上問題点となるような事を検討し把握し，学校給食品がどんな場合（過程）に汚染されるかまた，学校給食の実施の過程において衛生管理活動がどのようにすゝめられているかについて検討する事が必要である。そして学校給食を衛生的に実施し，安全で栄養のあるものにするには

(1) 学校給食の衛生管理計画の立案実施，評価を実施すること
(2) 学校給食施設々備の衛生管理
(3) 調理従業者の保健管理および保健指導
(4) 国産品の購入調理その他取扱い
(5) 配給及び給食時の注意事項等を徹底していかねばならない。以上で内容の大まかな説明を終りますが全体的な感想として，本土ではすでに普及の時期をこえ，内容の充実，完全給食の義務化へとすゝんでいる現在，沖縄はまだまだ普及の段階でしかないこと，また現在のように養護教諭や一般教員でありながら完全給食の一切を世話していかねばならない状態から1日も早く脱すべきであると思います。そうする事によって学校給食も進展して行くものと思います。それに物価高の上に安い給食費，そこへ調理人の50％以上の人件費を払わねばならない，二重三重の悪条件を解消し，給食費がそのまゝ児童生徒に還えされる日の近からん事を期待し，また施設設備の面も家庭の台所なみに近づける努力をしていかねばならない事を強く感じました。

全国幼稚園研修会に参加して

石川市伊波幼稚園　玉城勝子

私は佐賀県会場における昭和39年，9月24～26日の3日間にわたる文部省主催の幼稚園教育課程研究会へ参加させていただきました。講習会派遣のためにとくに教育予算で，積極的なご配慮を下さいました文教局長さんはじめ関係諸先生方に対し，深く感謝申し上げます。

私はこの機会を利用し，本土の幼児教育のあり方についてより多く吸収するようにつとめました。以下研究会へ行つて感じた点を述べたいと思います。

※　　　　　※

9月20日，那覇港を出発，23日佐賀県の観光ホテル「龍登園」に到着，ホテルには文部省，県教育長，委員会，関係者200余人の参加者が集まり，にぎわいました。柿の実が色づく頃，初秋の好天にめぐまれた9月24日，開講式は当県の付属小学校の講堂で開かれました。参加者は300余人，正面に並ぶ講師の先生方の中には宮内孝先生の顔も見えました。

まず主催者を代表して，県教育長の馬場先生のあいさつ，続いて「幼稚園の教育課程を編成するにはどんな点に留意し，どんな手順でするか」また「評価するにはどんな点に留意し，どんな方法でするか」というテーマで，文部省の玉越先生を中心に研究討議が行なわれ，レクレエーションをひかえて午前の部が終わり，午後からは社会，言語，音楽リズムの三部会にわかれ，部会は4時30分に終りました。

午後5時には，学校法人佐賀新道幼稚園を参観させていただきました。新道園の敷地は1000余坪あつて，園庭も広々としており，市内とはいえ樹木に恵まれ暑い夏でも涼しい樹陰が多く園児たちはそこで伸び伸びと運動ができます。それに加えて，色とりどりのバラの花が咲きそろい，四季の移り変わりによって植え込みの花も変化し，子ども達の心を和らげ，藤の季節には藤棚の下で，やわらかい香りにつつまれて，ままごと遊び，スベリ台遊びなどができることは本当に恵まれた環境だと言えます。

また新道園においては，視聴覚教育

としてNHK学校教育放送研究委嘱園でもあり，教育要領に示す，「よくきく力」「よく見る力」「よく表現する力」を養うために年次的に施設設備をし，昭和25年頃より視聴覚の面に力をそそぎ，年々教材も充実され，本年はR．T．Vに重点を置いているようです

「次代に生きる幼児の幸福のために施設をととのえ，教育の実を図る理念で努力している。」を古賀園長は語つておりました。

公立の幼稚園なども参観しましたが，R．T．Vが設置され，視聴覚教育に重点をおき施設設備が完備されていることに私はただ感銘を深くするばかりでした。

※　　　　　※

かえりみてわが沖縄の幼児教育を考えますと十数年も本土より遅れているのではないでしようか。私は「幼稚園の教育計画に適応した環境をいかに構成したらよいか」についてつとめることは，人づくり，社会づくりのとくに叫ばれている今日，極めて大切なことだと考えます。

人間形成の基礎は幼児期に養われることは学校教育法第77条に「幼稚園は幼児を保育し適当な環境を与えて，その心身の発達を助長することを目的とする。」とありますし，また，児童憲章の中に「児童はよい環境の中で育てられる」と説明されております。

したがいまして，保育に専念する者は，常に教育計画と環境という点に留意し，その効を大にしなければならないと思うのであります。残念ながら教育環境を見てまいりました本土のそれと比較しますと著しく劣る条件下にございます。

つぎに沖縄には未認可の幼児のための施設があります。それを充実させることによつて公認させる。そのために，施設補助が必要だと思います。

また本土の教師と比較いたしますと基本給が低いということです。公立幼稚園の全教師の教員給は補助されるべきだと思います。

さらに幼稚園教育を義務制にすることも考えてよいと思います。

それから幼稚園教育専任の指導主事を置くことが必要ではないかと考えます。これらのことはただ話題に花を咲かせるだけでなく，その実現のために教師自からが積極的に機会を作り努力することだと考えます。教育行政にたずさわっておられる先生方のご配慮をお願いします。

わが国の教育水準　昭和39年度

義務教育就学99.9%

　　　　　　　　　　　　　　　　　　　　　文部広報第390号より

　文部省では，11月1日から7日までの教育文化週間に，毎年その行事の一環として教育白書（通称）を発表している。今回のは「わが国の教育水準で，第六回目の白書である。この主題は第一回（昭和34年）で取り上げられたものであるが，その後におけるわが国をはじめ諸外国の教育が著しい発展を遂げていることを考慮して，再び昭和39年度版として取り上げることなつたものである。

　世界の各国が教育の発展に非常な努力を傾けている今日，わが国の教育を世界の主要国と比較して，その水準をはあくし，問題点を明らかにすることは，わが国の教育の発展を考えるうえできわめて重要なことである。

　本書では教育の量的普及，教育内容，入学者選抜制度，能力・適性に応じた教育，教員，施設・設備，保健・体育，教育費等について，主としてアメリカ合衆国，イギリス，西ドイツ，フランス，ソビエト連邦と比較してあるが，全体を通じて次のようなことがいえる。すなわち，わが国は教育の量的普及ではかなり高い水準にあるが，教育内容の充実，能力・適性の発見・開発，大学入学者選抜制度の改善，教員資質の向上，施設・設備の改善等の質的な面ではなおふじゆうぶんな点があること，および教育費支出ではなおいつそうの努力が必要なことなどである。

　主要国が教育改革や教育計画を通じ，教育の目的拡大を図りながら，その内容や方法の改善を図つていることを考えると，わが国においてもこの問題についてじゆうぶん検討を加えなければならないだろう。

　社会経済の発展に果たす教育の役割が強く認識されている今日においては，将来の教育を予見し，教育の課題を解決するために，教育の総合的・長期的計画を樹立することが必要である。以下，本書のあらましを述べてみよう。

第一章　教育の量的普及

義務教育

　各国の義務教育年限をみると，イギリスの10年が最も長くわが国は，アメリカ合衆国（大半の州），西ドイツ（大半の邦）などとともに9年で，これに次いでいる。しかし，多くの国で義務教育年限延長の動きがみられる。とくにイギリスでは11年への延長が，また，フランスでは10年への延長が決定している。

　わが国の義務教育就学率は99.9％で，主要国と比較しても最も高い。

後期中等教育

　わが国の高等学校進学率は昭和25年には45.5％であったが，近年いちじるしく上昇し，昭和39年には70.6％に達している。しかし昭和38年度の進学率を都道府県別にみると，東京都の84.3％から宮崎県の47.8％までかなりの開きがある。進学率の高低は，各都道府県の産業構造，住民の所得水準，教育に対する関心などさまざまの要因によるものと見られるが，一般に，住民の所得水準の高い府県および第二次・第三次産業の発達した府県は進学率が高い。

　わが国の高等学校進学率は，アメリカ合衆国に比べればかなり低いが，イギリス，西ドイツ，フランスに比べればかなり高い。最近5年間の進学率の伸びをみると，わが国とイギリスの伸びが比較的高い。（第1表）

　昭和38年度において，わが国の15～17歳の青少年のうち54.6％は全日制高等学校に，16.2％は定時制・通信制高等学校に，9.8％は各種学校，青年学級，その他の教育・訓練機関にそれぞれ在籍している。29.4％（185万人）はいずれの教育・訓練機関にも在籍していない。

第1表　主要国における義務教育終了者の中等学校進学率

国　名	義務教育最終学年	最近年度 年度	最近年度 進学率A	5年前 年度	5年前 進学率B	伸び率 $\frac{A-B}{B}\times100$
日　　本	第9学年	1964	70.6％	1959	56.8％	24％
アメリカ合衆国	9	1963	95.2	1958	93.5	2
イ　ギ　リ　ス	10	1963	44.3	1958	36.6	21
西　ド　イ　ツ	8	1961	55.6	1956	49.9	11
フ　ラ　ン　ス	8	1961	55.6	…	…	…

高等教育

　わが国における高等教育進学者数は近年いちじるしく増加した。高等教育進学者の該当年齢人口に対する比率は昭和29年度には10.1%であつたが，昭和38年度には15.7%に達している。しかし高等教育志願者の比率を都道府県別にみると，東京都の36.1%から青森県の8.8%までかなりの開きがあるこの比率の高低は，各都道府県の住民の所得水準や産業構造とかなりの関係がある。

　わが国の高等教育進学者の該当年齢人口に対する比率は，アメリカ合衆国と比べればかなり低いがイギリス，西ドイツ，フランスよりは高い。最近5年間における進学率の伸びをみると，わが国の伸びは西ドイツと並んで最も高い。（第2表）

　高等教育機関の学生のうち女子の占める比率は，年々増加してきており，昭和39年度において22.5%であるが，主要国と比べるとかなり低い。

第2表　主要国における高等教育進学者の該当年齢人口に対する比率

国　　名	最近年度 年度	高等教育進学者の比率	5年前 年度	高等教育進学者の比率	伸び率
日　　本	1963	15.7%	1958	10.9%	44%
アメリカ合衆国	1963	33.1	1958	33.6	13
イギリス	1962	8.4	1957	6.9	22
西ドイツ	1961	6.5	1956	4.5	44
フランス	1962	12.1(1)	1957	8.6(1)	41

　(1)　は総合大学進学者の比率。

〔備考〕ソ連の高等教育進学者の該当年齢人口に対する比率は正確には得られないが，イギリスの「ロビンズ報告」は1958年度の比率を10%と推定している。

幼稚園教育

　幼稚園の在籍者数は近年いちじるしく増加し，昭和39年度は約百6万人で，昭和9～11年平均の7.2倍となつている。また幼稚園就園率（小学校第一学年入学者のうち幼稚園教育終了者

の占める比率）は，昭和39年度において38.9％に達している。

五歳児の幼稚園在籍率を主要国と比較すると，アメリカ合衆国は67.8％，フランスは91.6％であるのに対し，わが国は38.8％にとどまっており，幼稚園教育の普及率は，先進国に比べてかなり劣っている。

国民の学歴構成

わが国の国民の学歴水準は第二次世界大戦後いちじるしく上昇してきている。生産年齢人口の学歴構成を昭和10年，25年，35年の3カ年について比較してみても，中等教育卒業者と高等教育卒業者の比率が大幅に増加し，未就学者と初等教育卒業者の比率が減少している。

第二章　教育内容の充実と能力の開発

教育課程

わが国と同様，主要国においても，科学技術教育の振興，道徳教育の徹底，基礎学力の向上，能力・適性に応じた教育などを基本方針として，教育課程を編成することとしている。

第1図　主要国における中等教育段階のコースの種類と分化の時期

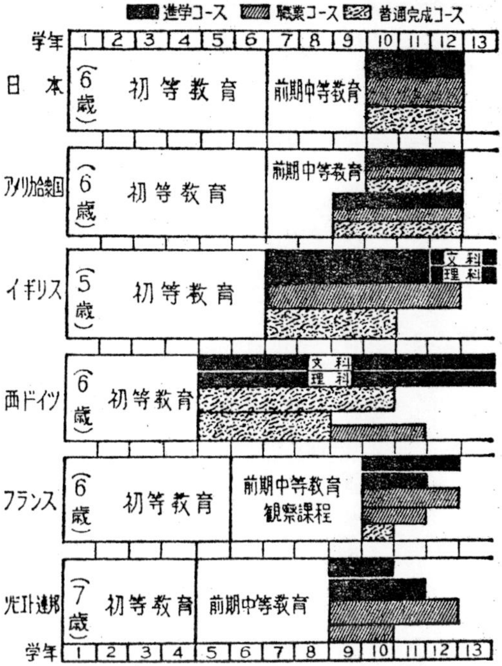

（注）ソビエト連邦の進学コースでは普通完成教育も行なわれている。

教科別の授業時数は，小学校についてはわが国では昭和33年度の教育課程の改訂で国語の時間数を大幅に増加したが，主要国と比べるとなお少ない。（第3表）

中学校・高等学校を通じてみると，国語や社会科系教科の比重についてはわが国は主要国とあまり違いがないが数学の比重は一般に低く，高等学校の理科も低いほうに属する。また外国語の比重がヨーロッパ諸国より低い。

第3表　主要国の初等学校第6学年における週間授業時数の教科別比率

教科	日本	アメリカ合衆国	イギリス	西ドイツ	フランス	ソビエト連邦 ①
計	100.0%	100.0%	100.0%	100.0%	100.0%	100.0%
国語	22.6	28.1	29.6	15.6	32.7	22.6
外国語	—	—	—	12.5	—	9.7
算数	19.4	14.0	16.8	12.5	18.2	19.4
理科	12.8	10.5	4.2	9.4	5.5	12.8 ②
社会	12.8	19.3	6.3	—	—	—
地理	—	—	—	}12.5	}1.8	6.6
歴史	—	—	—			6.5
唱歌	6.5	7.0	4.2	}12.5	3.6	3.2
図画	}6.5	—	}14.7		3.6	}3.2
工作 ③		8.8		6.2		
家庭	6.5	—	—	—	—	—
体育	9.7	12.3	10.5	9.4	9.1	6.5
公民・道徳	—	—	—	—	3.6	—
道徳	3.2	—	—	—	—	—
宗教	—	—	13.7	9.4	—	—
自習	—	—	—	—	18.2	—
労働教育	—	—	—	—	—	9.6

①＝5学年　②＝物理と化学に分化している。
③＝イギリスや西ドイツは，男子が工作を行ない，女子は裁縫を行なう

科学技術教育

世界の主要国は，科学技術教育の振興に非常な努力を傾けている。とくに理科や数学教育の内容を精選し，基本的事項を徹底して指導し，科学的知識の理解，活用および創造力などを養うことを目ざしている。

近年，アメリカ合衆国では，科学者・技術者などが教育関係者と協力して，数学や理科の教育内容と方法を科学技術の発達に即応して改善する動きが活発である。

道徳教育

科学技術教育の振興と並んで，道徳教育もとくに重視されているが，その実施のしかたは各国とも必ずしも一様ではない。わが国は道徳の時間を特設しているが，宗教や公民の時間でこれ

を取り扱つている国が比較的多い。

国際理解の教育

　主要国においては，現代外国語や公民教育あるいは地理・歴史などの教科の指導を通じて国際理解の教育が行なわれている。

　とくにユネスコでは，積極的にこの教育の普及を図つている。

　国際社会におけるわが国の責務が増大しつつある今日，そのような責務を果たしうる人間を育成するために，国際理解の教育をいつそう充実・強化していく必要がある。

教育方法

　わが国の学校教育においては，教科書を中心に，さまざまの教材・教具が使われており，最近では視聴覚教材の利用が活発化してきている。

　諸外国においては，近年，教育研究の進歩や科学技術の発達にともない，その成果を学習指導の技術面にとり入れて，教育の効率を高めていくための新しいくふうや研究がなされている。とくにテレビジョンの活用，プログラム学習語学ラボラトリーなどが注目される。

学力水準

　児童生徒の学力はわずかながら年々向上してきているが，文章要旨のはあく力（国語），応用力，思考力（数学）など劣る面がまだ多い。

　学力には個人差と同時に学校差・地域差があるが，後者は主として各学校のもつ人的，物的諸条件や各学校所在地域の社会的，文化的背景によつてもたらされている。

能力・適性に応ずる教育

　主要国においては中等教育段階にはいると進学・職業・普通完成の三コースを設けて生徒の能力・適性に応ずる教育を行なうようにしている。（第1図）コース分化の時期とふり分けの方法は，　(a) アメリカ合衆国では時期は第九学年以上であり，方法はガイダンス，　(b) イギリスでは第六学年から国語・算数・知能テストによる「十一歳試験」，(c) 西ドイツでは第五学年から1〜2週間にわたる国語・算数・郷土科の「試験授業」，　(d) フランスでは第6〜9学年の4年間にわたる「観察課程」における適性観察と進路指導によつている。

　適性観察による方法は，フランス以外でも実験的に実施している国や採用を計画している国が数か国ある。

大学入学者選抜方法

　アメリカ合衆国では大学入学試験委員会（CEEB）の行なう統一的な入

学試験の成績によって入学者を選抜する大学が多い。イギリス（GCE試験），西ドイツ（アビトゥール）およびフランス（バカロレア）は統一的な資格試験。ソビエト連邦は入学試験によつて大学入学者の選抜を行なつている

近年，高等教育の水準を維持するため，増大する大学進学希望者のなかから真に高等教育を受けるに適した者を選抜する方法について，各国では，その研究や対策が積極的に進められている。

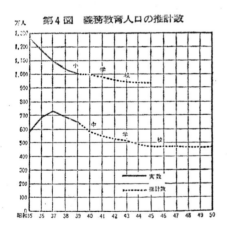

第4図　義務教育人口の推計数

第三章　教員の確保と教育条件の整備

学校規模と教員配当

教員1人当たり在学者数は小学校・中学校では年々減少し，昭和39年度には小学校29人，中学校27人となつた。しかし，高等学校・大学では逆に増加の傾向を示している。これを主要国と比べると，小学校はほぼ同じであるが，中等学校・大学では主要国より多い。

わが国では51人以上の過大学級はほんど解消した。また，「標準法」の改正により，1学級の標準が昭和39年度から45人と定められ，5カ年計画でこれを達成することが図られている。主要国の学級編制基準はふつう初等学校で40人，中等学校で30～35人である。

教員の構成

教員の学歴構成をみると，大学卒者の比率が年々増加してきており，小学校は13％，中学校は38％，高等学校は51％となつている。しかし主要国では大部分が大学卒業者である。

女子教員の比率は最近増加しつつあり，昭和39年度には小学校48％，中学校25％となつている。しかし主要国，とくにアメリカ合衆国，イギリス，ソビエト連邦では，初等学校に関するかぎり女子教員が大半を占めている。

施設・設備

小学校・中学校・高等学校の施設は，年々改善・整備されてきた。児童生徒1人あたり校舎面積もふえつつあ

文教時報（第九三号）

印刷　一九六五年一月二十九日
発行　一九六五年二月一日

非売品

発行所　琉球政府文教局調査広報課
印刷所　セントラル印刷所
電話　〇九九一二三七三番

文教時報

94

特集…高等学校教育費の推移と現状

65/5

No. 94

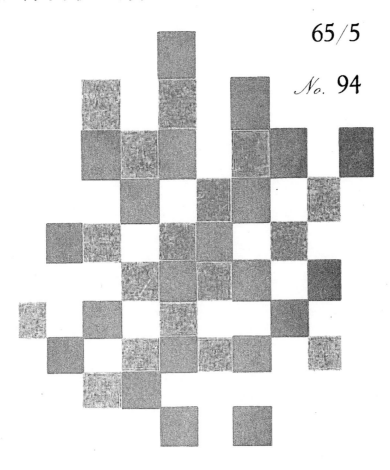

琉球政府・文教局・調査広報課

も く じ

No. 94　特集…高等学校教育費の推移と現状

「**写真**」高等学校急増対策の一環として新設された政府立高等学校

高等学校教育費の推移と現状・・・・・・・調査広報課・・・1

　はじめに・・・・・・・・・・・・・・・・・・・・・・・1

　A　高等学校教育費の推移・・・・・・・・・・・・・・・1

　　　1．高等学校（全日制）教育費の推移・・・・・・・・1

　　　2．高等学校（定時制）教育費の推移・・・・・・・・7

　　　3．高等学校教育の質的な面の推移・・・・・・・・・13

　B　高等学校生徒1人当り教育費の本土比較・・・・・・・20

　　　1．高等学校（全日制）・・・・・・・・・・・・・・20

　　　2．高等学校（定時制）・・・・・・・・・・・・・・30

　　　3．私費教育費・・・・・・・・・・・・・・・・・・34

　C　後期中等教育一つの課題・・・・・・・・・・・・・・36

沖縄学生調査完了す・・・・・・・・・・・・・・・・・・・39

家庭教育研修概況・・・・・・・・・・・社会教育課・・・41

研究教員だより

　　　　　　白泡の感・・・・・・・・・・芝　干　雲・・・56

　　　　　　特殊学級の実態と指導法・・・・・久　高　将　宜・・・58

高校生徒急増対策の一環として新設された
高 等 学 校

小禄高等学校
所在地　那覇市鏡原町
開校年月　一九六三年四月

在籍生徒数　1年　627人　2年　626人
（1965年4月）　3年　574人　計　1,825人

中部工業高等学校
開校年月　一九六四年四月
所在地　コザ市越来

在籍生徒数　1年　248人　2年　223人
　　　　　　3年　160人　計　631人

中部商業高等学校
開校年月 一九六五年四月
所在地 宜野湾市我如古

在籍生徒数 1年 400人
教 員 数 　　 25人

浦添高等学校
所在地 浦添村字内間
開校年月 一九六五年四月

在籍生徒数 1年 624人

高等学校教育費の推移と現状

調査広報課

はじめに

　文教時報第92号で，沖縄の教育財政のあゆみについて，小学校・中学校の生徒1人当り学校教育費を中心として解説したが，今回は後期中等教育の中核をなす高等学校教育費の推移と現状を明らかにしてみたい。

　これら一連の解説は，教育財政上での白書的な意味で，あくまでも過去の推移と現状を中心として，統計の上で示された数字を唯一の根拠として分析・解明したものであり，これが将来の教育財政の健全化及び進展への一つの指標ともなればという願いのもとに執筆されたものであることを特に強調しておきたい。

A　高等学校教育費の推移

1. 高等学校（全日制）教育費の推移

　高等学校（全日制）のために使われた年間の公教育費（政府または地方自治体によって支出された教育費）を，その年度において在学していた高等学校（全日制）生徒総数で割った金額を通常「高等学校（全日制）公教育費生徒1人当り額」と呼んでいる。この金額の大小が財政面での教育条件の良否を示す一つの重要なバロメーターであることは，よくご承知のことと思う。

　これらの推移を本土との比較において示したのが第1表及び第1図である。参考のため，1964，65会計年度についてもその推計を試みた。（その方法は第1表の注欄参照）

第1表　高等学校（全日制）公教育費生徒1人当り額の推移

		1955会計年度 昭29年度	1956 昭30	1957 昭31	1958 昭32	1959 昭33	1960 昭34	1961 昭35	1962 昭36	1963 昭37	1964 昭38	1965 昭39
公教育費生徒1人当り額	沖縄 $	47.05	38.66	50.03	68.77	67.11	76.88	76.79	95.27	102.66	(推計) 125.83	(〃) 110.49
	本土 $	68.51	69.36	73.73	82.04	86.58	89.36	103.47	132.52	169.63	(推計) 179.85	(〃) 191.43
差額 $		11.46	30.70	23.70	13.27	19.47	12.48	26.68	37.25	66.97	54.02	80.94
比率 %		68.7	55.7	67.9	83.8	77.5	86.0	74.2	71.9	60.5	70.0	57.7

【注】1. 1955〜63会計年度(昭29〜37)はいずれも地方教育財政報告書による。
　　2. 1964,65年度の2ヵ年は推計値である。その方法は次のとおり。
　　　(イ) 沖縄については当該年度の政府予算により推計。この場合，全日制，定時制

の財源比率は64年度91.5:8.5，65年度92,8とした。（過去の実績より）

(ロ) 本土の場合は，過去3ヵ年間の実額の平均伸長率（22.5％）より実額を推計し，これを当該年度の生徒数で除して算出した。

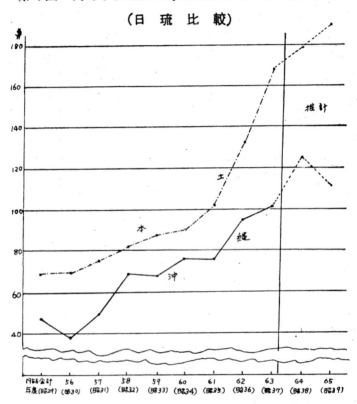

第1図　高等学校（全日制）公教育費1人当り額の推移
（日　琉　比　較）

高等学校（全日制）公教育費生徒1人当り額についても，小中学校同様に本土と沖縄の開きは近年かなり大きくなつてきており，1963会計年度では，本土の60％台という低さである。これは前の図でもわかるように本土におけるここ2，3年の教育費の伸びの著しいことに大きく影響しているものと思われる。

公教育費の生徒1人当り額の推移は生徒数の推移に直接関係してくるものであり，実額の伸びが大きくても，それが生徒数の増加による場合は，生徒1人当り額の伸長はあまりみられない

ことは当然である。

いま，第1表に示した会計年度間の高等学校（全日制）生徒数の推移を，初年度を100とした指数で表示してみよう。

第2表　高等学校（全日制）生徒数の推移

	1955会計年度 昭29年度	1956 昭30	1957 昭31	1958 昭32	1959 昭33	1960 昭34	1961 昭35	1962 昭36	1963 昭37	1964 昭38	1965 昭39
沖縄	100	110	120	126	128	129	127	120	122	146	174
本土	100	102	105	109	113	116	118	117	124	146	173

この表の示すとおり，高等学校（全日制）生徒数は1956～60会計年度間は沖縄の方が増加率が大きかつたが，最近年次においては殆ど同じとなつており，また，1964年度以降の急増の状態もよく似かよつていることは面白い現象である。結局，総体的にみて生徒数の推移は本土とあまり相異がないということになると，生徒1人当り教育費の格差は実額の伸長率の大小に帰着することになる。

では，高等学校（全日制）教育費の実額を消費的支出と資本的支出に分けて，これらの対前年度伸長率の推移を本土と比較してみよう。

第3表　高等学校（全日制）公教育費実額の対前年度伸長率の推移

		1956会計年度 昭30年度	1957 昭31	1958 昭32	1959 昭33	1960 昭34	1961 昭35	1962 昭36	1963 昭37	1964 昭38	1965 昭39
沖縄	総額	△9.3	41.1	44.2	△0.3	14.8	△2.1	17.5	10.1	61.1	5.1
	消費的支出		7.6	14.0	38.2	19.3	14.9	4.4	37.2	10.2	…	…
	資本的支出	△32.7	101.6	39.7	△17.3	43.9	△13.6	△25.8	9.4	…	…
本土	総額		3.1	9.4	16.0	8.9	6.4	17.5	26.9	35.4	…	…
	消費的支出		4.8	6.6	13.1	8.3	7.3	16.4	17.2	20.4	…	…
	資本的支出	△8.2	26.2	31.3	10.4	1.1	24.5	71.2	81.9	…	…

公教育費実額の推移は，沖縄においては年度によって，むらが大きく，特に資本的支出にその傾向があらわれている。本来，資本的支出は臨時的経費が多く，従って年度によって多少の増減があるのは認められてよかろう。しかしながら，教育費における資本的支出はその大半が校舎建築であるということと，校舎の基準への達成率がかなり低い沖縄の現状とを考え合わせるとき，沖縄の場合むしろ資本的支出も経常費の一部としてみるべき性格のものであり，この額の不安定さは教育財政そのものの不安定を示していると考えることができる。事実，1961，62年会計年度は中学校生徒数の急増があつたため，その余波をうけて高等学校（全日制）の資本的支出の減少という現象が生じている。

　これにひきかえ，本土の場合は現象が全く逆で，昭和36年度（1962会計年度），昭和37年度における資本的支出の急増が目立つている。即ち昭和34年度から37年度までの3カ年間に資本的支出が実に3.9倍にも飛躍している。この期間の生徒数の増加が僅か7％であるということと照し合わせると，このような現象はいささか異常のような感じがするが，これが次年度以降に起つてくる高校生徒数急増への一つの大きな対策としての財政的措置であつたとみるならば，これらの疑問は十分に解消できるであろう。

　高校生徒数急増の現象については，生徒数の増加の状態は1965会計年度までは本土と沖縄が全く同じ傾向にあることは既に第2表にみるとおりであるが，それに応ずる施策（主として施設）については，2年以上のおくれをとつていることが判然としてくる。施設設備に関する限り，沖縄の高校生急増対策は本土に比べ全くの泥縄式であつたといつても止むを得まい。これも火の車となつている貧弱なる教育財政のしからしむる結果であることはいうまでもない。

　高等学校（全日制）公教育費1人当り額が，近年本土と著しい格差が生じた主因はこの辺にあつたようである。

　なお，沖縄においては1964会計年度の高等学校公教育費が総額において61.1％も大幅に伸長することが予想されているが，これは主として資本的支出（建築費）の大幅増と日本政府援助による水産高校練習船（約23万弗）が加わることによる。

　次に，角度を変えて，高等学校における公教育費の将来の展望はどうかとい

うことについてふれてみよう。

高等学校は義務教育ではないので，その推移についても多分に政策的要素がからんでくる。即ち，中学校卒業生の約何％を高等学校に進学させることができるか，また，そのうち政府立（公立）の高等学校にはその何％を収容するか，あるいは全日制と定時制の生徒数の構成比はどうなつていくかなどによって，その経費の大小が大きく左右される。これらの問題については質的な問題としてのちほど検討を加えることとし，一応諸条件を現在とほぼ同じ状態にあるという仮定のもとに話をすすめてみよう。

まず，高等学校生徒数の増減を左右するものは，何といつても各年度における中学校卒業生数であることは異論がなかろう。そこで1962年3月中学校卒業生徒数を100とした場合のそれらの将来の推移を表及びグラフでみよう

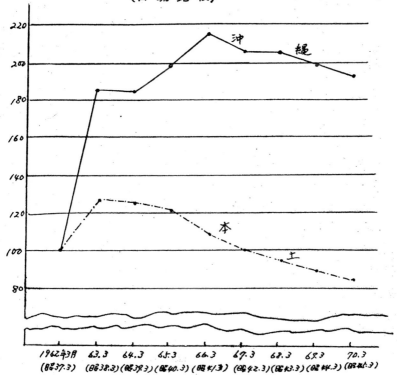

第2図　中学校卒業生徒数の推移
（日琉比較）

1962年3月（昭37年3月） =100

第4表　中学校卒業生徒数の推移　（1962年3月（昭和37年3月））＝100

	1962.3 昭37.3	1963.3 昭38.3	1964.3 昭39.3	1965.3 昭40.3	1966.3 昭41.3	1967.3 昭42.3	1968.3 昭43.3	1969.3 昭44.3	1970.3 昭45.3
沖縄	100	184	180	197	215	206	205	199	193
本土	100	128	125	121	109	100	95	89	85

　第4表及び第2図は中学校卒業生数の急増、従つてこれに伴なう高等学校生徒数の急増を、きわめて明瞭に浮きぼりしているが、またその急増の激しさの度合いが本土と沖縄においては格段の違いがあることも示している。

　すなわち、1962年3月を100としたとき本土のピークはその翌年度の1963年3月における128（28％の増）に対して、沖縄のピークはそれより3年おくれて1966年3月の215（115％の増）となつており、ピークまでの急増の度合も沖縄の場合極めて大きく、しかもピークを過ぎてもその減少の度合が本土に比べて極めて緩慢である。本土の場合、64学年度の山を越して3年も経過すれば中学校卒業生徒数は1962年3月の卒業生数に戻り、それ以後は、かえつてこの数より減少するということになる。従つて1962～67年度までは本土におけるいわゆる高校生急増期とみてよい。

　しかるに沖縄の場合はどうか。この図の示すとおり、卒業生徒数が増加してもそれが近い将来にまた元の数に戻るという現象はここ十年全くみられないことになる。すなわち、沖縄における中学校卒業生の急増は単なる期間（始めがあつて且つ終りのある）ではなく、実質における急増であり、この意味では沖縄においては高校生急増期ということはあり得ないことになる。このような違いはそれに応ずる施策の上にも反映されなければならない。例えば、生徒数の急増がここ4、5年の間であつたとするならば、極端な例になるが、一学級の定数をしばらく"すし詰め"で我慢して貰うとか、校舎にしても将来取壊しのできる程度の建築物でも或いは急増をしのぐことができよう。

　しかしながら、沖縄の場合のように急増の度合も大きくしかもそれが半永久的であるとするならば状態は全く異つてくる。恒久的な高校生収容対策を立てなければ、解決とはならない。

政府としても文教審議会の答申を得て，高校生急増に対処する基本的な方針を樹立し，高校の新設，既設高校の規模の拡大，一学級定員の暫定引上げ等でおしよせてくる急増の荒波を乗り切りつつあるが，質的な問題は別としても，最低限の条件と満足させるためにも，教員数の大幅増加，高校の新設，校舎の増築等本土各県とは比較にならない莫大なる財政措置を必要とすることは極めて明白なことであり，従って高等学校における生徒1人当り教育費の本土格差を将来において縮少していくことは決して容易なことでなく，これを解決していくことは教育財政上重要なる課題といわなければならない。

2. 高等学校（定時制）教育費の移推

高等学校（定時制）についても全日制と同様に公教育費生徒1人当り額の推移を本土比較の上でみていこう。

第5表 高等学校（定時制）公教育費生徒1人当り額の推移

		1955会計年度 昭29年度	1956 昭30	1957 昭31	1958 昭32	1959 昭33	1960 昭34	1961 昭35	1962 昭36	1963 昭37	1964 昭38 (推計)	1965 昭39 (〃)
公教育費生徒1人当り額	沖縄	$ 20.78	24.51	24.60	26.95	33.35	41.24	45.48	63.79	69.50	72.13	68.59
	本土	$ 58.79	59.95	62.11	67.92	73.39	75.64	92.61	120.44	135.22	(推計) 149.29	(〃) 162.12
差 額		$ 38.01	35.44	37.51	40.97	40.04	34.40	47.13	56.65	65.72	77.16	93.53
比 率		% 35.3	40.9	39.6	39.7	45.4	54.5	49.1	53.0	51.4	48.3	42.3

【注】1. 1955～63会計年度（昭29～37年度）はいずれも地方教育財政報告書による。
2. 1964,65年度の2ヵ年は推計値である。その方法は次のとおり。
　(イ) 沖縄については当該年度の政府予算により推計。この場合全日制，定時制の財源比率は64年度91.5：8.5，65年度92：8とした。（過去の実績より）
　(ロ) 本土の場合は過去3ヵ年の実額の平均伸長率（13.1%）より実額を推計し，これを当該年度の生徒数で除して算出した。

第3図　高等学校（定時制）公教育費1人当り額の推移
（日　琉　比　較）

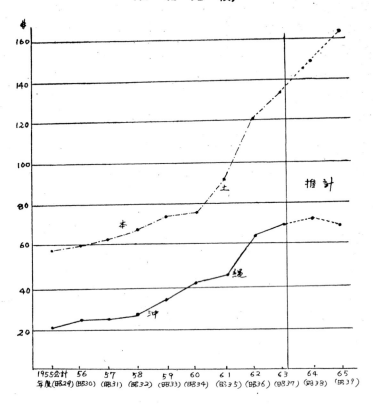

　高等学校（定時制）についても，本土の約半分という教育費となっており特に63年度以降において沖縄の教育費の伸長率が小さくなつてきて65会計年度では前年度より低くなることが予想されているのは全日制と全く同じ傾向である。これは生徒数急増による教育費の実額の伸びが，これに相応しないことに起因する。

　生徒数急増に要する臨時的経費は経常費の外に確保されるべき性格のものであるという考え方に立つならば，生徒急増期においては，これらの経費が余計に加わることにより生徒1人当り教育費は増加こそすれ，これが経常費を圧迫することは正しい教育財政のあり方とはいえないと考えられる。従つて本土の急増期における（或いはその

前期における)一人当り教育費の大幅な伸び(これは全日,定時ともに見られる現象である)は望ましい姿とみてよい。それにひきかえ逆にその伸長が鈍化する沖縄の教育財政をみた場合,教育条件の向上という指向に逆行しているとしか判断されないのは残念なことである。

高等学校(定時制)教育費については全日制と異り,本土比較をする場合,若干の観点の変更を必要とする。というのは,定時制の学校形態の相異というのが,本土と沖縄ではかなりの相異があるからである。即ち,沖縄ではご承知のように定時制はすべて全日制に併設されている夜間課程のみであるに対して,本土では下表にみるように昼間課程あり,夜間課程あり,また独立校あり,併設校ありでその形態がさまざまである。

第6表 定時制課程 昼夜別・独立併設別生徒数の構成比 (1962学年度政府立(公立)のみ)

	総数	昼間	夜間	昼夜間	独立	併設
沖縄	100.0%	―	100.0%	―	―	100.0%
本土	100.0	23.1	75.6	1.3	34.4	65.6

従って教育費の需要についても相異がでてくるのは当然である。例えば,独立校であれば校舎や施設備品等は勿論独自に保有しなければならなくなるが一方全日制への併設校であれば,これらの殆どが全日制と共用できる。ところが同じ併設校であっても夜間課程以外の課程をもっている場合は必ずしもそのようにはいかなくなる。このように主として資本的支出にかかる施設費に類するものは定時制課程の形態によってその需要額が多様にわたってくる。この意味から上の第5表や第3図では定時制の教育費の純粋の比較とはならない。従って教育費の中で特に定時制については資本的支出を除いた経費常的性格の経費の大小で比較するのがより妥当性があることになる。

第7表及び第4図は公教育費生徒1人当り額のうちの消費的支出の大きさの推移を本土比較したものである。ここにいう消費的支出とは教授費(教職員の給与や教授用消耗品等)維持費,修繕費,補助活動費,所定支払金などをさしている。

第7表　高等学校(定時制)公教育費の消費的支出生徒
　　　　1人当り額の推移

		1955会計年度 昭29年度	1956 昭30	1957 昭31	1958 昭32	1959 昭33	1960 昭34	1961 昭35	1962 昭36	1963 昭37	1964 昭38	1965 昭39
公的一人当り消費教育費支出生徒	沖縄 $	20.29	21.09	22.75	26.19	32.36	39.66	43.14	60.81	66.32	(推計) 68.70	(推計) 65.33
	本土 $	51.40	54.02	55.55	61.92	64.54	67.73	83.73	107.23	123.08	(〃) 134.61	(〃) 146.18
差 額	$	31.11	32.93	32.80	35.73	32.18	28.07	40.59	46.42	56.76	65.91	80.85
比 率	%	39.5	39.0	41.0	42.3	50.1	58.6	51.5	56.7	53.9	51.0	44.7

第4図　高等学校(定時制)公教育費の消費的支出生徒
　　　　1人当り額の推移　(日琉比較)

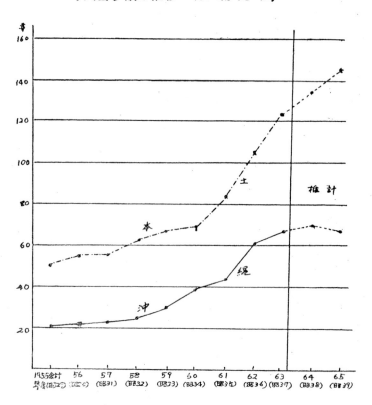

消費的支出の中にも厳密にいえば，修繕費や所定支払金などのように多分に学校経費的性格のものも含まれてはいるが，これらはそれ程多額にはなっていないので，上の表や図が定時制の教育条件の実態をほぼ表わしているとみてよい。

　これよりみると定時制においても本土との格差は大きく，過去8カ年を通じてみた場合，第1表に示した全日制が本土の70％台に対して，定時制は50％以下ということになる。一方，将来に対する予測についても表や図に示すように決して明るい前途を示していないことも全日制と同様である。

　このように，全日制・定時制を通じて本土との開きがかなり大きいことは統計の示すとおりであるが，そのよってきたる要因等についてはBで各支出項目別に精しく分析していくこととしここでは定時制課程の高等学校教育の中に占める比重について考えてみよう。定時制並びに通信教育は主として働らきつつ学ぶもののために戦後における後期中等教育の拡充と教育の機会均等の推進という趣旨のもとに制度化された画期的なものであることは申すまでもないことである。沖縄でも1952年度において始めて定時制教育が実施されてから既に10年以上の才月を経ており現在では政府立高等学校の27校のうち過半数を占める16校が定時制課程を併設している。これら定時制教育の進展の状況を数量的にみよう。第8表は1954学年度以降の定時制課程の生徒数の推移及び全高等学校生徒数に対する比率を本土比較においてみたものである。

第8表　定時制課程生徒数及び高等学校全生徒数に対する比率の推移（政府立（公立）のみ）

		1954学年度 昭29	1955 昭31	1956 昭32	1957 昭32	1958 昭33	1959 昭34	1960 昭35	1961 昭36	1962 昭37	1963 昭38	1964 昭39
1954学年度生徒数を100とした指数	沖縄	100	152	203	239	276	308	310	307	304	366	415
	本土	100	98	100	99	99	100	95	86	82	84	88
高等学校全生徒数に対する比率	沖縄	5.6%	7.5	9.0	9.9	11.1	12.1	12.3	12.8	13.1	13.2	14.4
	本土	24.7%	24.0	23.9	22.9	22.3	22.0	20.9	19.3	17.9	15.9	14.3

【注】　沖縄，本土とも政府立（公立）本科生徒数のみ。

第5図　定時制課程生徒数の高等学校全生徒数に
対する比率推移（日琉比較）

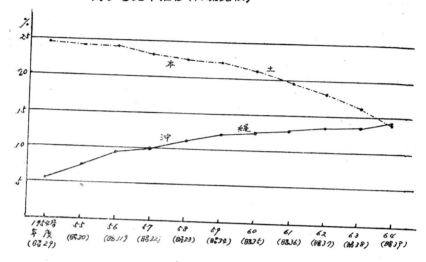

　この表でみるとおり，沖縄における定時制教育は量的にみて年々進展してきたことがわかる。現在では生徒数にして10年前の4倍以上に達しており，全高等学校生徒数の中に占める定時制生徒数の比率も5％台から15％近くまで伸長してきている。これらのことは定時制教育の高等学校教育，云いかえれば後期中等教育のために果している役割りや比重が年々加重されてきたことを物語つている。

　一方，本土では沖縄と全く逆の現象を示しており，その構成比についても昭和29年度の25％台から10年間に15％台まで降下してきていることが注目される。本土においては定時制教育のあり方がしばしば問題となつているが，第5図はこの辺の事情を端的に表現しているとみてよい。

　この図によると1964学年度において沖縄及び本土の定時制生徒数構成比のグラフが交叉しているが，本土のいままでの事情を考えるとき，沖縄の定時制教育についても量的面では，ここらで検討の段階に来ているのではなかろうか。さきに生徒1人当り教育費が沖縄の場合は全日制に比べて定時制に若干の劣りがあることを指摘したが，今後はこれらの問題の解決に力を注ぐべき時期にあるのではなかろうか。

3. 高等学校教育の質的な面の推移

1,2においては主として教育財政面から生徒1人当り教育費について考えてきたが,高等学校教育の進展如何は必ずしも教育費の大小のみによっては決定されない別の要素を含んでいると考えることができる。高等学校は入学を希望する中学校卒業者の限られた一部の者が選ばれて就学しているという点において,義務教育である小・中学校と大いに異なっている。

即ち,例えば高等学校における生徒1人当り経費が如何に大きくとも高等学校への進学率が極めて低いとするならば広く住民,社会の立場からみた場合,決して高等学校教育が進展しているとは云いがたい点があるだろう。そ

の逆の場合も同様である。このように高等学校への進学率は先きの生徒1人当り教育費とともに高等学校教育進展の度合を測定する一つの基準とも考えられるのである。その他に学科別生徒数も教育費の大小を左右する要素である。これらのことがらを一括して高等学校教育の質的な面と呼び,これらの推移を本土比較によって解明していこう。

まず,高等学校への進学率についてその年の3月の中学校卒業生数に対する同年4月の高等学校入学者数(この中には過年度卒も含まれている)を高等学校進学率とよびこれを「公私立」と「公立のみ」の二つに分けて年度毎に本土比較をしたのが第9表及び第6図である。

第9表 高等学校への進学率の推移

		1955学年度 昭30	1956 昭31	1957 昭32	1958 昭33	1959 昭34	1960 昭35	1961 昭36	1962 昭37	1963 昭38	1964 昭39
沖縄	政府(公)私立	41.9%	45.3	44.8	65.2	57.4	64.0	71.5	66.9	59.6	59.3
	政府立(公立)のみ	41.9%	45.3	44.8	49.3	49.0	56.8	64.3	55.7	49.7	50.1
本土	国公私立	53.3%	52.2	52.2	55.3	56.6	59.9	66.3	65.0	67.9	70.4
	国公立のみ	41.9%	39.4	37.9	39.8	39.2	42.5	49.2	43.7	47.0	46.8

【注】 1. 全日,定時を含む。
2. 本科のみで別科は含んでいない。

第6図　高等学校への進学率の推移（本土比較）

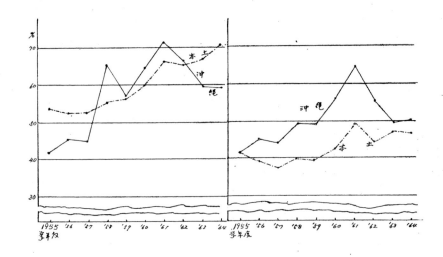

　この表及びグラフにみるとおり，本土においては公私立を含む高等学校への進学率は近年に至つてかなり上昇してきている。沖縄では中学校卒業者数が最も少なかつた1961年4月をピークとして，高等学校生徒急増を迎えたそれ以降の年度の進学率が低下しているのが注目される。国・政府（公）立のみの高等学校については，いずれの年度においても沖縄の場合が高い。このことは高等学校教育のために果たしている私学の役割りが沖縄では本土に比べて低いことを示している。一方，本土では急増期において全体としての進学率が逆に上昇しているのは，私学の収容人員が近年大きく伸長したことを示している。

　私学の振興については，地域的な問題もあつて，沖縄においてはいろいろと困難な条件下にあると考えられる。それをカバーするためにも，沖縄における高等学校への進学率を高めるために政府立高校の収容人員の増加ということは極めて重要な問題となつてくる。一方，現在沖縄には私立の高等学校が3校あるが，政府としてもこれらの助

成策を積極的に講じていくことも必要であり、また今後新らしく私立の高等学校がいくつか設立され将来の沖縄における高等学校教育のために貢献してもらえるような創設者の出現を大きく期待するものである。

次に国・政府(公)立における学科別構成比について過去5カ年間の推移をみよう。

第10表　高等学校学科別生徒数の構成比の推移
（国・政府(公)立のみ）

		1960学年度(35年度)	1961〃(昭36)	1962〃(昭37)	1963〃(昭38)	1964〃(昭39)
沖縄	計	100.0%	100.0	100.0	100.0	100.0
	普通	33.1	32.4	32.4	36.1	39.1
	農業	17.8	17.4	17.7	15.5	14.3
	水産	5.3	5.1	5.2	4.6	4.0
	工業	8.7	9.1	9.2	9.2	9.0
	商業	23.5	25.0	24.7	23.5	22.6
	家庭	11.6	11.0	10.8	11.1	11.0
	その他	—	—	—	—	—
本土	計	100.0%	100.0	100.0	100.0	100.0
	普通	58.2	58.6	58.4	58.5	58.5
	農業	9.3	8.6	8.3	7.8	7.8
	水産	0.7	0.7	0.7	0.6	0.6
	工業	10.5	11.1	11.8	12.7	13.1
	商業	13.9	14.1	14.2	14.4	14.4
	家庭	7.3	6.8	6.5	5.9	5.5
	その他	0.1	0.1	0.1	0.1	0.1

【注】　本科の全日・定時制についての生徒数である。

第7図　高等学校生徒数の普通科・職業科の構成比の推移
（国・政府（公）立のみ）

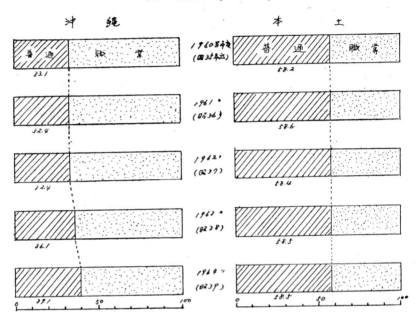

　この表でみるとおり，本土と沖縄では普通科・職業科の生徒数構成比が全く逆の現象にあることがわかる。即ち沖縄では1964学年度現在，普通科と職業科の生徒数構成比が4：6に対し，本土では逆に6：4となつている。これらの現象については，どれがより好ましい現象であるかは高等学校教育の目的という根本的な問題とも関連するので一概にその是非を講ずるすとは不可能であるが，一おう，高等学校の普通科を将来高等教育機関（大学等）へ進学するための基礎をつくるという目標をもつと考え，一方，職業科を完成教育という立場に立つて教育されるとみた場合，高等学校卒業者のどの程度が大学（短大を含む）へ進学を希望しているかという数字は大きな意味をもつてくる。沖縄では1964年3月における政府立高校卒業者総数の31.4％が進学を希望しているに対し，同じ年度に本土ではこれが30.7％で進学希望率は殆ど同じである。　従つてこの数字よりすれば，高等学校における普通科の構成

比は本土の場合より沖縄の方がより生徒の進路に即しているという見方が成り立つ。もつとも，高等学校普通科を上級学校進学を至上をするという考え方そのものに問題があるわけであるが少くとも高等学校を卒業して直ちに就職を希望する者に対しては，より専門的な職業教育が施されることが社会にとつても本人にとつてもより望ましいことには異論がないはずである。本土において最近の動きとしてその構成比を現状の6：4から5：5にもつていこうといろいろの政策的な手をうちつつあることもこの辺の事情をあらわしているのではなかろうか。

次に職業科の内部構成についてみよう，職業科の中で最も生徒数の多いのは商業科であることは沖縄も本土も変りはないが，その推移をみた場合本土は若干上昇の傾向にあるに対し，沖縄では逆に降下の傾向にあることも注目される。商業に次いで生徒数の多い学科は沖縄では農業科，本土では工業科となつているのは両者の産業構成を反映しているとみてよかろう。沖縄においては農業科の構成比が漸次減少してきているのは近代産業形態の変位に応じている点から，うなずける現象であるが一方工業科の生徒数が実数においては増加しているが構成比としては数年前とたいして差異がないことも教育財政との関連もあろうが一応検討すべき問題ではなかろうか。本土においては工業科の構成比の増加，農業科のそれの減少が特に注目される。これら職業科の学科別構成比のあり方という問題も難しい問題であるが近年における驚異的科学技術改新に応ずる職業人の養成という観点からみた場合，本土の傾向は，これらの事態に積極的に対応しているとみてよかろう。

最後に質的問題より派生してくる量的問題との関連について一つだけ触れてみよう。第10表に示すように高等学校における学科別構成は本土，沖縄ではかなりの差異が認められるのであるが，これらの構成比と生徒1人当り教育費との関連が問題となつてくる。即ち，同じ高等学校生徒1人を教育するのにも普通科の場合と職業科とではいろいろの面で財政上の違いが生ずることは周知の事実である。例えば本土においては昭和37年度において都道府県立の高等学校全日制課程においての公教育費生徒1人当り額の平均が167弗63仙であるに対し，これを学科別にみた場合普通科が147弗15仙，農業科223弗62仙，商業科165弗32仙，家庭科

150弗84仙とかなり学科間に差異があることがわかる。従って職業科の比重の高い沖縄においては実質的には第1表に示す以上の格差があることが認められよう。これらのことをより，はっきりさせるために次のような計算を試みてみよう。

本土における過去3カ年間の各年度における全日制の学科別生徒1人当り公教育費を沖縄の対応年度における生徒数の構成比で加重平均した生徒1人当り公教育費を算出してみる。この額は学科別生徒数の構成状態が沖縄と全く同じであると仮定した場合推計される本土の高等学校生徒1人当り教育費を示すことになる。この額と沖縄の生徒1人当り教育費（表1）とを比較してみよう，

第11表　生徒数構成比を同一にした場合の高等学校全日制生徒1人当り額の比較

		1961会計年度 (昭35年度)	1962 〃 (昭36)	1963 〃 (昭37)
公教育費生徒1人当り額	沖縄	$76.79	95.27	102.66
	本土	$(116.88)	(155.41)	(201.03)
比	率	65.7%	61.3	51.1

この表と第1表とを相互で比較すると1963会計年度においては見かけの格差として第1表のように本土の60％となっているが生徒構成を考慮に入れた場合更に悪く，本土の50％台という低さにあることが数字として表現されている。このように単に表面に現われた数字の上の格差に止まらず実質的にはそれ以上の開きがあることが示されており，前に述べた高等学校生徒数急増の状態の激しさなどを考えるとき，高等学校教育のために注がなければならない経費が如何に莫大なものを必要とするかが容易に理解できよう。更に広く後期中等教育という立場からみた場合，沖縄では現在，高等学校へ進学しない約4割の中学校卒業者がおり，これらの青少年に如何にして，できるだけ多く何らかの形での教育の機会を与えてやるかということも極めて重要な

問題である。青年学級等の社会教育の強化や近く開設の運びとなっている産業技術学校等も後期中等教育の一環として大いに力を注がなければならない施策といえよう。こうみてきたとき，高等学校教育を中核とする後期中等教育の振興については，沖縄の特殊条件も加わって教育財政上においても今後大きな比重をもって，その施策を進めなければ，本土にそのおくれをとることは必至であり，教育関係者はもとより政府財政担当者もこのことを十分理解し，教育向上のために十分なる財政措置が講ぜられるよう熱望するものである。

B 高等学校生徒1人当り教育費の本土比較
(1963会計年度-昭和37年度)

Aにおいては高等学校教育費の1955会計年度から1963会計年度に至る年度間の推移について、本土と比較をしながらその量的面や質的面の進展について解説を加えてきたが、ここでは高等学校教育の財政的現状を更に精しく分析していくため、1963会計年度(昭和37年度)の沖縄及び本土の教育財政調査の結果を中心とし、主として生徒1人当り教育費を支出項目別に検討し、必要な解説を試みてみたい。ここでいう公教育費とはAと同じ範囲のものをさす。即ち、公費支出のなかから地方債と公費に組み入れられた寄付金を除いて取扱ってある。

1. 高等学校(全日制)

高等学校(全日制)における1963会計年度(昭和37年度)生徒1人当り公教育費の支出項目別内訳の本土比較をみると第12表のとおりである。

なお、ここでは、Aの3で論じた学科別構成の相異による格差については取扱わず、専ら全平均として本土と沖縄との比較検討を試みることにする。

第12表 公教育費生徒1人当り額の本土比較
―高等学校(全日制)―

支出項目	A 沖縄	B 本土	B-A 差額	比率 $\frac{A}{B}$	備考
	$	$	$		
公教育費総額	102.66	169.63	66.97	0.61	
1. 消費的支出	82.42	112.68	30.26	0.73	
(1) 本務教員の給料	51.55	55.56	4.01	0.93	
(2) 〃 手当	11.15	25.32	14.17	0.44	
(3) その他の教授費	10.31	14.84	4.53	0.69	
(4) 維持費	4.18	6.79	2.61	0.62	
(5) 修繕費	1.51	1.84	0.33	0.82	
(6) 補助活動費	1.01	0.55	△ 0.46	1.84	
(7) 所定支払金	2.71	7.77	5.06	0.35	
2. 資本的支出	20.24	55.32	35.08	0.37	
(1) 土地費	―	7.16	7.16	―	
(2) 建築費	15.09	38.38	23.29	0.39	
(3) 設備・備品費	5.08	9.69	4.61	0.52	
(4) 図書購入費	0.07	0.09	0.02	0.78	
3. 債務償還費	―	1.63	1.63	―	

支出項目別にみた場合，本土との差の大きいものの順にあげると，①建築費（$23.29）②本務教員の手当（$14.17）③土地費（$7.16）④所定支払金（$5.06）⑤設備・備品費（$4.61）となり，比率でもっとも大きく開いているのは①所定支払金（本土の35%）②建築費（39%）③本務教員の手当（44%）④設備備品費（52%）⑤維持費の順と並んでいる。所定支払金及び設備備品費が差額においても比率においても開きが大きいのは注目される。補助活動費は本土より大きい唯一のものであるが，これは水産高等学校の実習の際の食糧費が大きく作用しているように考えられる。第12表を小中学校（文教時報92号）の場合と同様に，いくつかの項目に統合して再分類してみよう。

第13表　公教育費生徒1人当り額の大分類別本土比較
一高等学校（全日制）一

支出項目	A 沖縄	B 本土	B-A 差額	比率 A/B	((B-A))×19,810 格差実額
公教育費総額	$102.66	$169.63	$66.97	0.61	万弗 132.7
教員の給与	62.70	80.88	18.18	0.78	36.0
土地・建築費	15.09	45.54	30.45	0.33	60.3
備品費	5.15	9.78	4.63	0.53	9.2
その他の教育費	17.01	24.03	7.02	0.71	13.9
所定支払金	2.71	7.77	5.06	0.35	10.1
債務償還費	—	1.63	1.63	—	3.2

　この表で，「教員の給与」とは，本務教員の給料と手当を示す。また，「備品費」の中には図書購入費が含まれている。「その他の教育費」とは，給与以外の教授費（教員以外の職員の給与，旅費，教授用消耗品費など），維持費，修繕費，補助活動費が含まれている。

　この表にみるとおり，本土との格差のもっとも大きいものは「土地・建築

費」で「教員の給与」，「その他の教育費」がこれに続いている。

なお，上の表の最右欄の数字は本土並みの生徒1人当り教育費に到達するために増額すべき資金量を示している。

各項目別にさらにその内容を分析していこう。

(1) 教員の給与

「教員の給与」の格差に作用する要素は次のようなものが考えられる。

① 教員1人当り平均給料の差
② 教員1人当り平均手当額の差
③ 教員数（定数）の差

①については第14表に示すとおりである。

第14表 本務教員1人当り平均給料の比較ー高等学校（全日制）

教員1人当り平均給料（月額）	沖　縄	$ 80.94
	本　土	101.86

ここでいう本務教員1人当り平均給料の算出方法は前の文教時報92号で小中学校教員のそれを算出した場合と同じ方法がとられている。即ち，教育財政調査による公費支出にかかる給料総額を昭和37学年度の5月1日現在の本務教員数（沖縄の場合は学年度と会計年度が一致しないため1962年5月1日現在の本務教員数と1963年5月1日現在の本務教員数とを3：1の比に加重平均したもの）でわって，これを12等分した額である。従つて通常とられているある特定の時点における教員平均給とは多少意味が異なるわけである。

本務教員1人当り平均給料の差額は月$20.92で，これを実額になおすと$20.92×12月×1,051人≒26万4千弗で第13表の「教員の給与」の格差の73％を占めていることになる。

次に高等学校（全日制）教員の過去5年間の平均給料の推移をみよう。（その算出方法は1963会計年度と同じ方法による。）

第15表 本務教員1人当り平均給料月額の推移ー高等学校（全日制）ー

		1959会計年度（昭33年度）	1960 〃 (昭34)	1961 〃 (昭35)	1962 〃 (昭36)	1963 〃 (昭37)
沖	縄	$53.81	59.68	59.93	79.40	80.94
本	土	$68.92	72.36	82.34	93.19	101.86

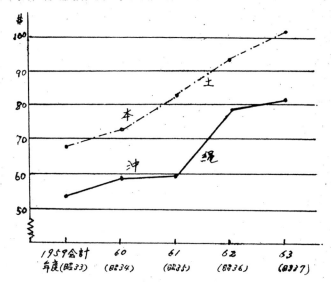

第8図 本務教員平均給料月額の推移－高等学校（全日制）

　この表及びグラフに示すとおり，給料月額の本土との格差は年度間を通じて平均して20弗内外とみることができる。もともと給料額の差異は給与制度や学歴・資格・経験年数等にも大きく影響するので絶対的な比較の上で結論を下すことは不可能であるが，その中で教員の経験年数は給与の決定に大きく作用するものであるという観点に立ち，沖縄・本土における高等学校教員の平均勤務年数を比較してみよう。

　昭和37年度の教員調査によれば，本土の公立高等学校（全定を含む）教員の平均勤務年数は14.3年となっている。これに対して同じ年度における沖縄の政府立高等学校教員の平均勤務年数は8.3年で，本土と8年もの勤務年数の開きがある。即ち，沖縄では教員の平均年令も低く1962年5月現在で32.4才となっている。（本土の公立高等学校教員の平均年令は38.0才）。このように年令や勤務年数に8年の差異があることを考えると，前記教員の平均給料の差額は給与制度の格差ではなく，教員構成の差異によるものとみてよかろう。

　次に，これは財政面とは直接の関係はないが，このように沖縄における教員の年令構成が若いこと（小・中・高校とは上級学校にいくにつれて経験年

数や平均年令の本土との開きは大きくなつている）と第9図にみるとおり，勤務年数別構成をみた場合に経験年数10〜20年のいわゆる中堅教員の構成比率が極めて小さいこと等を考え合せるとき，教員の現職教育の必要性が痛感されるところである。

第9図　教員の勤務年数別構成の本土比較
（高等学校）昭和37年度

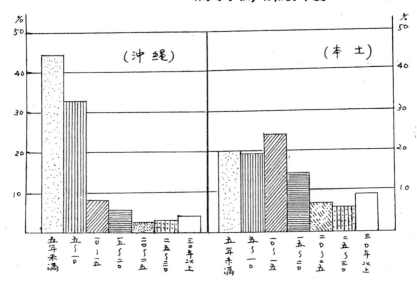

②については，本務教員の月平均手当額と年間手当総額の給料月額に対する比率を示すと次の第16表のとおりである。

第16表　本務教員1人当り平均手当月額の本土比較
高等学校（全日制）

	月平均手当額	年間手当総額の給料月額に対する比
沖　縄	$17.51	259.6 ％
本　土	46.63	549.3

手当額の格差の大きいことは小・中学校の場合と同様で年総額では$29.12×12月×1,051人≒36万7千弗となり給与格差の102％となる。ここで疑問になると思われる点があるが，手当額の格差は給与の格差の一部であるのでこれが100％を越すことはあり得ないように思われる。しかしながら，これは③の教員定数のことと関連することであるが，③においては沖縄の方が条

件がよいことを示し，数学的に云えば③においては「マイナス」の格差として現われてくるのでそのような現象が生じたものである。

なお，手当額は主として給料を基礎として算出されるのが普通であるので「年間手当総額の給料月額に対する比」の格差分，即ち本土と同じ比率の549.3％の手当が支出されるとしたときに増額必要額は (5.493−2.596)×\$80.94×1,051人≒24万9千弗となる。

このように手当額の格差は小・中・高校を通じて教育費の本土との格差をもたらす，大きなウエイトを占めていることがわかるが，手当が給料と同じく生活給的性格のものであることから教員が豊かな生活のもとに安心して教壇実践に専心できるよう，この面の改善についても意を配り，漸次本土の線に近づけるよう努力する必要があろう。

③については，教員1人当り生徒数によつて比較してみよう。第17表は1963会計年度（昭和37年度）における本務教員1人当り生徒数を示したものである。

第17表　教員1人当り生徒数の比較　高等学校（全日制）

教員1人当り生徒数	沖縄	18.84人
	本土	22.10

教員1人当り生徒数は，上の表にみるとおり，沖縄の方が本土より数字の上では条件がよいことになる。しかしながら，これには次の2つの事由が考えられる。先ず第1に本土と沖縄との学科別生徒数構成比の相異があげられる。ご承知のように職業科においては教育課程の内容面から普通科に比べて生徒当り教員数が多くなければならない。生徒一週間当りの授業時間数も多い。また，教師にとつては実験・実習を伴う科目の場合は前もつて準備すべき時間が必要である。従つて教師1人の週間受持時間数は普通科と同じという訳にはいかない。更に学級サイズについていえば，実験・実習時の管理，指導の上で普通科のように止むを得なければ1学級50名までもという事もできない。これらの条件が考慮されて教員定数基準が定められているのである。

第2に考えられる点は，本土においては兼務の講師が相当数いることである。昭和37年度の文部省の学校基本調査によれば，本土では公立の高等学校全日制で本務教員数の6.4％の兼務教員がいることになるが，沖縄では僅か0.6％にすぎない。即ち，本土ではかなりの量の教育業務が兼務教員によつて

処理されていることになる。もとより，兼務教員1人当りの業務量は本務教員のそれに及ばないことは当然のこととして，それらが量的にどの程度の本務教員数の増に相当するかは資料が得られないので換算は困難であるが，本土において兼務教員数が相対的に多いことは本務教員1人当り生徒数の引上げに大きく影響していることは事実である。

これら二つの条件を勘案した上で，高等学校（全日制）における教員定数を本土と比べた場合，両者の間には実質的な格差は殆んどないとみてよい。即ち，現段階（1963会計年度）においては高等学校（全日制）の教員数確保に関する限りは本土の水準を十分保持していることになる。ただ，今後急激な上昇をみせる高等学校生徒数に対応する教員数の確保というものが大きな問題となつてくると思われるが，到達した水準はこれを確実に保持できるようにありたいものであり，このための財政上の措置についても関係者の十分な理解を期待するものである。更に，前にも述べたように沖縄の高校教員の経験年数が低く，従つて教員の研修の必要度のより高い現在においては，教員の負担の軽減ということも教育の質

的向上の面から極めて重要なことで，上の問題と切り離すことのできない関係にあることを附け加えておきたい。

以上，「教員の給与」の格差について①②③の順に分析してきたが結論として実質上の格差とみられるのは②の手当額の格差のみと考えてよい。これについては②で詳しく触れてあるし，また，この問題は教育だけの問題ではないので，格差の事実の指摘だけに止めておきたい。

(2) 土地・建築費

6つの大分類のうちで，最も格差の大きいものである。沖縄においてはこの年度に土地費が全く支出されていないことになつているが，本土では生徒1人当り$7.16も支出されている。

次に建築費については第12表に示すように生徒1人当り教育費で$23.29の格差があり，比率にして本土の40％弱という状態となつている。

資本的支出は消費的支出となり，その一年だけの支出額の大小では，教育条件の位置づけは困難であるが，戦争によつて基本的施設を全く失つた沖縄の教育の再建のためには，より以上の経費の投入が継続されなければ，本土の線に到達することが不可能であることは自明であるが，本土と同時に出発した高校急増対策の第1年次にすで

にこのような格差が，さらに加わつてきたことは，貧弱なる政府財政にその主因があるとしても，極めて残念なことである。

いま，1963学年度の学校基本調査（1963.5.1現在）による校舎及び屋内運動場の生徒1人当り建物面積を本土と比較してみよう。

第18表　生徒1人当り用途別建物面積の本土比較　1963.5.1 高等学校

	校	舎			講堂 屋内運動場
	計	普通教室	実験・実習室	管理関係その他	
沖　縄	㎡ 3.97	1.77	1.18	1.02	0.12
本　土	5.91	1.45	1.62	2.84	0.93

【注】　1．建物面積は沖縄については政府立高等学校，本土は公立高等学校
　　　　2．生徒数は沖縄については政府立高等学校全日制生徒数，本土は公立高等学校全日制及び定時制の独立校，併置定時制のうち昼間課程を有する生徒数の合計

上の表にみるとおり，校舎の生徒1人当り面積は本土の67％で，用途別に細かくみると普通教室面積は本土を上廻っているに対し，実験・実習室や管理関係の建物面積は本土より小さく，特に「管理関係その他」の建物面積は本土の35％程度にすぎない。沖縄で普通教室面積が本土より大きいのは，これらがそれ以外の用途（例えば特別教室など）に併用または転用（特別を施設を加えないままに）されているのが多いためと思われる。屋内運動場にいたつてはその面積が本土の13％という状態である。沖縄における気象的な特殊条件を考え合せるとき，これらの施設の整備が教育の上にもたらす効果は極めて大きいので，校舎はもとより，屋内運動場や水泳プールなどの教育施設の早期充実は教育財政の上で緊急且つ最重要な要素であることには，終戦以後現在に至つてもまだ変りがないことがよくわかつてくる。

なお，高等学校の水泳プール設置率は本土の公立学校（本校のみ）で17.1％に対し，沖縄では正式の所有・管理にかかる学校プールは皆無である。

(3) 備 品 費

6つの項目のうちでは格差のもつと

も小さいものである。高等学校の設備備品費は近年,産業教育備品を中心にかなり強化はされてきたが,1963会計年度という時点においては生徒1人当りの設備・備品費は本土平均より若干下廻っている。

資本的支出については(3)の土地・建築費の項でも指摘したようにその年度の経費よりも,これまでの積み重ねが,より意義をもつものであり,従つてそれの相互比較は現時点における同一基準への達成率の大小によって判定されるべきものである。しかし,残念なことに高等学校においては設備・備品の基準も必ずしも本土と同一でないし,また,本土において全国的規模のもとで調査された資料も持ち合せていないので,精しい比較は到底不可能であるが,およそ次のような方法でその見当をつけてみることにする。

すなわち,資料のある1955会計年度（昭29年度）以降の9年間に高等学校全日制に投入された備品総額（公・私費を含む）を1963会計年度（昭和37年度）の高等学校全日制生徒数で除した額の本土対比を次表に示してみよう。

第19表　設備　備品費（図書を含む）過去9年間の支出総額を1963会計年度（昭37年）生徒数で除した金額の本土比較－高等学校全日制

	過去9年間（1955～63）の設備・備品費総支出額を1963会計年度生徒数で除した額			
	計	教材用備品	その他の備品	図書購入費
沖縄	$79.91	$61.84	15.51	2.56
本土	52.81	34.94	13.13	4.74

この表をみると過去9年間に支出された設備・備品費は本土平均を上廻つており,特に教材用備品については2倍近くの額を示している。この結果よりすると教科備品等の一定基準への達成率も本土以上になつていることが予想される。ただここで留意したい点はこちらは職業科の比重が大きいので必ずしも,いままでに支出された経費の大小と全体の達成率が平行しないことと,現在まで投入された産業備品が工業科を中心としていた点などで,教科

のバランスがとれているかどうかが問題である。

(4) その他の教育費

比較的格差の大きい項目である。この中の小項目ではその他の教授費（事務職員の給与，旅費，教授用消耗品費等）の開きが大きくこの項目全体の約65％を占めている。この項目は教員の給与についで直接学校教育の推進の中核をなすものであるので，十分なる予算措置が講ぜられる必要がある。

なお，高等学校全日制における一校平均の職員数の本土比較を示せば第20表のとおりである。

第20表　1校平均職員教育本土比較　　1962（昭和37）学年度
政府立（公立）高等学校全日制

	1校平均生徒数	1 校 平 均 職 員 数			
		計	事務職員	技術職員・助手	その他
沖　縄	756人	8.72人	2.12	4.12	2.48
本　土	773	9.72	3.89	2.45	3.38

(5) 所定支払金

格差比率において土地，建築費についで大きい項目である。これは小・中学校の場合も指摘したように教職員の福祉制度即ち共済組合制度がまだ設けられていないことにその因の大半があると思われる。教職にたずさわるものが後顧のうれいなく十分にその力を発揮できるための側面的な力添えとし教員の福祉の向上は教育向上への大きな道であることを考えるとき一日も早く制度の新設が望まれる。

(6) 債務償還費

この費用は公立の高等学校の施設費等の一時的多額支出に応ずる起債の返済に要した経費で実質的な格差とは考える必要はない。

(7) ま と め

高等学校教育に要する経費についての本土との格差を縮めるに必要な施策をまとめると，およそ次のようになる

① 教職員の手当の増額
② 建築費の増額
③ 学校一般需要費の増額
④ 教職員の福祉向上

この中で特に②建築費の増額については特に急増対策とも関連して緊急な問題であり，次会計年以降の大幅な増

額が必要であることを重ねて強調したい。

2. 高等学校(定時制)

高等学校(定時制)における1963会計年度(昭和37年度)生徒1人当り公教育費の支出項目別本土比較を示せば第21表のとおりである

第21表 公教育費生徒1人当り額の本土比較

―高等学校(定時制)―

支出項目	A 沖縄	B 本土	B-A 差額	比率 A/B	備考
公教育費総額	$69.50	$135.22	$65.72	0.51	
1. 消費的支出	66.32	123.07	56.75	0.54	
(1) 本務教員の給料	38.58	56.56	17.98	0.68	
(2) 〃 手当	10.57	31.03	20.46	0.34	
(3) その他の教授費	9.16	14.91	5.75	0.61	
(4) 維持費	4.50	7.12	2.62	0.63	
(5) 修繕費	0.32	0.96	0.64	0.33	
(6) 補助活動費	2.12	3.63	1.51	0.58	
(7) 所定支払金	1.07	8.86	7.79	0.12	
2. 資本的支出	3.18	11.84	8.66	0.27	
(1) 土地費	0.35	0.67	0.32	0.52	
(2) 建築費	1.67	5.79	4.12	0.29	
(3) 設備・備品費	1.16	5.20	4.04	0.22	
(4) 図書購入費	―	0.17	0.17	―	
3. 債務償還費	―	0.31	0.31	―	

定時制の教育費については，Aの2でも説明したようにその授業形態(昼間か夜間か)や独立，併設の別によつても教育費の需要は大きく異なつてくる。特に沖縄の場合においては昼間課程や独立校がないので原則として資本

的支出や債務償還費は皆無かあつてもごく少額で済むと思われる。従つて本土との比較は専ら消費的支出によつてよい。

消費的支出の生徒1人当り額は本土の54%を示しているが，これが一応沖縄の定時制教育における教育水準の位置づけと見られる。これは全日制の総額における本土の61%や或いは消費的支出における本土の73%よりも低い数字となつている。各項目については，ほぼ全日制と同じ傾向を示しているので，全日制の場合のように，いくつかの大項目に再分類することなく第21表のままで検討してみよう。

まず，本務教員の給料については本土の68%となっているがこれは全日制で解説したように平均給料の差異と教員1人当り生徒数の差異によるものと思われる平均給料については全日制と同様な方法で算出すると次の第22表のとおりとなる

第22表 本務教員1人当り平均給料の比較 高等学校(定時制)

教員1人当り平均給料（月額）	沖　縄	$79.84
	本　土	95.03

本務教員の1人当り平均給料は本土と約15弗の開きがあり，全日制の場合より幾分格差は小さい。これは沖縄では全日・定時間に平均給の開きが殆んどないのに対し，本土では約5弗ほどの差異が生じていることによる。

いま，過去5年間の定時制本務教員給料月額の推移をみると第23表および第10図に示すとおりである。

第23表　本務教員1人当り平均給料月額の推移

―高等学校(定時制)―

	1959会計年度 (昭33年度)	1960 〃 (昭34)	1961 〃 (昭35)	1962 〃 (昭36)	1963 〃 (昭37)
沖　縄	$50.92	55.70	58.52	79.15	79.84
本　土	63.44	66.06	76.26	87.48	95.03

この表及び図にみるとおり，沖縄では1962会計年度に大幅な上昇がみられ

るが，これは教員の給与の改訂によるものである。また，1963会計年度は殆ど給料の上昇がみられないのは生徒急増による相当数の教員増があつたがその増員の大部分が低収入者によって占められたことを示している。

第10図 本務教員平均給料月額の推移 高等学校（定時制）

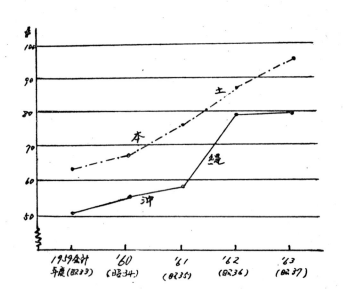

そのほかの傾向はおよそ第8図の全日制と同じであるが，5年間を通してみた場合，格差が約5弗ほど全日制に比べて縮まっているのは，前に指摘したとおりである。

次に教員1人当り生徒数について調べてみよう。第24表は本務教員1人当り生徒数の本土比較を示したものである。

第24表 教員1人当り生徒数の比較—高等学校（定時制）

教員1人当り生徒数	沖　縄	24.83 人
	本　土	20.16

この表にみるとおり，定時制課程では教員1人当り生徒数は沖縄の方が条件が悪いことになつている。定時制課程では生徒数規模や夜間課程であるな

どの条件から，かなりの数の兼任（あるいは兼務）教員がその不足を補つているのが実情であるので必ずしも上の数字に示すように沖縄の定時制課程勤務の教員が本土に比べて過重な負担をしているとは云えないが，生徒指導その他定時制課程の特殊性から考えて，可能な限りにおいて兼務教員を本務教員に切り替えるような措置は大いに考えてよいことと思う。

本務教員の手当額については次の表に示すとおりとなつている。

第25表 本務教員1人当り平均手当額の本土比較
—高等学校（定時制）—

	月平均手当額	年間手当総額の給料月額に対する比
沖 縄	$21.88	328.8%
本 土	52.14	658.3%

定時制においても月平均手当額は本土と約30弗の開きがみられる。支給率も本土の丁度半分という状態である。なお，年間年当総額の給料月額に対する比は定時制の場合，全日制よりもその比率が高いのは沖縄も本土も同様である。これは定時制への勤務の特殊性から，それに応ずる手当（特殊勤務手当）が加算されるためであるが，その加算の状況を本土と比較してみよう。

　　（定時制）（全日制）
　沖縄　328.8％ − 259.6％ = 69.2％
　本土　658.3　− 549.3　 = 109.0

上の数でみるとおり，定時制の特殊性のために加算されるべき手当額の比率も本土に比べて低いことがわかる。

以上，教員の給与や勤務条件等に関する本土比較において全日制より決してよい条件にあるとはいえないという結論がでる。

次に，教員の給与以外の需要費について考察してみよう。第26表は教員の給与以外の消費的支出生徒1人当り額の本土比較を示したのである。

第26表 教員給与以外の消費的支出の本土比較
—高等学校（定時制）—

	生徒1人当り額	本土を100とした指数
沖 縄	$17.17	48
本 土	35.48	100

教員給与以外の消費的支出についても本土の半分以下であり，消費的支出全体の比較において本土100に対して沖縄54であることと較べた場合，教員の給与費の格差よりこの方がより格差が大きいことを示している。項目別に

は第21表に示すように所定支払金(教職員の福祉関係経費)にもつとも大きい格差がみられるほか,教授費や維持費等も本土の60%台に止っている。

定時制教育について財政面の格差から考えられる必要施策としては次のようなものが挙げられる
① 教職員の手当の増額
② 特殊勤務手当の増額
③ 本務教員定数の増
④ 学校一般需要の増額
⑤ 教職員の福祉向上

3. 私費教育費

最後に公費以外の経費による教育費について生徒1人当り額を本土と比較してみよう。

第27表,第28表はそれぞれ全日制,定時制の私費教育費生徒1人当り額の消費的・資本的支出,債務償還費の三大区分別の比較を示したものである。

第27表 私費による教育費の本土比較—高等学校(全日制)—

支出項目	A 沖縄	B 本土	B—A 差額	比率 A/B
私費総額	$6.97	$13.71	$6.74	0.51
消費的支出	4.91	7.21	2.30	0.68
資本的支出	2.06	6.50	4.44	0.32
債務償還費	—	0.00	0.00	—

第28表 私費による教育費の本土比較—高等学校(定時制)—

支出項目	A 沖縄	B 本土	B—A 差額	比率 A/B
私費総額	$5.98	$5.80	△ 0.19	1.03
消費的支出	4.25	4.17	△ 0.08	1.02
資本的支出	1.73	1.63	△ 0.10	1.06
債務償還費	—	—	—	—

上の二つの表によると,私費による教育費は全日制の場合,本土の約半分

に対して定時制では本土を上廻る額が算出されている。

ここでいう私費とは，現段階においては父兄の負担にまつべき生徒会費，給食費等のいわゆる学校徴収金は含まれていないので，これらの経費は当然公費で賄われるべき性格のものが父兄支出によるその肩代り分であると解釈されている。

この観点よりするならば，全日制における本土の状態はむしろ異常で本来の意味からは沖縄の方がむしろ望ましい姿とみてよい。

しかしながら，一方公教育費の本土比較でわかるように，本土では生徒1人当りについて沖縄の約1.6倍の経費をかけておりながら，なおかつこのように多大の私費支出の高等学校教育費があることをみるとき，本土でも現在の公費支出分はその必要額をさえ十分には満たしていないために，その足りない部分を父兄の支出に依つているとみるのが至当ではなかろうか。こう見た場合，父兄や教育関係者の教育に対する熱意の度合いもさることながら，本土と沖縄では総教育費における実質的格差は一そう拡がつていくことになる。

繰り返して強調したいことは本土のように私費負担が大きいことは決して望ましい姿ではないが，高等学校教育への絶対的需要を考えた場合，沖縄における公教育費の飛躍的増加が本土の現状より一層痛切に感じられることである。

次に定時制課程では各大支出項目とも本土より沖縄の方が高く，特に資本的支出（本来ならば皆無か，極めて少額であるべき）が本土より高いのは問題とされる所であろう。

資本的支出の内容面に亘つて分析していくことPTA寄付金による建築費が生徒1人当り額で$1.11も支出されているがこれはある特定の学校で全日制を含む学校の記念事業などのために多額の建築費の父兄支出があつたことに大きく作用されたためと思われる。

（因みに1962会計年度における定時制の私費生徒1人当り額は$4.38と今年度より$1.60も少ない）。いずれにせよ今年度は定時制課程の私費は本土より高くなつているのは事実であり，公教育費が極めて低い現状とも照らし合わせて，このような支出を父兄に負担させないような財政的措置を講ずることは高等学校教育といわず，すべての学校教育について，極めて重要なる施策ではなかろうか。

C　後期中等教育一つの課題

　高等学校教育を中核とする後期中等教育の課題の一つについてふれてみよう。

　戦後の異常なベビー・ブームの波は現在高等学校段階にまで波及してきており，1963年3月の中学校卒業者数は実に前年度の1.8倍となり，以降1966年3月の卒業予定者数をピークとして現在その急増期のまつただ中にあり，急増の度合いの激しいこと，ピークをすぎた後の減少の度合いの緩慢であることなど，本土とその内容面でかなり異つた事態にあることは既に前に指摘したとおりである。これら高等学校生徒急増に対処すべく，政府としても面密な収容計画を樹てて，現在それを実施中である。ところで近年，社会一般の教育への関心の向上を反映してか，中学校卒業者の高等学校志願者が年を追うて増加しつつある。これに対し限られた収容能力の限界を越える部分については，本人の進学への希望を満し得ないことになり，ここに中学浪人などという，あまり好ましくない現象を生じてくる。特に中学校卒業者数の急増した今日以降は，その実数も倍増してくることが予想され，これが次年度の中学校卒業者と競合し，また多くの中学浪人をだすという悪循環をくりかえしていくという可能性があり，現にそのような現象が現われつつある。

　1964学年度における高等学校への入学状況についてみると，高等学校へ入学を志願したものの数は過年度卒を含めて約18,940人と推計される。この数は同一人が2校以上に志願しても1人と数えた場合の推計数である。これに対し高校へ合格した者の数が13,825人となつているので実質上の入学率（競争率）は73.0%となる。この高校志願者18,940人のうち約1,530人が過年度卒の志願者と推計される。この数は全志願者の約8%に当る。

　前年度（1963学年度）の高校志願者実数17,020人（推計値）に対し合格者数が14,196人であるから約2,820人の不合格者を出していることになる。この数の約54%に当る1,530人が64学年度において過年度卒志願者となつてくる。

　即ち，不合格者の約半数は中学浪人として次の年度の卒業者に混つて再受

験するという計算になる。

1964学年度の高校志願者数のその年の3月の中学校卒業者数に対する比率は約80％，入学者の中学校卒業者数に対する比率は約60％であるので，少くとも急増期間中は各学年度の中学校卒業者数の約20％に相当する数が不合格者数となり，その約半分の10％は中学浪人として再志願していくという結果になる。

このようにみてくると今後の急増期間中の中学浪人の数は毎年 約2,000人を越えることが予想される。このような中学浪人の数の急増は決して好ましい事態ではないし，社会的にみてもマイナスであることは明らかである。これらの問題に対処する道としては次の3つが考えられる。

まず問題解決の第一の方策なんといつても高校の収容人員を増加にあることは異論がない。第9表にみるとおり高等学校への進学率は1964学年度において沖縄の59％に対し本土は70％にも達している。しかも本土では70％を国公立47％私立23％と約2：1の割合いで分担していることになる。従つて沖縄においても前にも強調したように私立高校の増設がこの問題の大きな鍵となつてくる。進学率の向上は当然高等学校の教育課程の再検討とも関連することであるが，派生的な問題として，このことも後期中等教育の大きな課題の一つとなりそうである。次の問題はこれも現行の教育課程の問題と関連することであるが，高等学校への進学は生徒の能力が高等学校の教育課程を十分こなし得ることが前提条件となる。いま，1964学年度高校の入学状況よりみると現年度卒の高校合格率64.9％に対し過年度卒の合格率は54.6％と約10％も開きがある。このことは，ある程度，両者の間の能力の差異をあらわすものとみてよい。従つて現在のように財政的事由やその他により限られた収容能力しか持ち得ない高等学校の現状を一応肯定してかかるならば志願者の中の一部にとつては社会的に無駄（といつたら極端であるかもしれないが）な労力はできるだけ除去し，直ちに実社会において自分の職務を見出すのがより賢明な方策ともいえる。これらの問題は中学校における進路指導の根本的な問題となる。結論的にいえば中学校における進路指導の徹底により，問題はかなり改善されるものと考えられる。

第3には，近年後期中等教育の義務化が世界的すう勢として検討されるに至つているが，高等学校以外の教育機

関の拡充が重要な課題として浮び上つてきた。特に社会的要請に応ずる職業人の育成は現在の義務教育の課程では十分でないので，これらの要請に応ずる教育機関の必要性が加重されてきた幸いに政府としてはこれらの問題に対処するため1966学年度より産業技術学校を開設し中学校卒業者を対象とし現在沖縄で必要とされている産業分野における熟練工や技能工の育成に手がけることになつているが，時宜を得た処置であり，今後この種の教育機関の拡充強化が望まれるとともに青年学級等の社会教育における各機関も後期中等教育の一翼を担う自覚のもとに質，量共に一層のくふう改善が必要であろう

沖縄学生調査完了す

育英会報第42号より

― 総員4,047人
― 大学院学生急増

1964年（昭和39年）の在本土沖縄学生調査が完了した。同年6月に着手以来約半年がかりである。

この調査は，全国にある全大学（大学270校，短大321校）に調査用紙（氏名，生年月日，昼夜別，専攻学科，学年次，出身高校，本籍地，現住所，備考の欄がある）を郵送し，それに記入の上ご返送を願つて集計，分類，比率などだしたものである。

この調査による在本土沖縄学生は4,047人である。諸統計のうち主なる事項について紹介する。

1. 学生調査
   国費　345人（国費大学院学生20人を含む）
   自費512人（特奨112人，依託20人，貸費7人を含む）
   私費3,190人（特奨1人，依託11人　大浜4人，貸費6人を含む）

2. 設置者別
   大学＝国立810，公立121，私立2,758，計3,689
   短大＝国立8，公立3，私立347，計358

3. 男女別
   大学＝男3,075　女614
   短大＝男82，女76
   計＝男3,157，女890

4. 専攻別
   経商＝906　　理工＝730
   文学＝460　　法政＝421
   医学＝325　　薬学＝282
   家政＝180　　農学＝136
   教育＝119　　社会＝88
   歯学＝87　　獣医＝63
   その他＝247　不明3

5. 出身校別
   那覇＝862　　首里＝523
   普天間＝216　宮古＝186
   コザ＝176　　八重山＝158
   商業＝155　　糸満＝149
   名護＝149　　知念＝145
   沖縄＝128　　前原＝93

読谷＝84　工業＝78　石川＝68
久米島＝62　辺土名＝55　南農＝50
北山＝47　八重農＝39　宜野座＝37
宮農＝35　北農＝34　中農＝32
中央＝25　沖水＝24　宮水＝11
沖キリスト＝4　検定＝3（以下略）

6. 多数在学する大学

日本大学＝254　東洋大学＝196
早稲田大学＝152　名城大学＝151
中央大学＝145　専修大学＝141
明治大学＝134　法政大学＝112
拓殖大学＝88　国士舘大学＝72
　　　　（以下略）

7. 地方別分布

北海道＝32人　東北＝61
関東（東京，千葉，神奈川を除く）
　＝45　関東（東京，千葉，神奈川）
　＝2,810　北陸＝67　中部＝183
近畿＝520　中国＝92　四国＝41
九州＝196

以上のとおりであるが，そのうち注目すべき事項としては，①大学院に在学する学生の躍進②女子学生の進出③文科系が減少して医学系が増加する傾向④秋田県を除く全国各地に分布していることなどである。

家庭教育研修概況

講師—文部省社会教育官　藤原英夫
場所—公務員研修所
対象—社会教育関係指導者

社　会　教　育　課

日本における家庭教育の歴史

　家庭教育を振興していくために，私たちはまず家庭教育についての歴史的基盤ということについてよく知り，それに立脚した振興方策というものが樹立されなければならない。そこで，家庭教育の振興ということについて考える前に日本における家庭教育の流れについて振り返ってみることにする。

　ヨーロッパ各地を訪れてよく聞かされることは日本人はどこの国の人よりも清潔で従順で正直であり，勤勉である。父親が小言一つ言わないのに父親を尊敬し，従順である。一体どのようなしつけ，家庭教育が行われているのだろうか，日本における家庭教育がしっかりしている点が今日の日本を築き上げたに違いない—などと日本における家庭教育について不思議がり，注目していることである。これはスペインからキリシタン宣教徒が極東を訪れたとき，当時の日本の社会生活，その他の状況について便りによって詳しく知らされたためだと言われている。

　寺小屋教育の時代について考えてみると当時の寺小屋の普及率は戦前に考えられていたことよりも意外に高かったことがわかってきている。親に対して子どもを教育するという法的な義務が負わされていない時代にもかかわらず進んで自分の子どもを寺小屋に通わせるというように教育に関する親の関心は非常に高かった。明治初期における学校制度のあり方そのものもこのようなことに起因しているものと思われる。

　明治5年になって学制が布かれたが当時子どもの教育は親の責任であるという考え方が強く近々にして就学率は60％～70％にまで高まった。それが次第に子どもの教育のすべてを学校に期待するという考え方に変ってきて家庭

教育も不振の状態となり，再び家庭教育の問題が大きくとりあげられるようになつて文部省では家庭教育の振興方策をうちだした。

家庭教育は学校教育，社会教育と並列した三本柱の一つである。

文部省では家庭教育振興方策をうちだし，その中で今まで社会教育の中の一領域として与えられていた家庭教育について，一人の子どもを教育するという立場から学校で，家庭で，学校外（社会）でそれぞれどのような教育的影響を受けるか，また受けうるか，ということの発想のもとに学校教育，社会教育と並列するもう一つの大きな領域（三本柱の一つ）として考えていくとをうちだした。

家庭教育については国際児童成人教育連盟（International League of children and adults Education)の研究集会でも毎年討議が行われ，第六回集会では19カ国の代表が参加してヨーロツパにおける家庭の諸問題について討議が行われた。

家庭における条件変化について
1. 夫婦間の新しい関係は夫に対する従属関係から協力関係へと変つてきている。
2. 母親が何かの仕事につくようにな

つた。
3. 親子の関係において家父長的権威が無制限な権威から受け入れられる，理解される権威へと変つてきた（家庭の構造的変化）

教育における家庭の役割は依然としてかけがえのないものであり家庭でなければ子どもの人間的成長を助け得ない領域をつきとめ，それを家庭がどのように助けていくかということが家庭教育である

家庭教育振興方策について

戦後青少年の非行が目立つて増加しその防止対策についていろいろと考えられるようになつた。1961年頃家庭における子どもに対しての配慮が考えられなければならないということで各方面で話し合いがもたれるようになり，社会的に大きな反響をよんだ。そこで文部省では家庭教育の振興方策を樹立し62年4月,9名の大学教授と学識経験者などで構成する家庭教育専門委員11名を依属し，約1年半にわたつて資料の研究がなされ，64年4月執筆にかかり，昨年3月家庭教育資料第1集を発行した。

学校開放講座の開設

社会教育を振興していくために文部省では学校開放講座を計画し，その設

置奨励につとめた。これは主として教育委員会が設置者となり，40名以上の固定参加者によって開設されるが，委員会よりの依属によらない独自の学級なども開設されるようになつて，ほとんど各村で開設されている。

そこでの学習内容は子どもの教育に関する問題が非常に大きな位置を占めた。その中でもつぎの四点に対する関心は非常に高かつた。

1. どうしたら子どもがもつとよく勉強するようになるか。
2. どうしたら子どもがもつとよく親の言うことをよく聞くか。
3. どうしたら子どもがもつとよくその安全を保つていくか。
4. どうしたら子どもがもつとよく非行から守られるか。

教育に関する親の考え方にもいろいろと問題がある。

1. 自分の子どもがよければいい。
2. 子どもの立場よりも親の立場を考える。
   親の言うことを聞かないということに問題を感ずる。
3. 教育は母親だけがやるべき仕事だという考え方。
   父親でも子供の人間的成長についていろいろと配慮しなければならない問題はたくさんある。

家庭教育学級の設置

現在開設されている社会教育関係学級への参加者は婦人が多く男性の参加がないため各地で男性の学級への参加がよびかけられている。特に婦人の場合はＰＴＡ，婦人会などのほかに婦人学級などもあつて学習に参加する機会も多いが，男性の場合そういう機会も婦人に比べてない。そこで文部省では婦人だけに限定されない家庭教育の学習の場としてつぎのような開設要項によつて国から補助金を出して各市町村に家庭教育学級を設置し助成していくことになつた。全国小学校数の31％（三校に一学級の割合）で8,134学級を設置した。

開 設 要 項

1. 市町村教育委員会が開設する。
2. 年間20時間以上学校，公民館その他適当な場所で開設する。
3. 学習内容が家庭教育に関するものであること。
4. 国は定額一万円を補助する。
5. 教育委員会は開設費用として三万円以上を予算に掲上すること

開設要項については上記のようになつているがこれまでの学級開設の場合，例えば青年学級を考えてみるこ

と30人以上で100時間以上年間を通じて開設するというように，年間を通じて開設するという考えが強かつた。

しかし，家庭教育学級の場合は，一週間連続で開設してもいいし適宜開設してもいいというように続いて年間を通じて開設しなくても年間合計20時間以上を開設すればよい。人員もその学習内容に適した参加人員で，時数の場合も開設者が開設する時数であつて参加者個人が20時間以上でなければいけないということではないというように開設しやすく，参加しやすい非常に柔軟な開設要項となつている。

本土において現在開設されている家庭教育学級の状況について男女学級87.4%，男のみの学級0.6%，女のみの学級12.0%平均参加人員65名
開設時間数　総開設時間数約2万時間

20時間から25時間まで			54.7%
26	〃	30 〃	28.5%
31	〃	35 〃	5.6%
36	〃	40 〃	6.6%
41	〃	46 〃	1.3%
46	〃	50 〃	1.8%
50時間以上			1.5%

開設場所
　小学校　58.7%　幼稚園又は保育所1.3%
　公民館　26.4%　高　校　0.1%
　中学校　8.5%　その他の公共施設　5.0%

家庭の教育権

イギリスでは家庭を非常に重んじ，家庭についての立入つた調査をすることさえ禁じられている―プライバシーの侵害。

ドイツでは16才未満の飲酒，喫煙を法律で禁止しているが，但し親が監督して飲ますときにはその限りにあらずと親の教育権が尊重されている。教育権は親にあるという考え方が強く，青少年福祉法，家庭の教育方針に抵触しない範囲で親の教育権が重視されている。

日本の新民法では家族制度を変えていくことに重点がおかれたが，その中で家庭の教育権に相当するヨーロツパ的な考え方がおり込まれていることに案外気がつかないでいる。

民法820条～833条　親権の効果
820条　親権を行うものは子供の監護及び教育をする権利を有し，及びその義務を負う。

権利義務は第三者に対しての権利義務であり，子どもに対してでなく子どものためにである。

828条 成年に達しない子供は父母の親権に服するなどがあり家庭が教育の基盤であり，そこで足りない分と学校でやり，更に足りない分を社会教育でやるという考え方が世界各国の共通の考え方である。

日本における青少年の非行問題

5～6年前から生徒，学生の犯罪が増えてきている。成人よりも青少年の犯罪が多く，しかも粗暴なのが全国的にみられる。特に学生，生徒の犯罪が勤労生徒より多く，粗暴犯や性的犯罪が多い。62年あたりから中学生の集団非行が増えてきている。

最近の青少年非行，犯罪の要因

中産階級，両親健在，教養のある家庭とかなりいい家庭の中にでてきている。欠乏や欠損家庭というよりも欲望というものが無制限に野ばなしにされていることが原因だと思われる。

ドイツでは挫折（欲求不満）Frustration toleranceに耐えるということが学校，家庭，社会教育の場で家庭教育の方針として強調されている。

△ 学業挫折，勉強がついていけない，その面からくる非行問題が見のがされてはいないだろうか挫折感が代償として人に大きく見せたい，その面からくる欲望

△ 性的成熟が非常に早くなつてきているが，それに対する純潔教育が不充分。

△ 宗教の問題をどのように考えていくか。非行の問題と関連してこのようなことが家庭教育の中で考えられなければならない。

質疑応答

質 学級開設の場合，本土における学校現場の先生方の協力態勢はどうか。

答 仕事の過重だという共通の不満はあるが，特に家庭教育学級の開設にあたつては反対する者はない。農村あたりではほとんど学校の教師が講師をつとめている。全般的に先生方の協力は大きい社会教育主事だけでは負担過重である県によつていろいろな方法で協力の態勢を考えている。公民館中心ＰＴＡ中心その他日本における勤務評定の基本的考え方によつてアメリカの考え方と少しずれている点があり，そういう面でも問題がある

と思うアメリカにおける勤務評定では
1. 教室における活動。
2. 自分自身がどれだけ勉強したか。
3. 地域へのサービスをどれだけしたか。

地域へのサービスということも考慮に入れられている。

質　家庭教育学級の運営で講議式と話し合い式の割合について

答　講議一本の進め方は社会教育の場合ほとんどない割合については学習内容によつて異ると思う

質　家庭教育学級が設置されて、婦人学級、社会学級へのしわよせということはないか。

答　現場の主事から問題になつたのはその点だつたが、実際に開設してみたら問題にならなかつた。問題の生じている点もあるかと思うが三月の研究集会で報告されると思う。

家庭教育観について

教育とは人をつくることである。
日本特有の社会的通念
人をつくるのは自分自身がつくつていくものであり、教育はこの自己形成を助けていくものである。

形成的表現

人が話すことを学ぶのは話すことを聞くことによってである。―フランス
話し合い学習をすることによつて上手に話すことが身につくし、作文をさせなければ作文は上手にならない。人は経験を通じて成長していくものである。自分の教育目標を自分でもつことが大切である。

学校教育と社会教育の実質的な面の相違は、社会教育ではその対象の側に目標があるということである。

社会教育では刺激を与えて導いていくし、学校教育では自己教育の目標を助けていくのである。

ドイツのエリンストクニツクは意図的教育だけでなく、人々のある目標を追及する行動、ある人の造り出す生産品が人々に刺激を与えるものであり、教師が子どもに与える影響はごく一部であると云つている。形成作用を教育作用を同一視している所に問題があると思う。Erziehungsakt Oarbildu

教養、技能を高めていくためには、話し合いですべての学習が終つたとは云えない。

学校教育、社会教育、家庭教育がすべて異るものではなくて、どのような作用、活動に重みをかけていくか、ど

のような目標に到達するために家庭として，社会として，学校としてどのような助けをしていくかということ。フランスの哲学者アランは教育論の中で家庭教育についてつぎのように述べている。

家庭教育とは，家庭という生活集団を維持運営していくそのものの働きを云うのではない。人間としての成長，発達，開放，円熟を助ける精神的な援助を家庭教育という。

人間とは　市民，職人人，家庭人，友人仲間，学校仲間の一人で，ある集団の一員となつている。その成員性が具体的な要素として一面に含まれる。主体性，創造性，配意性，責任性が人間的な価値と云える。そういう要素としての能力，性格，自立して責任と負つていく。思いやりがある。そういつた性格をもちながら市民の一員として職域人の一員として成長していく。それを助けるのが教育である。

アメリカの学者は教育について

子どもの現実の生活を豊富にし，おとなの生活への準備を助けていくものであると云つている。

戦後における日本の教育ではおとなの生活への準備を助けていくという面がおろそかになつている。教育目標には掲げられているのが実際には無視されて，上級の学校への進学をする準備を助けてやるような考え方になつている。

アメリカ人の場合は生徒の頃から具体的に自分の生活設計をもっていて，その線で自分で学校を選んでいくが，日本人にはそれがない。

家庭教育について考えるとき

親のあり方，態度，行動が自ずから精神的な面に子どもに大きな影響を及ぼすことを考えなければならない。

1. 親自身の人生への考え方
2. 両親の間，相互の年長者間の態度
3. 親の市民としての職域人としての生活態度
   大阪大二関隆美　（教育社会学）助教授のティーンエージャーの意識調査によると下の二つの答が圧倒的に多かつた。
   あなたはお父さんに何を期待しますか，という問いに対して
   ① 尊敬される父親であつてほしい。（自分自身の仕事に誇りをもつて取り組む父）
   ② 理解ある父であつてほしい（市民としての理解）
4. 自己教育の意欲と活動

親自身が自分で勉強する態度をもたずに子どもに勉強せよではいけない

5. 習ぞく,社会慣習への態度
6. 家庭生活への親の責任及び配慮
7. くふうし,生産していく態度
8. 趣味としての鑑賞活動
9. 親自身の消費生活のしかた
10. 社会的対人関係の態度

四国の婦人学級発表会で

子どもに（小学校6年生）自分の家庭のことについて自由に作文を書かせたら

○ うちのお母さんは口より先に手がでる。
○ 子どもの前での夫婦げんか。
○ 父母は時には一緒に旅行でもしたらどうでしょう。

などがあつて親の姿勢が子どもの教育に非常に大事だということをいまながら痛感たーと云さらついている。

家庭で行われる意図的教育活動について

1. 親,年長者の生活行動に子どもとの話し合いが大切である。

幼児はそれ程でもないが,成長するに従つて次第に親との間の話し合いがなくなつてくる。そういうことでは子どもに同調し参加をよびかけることはできない。

話し合いとなると親は生活行動について語らず生活経験を語ることが多い。

2. 学校及び地域社会で子どもが学ぶいろいろなことがら,それに対する家庭の応援態勢,静かなる愛情が大切である。

知識,技術の面は学校でしか指導できない。それを子どもが家庭でやる場合,親はできるだけ学校と同じふんいきの中で子どもが学習できるよう配慮してやるよう心がける。知識,技術は平静な場でしか習得されない。親は激情するようなことがあつてはいけない。

学校の教師がもつている冷静さをなかなか親がもち得ないところに問題点がある。親の感情的対立ほど子どもの平静さをかきみだすものはない。できるだけ落ちついた平静な環境が必要であるのでなるべく自分で管理できる部屋又は場所を与えてやることが学習効果の面からまた遊びと学習のけじめをつける面か

らも必要である。

　学校では時間的区切りとそのけじめがあるが，家庭においてはそれがない。気分転換

　(Recreation)のためにも必要であり，学習の面でも効果的である。

3. 家庭生活そのものの価値を子どもがよく理解し協力していくようよい環境づくりにつとめる。そのためには家庭だんらんということをよく親が考えて実施していくことである。楽しいふんいきづくり，思春期（特に男）の場合そういうことから離れて一人でやつていこうとする傾向もある。時にはそれを助けてやるようなことも必要である。

4. 親は子どもの求めに応ずる助言をする。

　めんどくさいとつゝぱなしたり，くどくど文句を云うことは子どもにとつてマイナスになる

　先程の大阪大の二関助教授のティーンエージャーの意識調査で「あなたは一番誰に相談しますか」という問いに対して40％が母親20％が父親で学校の教師は僅か7％弱となつている。このように両親が60％を占めている点でもわかるように親は子どもの相談相手となつてやることが大切である。

　更に，上のことで母親に対しては身近な生活上の相談が多く父親に対しては自分の生活設計，その他重要な相談が多い。学校教育に比べて家庭教育の場合，子どもの個性，家庭の事状によつていろいろと差があるため，画一的な方針をたてて統制することは困難である。親の立場で，親が研究し，親が考えて進めていかねばならない。

家庭・学校・社会教育事業体の子どもの教育における役割

　自己編入(Self integretion)社会的適応ということを子どもの教育にはよく考えられなければならない。

　自分で判断し，選択して決意していく，その意味でのおとなの社会へ自分でふみ入れていく，それを助けていくために家庭，学校，社会教育機関がどのようなことをするか，

　家庭が最もよく子どもの人間的成長の面でよい影響を与える。

家庭
　　人間的情感を身につけていくこと
　　徳性の基礎を身につけていくこと

学校　知識，技能の獲得。

社会教育事業体　社会性，市民性。を一番よく助けていく

それぞれの持ちまえはあるが，どの教育の場でも教育的価値を高めるための指導は必要である。

イ　家庭生活はお互いの愛情を表現し合い確められなければならない。特に幼児にとつては自分が特別に愛されているということは精神的に非常に充実した自分を考え，子どもを生き生きとして生長させるものである。

○　自然的な本能的なものだけに頼つていては人間的情感というものはでてこない。

○　夫婦の間の関係がよい関係にあるということが，人間的情感を獲得していくうえに非常に大事な要素である。

○　美に対するあこがれが文化の基本である。（文化哲学の考え方），美しさというものを生活の中に表現し，鑑賞していくということが幼い頃からなされていることが人間的情感を育てゝいく。それが家庭の中にないために学校で補うことも考えられる。

○　子どもの興味のおもむくまゝに楽しい学校生活をという考え方では子どもの人間成長にプラスにならない。

徳性の基礎　しつけ教育的しつけ

○　親が子どもに云つていけないことば，云わない方がいいことばをよく考える。真に人間として成長していくことを望むならばしつけの面でいろいろ考えなければならないことがたくさんある。

自分の考え方，生き方を子どもの年々に応じて子どもに助長していくイギリスやドイツでは公立学校でも宗教教育を行つているが，このことが子どもの道徳教育にプラスになつているという考え方もある。

しかし，真の宗教は家庭にあるものであり，学校はそれを補つていくものである。宣教や伝導が主体となつてできている学校はともかくとして，それぞれの子ども，それぞれの家庭の異つた宗教を学校で全く違つた宗教（環境）にするのはどうかと思う。自分の家庭の宗派外の宗教礼拝を学校でさせられる。イギリスが公立学校よりも私立学校に子どもを多く通わせて

いるのもそこにも原因があると思う。共通の点を見出して教育するか、各宗派毎にするかして学校が家庭の宗教を補うという考え方でなければいけないと思う。

Character training 性格訓練

　　強固な意志の中で真の人間が生まれてくる。勉強するということも教科を通じて意志の鍛練をすることである。

　　真の知識技能を身につけさせるには学校とか研究所、試験場のような特別な施設で行われない限り効果は上らない。本土における青年学級から勤労青年学校へ変っていったのもこの辺からである。勤労青年学校では年間を通じ300時間以上で3ヶ年間学習することになっている。

沖縄における社会教育の問題点について

1. 鍵っ子の家庭教育の問題

那覇　親と子の連絡帳を作ってやっているがうまくいかない。

大宜味　都市だけの問題でなく、農村でもそのような問題はある。

首里　連絡用の箱を作り、それに書いて入れる。

　　子どもたちが家務を分担してやったり、えもんざおのような簡単な用具を自分たちで作ったりしている。学校での成績もよい親が自分の生んだ子どもが真に愛情をもっているなら何かの方法でこの問題は解決される。帰って来たらまず子どもたちと話し合う。週一回でもよいから子どもたちと寝ものがたりをする。

本土における例

愛知県　家庭の母と子の手紙の代りに黒板を利用している。但し、人目につかない場所におく。手近なところにおくとこれでるすだと知ってあきすが入るおそれがある。

山形県　引揚者が多く生活程度がひくい。そのため夫婦とも毎日仕事に出なくてはならない。できるだけ家庭的ふんいきを子どもたちに与えてやろうということで7〜8戸が一グループになって当番制で、当番に当った人がその日仕事を休んでその一日子どもたちの面倒をみてやる。

秋田県　夫が仕事に出かけると家には老人が残り、子どもの世話も老人たちの仕事になるので、老人に対する家庭教育の学習を実施

している。老人クラブの育成なïどで老人教育に力を入れている。

鳥取県　老人学級の育成。学んで自分の役割を分担していく。

文部省でも次年度から老人学級の開設を助成していくことになつている。

一般的には，たく児所，保育所の設置団地子ども会を作つて，多少余暇のある母親が交代で世話をみている。

遊び場の設置も各地で運動が盛んに進められている。

このようなこともその人々が愛情をもつて当らなければならない。こういうことについての役割を家庭教育学級で話し合う。強いて母だけでなく，時には父がいつしよに釣りに出たり，登山に連れて行つたりする。そういうことが子どもに強い印象をやきつけるものである。

2. マスコミの問題

マスコミ対策について本土では青少年健全育成条例で規制している。民間団体（婦人会，PTAなど）による買わない運動の展開。

政府へいくら陳情しても買う人がいるようでは防止できない。

映画の場合，本土では映倫と学識経験者の話し合いが行われる。不良マスコミの追放については討議する場所と機会をできるだけ多くもつことがより効果的だと思われる。学級などで取りあげて話し合つている所ではよくくふうされている。

テレビー目と画面との間かく等について注意

脳の働きで実物のように作り出して見ている。この場合，眼の水晶体は一定の状態で動かない，それが長時間続くと体の変調をきたす，途中で別の所へ視線を移したり，場合によつては姿勢をくずして（寝ころんだりして）行儀悪い見方をするのもよい。一時間ずつとテレビを見つめて気を失つた子どもの例もある。

テレビの場合，社会科は伸びるが算数がおちるといわれている。受け入れ方の問題。自分自身をコントロールして機械の犠牲にならないよう注意する。

映画ーヨーロツパでは夜8時以後は未成年者が街頭に出ることができない。その代り土曜日とか，日曜日の昼に子どもたちのために映画館を開放している。

日本で推奨している子ども向きの

映画が上映されていたので子ども連れで晩行つてみたらその年頃の子どもが一人も居なくて恥をかいたという話もある。このように家庭のしつけ、社会的面がそこまで理解されている。日曜日などを利用して家族連れで楽しんでいる。

成人向き映画の場合、館主が入口に立つて子どもを追い帰す。これを実行しない館主は厳罰に処せられることになつている。

カトリツクの場合、教会がA、B C、Dに分けて

Bは見ていけない、Cは見ない方がよい、Dは見てもよい、というように4〜5段階に分けている。

ラジオ、テレビ、ヨーロツパにおいてイギリスを除いては民間放送がない夜も11時頃に放送を終了し、深夜放送は全くない。放送法によつて規制され、コマーシャリズムな点もないあくどいものを追放する運動がかなり民間団体で行われている。おとながよく考えるということがマスコミ対策のポイントである。

3. 基地の問題　派出な消費生活　はきちがえられた民主々義

沖縄の家庭の中にお金で子どもの不満を解決したり、家の商売のため子どもを他所で勉強させるなどがあり、またガム売りをさせたり、収入にともなわない派手な生活、米人の生活をまねる（子どものしつけその他）など特に基地に近い所で問題がたくさんある。

民政府教育部長は日本の家庭教育とアメリカの家庭教育の異る点についてアメリカの家庭には宗教があるが日本の家庭にはない。

アメリカの家庭では親がよくどなるが、日本の家庭はどならない。と云ている。

基地における教育の問題については横須賀の徳永アサという人が、PTA活動を日本で最初に盛り上げ、PTA活動によつて其他のいろいろな問題を解決している。

表面だけ見て本質を生かさない教育がなされている。

一方で愛情を表現し合い、確め合い一方できびしいしつけをする。小使いの与え方についてアメリカでは報酬のような形で与えているところもある。但し、そういう家庭は親が必ず一定の教育方針をもつて実施している。小使いを与えることについては、その使途計画などを親がよく知つておく必要があり、親の便宜上与えるのはよくない。

子どもに金を貯めさせるだけでなく

どのように使うか，消費の計画性をうえつけていくことも必要である。

4. 両親教育について

両親教育については，家庭の人間関係，消費生活，趣味生活とその他家庭生活全般にわたつてなされなければならない。

主として婦人学級やPTAの一日入学などで話し合われる。

神奈川県の例　PTA一日入学，日曜日に実施している。

各学年担任の先生と話し合う。担任の先生は前で準備する。例えば子どもたちに"うちのお父さん"という題で作文をかかせる。それを父兄に読んで聞かし，それから問題をひきだしてきて話し合う。

子どもが考えていることを父親が知るということは家庭教育に非常に大きな力をもつものである。

婦人学級などで最近小グループ学習が非常に盛んになつている。隣組グループ，目的グループ，趣味グループ，その中でも趣味グループが一番多い。

趣味と娯楽のちがい

娯楽レクエーションは気分を変えるところに目的があり，趣味は芸術的（美的）なものを求める。それを深めていく。それによって創造的な態度が養われる。創作することは鑑賞することの極致である。

5. 子どもの役割分担について（子どもと家の仕事）

家庭も社会生活の基盤になる一つの集団である。集団は一体観（感）がなくてはならない。それに基盤をおく連体，結束。単に同じ仲間同志でなしにつながり合つているという考え方。それによって協力関係があることによって集団としての成熟がある。家庭生活においても家務の分担をすることによって集団としての成熟。がすすめられ子どもの教育ということだけでなく家庭生活を成立させていくためにも必要である。手伝いという面と役割という面で分担していく。民政府教育部長はアメリカの母は子どもによく仕事をさせるが，日本の母は自分の手の届く所までは自分でやつて仕方のない時に子どもにやらせると云つている。

子どもに役割を分担させことは集団としての役割を教育していくために，家庭としても子どもにとつてもよいことである。

アメリカの場合は始めから報酬を与えて，資本主義社会への基盤という意味で方針をたててやる家庭もあり，家庭の一員として当然だといつてやらせ

る家庭もある。

最近，本土でも農村でも親子契約によつて田畑の仕事をしていく傾向が増えてきている。これも一つの家務分担と云えると思う。

自分の考え，自分の意志で作物を作つていく。

子どもの役割は，しつけの面，教育の面からして一つの重要な方法としてとりあげられるべきことは家具の整とんの面ではないかと思う。

6. 家庭における人間関係

嫁，姑の問題は本土のように沖縄では深刻ではないと思う。

家の家族制度の考え方が根強く，女性の地位がひくい。

表現力（自分を表現する）がなく，家庭の中でさえ自分の考えを発表し相手を納得させることができない。

自分はまだ未完成であるということを意識させることが子どもを教育していくうえによいと思う。但し自分が云いたいことが云えないようではいけない。母親が間に立つて話し合いをさせる。または母と子の意見対立の時には父が中に入つて調整していくことが望ましい。その時は父は子どもと一しよになつて母を責めていくような態度が絶体にないよう注意せねばならない。

今の親は子どもを恐れている。

親の場合戦前の尋常高立卒業が多く子どもの場合は高校卒業と，それに学校で話し合い活動が行われているため，理屈つぽくなつているため，子どもと親の話し合いがうまくいかない。

民主々義だからというはきちがいの根本を親がよく知ることが先決の問題である。米フラツスエルは民主々義は価値を均等に獲得するということにあり，集団の意志決定，方策樹立に集団の構成員が何の形で参加することであるといつている。(Deacion Making)

―研究教員だより―

白　泡　の　感

大阪市立難波養護学校
沖研員　芝　　千雲

　現在沖縄には30余の小・学校の特殊学級が設置され，約300人程の児童生徒が特殊教育をうけているが，まだまだ普通学級で，お客様的存在におかれている子が多いのである。全琉に知恵おくれの教育可能の対象児が約1万人程と推計されている。

　これらの子は恒久的知能の遅滞により，たとえ，普通学級での担任が多忙をさいてこの子らに愛の手をさしのべられても，知的学習の効果はそう期待されるものではない。

　この子らを救う現在の唯一の方法としては特殊教育を施すことによつてしかない。

　沖縄にはいまわずかばかりの特殊学級と養護学校が新しい芽をふきだしたばかりしである。児童生徒は日一日と成長し，社会へおくりだされていく。その中には義務教育の9カ年間セツセツと学校に通いつづけた遅れた子らが社会に対する未熟な学習を身につけたま〉生涯無能力の生活にあえがなければならない運命をも知らずに押しだされていく。

　同じ人間としての仲間にこの様に暗い仲間がいることは実に悲しいことであり，より明るく美しい生活をするためには，温かい皆の手が必要である。

　この子らの教育可能者の出現率は4.25%といわれ，ここ当分その数字の減少はみられないだろう。精薄児及び異常児の発生予防には医学の面からも力をいれて研究されている。しかし，その発生の原因の中には，例えば，新医薬品服用・過度の薬品服用等によつて今までにみられなかつた新しい発生の原因となつたり，交通事故等による原因も漸次高い率を示しつつあるといわれている。ともあれ，この子らの出現は遺伝的にせよ，環境的にせよ人類の生存中つきまとい，何国，何家庭に発生してくるかわからないものである。

　そこで，どの国の教育の水準もこの

様な薄幸の子らの教育がどのようになされているかを知ることによって，その国の教育が理解されるといわれ，これはその国の国民性の美しさが浮き彫りにされた言葉だと思っている。

特殊教育には普通教育に比べ計りしれない程の金がかかる。特殊児に莫大な金をかけるより，普通児特に優秀児に注ぎこんだ方がよいとよくいわれる然りである。だからといつて，特殊児を教育の中から見捨てるわけにはいけない問題がある。この子らが罪の意識もなく犯罪や放火等社会への迷惑を考え合わせれば教育への投資は少々たるものであり，非行児一人のために多勢の警官や人々が昼夜をわかたず幾日も疲れ果されるのは全く教育費の投入の怠りにも一因はあろう。

幸いに沖縄においても，やつと養護学校の開校が目前に迫つたこと，また今後多くの特殊学級の設置予定がなされていることは教育の前進である。

本土においても，まだまだ特殊教育の手が充分というほどではない。特殊学級は各県とも相当数設置されてはいるが養護学校その他の施設は未設置の県がまだまだたくさんあり，各県によつて大差がある。

大阪市においても特殊教育が盛上つてきたのはここ数年前からである。

大阪市の人口は全琉の約3倍強，小・中校生は約2倍の46万余人，特殊教育振興のため市条例の規定によって「市特殊教育審議会」が設置され，その他多くの会や関係機関，団体等が相提携して軽いものには自立，重いものには保護，親なきあとの保障で"ゆりかごから墓場まで"の対策でおしすすめている。

特殊学級の設置校の割合は小学校で44.7%（162校），中学校で34.7%（56校）となつている。また，推定該当者数に対し現在籍率は小学校で16.2%，中学校で13.5%でまだ多くの遅れた子らが普通学級で授業をうけている。

今後の課題として，中学卒で就職可能なものは職場へ，就職できない子には，更に訓練機関を通して教育する対策がなされている。

現在なお多くの高等部の設置，職業補導所。授産所等の設置が強く叫ばれ将来はコロニーの建設を目指している。

特殊教育進展のために，文部省系の全日本特殊教育研究連盟，厚生省系の全日本精神薄弱者愛護協会，PTA系の全日本精神薄弱者育成会を3躯幹として，総理府系の中央青少年問題協議

会その他法務省,労働省等との相提携のもとに各県の諸研究団体が特殊教育振興に活動している。また,特殊教育には国庫負担による就学奨励費が適用され,就職については業者の自主的な進路指導連絡会(大阪市)があって卒業生を積極的に受け入れる団体を作ったりして皆で愛護し,ゆくゆくは業者と国負担の福祉による生活の保障までおしすゝめていこうとしている。

本土のこのような態勢がととのってきたのも,因は知恵おくれの子をもつ3人の母の悩みの話し合いからの発展ときく。個々の力は弱く悲しい。人間は孤立してはたてないものだ。社会の愛の力が最も明るく楽しく照り輝やくものである。

現在沖縄では小学校特殊学級の6年生を如何に中学校に入学させるかの悩みにきている。更に,中学卒後の就職等諸々の問題が残され,子どもたちは日毎に成長して学校を卒えていく。沖縄の特殊教育ははじまったばかりの観にあり,一般の理解を得るのもこれからである。折角,特殊学級はできても周囲を気にし普通学級で我慢をしている子等が多いのを知るとき,特殊教育の進展が天降り式の方策でなく,じかに生活の中への必要欠くべからざるものとして今後研究していかねばならぬ多くの課題が内包されているものである。

〝おりてきて　語れや
　　　　白い　ちぎれ雲〟

特殊学級の実態と指導法

栃木県下都賀郡大平町立大平中学校
那覇市上山中学校　久　高　将　宣

栃木県の精薄,病弱,肢体不自由児童生徒に対する特殊学級は,中学校一校に一,小学校三校に四学級の割で設置され,工作,栽培,飼育その他特別の学習を主とした技術訓練を行なっている。その期間は一年～三年の短期間だが実績は大きなものがあり,版画,描画の技術面,栽培飼育等の単純な作業

に対するねばり強さなど普通学級に劣らぬものをみせており，将来適職の選択によって自立可能な自信を深めている。　ひとりの人間を実社会に自立させるという事は，社会に対して保護と援助を朝待するのではなく，積極的に社会へ貢献できる力と生活の喜びとをその人に与えることに外ならないという独立の気合を前提として，この教育の振興を重要施策の一つとして，施設の拡充と教育内容の向上に努力を続けている現況にある。

昭和38年5月1日現在の設置表をみると，県内83校，114学級がこの面に取りくんでおり，尚今年に至つて30学級の設置申込みがありそれに対しても専任主事の配置がなされ一段と強化されつつある。本県における特殊教育の歩みは昭和25年宇都宮市立一条中学に二学級設置されたことに始まるようで，以後各市で「忘れられた子等」の問題が人道的見地からも放任を許されるべきでないという特に現場を中心とした声の高まりが，地域社会の理解と協力のもとに幸薄いこの子等が幸福な成長を求められる環境として150にも近い特殊学級の実現をみ，着々とその成長に努力を払つてきた由である。ここに到達するまでには第一段階としての鑑別，対父兄及び地域社会の啓蒙という難問題を解決し，第二段階に至つては教育の実際としての指導目標，方針，教育課程の編集と，その勇気と熱意には全つく敬服の到りであり今後の持殊教育への一資料ともなれば幸いだと思い，配属校における実態と指導法をかきとめておきたい。

本校に特殊学級が設置されたのは昭和39年の4月で，一年足らずの期間だが，設置を前提としての研究組織ができたのは今から4年前にさかのぼり，校務分掌の一分野として「特殊教育研究部」を設け，ここを主体としてパンフレットの発行を始め校内研究会を十数回にわたて催すとともに，既設校の実態調査さらに全校父兄の啓蒙を通して「職業補導学級」として誕生した様である。

12月15日現在12名の在籍をもつて設置されており専任教師を中心に11名の先生方の直接な協力を得て，①きまりを守る人②礼儀の正しい人③すなおに働く人④何事も自分の力でやりとげる人と四つの経営目標のもとに運営されさらに希望と喜びをもたせる為に環境の整美に惜しみない予算の裏づけがなされていて実に美しい限りである。参考までに年間総予算額が43万3千5百

円（1,204弗）で，その主なものをあげると，町費よりの援助額28万円（約778弗），学校後援会費（ＰＴＡ予算）よりの支出14万9千5百円（約415弗），その他,学級員の技術実習（農協よりの依頼によりイチゴ箱，ブドウ箱を作製する）による収入も追加され備品施設を中心に環境の充実をはかり，小はマンガ読み物から大は電気製品，機械器具に至るまで多くの備品が揃えられ理想的な学習の場を完備しつつある。

こうした協力的な地域社会をバックアップにして築かれた環境で，どのような学習課程がくまれ，どういう形態の指導法が実施されているかをご紹介したい。知能検査の結果によると上の方で76，下の方で47という指数を示し精神年令では9才から5才11ヶ月といわば精薄を対象とした学級であり，特に脳性小児まひの後遺症による右手不ずいが男の子に一人，発声器障害が男女各一名その他の生徒については学習の上で障害となることは特筆すべきところはなく，したがつて教育課程をみても全教科実施の基本線に立つて次のような領域で時間配当がなされている。

1. 経験領域（社会3，理科2，道徳1，学活1）　　7間時
2. 言語領域（国語4）　　4時間
3. 数量領域（数学4）　　4時間
4. 情操領域（音楽2，美術2）
　　　　　　　　　　　　4時間
5. 健康領域（体育2）　　2時間
6. 生産領域（技術10，家庭3）
　　　　　　　　　　　　13時間

以上の課程でも明らかの様に，<u>生産領域</u>に比重をかけて技術訓練を通してその習得と忍耐を養成している。

ではここでプログラム学習を例にとり国語指導の実際をみることにしよう。

以下は「シャ」という拗音をひらがなで「しゃ」と書くことができるのを目標とした学習で，先ず教師が「しゃ」のつく絵（汽車）を見せ発音をしながら文字でかいて示しその後生徒は各自のプログラムカードにしたがつてドリルを行い「しゃ」が書ける能力を養う指導法がとられている。

一般に精薄児が拗音を書けない理由として考えられるものは，第一に発音が不明確であるため不明確な発音をそのまま表記してしまう場合と，第二に第一の場合の表記が固定してしまつて正しい発音ができるようになつてもなお，表記の方は元のままであることが多い。第三に，第一の場合のような原

因がなく正しい発音はしていても，表現の方法がわからないものなどがあげられるところから，このプログラムは後二者を対象にしており次のようなねらいのもとにステップが構成されている。

○ ステージ１（フレーム１～フレーム25）汽車をひらがなで「きしゃ」と書くことができる。
(1) きしゃの「しゃ」で「や」は「き」や「し」よりも小さく書く，（フレーム１～４）
(2) きしゃの「しゃ」で「や」は「し」の右下に書く，（フレーム５～６）
(3) きしゃの「しゃ」を書く。（フレーム７～９）
(4) 「きしゃ」と書く（フレーム10～15）
(5) （１）の繰り返し（フレーム16～17）
(6) （２）の繰り返し（フレーム18～19）
(7) （３）の繰り返し（フレーム20～21）
(8) （４）の繰り返し（フレーム22）
(9) いろいろな文の中で「汽車」を「きしゃ」と書く（フレーム23～25)

○ ステージ２（フレーム26～フレーム32）
「シャ」の音の正しい書き方を識別することができる。
(1) 「しゃ」と「さ」を区別する（フレーム26～27）
(2) 「しゃ」と「しゃ」を区別する（フレーム28～31）
(3) 「きしゃ」と書く（フレーム32）

※フレーム34以下省略

プログラム学習においては，常に１フレームずつ提示され，ひとつのフレームについて,(1)提示されている問題を読む　(2) 回答欄に答えを記入する　(3)　自分の答えを正答と照らし合わせ，正しかつたら次のフレームへ進み誤っていたら訂正していくという方法で学習を進めていくのである。ここで重要なことは提示されている問題を読むことであつて読んで思考力がはたらき,問題を解決していくのであるが,プログラム学習では提示されている問題そのものの中に，問題を解決するための手掛りが与えられており，それらを正しく読みとらなければならない。しかし精薄児にはこの読みとる能力が著しく欠けており，そのためにこのプロ

グラムではごく単純なものを除いて，問題提示は教師が口頭で一つせいに行なうように配慮している。すなわち1フレームから21フレームまで，及びフレーム26から32までがそれである。したがつて，まず汽車の絵を見せて「これは何か」と尋ね，いつせいに「きしや」と言わせてから，こんどは各自に「きしや」と発音させ，それからのプログラムを使つた学習にはいることになる。この学習では「しや」という発音と表記が分離してはならないので，口頭による問題提示の際は，つねに「しや」という音を聞かせたり，各自に発音させるように配慮がなされている。

事後テストは学習終了直後と3日後6日後，10日後の三回同一問題によつて実施し，定着度を調査する評価がおこなわれている。

プログラム学習における計画，準備のための教師の負担は重く，実にむずかしいことであろうが，すべてを超越して日々熱心な研究と指導に精進されておられる赤間先生をはじめ大平中校全職員の協力的な態度に敬意を表し，実態と指導法の一端を紹介した。

り，昭和38年度には小学校1.34坪，中学校1.21坪，高等学校1.52坪となっている。（第2図）

わが国においても主要国においても，教育内容の豊富化，教育方法の近代化にともなつて，新しい教材・教具を整備するため，とくに理科教育や産業教育の設備基準を改正し，その充実と近代化を図つている。

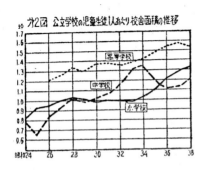

第2図 公立学校の児童生徒1人あたり校舎面積の推移

就学援助

要保護・準要保護児童生徒の就学援助としての費目，単価および対象数がしだいに増加しており，昭和39年度には義務教育児童生徒の10%に対して，学用品，通学，学校給食，修学旅行などに要する経費が補助されている。

わが国では，義務教育教科書の無償給与は昭和38年度の小学校第1学年生から始まり，年を追つて拡大実施されることになつているが，諸外国においても義務教育教科書の無償制度を実施しているところが多い。

育英奨学は日本育英会を中心に逐年拡大し，昭和38年度においては民間の育英団体の活動をも含め，高等学校生徒は27人に1人，大学生は5人に1人，大学院は3人に1人の割で奨学金を受けている。しかし，主要国と比べるとなおふじゆうぶんである。

特殊教育も年々充実されつつあるがとくに養護学校や特殊学級の最近の発達はめざましく，その在学者数は昭和34年度に比べ2倍以上になつている。アメリカ合衆国やイギリスと比べると，盲ろう該当者の就学率はそれほど低くはないが，精神薄弱者の就学率が低い。

保健・体育

児童生徒の体位は近年著しく向上しており，今日の水準は戦前のそれをはるかに越えている。（第3図）またその伸び盛りの時期は，二歳早くなつている。

児童生徒の疾病，異状は全般的に減少してきているが，近視とむし歯が増加していることは注目される。近視率は上級学校になるに従つて高くなつており（高校生男子33%，女子36%），むし歯は児童生徒の約8割が被患している。

学校給食の普及率はしだいに上昇し，昭和39年度には小学校児童の91％，中学校生徒の63％となっている。これはアメリカ合衆国やイギリスと比べても低くない。

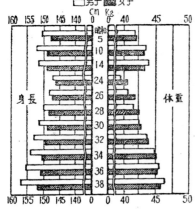

第3図　14歳児の平均身長・体重の推移

第四章　教育費の支出と負担

国民経済における教育費

わが国の国民所得に占める公教育費の比率は，戦後上昇の傾向をたどってきている。昭和31年度以降やや停滞の傾向もみられたが昭和36，37年度にはそれぞれ5.2％，5.7％と再び上昇している。

わが国の比率を主要国と比較すると昭和30年ごろまでは最も高かつたが，近年，主要国の比率が上昇し，わが国のそれに接近してきている。(第4表)

わが国の行政費に占める公教育費の比率は，昭和32年度まで着実な伸びを示してきているが，この年度の比率22.3％を頂点として以後漸減ないし停滞の傾向がみられ，昭和37年度には21.0％となっている。

教育費支出の実態

わが国の公・私学校教育費について初等・中等・高等教育の各教育段階別の比率をみると，中等教育費の比率の増大が注目される。高等教育費の比率も年々増大しているがまだ戦前よりも低い。昭和37年度についてみると中等教育費は46％，高等教育費は18％である。

わが国の公・私学校教育費を支出項目別にみると，各年度を通じて80％前後が消費的支出（教職員の給与費その他の経常的な経費）で占められ，約20％が資本的支出で占められている。教職員の給与費は総額の50％強に達している。

わが国の学生・生徒1人あたり教育費は年々増加してきているがこれを主要国と比較すると，各教育段階とも低い。(第5表)

また，わが国の生徒1人あたり教育費は，都道府県によつてかなりの差異がある。昭和37年度における小学校児

童1人あたり教育費を都道府県別にみると，最高は45,163円，最低は22,315円で約2倍の開きがある。

教育費の負担関係

わが国の教育費について国・地方の負担関係をみると，国の負担割合が漸増する傾向にある。国の負担した教育費の割合は，昭和26年度には46%であつたが，昭和37年度には49%となつている。このような傾向は主要国にも共通にみられる。学校教育に要する経費のなかには，授業料，学習費，通学費給食費，学級費などの父兄の支出する経費がある。その生徒1人あたり年額は，昭和37年度において小学校10,476円，中学校13,959円全日制高等学校37,077円となつている。

わが国の公・私学校教育費のうち私立学校費の占める比率は年々増加する傾向にある。その比率はとくに中等教育費と高等教育費とが高く，昭和37年度にそれぞれ15.7%，46.3%である。

第4表 主要国における国民所得に占める公教育費総額の比率の推移

年度	日本	アメリカ合衆国	イギリス	西ドイツ	フランス	ソビエト連邦
昭和10 (1935)	3.3%	—%	2.7%	3.6%	—%	—%
25 (1950)	4.8	—	3.4	4.1	—	—
30 (1955)	5.5	4.0	4.3	4.5	2.9	—
35 (1960)	5.1	—	5.1	—	3.2	4.4
36 (1961)	5.2	5.3	5.4	5.4	—	4.4
37 (1962)	5.7	5.4	—	—	3.8	4.8

第5表 主要国における学生・生徒1人あたり公教育費

国名	年度	生徒1人あたり初等・中等教育費	指数	学生1人あたり高等教育費	指数	1人あたり国民所得	指数
日本	1962	33,585円	100	267,982円	100	163,344円	100
アメリカ合衆国	1962	177,192	528	766,968	264	883,643	541
イギリス	1960	90,317	269	842,587	314	393,120	241
西ドイツ	1961	79,640	237	643,769	240	406,324	249
ソビエト連邦	1962	56,272	168	309,680	116	296,000	181

第五章　各国の教育改革とわが国の教育水準の将来

主要国のにおける教育改革の動向

近年,主要国においては急速な経済成長や社会の高度化にともない教育に対する国家的,社会的要請が強まり,それに即応するために教育改革が行なわれている。

古い学校の伝統をもつヨーロッパや教育の州権主義をとるアメリカ合衆国でも教育改革の動きがみられる。量的拡大を遂げたアメリカ合衆国でも教育の質的向上が課題となり,能力・適正の発見と開発を企図し,学校組織や教育内容の改善に努めており,ヨーロッパ主要国では,伝統的に教育の質に配意しながらも教育の門戸を拡大して教育制度の民主化に努めている。

主要国の教育改革の内容はつぎのとおりである。

ア　国民全体の教育水準の向上と,「すべてのものに中等教育を」の理想の実現のため,中等教育を含めて義務教育年限を10年あるいは11年に延長している。

ロ　主として初等段階から中等段階へ移る時期に,生徒の能力・適性を発見し,それに応じた教育を行なうために,きわめて積極的なくふうと努力をかさねている。

ウ　科学者・技術者の養成のため,理工系関係の高等教育機関の拡充・整備を行なうとともに科学技術教育の基礎的教養充実のため,初等・中等学校における数学・理科教育の内容や方法の改善と研究を行なっている。

エ　高等教育進学希望者の増加と高度の能力をもつ人材の需要の増大にこたえ,大学・学部の新設・改組などの高等教育の拡充が行なわれている。

わが国の教育人口の将来

将来の義務教育人口は減少する傾向にあり(第4図)教育施策の重点を量的拡充から質的充実へ移すことができる。

高等学校入口は,その進学率は上昇しても絶対数は減少するので義務教育の場合と同様な方策が可能であるが,進学率の上昇につれ生徒の能力・関心等が多様化するので,これをどのように受け入れるかが問題である。

高等教育人口は将来拡大するであろうが,高等教育機関の使命の一つである学問研究の質的水準をいかに維持し向上させていくかが問題である。

わが国の教育の将来

教育課程の改善と能力・適性に応ずる教育……初等・中等学校の教育課程は，基礎学力の向上，能力・適性に応ずる教育という点にじゆうぶんでない面がある。学校において根本的に何を教えるべきかをつかみ，容員の資質，教育方法，教材を改善し，教育効果を高めるよう努力する必要がある。

能力・適正を発見し，それを伸長するためには，多様な教育課程，新しい教育方法，能力・適性を測定するテストやガイダンスその他進路指導が検討されなければならない。

大学入学者選抜制度の改善……現行の大学入学者選抜制度においては，大学教育を受けるのにふさわしい適格者を選ぶというよりも一回の学力試験で定員を越える志願者をふるい落とす傾向が強いこと，高等学校の教育内容がじゆうぶん考慮されない面があることなどが改善される必要があろう。

科学技術教育の振興……科学技術教育の振興のためには，大学理工系学部・学科や高等学校の工業課程の拡充大学院・研究所の研究体制の整備と研究費の増大，および初等・中等学校の科学技術教育の改善・充実が必要である。

後期中等教育の整備……高等学校への進学率は高くなるが，なお高等学校以外の教育機関へはいるもの，および教育を受けないものがかなりある。そこで，この時期の青少年の能力・適性がめいりよう化することを考慮し，また進展する社会が求めるのが何であるかを考慮して，後期中等教育の拡充が検討されなければならない。

教育費の増大……わが国の教育発展のためには幾多の施策を必要とするが，それには教育費の支出にいつそう努力をしなければならない。

教育費の教育段階別の配分にあたつては，高等教育への配分が強化されなければならない。地域間の財政力のひらきの是正のためには国の積極的な財政施策が必要である。

教育計画の必要と教育の使命……変化の激しい社会の将来を予測し，教育の課題を解決して有効に教育の使命を果たすためには，教育の総合的，長期的計画が緊急の課題である。

一方，発展する産業社会に必要な知識・技能その他の能力の習得も当然必要であるが，根本的には国民全体が豊かな力強いモラルをバックボーンとした新しい人間像の追求につとめることが肝要である。

＝＝＝文部広報第393号より＝＝＝

南 極 観 測 船 船 名 募 集 要 項

　南極地域観測統合推進本部は，南極観測のために建造されている南極観測船にふさわしい船名を公募します。

　わが国の南極観測は，一時中止になっていましたが，今年の秋には再開されます。この観測のため昭和基地へ向う科学者が乗船する南極観測船は，3月中旬に進水，7月中旬にできあがる予定です。

　この船は，基準排水量が約5,000トンで，6メートルの厚さの氷を砕いて，進むことができる立派なものです。

　この船にふさわしい船名が，多数の方々から寄せられることを希望します。

○　応募の要領

　官制はがき1枚に1船名を記入し，住所，氏名，年令，職業を明記の上で，「東京都千代田区霞ケ関・文部省内南極地域観測統合推進本部」あてに送ること。

○　船　　名

　応募の船名はなるべく「○○号」「○○丸」のように「号」「丸」をつけないことが望ましい。

○　締　切　り

　昭和40年2月10日（当日消印のあるものは有効）

○　賞と発表

　選考委員会が選定に当り，選定された船名に応募者が多い場合は抽選で入選を決定し，1人に賞金10万円を贈り，30人以内に記念品を贈る。発表は3月初旬として入選者に直接通知する。

文　部　省　内
南極地域観測統合推進本部

印刷 一九六五年 五月 十日
発行 一九六五年 五月 十五日

文教時報（第九四号）

非売品

発行所 琉球政府文教局調査広報課
印刷所 セントラル印刷所
電話 〇九九-二二七三番

文教時報

No. 95 65/6

特集…1965学年度学校教育指導指針及び
　　　学校運営における指導指針の生かし方

琉球政府・文教局・調査広報課

も く じ

特集…1965学年度学校教育指導指針及び
　　　学校運営における指導指針の生かし方

【特集】
Ⅰ　1965学年度学校教育指導指針・・・・・・・・・・・・・　1
Ⅱ　学校運営における指導指針の生かし方・・・・・・・・・　5
　　1.　学　校　経　営・・・・・・・・・・・・・・・・・　5
　　2.　教　育　課　程・・・・・・・・・・・・・・・・・　8
　　3.　学　級　経　営・・・・・・・・・・・・・・・・・　9
　　4.　教　科　経　営・・・・・・・・・・・・・・・・・　12

(1)	国　　語	(7の2)	技術・家庭
(2)	社　　会	(7の3)	農業（高校）
(3)	算数・数学	(7の4)	工　　業
(4)	理　　科	(7の5)	商　　業
(5)	音　　楽	(7の6)	水　　産
(6)	図画工作・美術	(8)	体育・保健体育
(7の1)	家　　庭	(9)	外国語（英語）

　　5.　道　　　　徳・・・・・・・・・・・・・・・・・　38
　　6.　特別教育活動・・・・・・・・・・・・・・・・・　41
　　7.　学　校　行　事　等・・・・・・・・・・・・・・　43
　　8.　幼　稚　園　教　育・・・・・・・・・・・・・・　45
　　9.　学　校　図　書　館・・・・・・・・・・・・・・　47
　　10. 視　聴　覚　教　育・・・・・・・・・・・・・・　47
　　11. 学校保健・学校安全・・・・・・・・・・・・・・　48
　　　　(1)　学　校　保　健　　　　(2)　学　校　安　全
　　12. 生　活　指　導・・・・・・・・・・・・・・・・　52
Ⅲ　指導主事の学校訪問の要領・・・・・・・・・・・・・　55
Ⅳ　1965学年度行事計画・・・・・・・・・・・・・・・・　58
Ⅴ　実験　研究学校一覧・・・・・・・・・・・・・・・・　60
Ⅵ　指導課研究事務分担表・・・・・・・・・・・・・・・　63
【速報】　1964年度教育財政調査まとまる・・・・・・・・　66
【解説】　教育職員免許法及び同法施行法の一部を改正する
　　　　立法について・・・・・義務教育課　安村昌享・・　67

　　　　（表紙）　開南小学校　運天敏夫教諭

Ⅰ 1965学年度　学校教育指導方針

(1) 学機経営の合理化。
　① 学校経営の総合的計画を樹立する。
　　ア　学校の具体的教育目標を確立する。
　　イ　経営の方針および努力点を明確にする。
　　ウ　調和のとれた四領域の年間計画を確立する。
　　エ　校務分掌を適正にし，校務を合理的に処理する。
　　オ　施設設備を整備充実し，その活用をはかる。
　　カ　校地，校舎の管理活用。
　② 学級経営の充実強化につとめる。
　③ 教育者としての意識を高揚し，研修体制を強化する。
　④ 経営者の管理，指導力を強化する。
　⑤ 望ましい人間関係を育成する。
　⑥ 学校行事等の合理的運営に留意する。
　⑦ 科学的な評価による反省。

(2) 学習指導の充実をはかり、その改善に努める。
　① 指導要領，指導書等の研究をする。
　② 年間指導計画を作成し，その改善に努める。
　③ 指導形態の研究をなし，集団指導や個別指導の充実をはかる。
　④ 思考力を伸ばす指導技術の研究に留意する。
　⑤ 学習指導の能率をあげ，授業の充実をはかる。
　　ア　教材を精選し，資料や教具の活用に努める。
　　イ　適正な評価を行ない，指導の改善に努める。
　⑥ 校内及び校外の研究を促進し，その運営を適切にする。

(3) 科学技術教育の推進。
　① 関連教科の充実をはかる。
　　ア　それぞれの指導内容の系統性を重視し，各内容の有機的関連に留意する。
　　イ　指導内容や指導方法の現代化をはかる。
　② 科学的態度，能力を育成する。
　　ア　観察，実験，実習を重視し，そのねらいを明確にする。

イ　指導のねらいと指導方法の一
　　　元をはかる。
　　ウ　理解に到達するまでの過程を
　　　重視する。
　③　教師の研修を強化する。
　　ア　研究組織を強化する。
　　イ　基礎技術の研修をじゅうぶん
　　　にする。
　④　施設，設備備品を充実し活用す
　　る。
　　ア　設備，備品を年次別に整備す
　　　る計画をたてる。
　　イ　学習環境と指導内容の関連に
　　　留意する。
(4)　道徳教育および生活指導の
強化をはかる。
　①　道徳教育の全体計画を樹立し，
　　その実践を強化する。
　　ア　各学校における道徳教育の目
　　　標を確立する。
　　イ　領域別に具体的な道徳教育の
　　　目標，内容を明らかにする。
　　ウ　全職員及び，地域社会の相互
　　　理解の上に立つて，計画を樹
　　　立する。
　　エ　校内の指導体制を確立し，望
　　　ましいふん囲気と環境を整備
　　　するとともに道徳教育に対す
　　　る関心と意欲を高め

　②　道徳の時間の指導を強化する。
　　ア　指導目標，内容についてのね
　　　らいを具体化し，焦点をいつ
　　　そう明確にして指導計画の改
　　　善をはかる。
　　イ　指導方法をたえずくふうし，
　　　資料の整備と活用をはかる。
　③　生活指導を強化し，児童生徒の
　　健全な育成をはかる。
　　ア　児童生徒の実態をは握し，教
　　　師の指導理念を確立する。
　　イ　生徒指導上の諸問題をとら
　　　え，その原因を解明する。
　　ウ　児童生徒の善行を顕彰する。
　　エ　生活指導のための校内組織お
　　　よび地域社会の協力体制を確
　　　立する。
(5)　特別教育活動および進路指
導を充実強化する。
　①　特別教育活動の本質を理解し，
　　教師の指導理念を確立する。
　　ア　学校独自の規模や機能にあつ
　　　た適正な組織づくりを推進す
　　　る。
　　イ　実践につながる指導計画をた
　　　て自主的な運営を推進する。
　②　進路指導を強化する。
　　ア　校内の指導体制を確立すると
　　　ともに，学級活動における進

路指導を強化する。
- イ 進路指導の諸資料の整備活用をはかる。
- ウ 相談技術の向上をはかり，個人相談の充実をはかる。
- エ 卒業後の連絡や追指導を密にし，進路指導を強化する。

(6) **学校保健、学校給食の強化をはかる。**
① 学校保健計画の改善と合理的運営をする。
- ア 目的が適確に実現されるよう基本条件を総合的にもれなくとりあげる。
- イ 学校経営の一環として，学級経営との結びつきにたつて計画する。
- ウ 学校保健組織を強化し，適切な運営をはかる。
- エ 学校保健計画に対する全職員の責任を明確にする。
- オ 学校保健に対する理解と旺盛な意欲による指導を強化する。
- カ 児童生徒の自主的保健活動を促進する。

② 学校安全の強化をはかる。
- ア 安全教育計画を確立する。
  - ○実態に即し，より具体的に計画する。
  - ○安全管理と安全指導に留意する。
- イ 各教科と道徳・特活との連けいを通して指導を強化する。
- ウ 施設備品の安全管理に留意する。

③ 学校給食の合理的な運営をはかる。
- ア 学校経営に正しく位置づける。
- イ 教師相互の理解と協力により指導する。
- ウ 個別指導を配慮する。
- エ 施設備品の衛生管理をじゆうぶんにする。
- オ 父兄や地域社会との緊密な連係をはかる。

(7) **学校環境の整備に留意する。**
① 校地校舎の永年計画を確立する。
② 校地緑化と花園，教材園の計画的な運営をはかる。
- ア 樹種による配置計画を適切にする。
- イ 年間学習指導計画との連係をたてる。
- ウ 学校全体の計画による花園教材園の運営と管理責任者を明

確にする。
　③　校地校舎の保清と保護管理に留意する。
　　ア　清掃分担を組織化する。
　　イ　校舎内部のみでなく外部の保清にも留意する。
　　ウ　生活指導と関連し、その自発的な活動を促進する。
　④　通風、採光、給水、排水について配慮する。
　⑤　教師、児童生徒による組織的整備活動を促進する。
(8)　**特殊教育を育成強化する。**
　①　普通学級における特殊児童の取扱いを配慮する。
　②　科学的診断に基づく学級の合理的編成をする。
　③　全職員および父兄の認識を高め協力体制を整える。
　④　教育課程を研究し、実態に則した指導計画を樹立する。
　⑤　学習指導法を研究し、指導技術を高める。
　⑥　学習環境の整備と教材教具の創意くふうにつとめる。
(9)　**へき地教育の充実。**
　①　地域に則した指導計画を樹立する。
　②　教材、教具、資料の創意くふうと、年次的な整備と活用をはかる。
　③　学習指導法を研究し、指導技術を高める。
　④　視野をひろめ　経験を深める。

　　ア　図書を充実し活用する。
　　イ　学校教育放送を活用する。
　　ウ　学校行事等の改善くふうをする。
　　エ　他地域との交換活動を促進する。
(10)　**学校図書館、視聴覚教材教具の利用を推進する。**
　①　教育課程に結びついた学校図書館を運営する。
　　ア　読書指導を通しての自主的学習法を確立する。
　　イ　各教科と結びついた読書指導を振興する。
　　ウ　読書による生活指導を強化する。
　②　図書館資料の整備と充実計画をたてる。
　③　学習内容に応じた視聴覚教材を計画的に利用する。
　　ア　指導計画の中に正しく位置づける。
　　イ　教材の精選と効果的能率的活用をはかる。
　　ウ　マス・コミを計画的、継続的に利用する。
　④　学校教育放送を効果的に利用する。
　⑤　視聴覚教材を充実させ、合理的に管理する。
　⑥　視聴覚教材の活用のための指導技術を高める。

Ⅱ 学校運営における指導方針の生かしかた

1 学校経営
① 一般方針
ア いつでも，どこでもお互いに尊敬し合う人間尊重の基本的な態度を育成し，民主的で平和的な日本の国の一員としての自覚を高め，生存する当地域を文化的に建設しようとの意欲をもりあげる。

イ 教員の教職意識を深め，研修意欲を高める。

ウ 教育課程の基準性と，中央または区教育委員会の教育計画をじゅうぶん研究し，地域の実情に即した効果的な経営をする。

エ 児童，生徒の個性や能力に応じた指導をなし，沖縄を開発する人材の育成を目ざす教育的配慮をする。

オ 健全な体づくりや生活態度を育成するように，学校または地域との協力態勢をつくる。

カ 環境を整備し，施設・設備の保管管理に留意し，その活用をはかる。

② 小学校では
ア 充実した学習指導をなし，基礎学力の向上に努める。

イ 生活指導に留意し，健全な社会性を育成するようにする。

ウ 児童の個性の発見につとめ，能力や適性に応ずる指導をする。

③ 中学校では
ア 必修，選択教科の特色をじゅうぶん生かすように努め，個性の自覚と進路を選択する目安をたてさせるようにする。

イ 学校内外における社会的な事象に対して公正に判断する態度をつちかうようにする。

ウ 小学校の教育と関連してその発展拡充につとめ，義務教育の課程を終えた社会人としての自覚を高める。

④ 高等学校では
ア 設定された各種の課程や類型別の趣旨を理解し，生徒に進路を決定させ，学校独自の社会的な使命を果たすようにする。

イ 社会に対する健全な批判力を養い，国家社会の有能な形成者としての知力を養うように努める

ウ　専門的知識を広め，技能に習熟せしめ，沖縄開発の自覚を高める。
⑤　留意点
　ア　指導計画は
　　○　児童生徒や父兄の意見を配慮して，指導要領で認められた弾力性のある学校独自の計画をたてる。
　　○　目標を達成する年次的継続的な具体的な計画をたてる。
　　○　学校全体としての総合計画を学年に，学級におろした実践の過程をふまえた計画をたてる。
　　○　学校内及び地域との連繋協力つくりをたてる。
　イ　組織や機構は
　　○　機能を中心にした組織づくりの方法をくふうする。
　　○　校長―教頭―教員の垂直的な組織の方法や，学年別・教科別の水平的な組織の運用をはかる。
　ウ　運営するには
　　○　一つの課題もささやかな問題も全員に周知させ，共通の理解をもたせるようにくふうする。
　　○　各人またはグループの職務の内容と責任の範囲を明確にして，円滑に運営するように促進する。
　　○　課題によっては，校長教員と児童生徒を加えた合同研修会や会議をもって全校一体の体制づくりを考慮する。
　　○　事前に課題を明示して研究調査するように促進する。
　　○　事後の処理は適正かつ迅速にする。
　エ　研　修
　　A　研修内容
　　　a　学校，学級経営について
　　　　○　実態は各方面より広く信頼される科学的な方法では握する。
　　　　○　目標は具体的に年月週の到達目標をたてる。
　　　　○　全員協力参加のくふうを
　　　　○　四領域についての諸計画と実践過程を明確にする
　　　　○　ひとりびとりを育てるくふうをする。
　　　b　教科指導研修
　　　　○　実証的な授業研究法で。
　　　　○　指導計画は，共同で単元案をつくる。

- ○ 目標について教師の主体的な見方をはつきりする。
- ○ 教材内容に含まれている思考の因子間の関係は握をして。
- ○ 子どもをどの程度までひきあげるか—その仮説をたてる。
- ○ その指導の過程は具体的に。
- ○ 定着度の確認の方法は。

c 指導の実際については
- ○ 学習環境のくふう。
- ○ 教師の発問の要領，速さ回数，声の大きさ，発問の型と子どもの発言のしかた。
- ○ 指導の中心点や一般化へのくふう。
- ○ 学習態度の形成。
- ○ 板書の要領や体裁。
- ○ 子どものノートのとり方
- ○ 次の学習への意欲のもりあげ方。

d 生活指導と事例等の研修
- ○ 問題児について。
- ○ 学業不振児について。
- ○ 優秀児の指導について。
- ○ 学校内における指導体系つくりについて。
- ○ 地域との協力づくりについて。

e 研究発表
- ○ 教材について。
- ○ 資料について。
- ○ 実践記録について。

B 研修計画
- ○ 学年の初めに全体計画をたてる。
- ○ 研修テーマやその責任者及び参加者を明示する。
- ○ 年に1回は研修の責任者となるようにする。（1人またはグープで。）
- ○ 研修内容やまとめは全員に周知させ，積みかさね方式をとるように。

C 校外研修
- ○ 隣校研修，教育区内の研修連合区内の研修．その他の研修会へ参加する各教員の年間計画をたてるようにする。
- ○ 帰任後の報告はお忘れなく
- ○ 実験，研究学校への積極的参加の方法もくふうする。

オ 評　価
- ○ 教育計画について。

その実践過程で定期的に検討評価しているか。
○ 組織について
機能的に能率的に運用されているか。
○ 職務会議で
決めたことは必ず計画され，参加者全員が責任をもって実施しているか。
○ 学校予算は
重点的に効果的に実行予算として組まれ，その実績との差異分析が行なわれているか。
○ 人間関係は
上からの指示や命令だけでなく，教育活動に自主性が十分発揮されているか。
○ 学級経営では
児童，生徒がそれぞれ分担した仕事について理解し積極的に参加しているか。
○ 事務は
事務処理の手順や手つづきが簡略化され，その合理化のために検討会議がもたれているか。
○ 地域社会との関係については地域社会に関係する問題について発見し，他の学校または機関諸団体と協力しその解決に努めているか。
○ 研修は
教育技術の習得だけでなく，新しい能力や人間の開発に重点をおいて行なわれているか。
○ 教育効果について
過去の記録を通じて教育活動が年次別に比較検討され，常に改善されているか。

（譜久村　寛仁）

2　教育課程
① 一般方針
○ 小学校，中学校，高等学校の学習指導要領の改訂趣旨，内容の徹底をはかる。
○ 小学校，中学校，高等学校の年間指導計画を日々の学習指導にじゅうぶん活用できるようにする。
○ 幼稚園，高等学校の年間指導計画を1966年度予算で作成し，学習指導要領の内容を具体化し，現場で効率的に活用できるように計画する。
○ 年間指導時数の確保のために，学校運営上の諸行事，教育課程の内容を精選し，学習指導の充

実をはかる。
② 留意点
- ○ 小学校, 中学校の年間指導計画は, 現行学習指導要領の内容を全琉的視野において具体化したものであるので, 各学校の実情にマッチした運用計画のもとに活用すること。
- ○ 年間指導計画は, 現行使用教科書を学習指導要領にてらして, じゅうぶん活用できるように計画したつもりであるので, 教科書との関連をよく検討して利用すること。
- ○ 年間指導計画の配当時数は, 一つのめやすであるので, 教材や児童, 生徒の実態に即するよう教材の軽重を考えて法定時数を確保するようにつとめること。
- ○ 幼稚園と高等学校の年間指導計画の内容についても小・中校と同様, 学習指導要領の内容を全琉的視野において具体化されたものを計画する。
- ○ 道徳, 特別教育活動, 学校行事等については, 各学校において立案計画することはもちろんであるが, 文教局においても, できるだけ多くの資料を提供して指導の改善, 充実をはかる計画である。
- ○ 中学校の選択教科の運用については, 各学校の実情に則した計画をなし, とくに, 生徒の進路特性をじゅうぶんいかせるように配慮することがたいせつである

（与那嶺　進）

3　学級経営
① 一般方針
- ○ 学級経営の計画をたて, 人間関係を基本に, 着実な経営を進める。
- ○ 常に深い愛情, 公平な態度, 正しい教育技術をもって経営にあたる。
- ○ 経営の方針や努力点を各領域にわたってたてる。
- ○ 方針や努力点を着実に実践にうつす「しくみ」をくふうする。
- ○ 学習環境を教師と児童生徒の協力によって, よりよく構成するよう努める。
- ○ 家庭と連係を密にし, 児童生徒の問題を効果的に解決するような諸施設をすすめる。
- ○ 経営記録をとる。

② 留意点
ア　学級経営の内容

- ○ 学級の社会生活の経験に基づき，人間相互の関係について正しい理解と協同，自主自律の精神を養うこと。
- ○ 望ましい学級集団をつくり，ひとりびとりの身体的，知的情緒的，社会的な成長をはかる。
- ○ 各教科，道徳，特活，学校行事等の四領域をはじめ，健康安全の教育，情操教育など調和的な経営をする。
- ○ 学級事務の能率をはかり，学級経営の本質的な仕事をする。
- ○ 小集団の組織と活動を考え，それらの有機的な協同活動の体制をつくる。

イ 経営案のたてかた
- ○ 実態調査と診断
  - ・学級の編制
  - ・学級の傾向（全般的な傾向，領域別の状況）
  - ・環境の特殊性
  - ・問題をもった児童生徒一覧表（問題点・診断）
- ○ 経営の方針や努力点を各領域にわたつてたてる。
  - ・どんな学級にしたいかという方針や努力点
  - ・各教科ごとの経営の方針や努力点
  - ・道徳指導の重点
  - ・特活の経営の方針や努力点
  - ・学校行事等についての努力点
  - ・健康指導，情操教育，日常生活の指導についての努力点
- ○ 方針や努力点を着実に実践にうつす「しくみ」をくふうする。
  - ・常に心がけて忘れずに指導する。特に学級の行事，施設として継続的な指導をする。
  - ・日課表や週計画にくみこんだり，または学級環境づくりとも関連をとつて確実に実践する。
- ○ 経営の記録をとる。
- ○ 学級事務の計画と経営処理の記録をとる。

ウ 経営記録のとりかた
- ○ 経営日誌をとる。
- ○ 各領域，各施設，行事の実践経過の記録，反省の記録
- ○ 家庭との連絡の記録，個人指導の記録，その他学期ごとの反省記録，引きつぎ記録
- ○ 会計，物品管理，文書の授受

諸統計
○ 諸帳簿の整備，記入
エ 小学校の留意点
○ 学級担任としての重要な役割を自覚して経営にあたる。
○ 常に児童の理解につとめ，個人差に応じた「きめ」のこまかな経営により，明るく真けんな学級ふん囲気をつくる。
○ 低学年から係り活動の実践を通して望ましい学級社会をきずく態度やや能力を育てる。
○ 日常生活において基本的な生活態度や良い習慣を身につける指導を徹底する。
○ 各教科の指導内容の系統性や他との関連をじゅうぶんおさえて，学年相応の実力をみがくことにいっそう努力する。
○ 指導の一時間一時間をたいせつにし，各領域の指導時数確保に特に留意する。
○ 学級独善におちいることなく他学級，学年と協調して研究し，経営の改善に努力する。
○ 家庭との連絡については，いっそう努力し，気脈の通じあう経営をめざす。
オ 中学校の留意点
○ 経営の意義を考え，学級担任を中心に，学級の生徒，関係の教師，保護者の望ましい人間関係にささえられた経営をめざす。
○ 学級活動における係り活動，クラブ活動，生徒会活動にいっそう力を入れる。
○ 問題をもつた生徒の理解と指導に積極的にとりくみ，その生徒に接する機会をつとめて多くもつように努力し，先手をうつた指導をする。
○ どの生徒とも，個人的な問題について話し合う時間を定期的にもつ。
○ 個人ごとの特色や問題点などの資料を収集し，問題点の原因の診断その対策などをまとめる。
○ 校外生活の問題については，家庭，ＰＴＡ，地域の関係団体と密接に連絡をとり，指導体制を強化する。
○ 知的な面の指導に偏せず，情操教育や健康教育を重んずる。
○ 進路に関する指導にも，いっそう力をいれる。

- ○ 小学校，高等学校との関連，卒業生や青年団などとの連絡協調について努力をはらう。
カ　高等学校での留意点
- ○ 生徒の個性の伸長をはかるとともに，学校生活へのよりよい適応ができるようにする。
- ○ 豊かな心情や道徳的判断力を養つて，正しい人生観が形成されるよう導く。
- ○ 豊かな社会性をつちかい，国家や社会の一員としての自覚を高め，のぞましい生活態度を確立する。
- ○ 進路を合理的にえらび，正しい職業観を育てるように指導する。
- ○ 健康の維持増進を助け，そのための生活態度を確立する。
- ○ 生徒会活動の単位体として生徒活動に協力するように導く。
- ○ 学校管理上の事務は，できるだけH.R.によって生徒が自主的に処理できるようにする。仕事の性格や生徒の能力に応じて処理の仕方を指導する。
- ○ 学級の環境構成　清掃美化に関心をもち，積極的自主的に参加させるようにする。

（幸喜　伝善）

4　教科経営
（1）　国　　語
① 一般方針
- ○ 年間指導計画の樹立とその実践に努める。
- ○ 国語を尊重する意識を高め，正確な表現力を養うため，とくに作文指導の充実を図る。
- ○ 学校図書館利用との関連において，文章を正確に読解する力を養う。
- ○ 学校放送やその他の視聴覚教材教具を積極的に活用して，聞くこと話すことの力を高める。
- ○ 児童生徒の国語の基礎学力を高めるとともに，教師自体の国語力の向上に努める。

② 小学校
- ○ 学校独自の具体的な年間指導計画の作成とその展開に努める。
- ○ 読書指導との関連において，読むことの指導と作文指導を強力におし進める。
- ○ 学校教育放送やその他の録音教材を利用して，聞くこと話すことの指導に努める。

○ 表現力を高めるため，語い拡充の指導を強化する。
③ 中学校
○ 読書指導を活発にし，それとの関連において，読む力，書く力を高めていく。
○ 学校教育放送やその他の視聴覚教材を利用して，聞くこと話すことの指導に努める。
○ 作文指導を生徒の発達段階に応じて，年間を通じ，計画的に指導する。
○ 教科書教材以外のその他の教材の収集に努め，その積極的活用を図る。
○ 校内研究会やその他の研究会活動を活発にする。
④ 高等学校
○ 改訂指導要領の研究を深め，その実践に努める。
○ 講義式一辺倒から脱却し，教材や生徒の能力に応じた指導法の研究に努める。
○ 「現代国語」の指導法の研究をおし進める。
○ 研究会活動を盛んにし，指導法の改善に努める。

（島元　巌）

(2) 社　会

① 一般方針
ア 年間指導計画の改善充実をはかる。
イ 学習指導方法の改善をはかる。
ウ 学習効果をあげるための資料の編集充実をはかる。
エ 社会科研究団体の自主的な研究を促進する。
② 小学校の留意点
ア 指導計画について
○ 各学年ごとの教科目標，内容の特色をじゅうぶん考慮し，既製の教材，教具や教科内容だけにかたよつたものにならないように各単元の目標や内容の配列等，特に留意する。
○ 学年相応に内容の系統性を吟味するとともに，単元相互の関連についても，じゅうぶん考慮して計画する。
○ 時間の配分については，予想される学習活動・内容との関連を考え，無理・むだのないかを考察する。
○ その他，中学校の留意点に準ずる。
イ 学習指導について
○ 児童，生徒が自主的に問題を

解決することのできる思考活動の諸条件を整え，話しあい見学，調査，面接，その他，構成活動や資料の活用等の諸活動について，各々本来の趣旨をいかすように改善くふうする。
○ 地図の活用にあたつては特に次の点に留意する。
・学年段階に応じた地図の活用についての研究を深め，系統的に各種の地図資料の活用と作製の強化をはかることによつて，抽象的になりやすい学習を具体的に指導し，社会事象や事物を注意深く観察するような態度を身につけさせる。
・絵地図，鳥かん図，パノラマや各種の平面図など，学年内容にふさわしいものを学校ごとに作製する必要がある。
○ 年表の活用をはかる。
・学年段階に応じて掲示年表をくふう作製し，社会科の学習ばかりでなく，他の領域においても活用するようにつとめる。
・あらゆる機会に，時の流れの上に事象をとらえ，直感的に他の歴史的事実との相互関係やその時代の隔たり等をは握させるようにくふうする。
・白年表によつてしだいに年表を完成記入していく方法や，郷土教材の記入等についても研究する必要がある。
○ 視聴覚教材を精選し，活用する。
・視聴覚教材の感覚的な特性をいかすように教材内容との関連の上で，しだいに充実し，整備する。特に，地理的学習内容の自然環境や，産業・歴史的学習内容の文化や時代の生活様式風俗等は，視聴覚教材の活用が効果的である。
・視聴覚教材の活用によつて児童生徒の経験の拡大深化が効果的であることについて留意し社会科のねらいに準じて，精選し整備する必要がある。また，年間指導計画との関連をじゆうぶん考慮する必要がある。
・郷土に関する教材内容を指導するための適切な資料編を編集し，その効果的な活用をは

- かる。
- ○ 現在の郷土資料の中には、指導要領の具体的な内容との関連から指導上注意を要する点が多く、年間指導計画の中にしっかり位置づけた内容の精選が必要である。
- ○ 特に小学校低学年の取扱いについては、対象となる地域や内容の上から地域ごとの研究グループによるサークル研究活動を活発にする必要がある

③ 中学校の留意点

ア 指導計画について
- ○ 学習指導要領に示された教科目標、各学年の目標および内容と現在の各学校の年間指導計画と比較検討し、指導内容のむだな重複をさけ、社会科指導の系統性を重視して、計画の総合的な改善をはかる。
- ○ 単元の目標を明確にとらえ、適切な教材を精選する。
- ○ 単元を系統的に構造的に再検討し、その配列について研究し改善する。
- ○ 郷土に関する教材を精選し適性な内容を確立する。
- ○ 各学年、各単元の内容についてその難易、取扱いの時期等を検討し、時間配当や指導期間等の適正をはかる。
- ○ 他教科や道徳の指導計画との関係、学校や地域社会の行事等の生かし方などについてくふうする。
- ○ 資料を適確に位置づけ、教科書、地図帳との関連とその活用をはかる。
- ○ へきにおける複式カリキュラムの研究改善をはかる。

イ 学習指導について
- ○ 小学校の前記各項について留意するほかにつぎのことについて特に留意する。
- ○ 地理的分野の学習が、平板的知識の習得にのみ終わることのないようにするため、指導事項を精選し、郷土の観察事項との比較考察や既習教材との関連等その他指導方法を改善して、地理的思考力を養うことがたいせつである。
 内容精選の例として、教科書の中にある内容に対して、他の新しい内容をプラスするということよりも、それについて、具体的にわかりやすい事

例によって理解をふかめると
いう方向がのぞましい。
○ 地図の指導については，投影
法の長短，縮尺，方位，記
号，5万分の1の程度の地図
のよみ方，分布図による地理
的事象の考察や，その他白地
図による内容のまとめ方やそ
の活用等，常に地理的学習を
地図とむすびつけて理解する
能力や習慣を身につけさせる
ように留意する。
○ 歴史的分野の学習を史実の列
挙や暗記に終わらせないため
に身近な郷土史の資料や，ス
ライド，放送，映画などを活
用して歴史的事象の具体化に
つとめるようにくふうする。
また，郷土の発展の跡を実地
調査させたり，遺跡遺物を見
学させることによって，国の
歴史の発展を身近かに感じさ
せるようにする。
○ 郷土史については，その歴史
的特殊性の理解とともに，日
本国民としての自覚をかため
るように留意する必要があ
る。
○ 政治経済的内容については，

地理的歴史的分野の学習成果
を活用して，その効果をたか
めるように指導する。
○ 義務教育の最終学年である3
学年の内容については，単に
社会に関する基礎的知識に終
わることなく，それを社会生
活に活用する能力を養うため
に，学習内容と関連する時事
的諸問題についての取扱いを
くふうする。
○ 各種統計その他，資料の活
用，整理，図表化等の技能を
養う。
○ 沖縄の現在の実情についての
理解と，日本国民としての自
覚と国民的感情を育成するよ
うに留意する。
○ 政治経済的分野の学習におい
ては，学習内容の全分野に共
通して，民主主義の諸原則の
理解と，これを日常生活に生
かしていく態度や能力を養う
という点に特に留意する。
○ 当面する国の諸問題に着目さ
せ，社会生活に適応し，これ
を改善していく，能力や態度
を養うように，単元展開の指
導にあたって，特に留意する

- 具体的な授業展開にあたっては，一般的につぎのことについて考慮する。
  - 授業のねらいは，学年の具体的目標を明確にとらえるように留意する。

    生徒の生活経験，学習経験を授業のねらいとする方向にまとめていく。(導入)授業のねらいは，教科書や学習内容の項目として生徒に提供するのではなく，生徒個々の課題，あるいはその所属する社会の課題として，意識づけように留意する。(導入)

    また，その表現は，問題としての表現形式がのぞましい。
  - 板書の形式は，学習内容のら列的な形式をさけて，ねらいを中心とした相互関係や重点的な事項を明らかにできる構造的な板書をくふうするのがよい。
- 授業の一般的な展開の順序として
  - 生活経験，学習経験を授業のねらいと関連する方向にまめるための指導
  - ねらいを問題として意識づけるための指導。
  - 問題を解決していくための手順についての指導。
  - 問題を解決するに必要な資料の所在，活用の仕方についての指導。
  - 問題を解決するための活動組織についての指導。
  - 問題を内容別にまとめるための学習活動。
  - 学習結果を基礎的事項として確認（理解）するための指導（発表なども含む）。
  - つぎの学習と関連するための指導。

④ 高等学校の留意点

　ア　指導計画について
- 前記中学校の留意事項に準ずるほか，コース別の目標内容の特色をは握し，分量や時間配当，重点事項のおさえ方等に特に留意し，あわせて，中学校の学習内容との関連について考慮すること。

　イ　学習指導について
- 前記中学校の留意事項にしたがい，かつ，社会の組織，特

色時代背景や人間の生活感，思想等の総合的なは握ができるように，常に配慮されるべきである。

(松田　州弘)

(3) 算数・数学

① 一般方針

ア　学習指導要領と指導書の内容の研究を推進する。

イ　校内研修会，教育区研究会を中心に指導技術の向上をはかる。

ウ　校内研究組織の充実強化をはかるとともに，各種研究会，講習会を開催しさらに，人材養成のための研修会にできるだけ多くの教員を派遣して指導者の養成につとめる。

エ　学習指導のための教材教具を研究し，具体的に授業に活用できるようにする。

オ　文教局発行の数学科の年間指導計画を絶えず実践をとおして反省し，児童生徒の実情にマッチしたものにする

② 小・中学校の留意点

ア　指導計画について

○小・中学校の年間指導計画は，1964. 1965年（中校）（小校）に全琉的視野において作成したものを中心に，各学校の児童の実態に則した具体的なものを計画して，実践をとおして絶えず反省し，充実したものにすること。

○現行教科書をじゅうぶん活用するために，学習指導要領，指導書，教科書等をよく研究し，その内容，指導上の留意点をおさえ，年間指導計画との関連を明確にすること。

○指導時数を確保するとともに，教材の軽重を考えて，児童生徒の実態にマッチするよう配当時数を考慮すること。

イ　学習指導について

○小・中学校算数・数学科の学習指導要領に示された教科の目標をじゅうぶんおさえて指導計画や指導法をくふうすること。

○基礎的な技能の習熟をはかるための機会をつくり，徹底すべき内容はこれを明確にして指導にあたること。

○数学的な処理の仕方を理解し，さらに進んだ方法を生みだすような指導法をくふうすること。

○思考力を養うために，考える時間を与えて単なる知識の習得に終わらず原理，法則性の発見におもきをおく指導法をくふうするとともに，児童，生徒に必要感をおこさせ，興味ある学習にすること。

○個々の児童，生徒の実態のは握につとめ，能力差に応ずる指導法を絶えず

研究し，学習の個別化をはかる。
〇算数，数学科の領域における指導の要点をおさえること。
〇数と計算

記数法における位取りの原理の理解を徹底する。これが，整数や小数の場合は，大きい数であろうと，小さい数であろうと，同じ考え方で処理することができることを理解させる。

整数，小数，分数の加法，減法においては，単位をそろえて計算すれば，容易にできることを理解させ，その習熟をはかる。

分数の乗法，除法の意味を理解させ，正しく，速くできるようにドリルを徹底する。

加法九九，乗法九九については，四則計算の基礎となるので，できるだけ多くのこどもが速く，正確にいえるようにドリルを徹底する。

〇量と測定

量概念や量感を養うために，具体物を実際に測ったり，計器や器具をそろえ学習の具体化をはかる。

測定単位を明確にし，それをもとにして，いろいろな長さや広さ，重さ，速さ，体積等の測定ができるようにする。

計器のはたらきや構造を知り，正しく用いることができるようにする。

〇数量関係

比の三用法の理解を徹底し，これが百分率や歩合の場合にも用いられるようにする。

数量的なことがらや関係については適切な見通しを立てて，筋道をよく考え，既習の原理・法則が手ぎわよく用いられるようにする。

関係は握に際しては，問題を単純化したり，場を想定したり，作図や数直線（線分図），作問等をなし，解決の糸口を見出すようにくふうする。

数学的な用語や記号の用いられることを理解し，具体的なことがらや関係を簡潔，明確に表現できることを理解させる。

典型的な解決法のみにとらわれないで，児童，生徒の考えをいかし，一般的な解決法や手法が次等に身につくように指導する。

一次関数や二次関数における指導においては，式とグラフの関係をとおして，量の変化に着目して指導する。

〇図形

各種図形の基本的な性質を理解させ，これが位置を変えても判断ができるように指導する。

用語や記号を用いることによって，

簡潔に表現できることを理解させ，手ぎわよく用いられるようにする。

児童，生徒に作図の機会を与え，創造性を生み出すようにする。

論証の意味を理解させ，ことばの表現から次第に論証の記述法に発展させる。

（与那嶺　進）

(4) 理　　科

① 一般方針

　ア　学校全体としての研究体制をつくる。

　イ　内容教科としての理科の性格を考慮して，指導内容についてはじゅうぶんな研究を行なう。

　ウ　個人研究のみに終わらず，組織をとおしての研修を活発に行なう。

　エ　学習内容を精選して，効率的な学習指導をくふうする。

　オ　実験観察をより多く取り入れ，知識理解に止まることなく，科学的態度，技能の育成につとめる。

　カ　視聴覚教材を利用しての指導の充実を図る。

② 小学校の留意点

　ア　指導計画について

　　○　指導要領を研究し，各学年の指導内容の程度や目標をおさえ，各学年一貫性のある学校全体としての指導計画を作成する。

　　○　実験観察の年間指導計画をたてるとともに理科の学習環境の整備に努める。

　イ　学習指導について

　　○　特に低学年においては理科に興味と関心を持たせるような指導をする。そのためには学習内容の具体化，体験化を図る。

　　○　小学校においては，主として感性的な思考を通して科学的思考力を養成する。

　　○　そのためには，それぞれの指導内容により，次に事柄（思考形態）をおさえて指導する。

　　　・実験観察を通して，ものごとを細かくとらえる。

　　　・比較してとらえる。

　　　・関係的にとらえる。

　　　・一般化してとらえる。

　　○　実験観察をとおして児童に見方，考え方，扱い方等基礎的なことについてのじゅうぶんな指導を行なう。

③ 中学校の留意点
ア 指導計画について
○ 指導要領及び文教局，連合区の年間指導計画の手引をもとにして，学校独自の年間計画を作る。
○ 小・中・高校の一貫性を考え指導内容の系統を明かにする。
○ 学校独自の実験観察項目の設定。
○ 予備実験は必らず行ない実験観察がスムーズに行なわれるようにする。同時に，演示実験の内容方法をもっとくふうする。

イ 学習指導について
○ 教材の目標，ねらいをはっきりさせて指導を行なう。（理科においては小・中・高校とも同じ教材を取扱うのでむだな重複や飛躍があってはいけない）
○ 実験・観察をとおして生徒に見る力を養う。
○ 実験・観察をとおして科学的な態度を養うと同時に器具の取扱い方，その他の技能を体得するよう指導する。
○ 板書をくふう改善する。教科書の要約でなく，生徒の思考過程を中心にした板書。
○ 生徒の思考過程を中心にした指導をなす。
○ 学習指導と評価は常に一体となって行なわれなければならない。
○ できるだけ具体的な事柄からはいり抽象し，帰納して行く考え方を重視して指導にあたる。

④ 高等学校の留意点
ア 指導計画について
○ 中学校との関連を考慮して，系統性を重視して計画を作る。
○ 教科書中心にかたよることなく，教材の配列は学校の実態に即したものを作成する。
○ 実験観察の項目を設定して年間指導計画に織り込む。
器具の関係で全生徒が同時に実験できないものについては他の実験と組み合わせて輪番で行なわせ全生徒が全項目について実験できるような配慮をする。
○ 特に職業科の場合は内容の精

　　　　選・軽重を考慮する。
　　○　実研ノート，研究ノートの効
　　　果的な利用についてくふうす
　　　る。
　　○　学問的体系に偏することなく
　　　生徒に理解し易い体系を組立
　　　てることも必要である。
　　○　地域の資料地図を作成する。
　イ　学習指導について
　　○　知識・理解を獲得する過程に
　　　おいて能力・態度をきたえる
　　　よう計画的に指導する。
　　○　場にふさわしい学習形態を研
　　　究し，日々の授業に取り入れ
　　　る。
　　　・集団化，個別化
　　○　測定値の取り扱い方について
　　　じゅうぶんな指導が必要であ
　　　る。
　　○　実験は検証実験のみでなく，
　　　帰納的な実験を取り入れる。
　　○　生徒に思考の場を与えるくふ
　　　うをする。
　　　　　　　　（栄野元　康昌）

(5) 音　楽

① 一般方針
　ア　学習指導要領及び指導書（文部
　　省）をつとめて継続研究する。
　イ　基礎事項の系統的指導を行な
　　い，読譜力，記譜力の向上につ
　　とめる。
　ウ　「楽しい学習」を前提とする音
　　楽学習の研究につとめる。
　エ　施設設備の充実と研修につとめ
　　る。
　オ　研究組織の育成化につとめる。
② 小学校の留意点
　ア　指導計画について
　　○　学習指導要領に準拠して系統
　　　的，発展的に指導計画を立て
　　　る。
　　○　文教局や連合区の作成した指
　　　導計画をよりどころとして，
　　　学校の実態に即して具体化
　　　し，その達成事項を決める。
　イ　実習指導について
　　a．現　　状
　　　○　歌唱や器楽は一般によく行
　　　　なわれているが，鑑賞ことに
　　　　創作はじゅうぶんではない。
　　　○　学校差，教師の個人差がは
　　　　なはだしい。
　　b．問題点
　　　1．小学校においては施設設備
　　　　の運営管理がむずかしい。
　　　2．教具教材の活用がじゅうぶ
　　　　んではない。
　　c　留意点

- ○ 音楽的感覚を伸ばし, 音楽性の育成につとめる。
- ○ 基礎的な技能が身につくように指導する。
  - ・ リズム唱, リズム打, リズム聴音などの適切な取り扱いによってリズム感を育成する。
  - ・ 階名暗唱歌を多くもつようにする。
  - ・ 毎時間少しずつ, 楽しく聴音の指導をする。
  - ・ 確かな記譜力が身につくよう, 毎時間少しずつ継続して段階的に指導する。

③ 中学校の留意点
  ア 指導計画について
  1. 学習指導要領に示されている目標, 内容に基づき, その学校の事情を反映したものでなければならない。
  イ 学習指導について
  a. 現　状
  ○ 小学校での積み上げが不揃いのため歩調をそろえるむだがある。
  ○ 知的理解を重視せず, 音楽的感覚を伸ばすことの重要

さを見失わないように留意すること（殊に中学3年）
  b. 問題点
  ○ 施設設備がじゅうぶんでなく指導が困難である。
  c. 留意点
  ○ 音楽的感覚を伸ばし, 音楽性の育成につとめる。
  ○ 基礎的な技能が身につくように指導する。
  - ・ 小学校における学習に積み重ねて読譜力をつけるようにする。
  - ・ 毎時間少しずつ, 継続的系統的に聴音を行ない, 記譜力をつける。

④ 高等学校の留意点
  ア 指導計画について
  ○ 学習指導要領に準拠し, 学校の実態に即して系統的, 発展的指導計画を立てる。
  イ 学習指導について
  a. 現　状
  ○ 歌唱指導に重点が置かれ, 他領域はあまり盛んではない。
  b. 問題点
  ○ 施設設備がじゅうぶんでなく指導が困難である。

c. 留意点
- ○ 音楽的感覚を伸ばし，音楽性の育成につとめる。
- ○ 中学校における学習に積み重ね，広い音楽的教養を身につけさせる。

（与那覇　修）

(6) 図画・工作・美術

① 一般方計
- ア 学習指導要領の内容の理解につとめる。
- イ 年間指導計画の樹立とその実践につとめる。
- ウ 施設，設備及び備品のくふうと充実をはかりその活用につとめる。
- エ 積極的に視聴覚教具教材の活用につとめる。
- オ 造形教育研究会の充実強化をはかり，自主的な研究を促進する。

② 小学校
- ア 学校，学年に則した指導計画を作製し，それに基づいて実践し改善活用につとめる。
- イ 一領域に片よることなく児童の発達段階，興味の実態の上にたって効果的，発展的な指導につとめる。
- ウ 校内研究を推進し教材研究，実技研修につとめる。
- エ 作品の見方，評価について研究する。
- オ 備品の整理，管理活用につとめる。必要な備品がなくては教科の運営に支障をきたし，児童の興味をそぎ学習が不活発になる。

③ 中学校
- ア 能率的な指導計画や指導法のくふう改善につとめる。
- イ 年間の見通しをたて教材の分析研究につとめる。
- ウ 立体表現ならびに鑑賞指導の効果的指導法の研究につとめる。

④ 高等学校
- ア 表現活動が主体となるが，鑑賞指導も重要な意味をもつので表現に余り片寄つた指導はさける。
- イ 年間の見通しをたて教材の分析研究につとめる。

（国吉　邦男）

(7の1) 家庭

① 一般方針
- ア 小学校家庭科の基本的理念は，家庭の領域を根底として，被服食物，すまいの領域を指導し，

家庭生活への協力理解を深めるという立場で指導する。
イ 中学校技術・家庭科においては製作学習をとおして，基礎的事項を習得させ，近代技術に対する理解を与え，科学性，合理性を育て，創造能力を養う立場で指導する。
ウ 高等学校家庭科においては，家庭生活や，家庭経営に関する知識技術を給合的に習得させるとともに，特に家政科，食物科，被服科，手芸科においては高度の知識と技術を習得させ，それ等の仕事に従事することのできる技術者を養成する立場で指導する。
② 小学校の留意点
　ア 指導計画について
　　○ 年間指導計画にあたつては指導要領に示された内容を基本にし，特に家庭生活と直結し地域の実態，学校の実情，児童の発達段階を考慮し，題材の構成，題材配列，時間配当を考える。
　　○ 5，6年の学習内容と他教科との連けいを密にし，学習効果をあげるようにする。

　イ 学習指導について
　　○ 指導要領の総目標と題材目標を明確にし，実習をとおして実践，協力性を養うようにする。
　　○ 教具資料は思考学習の場を設定し，その活用については考案場面をとらえながら学習効果をあげるよう研究する。
③ 中学校技術・家庭科の留意点
　ア 指導計画作成にあたつては指導要領に準拠し，学習内容の基礎的事項，学校の実情，生徒の生活実態を考慮にいれ，題材配列については，男子向，女子向，他教科との関連性を考え学習効果をあげるようにする。
　イ 題材目標を明確にし，プロジェクト学習をとおして，基礎的事項を習得せしめ，応用発展能力を養うようにする。
　　○ 教具作成については，思考の場をとらえ，実践と理論が遊離しないよう，製作学習を中心に具体的な展開法，適切な評価の研究をなし，学習効果をあげるように努める。
④ 高等学校家庭科の留意点
　ア 指導計画にあたつては，小・中

高校の学習内容を考慮し，重複をさけるよう題材の選定配列をなす。
　○　家庭生活の経営者という立場から，総合的知識，技術を身につけさせるよう，全領域にわたって季節的，地域の実態学校の実情を配慮にいれ，実践活動がスムーズにいくよう計画をする。
イ　学習指導について
　○　将来の家経営者としての知識技術を習得せしめるよう，生活実態を根底にして学習指導を研究する。
　○　実践をとおして原理・原則を理解させ実践的態度を養い，ホームプロジェクト，学校家庭クラブ活動を適当に学習内容に取り入れ，地域の生活改善に役立つような学習指導法をくふうする。

（吉田　トミ）

（7の2）　技術・家庭

① 一般方針
　ア　地区及び校内教科研究組織をとおして，常に指導法の研究をする。
　イ　文教局主催の中央及び地区技術訓練研修会を計画的に実施し，現職教員の資質の向上をはかる。
　ウ　安全教育及び安全管理上，技術家庭科教室内は物置場にならぬよう，常に整理，整頓する。
　エ　設備，備品はいつでも使用できるように整備する
② 技術・家庭科の留意点
　ア　指導計画について
　　○　学習指導要領及び指導書を研究して，技術・家庭科の目標及び教育内容を明らかにする。
　　○　指導する題材を研究，分析する。
　　○　題材の系統性を考慮し，施設・設備，時間配当，学級数及び季節面を配慮して年間指導計画を作成する。
　　○　「中学校技術・家庭科における安全対策について（依頼）」（1964年10月12日付発送）を参考にして，安全計画を作成する。
　イ　学習指導について
　　○　技術的実践（考案，設計，製作。計画，分解，組立。）をとおして，生徒の思考力を伸

ばすように指導する。
- ○ 生徒の理解を深めるための教材，教具，その他の資料を研究，精選して，その適切な活用をはかる。
- ○ 学習カードは指導目標に応じ生徒の自主活動，思考力をさまげないように研究，精選して適切な活用をはかる。
- ○ 学校における他教科との関連性についても考慮して指導する。
- ○ 施設・設備や生徒数を考慮して，題材に即した学習形態を研究する。

（仲宗根　忠八、　吉田　トミ）

（7の3）　農業（高校）

① 一般方針

　豊かな教養と高度の技術を身につけ，意欲的に農業の改善を推進しうる中堅産業人の育成をはかる。

② 留意点

ア　指導計画について
- ○ 農業教育近代化を図る前提のものとに計画をたてる。
- ○ 能率的営農法に関する基礎的な知識，技術に必要な内容を取り入れる。
- ○ 基礎的実験実習の計画を充実する。
- ○ 普通教科との連けいを図る。

イ　学習指導について
- ○ 技術革新の時代に適応しうる能力と心構え教育の指導を強化する。
- ○ 産業経済の発展に応じて営農に関する知識，技術を向上させる指導法を充実する。
- ○ 農業の生産技術を向上させる指導法を充実する。

（和宇慶　朝隆）

（7の4）　工業

① 一般方針

　工業科指導要領に基づき，工業に関する知識，技能を習得させ，沖縄の工業界の発展に資する中堅技術者を育成する。

② 指導計画上の留意点

ア　実験，実習の重視

　中堅技術者の養成という基盤に立つて，実験，実習を重視し強化すること。

イ　学習内容の精選
- ○ 各学科の目標を達成するに必要な最低基本項目を設定し，年間指導計画を確立する。
- ○ 最低基本項目の設定に当つては，次の事柄に留意する。

学習時間，学習価値，学習の難易，技術の系列，標準的な職業上の実際，就職後比較的早期に用いられる可能性，実際に用いられる頻度数，他教科との関連，利用できる施設や設備。
- 普通科目と専門科目の有機的連けいを図る。

③ 学習指導上の留意点

ア 実験・実習
- 一生産工場の指導的地位に立ち得る幅と深さのある技術を習得させるよう考慮する。
- 他の科目と密接な関連を保ち事象を科学的に考察させ，作業を合理的に処理するように指導する。
- 作業の所要時間，経費等にも関心を持たせて原価計算にも及び，さらに経済上合理的な生産方法を企画実践し得る能力と，態度を養うよう留意する。
- 安全に留意する態度を養成する。

イ 学科
- すべての科目は，その学科の目ざす工業人育成のためのものであるから，専門科目も普通科目も，その学科の工業教育の科目と考えて一体となるように留意する。
- 特に専門科目は，実験・実習と密接な連けいを保ち，遊離しないように指導する。
- 科目にあつては，他の科目と密接な関連をもつて指導するように留意する。

(城間　正勝)

(7の5)　商業

① 一般方針

商業科指導要領に基づき，商業に関する知識と技術を習得させ，経営管理（販売管理を含む）や，事務に従事する者としての望ましい心構えを養い，常に研究を重ねて地域産業に即応する商業人を育成する。

② 指導計画

ア　商業経済関係科目の相互関連内容を研究し，地域に即する教材の研究に努め，指導計画表のもとに内容の充実をはかる。

イ　実務科目（簿記，計算実務，タイプ，文書実務，商業実践）にあつては基本原理と技術の習得に努め，各種検定を奨励させ，実務学習に重点をおくるよう運営

とくふうをはかる。
　ウ　企業の近代化による経営管理（販売管理を含む）の重要性を理解させ、企業の経済活動(取引)を正確、明りようにあわせて敏速に処理する能力と態度を養わさせるため、特に業界との連いを密にし、実践的に理解させる
　エ　教科研究会を推進し、地域の特殊事情の問題を研究し、教科と商業社会の有機的関連に努める
③　学習指導上の留意点
　ア　年間指導計画のもとにその実践の徹底をはかる。
　イ　一般教科から専門教科への転移における学習指導上の関連性を研究し、技能学習に直結するよう指導する。
　ウ　計算実務にあつては、数学との関連を考慮し、数理の応用能力が養われるよう努める。
　エ　商業実践については、この科目の意義と商業社会との有機的関連を実践的に理解させ、その活動の中に占める自己の職務の意義について自覚を深めさせる。
　オ　実務教科にあつては必要に応じ集中・分散学習方式を取り、事務管理の背後にあるシステムや事務管理的思考ないし技法を学習させる。

（与世田　兼弘）

（7の6）　水産

① 一般方針

　水産教育の目標は、中堅技術者の養成であるが、卒業後の働く対象が海という生きた自然現象であるので総合的知識を要求すると同時に、諸現象に対処出来る技術を習得させなければならない。

　そのためには学習指導要領をじゅうぶん研究し、それによって指導計画を樹立しなければならない。

② 指導上の留意点
　ア　年間指導計画の樹立について
　　○　各教科、科目、特活、学校の諸行事、地域社会等について相互の関連をはかり、全体としての調和のとれた指導計画であること。
　　○　普通教科と専門教科の関連性を密にすること。
　　○　技術指導と理論との関連性を密にすること。
　イ　水産に関する教科の学習指導について
　　○　理論と実際が遊離しない内容であること。

- 〇 各科目は密接な関連がはかられて総合的生産教育の内容であること。
- 〇 最近の理論や技術に留意し、水産界の実状を配慮した内容であること。
- 〇 実験実習の計画は基本的な面に特に留意し、配当時間の適正を配慮する。
- 〇 実習における態度、安全、保健について留意する。
- 〇 学校内実験実習と実習船内実習との連けいにじゆうぶん留意する。
- 〇 技術教育活動のあらゆる場で産業人としての人間育成に留意すること。

(伊是名 甚徳)

(8) 体育・保健体育

① 一般方針
  ア 指導計画の適正化をはかり、指導内容が偏することのないよう配慮する。
  イ 学習目標、学習内容に適合した指導法の実践。
  ウ 適正な評価による反省で、学習目標への到達や指導法の改善につとめる。
  エ たえざる実技研修をとおして、指導法の研修につとめる。

② 小学校の留意点
  ア 指導計画について
  - 〇 各学年別の具体的な年間指導計画を立てる。
  - 〇 1時間の授業時間中に低学年では2～3種目を組み合わせ、高学年のボール運動のような団体種目は単一種目を中心に内容を構成する。
  - 〇 季節を考慮に入れて内容を配列する。
  - 〇 学校行事等も考慮に入れる。
  - 〇 5年、6年における体育や保健に関する知識もはつきり位置づけする。

  イ 学習指導について
  a. 現状
  - 〇 年間計画ができてない学校もある。
  - 〇 ラジオ体操とボール運動が多い。
  - 〇 汗も出ない授業が多い。
  - 〇 効率的集団行動ができない。
  - 〇 技能差が大きく全般的な運動能力が劣る。
  - 〇 教師の号令による一斉指導が多い。

○　口から耳に式の説明が多い。
　　○　健康的生活様式が習慣化してない。
　　○　一部の領域の技能の評価におわっている。
　b．問題点
　　○　学校独自の具体的指導計画をもっている学校が少ない。
　　○　学習内容が教師の技能や施設によってかたよっている。
　　○　毎時間の運動が不じゅうぶんである。
　　○　集団行動の指導が不じゅうぶんである。
　　○　能力差に応じた段階的指導が不じゅうぶんである。
　　○　児童の自発的，自主的学習があまり行なわれてない。
　　○　視聴覚教具の活用が不じゅうぶんである。
　　○　保健指導は実践活動との結びつきが不じゅうぶんである
　　○　評価は部分的で結果の活用が不じゅうぶんである。
　c．留意点
　　○　運動量の豊かな学習指導につとめる。
　　○　計画された学習内容は必ず実践する。
　　○　学習能率を高め，安全な態度を育成するため集団行動の指導につとめる。
　　○　児童の発達段階に応じた指導をする。
　　○　学習目標を児童には握させる。
　　○　興味や関心を重んじ，自主的，自発的に学習するように指導する。
　　○　能力差に応じた指導をする。
　　○　目標の個別化をはかる。
　　○　学級における好ましい人間関係を育てるようにする。
　　○　視聴覚教具の活用につとめる。
　　○　保健的面の指導につとめ，健康的生活習慣が身につくようにする。
　　○　指導結果を絶えず評価し，指導の改善につとめる。
3　中学校の留意点
　ア　指導計画について
　　○　指導内容にかたよりのないようにする。
　　○　指導計画は実践の反省に立つ

て常に改善につとめる。
　○　男女の特性を考慮に入れる。
　○　各領域の授業時数の割合は3カ年の見とおしに立つて指導要領に示されたバランスを考慮に入れて計画する。
　○　指導要領に示されている各学年の内容は水泳以外はいずれの学校でも行なうようにする。
　○　格技の指導については2箇学年を通じて同一種目を指導する。
　○　内容の構成単位は領域や種目の特性や施設，用具の状況を考慮する。
　○　内容の配列にあたつては，自然的条件，他教科，特活，学校行事等及び地域における保健体育的行事等との関連をはかる。
イ　学習指導について
　a．現　　状
　　○　学校独自の年間計画が確立してない。
　　○　領域の偏りや教師の好みですすめる授業がある。
　　○　効率的集団行動ができない。
　　○　個人の技能差が大きい。
　　○　教師の号令による一斉指導が多い。
　　○　説明的授業が多い。
　　○　基礎的技能の指導が不じゆうぶん。
　　○　一部の領域の技能の評価におわつている。
　　○　対外競技のため教科時の学習指導にしわよせしている。
　b．問　題　点
　　○　文教局から出された年間指導計画はいずれの学校にもそのまま適用されるとは限らない。
　　○　教師の特技や施設や対外競技によつて領域に偏りがある。
　　○　集団行動の指導が不じゆうぶんである。
　　○　能力の劣る生徒の指導が不じゆうぶんである。
　　○　生徒の自発的自主的学習があまり行なわれている。
　　○　視聴覚教具の活用が不じゆうぶんである。
　　○　毎学習時の運動量が不じゆうぶんである。

- ○ 評価は部分的で結果の活用が不じゅうぶんである。
- ○ 対外競技のため教科時の学習指導にしわよせしている。

c. 留意点
- ○ 文教局から出された年間指導計画を基準にした学校独自の年間指導計画が必要である。
- ○ 領域の偏りのない実技研修によって教師の指導力の向上をはかる。
- ○ 体育の学習指導において基本的な集団行動の様式の指導をするとともに，その他機会のあるごとに指導につとめる。
- ○ 目標の個別化をはかり，生徒の能力に応じた段階的指導を行なう。
- ○ 生徒の自発的，自主的学習ができるようにして，自由時への発展を期す。
- ○ 視聴覚教具の活用によって理解を深めるようにする。
- ○ 毎時の学習で運動量を豊かにする必要がある。
- ○ 指導結果を絶えず評価し，指導の改善につとめる。
- ○ 施設や指導は教科時を中心に配慮する必要がある。

④ 高等学校の留意点
ア 指導計画について
- ○ 学習指導要領で示された，各領域間のバランスや，授業時数の割合が基準に準じて配当されるようにくふうする。また一つの学年において各領域のバランスを考えるだけでなく3年〜4年間のバランスも同時に考えることが必要である。
- ○ 内容の決定については，指導要領に示されている各領域および各領域ごとに示されている運動種目数の選択基準はいずれの学校においても必らず行なうようにする。

  しかし，水泳および定時制の課程の格技については，取り上げることが困難な事情にある場合には，これらの種目を欠くことができるようになっている。また，運動技能だけでなく，社会的態度や健康安全の態度についての内容もじゅうぶん考慮する。

- ○ 運動種目の選択は，地域や学校の特性や実態，生徒の心身の発達状況，運動種目の特性および各学年の関連などを考慮して決める。原則的には低学年では身体の発達を促す種目，高学年では将来の生活に取り入れやすい種目に重点をおいて選択する。
- ○ 運動種目の組み合わせについては，運動の特質，学年，生徒の運動経験，学習能力，施設用具などの条件を考慮して決めることがたいせつである。
- ○ 内容の配列については，生徒の発達や内容の順序，季節，他教科，特活，学校行事，施設・用具等との関連を図る。

イ．学習指導について

a．現　状
- ○ 具体的な指導計画が確立されていない。
- ○ 領域の偏りや，教師の好みですすめられる授業がある
- ○ 対外競技のため教科時の学習指導にしわよせがある。
- ○ 教師による画一的な一斉指導が多い。
- ○ 適正な評価がなされてない。
- ○ 発達段階や経験に応じた指導法が不じゅうぶんである
- ○ 運動技能だけの指導に陥りやすい傾向がある。

b．問題点
- ○ 生徒の実態および学校や地域の実情等に即して，具体的な指導計画を立てる必要がある。
- ○ 教師の特技等によって各領域や各運動種目の選択基準に偏りがある。
- ○ 評価は部分的で活用が不じゅうぶんである。
- ○ 発達段階や経験に応じた指導法が不じゅうぶんである
- ○ 個人差に応じた指導がなされてない。
- ○ 授業は教師中心の形態が多く，生徒の自主的，自発的な学習があまり見られない。
- ○ 視聴覚教材の活用が不じゅうぶんである。
- ○ 対外競技のため教科時にしわよせがある。

c．留意点
- ○ 領域の偏りのない実技研修

によつて教師の指導力の向上をはかる。
○ 運動技能と態度に関する内容を一体として指導する。
○ 学習目標，内容を具体的には握させ，自主的，自発的に学習をすすめるようにする。
○ 職業教育を主とする学科や定時制の課程においては，諸事情を考え，生活との調和を図り，生活の中に運動が活用することができるように指導する。
○ 視聴覚教材の活用につとめる。
○ 対外競技のために日々の授業にしわよせがないようにする。
○ 集団行動の基本的様式を指導する。
○ 指導の成果を絶えず評価し指導の改善につとめる。

(玉城　幸男　比嘉　敏雄)

(9) 外国語（英語）

① 一般方針
　ア　年間指導計画の樹立とその実践をはかる。
　イ　指導要領の内容をは握し，各領域別のはつきりしたねらいをふまえて指導する。
　ウ　米人篤志教師協会(NVTA)と提携してVolunteer teacherの効果的利用をはかる。
　エ　視聴覚教具の完備とその完全利用を推進し，特に自作教具の創意くふうに努める。
　オ　参考資料の整備と校内研修活動を活発にする。

② 中学校の留意点
　ア　指導計画について
　　○ 年間指導計画を立てるにあたつては，文教局提供の指導書を参考にして，各教師にマツチした特色ある年間指導計画書を作成する。
　　○ Volunteer teacherの利用にあたつては，一貫した計画を立て，年間指導計画の一環として配慮する。
　　○ 視聴覚教材の利用によつて，全体の授業をくずすことのないように，内容の点でも時間配当の点でも，確実な計画を立てておくようにする。
　イ　学習指導について
　　a.　現状―資料
　　　○ 年間指導計画書の利用度が

低く，年間を通しての一貫
　　　した指導法に欠けている。
　○　運用力を養うのに非常に
　　　効果的であるOral Ap-
　　　proachの理論をふまえた
　　　Pattern Practiceの指導に
　　　余り習熟していない。
　○　Readingの指導とWriting
　　　の指導が平行されて行なわ
　　　れていない。
　○　Teacher's manualにとら
　　　われすぎて，型にはまった
　　　指導に流れやすい。
b．問題点
　○　参考資料の不足と視聴覚教
　　　具の不備で満足な指導がで
　　　きない。
　○　一クラスの生徒数が多く，
　　　ドリル学習に困難を感じて
　　　いる。
　○　オラル・アプローチの理論
　　　と指導技術が完全にマスタ
　　　ーされず，教師自体が暗中
　　　模索の感あり。
c．留意点
　○　表現できる程度まで指導す
　　　る言語材料と理解にとどめ
　　　る言語材料とをよく精選す
　　　る

　○　四つの領域（聞くこと，話
　　　すこと，読むことおよび書
　　　くこと）を一体として，つ
　　　りあいのとれた形で授業を
　　　すすめる。
　○　文法は理解と表現との能力
　　　を養うための手段であっ
　　　て，それ自身が目的ではな
　　　いことをよく認識する。
　○　文型練習において，
　　　Substitution　　（代入）
　　　Conversion　　（転換）
　　　Expansion（展開）と移項
　　　していく場合は紋切型の単
　　　調さに流れず，生徒の心
　　　理，特性を考慮して飽きさ
　　　せないようにする。
　○　教科・科目の目標や内容の
　　　趣旨を逸脱し，または生徒
　　　の負担過重にならないよう
　　　に慎重に配慮する。
　○　米人教師の利用にあたつて
　　　は，相手まかせにせず，ま
　　　た単にテープコーダーの代
　　　用にせず，生きた教師とし
　　　て効果的な利用をはかる。
③　高等学校の留意点
　ア　指導計画について
　　○　年間指導計画は単に進度チ

ツクの表にとどめず，具体的な一貫した年間計画書を作成する。
- 普通コース用の英語Bと職業コース用の英語Aとのそれぞれの科目の目標，ねらい，特色等に基づいた指導計画を立てる。
- 視聴覚教材の安全活用と自作教具の創意くふうに努める。
- 職業コースには外人教師をつとめて利用し，かつ，その効果的な利用法を研究する。

イ 学習指導について
　a. 現状―資料
- 従来どおりの訳読主義の指導法に徹している傾向がある。
- 職業コースにおける指導法にほとんど特色をもたせていない。
- 視聴覚教材を取り入れての変化に富んだ授業が余りみられない。
- 指導要領の内容をじゅうぶんにふまえた指導がなされていない。
- Volunteer teacherとの協力体勢を敬遠しているきらいがある。

　b. 問題点
- 英言語の習得に定評のあるOral Approachの理論と指導法に余り習熟していない。
- 普通高校では，進学指導に重点をおいているため，比較的時間のかかる口頭指導法を適応する余裕がない現状である。
- 校内研修活動が活発に行われていない。
- Teacher's manualにとらわれすぎて型はまりの指導にとどまっている。
- 文法・作文の教科書の文例は，文法事項中心であり，Structuresの中でも，もっとも重要な文型の指導という面では，ほとんどくふうされていない。

　c. 留意点
- 表現できる程度まで指導する言語材料と理解にとどめる言語材料とをよく精選する。
- 職業コースにおける英語の授業には，普通科の英語

　　　　Bとは異なつた特色のある指導法を生かすようにする。
　○ Writingの能力を伸ばすには、和文英訳の細かな技法を覚えさせるよりも、基本的なStructuresそのものをPoduceできる程度まで習熟させる方がよい。
　○ 職業コースにおいては、将来卒業後、本当に役たたせる英語を身につけさせる意味で、基礎型・基本型をしっかり習得させるように力める。
　○ 特定の指導法に片寄ることなく、生徒の心理、特性、経験などに基づいて指導をいろいろと苦心しくふうしていくようにする。
　　　　　　　　　（平良　善一）

5　道　徳

① 一般方針
　○ 学校における道徳教育は、学校教育全体を通じて行なうという基本を再確認して各学校において全体計画を樹立する。
　○ 学校における道徳教育全般を貫く基本方針を明らかにする。
　○ 領域別に具体的な道徳教育の目標内容を明らかにする。
　○ 全職員および、地域社会の相互理解の上に立つて計画を樹立する。
　○ 校内の指導体制を確保し、望ましいふん囲気と環境を整備するとともに道徳教育に対する意欲を高める。
　○ 指導目標、内容についてのねらいを具体化し、指導の重点を明確にし、授業計画の改善をはかる。
　○ 指導方法をくふうし、資料の整備と活用をはかる。
② 小・中学校の留意点
　ア　指導計画について
　　○ 道徳の時間の年間計画を、全体計画の中に正しく位置づける。
　　○ 各学年の道徳の時間の計画を継続的発展的に組織化する。
　　○ 道徳の目標・内容・方法などについて共通理解をして、全員が立案する。
　　○ 学校の環境や施設・設備、資料の充実を計画的に考える。
　　○ 計画は実践の反省にたつて修正され改善されなければなら

ない。
　　○　各学年の実態に即応して具体的に適切な重点が示される。
　　○　全職員の参加と合理的な手続きによつて計画が立てられ，地域と社会の考えも反映される。
　　○　実態に即し，指導書の目標.内容をじゆうぶん理解して系統的な目標がたてられている。
　　○　学校の重点と指導の系列を考えた主題が適切に配列されている。
　　○　目標を達するための資料が諸方法であらかじめ計画準備される。
　イ　学習指導について
　　a．現状―資料
　　○　主題が何をねらつているかの吟味と，子ども実態を凝視した結果から生まれる指導法の研究がふじゆうぶんなため，観念的な指導がなされている。
　　○　指導資料としての地域の道徳的課題調査資料，児童生徒の行動観察資料および日誌や作文，参考図書文献などの諸資料の計画収集がなされていない。
　　○　前年度の実践記録や反省に基づいた年間計画の修正改善がなされていない。
　　○　道徳の時間を教育課程全体の構造の中に位置づけることがなされていない。
　b．問題点
　　○　道徳の共通の価値体系が確立されていない。
　　○　道徳教育は，道徳の時間のみでなく，学校教育全分野にわたつて計画的に展開するものであることはじゆうぶん認識されているが，実際には全体計画が明らかにされていない。
　　○　資料の価値づけや位置づけが足りない。
　　○　具体的，効果的な指導計画の作成の仕方や適切な教材の選定に困難を感じている。
　c．留意点
　　○　授業計画を立てる場合，年間計画をよく読み，主題のねらいをよく考察した上で，あらためて子どもを見つめる。

- 道徳の時間を教育課程の中に位置づけ道徳と他領域における道徳教育との間に有機的な関連をはかり，道徳の時間の充実をはかる。
- 学級の子どもたちの実態を凝視した結果，この点を深くつっこんで指導したいという立場で年間計画をつかう。
- 考えさせたい問題場面については，教師としての考察をしっかりする。
- 設定の理由を明確にし，目標の焦点化をはかる。
- 学級経営の一環として関連的に指導する。
- ひとり，ひとりの意見を尊重して，問題意識の醸成につとめる。
- 主題のねらいに応じた指導過程がくふうされること。
- 適切な資料を用意し効果的な方法をくふうすること。
- 個人的な事情の配慮をすること。
- 各領域と，家庭への発展的な取り扱いが具体的に考慮されていること。

③ 高等学校の留意点
- 高等学校の留意点も小・中学校と基本的には共通な点が多い。特に学校の教育活動すべてを通じて行なうことはもちろんである。その目的や内容については「文部省中学校指導書」や「高等学校学習指導要領」を参考にすること。この目標内容を分析して，HRの中に，道徳性の陶やをねらいとする組織的系統的な計画をたて，指導をすすめることによって道徳教育を充実していく必要がある。特に，社会科「社会」の倫理思想的分野を重視して，倫理思想史上の思想家の考え方，生き方を学ぶことによって，自分の生き方を自分で考え得る人間を育てるように指導する。

このHRと倫理的分野の両面の指導は，分離することなく一体として指導し，生徒の行動や生活に思想的な裏づけがなされ，現実の生活が道徳的な考え方に基づいてなされるように指導する。

(幸喜　伝善)

6 特別教育活動

特別教育活動は教育課程の一領域として位置づけられている。この特別教育活動の教育的意義をあらためて認識しこれが強化にいっそう努力したい。

① 指導に当る教師の態度について
- 指導者であるとともに、共に考え、共に実践し、助言者とも相談相手ともなる態度が望ましい。
- 指導理念の性急な押しつけをすることなく、ひろい心で根気よく指導したい。
- 教師相互の共通理解を深め、同一方針で協力して指導に当りたい。全校教師が熱意と関心を持っているふん囲気がこの活動をいっそう盛んにする。

② 導導計画について
- 教育課程の一領域として、他の領域との関連を考え、指導計画は必ず作るようにする。
- 基本的な大綱を定めておき、実施に当つてさらに、児童・生徒と共に具体化するとよい。
- 教員、児童生徒、設備などの実態を考えて実情に即した計画を作るようにする。
- 全教師がなんらかの指導に当るような組織でありたい。

③ 学級（会）活動　ホームルーム
ア　小・中学校、高校においても毎週1回は長時間（1単位時間）をあてるものとする。
イ　学級に民主的な温かい人間関係を作ること、楽しいふん囲気を作ることがこの活動を活発にする根本である。そのために教師のなごやかな愛情にみちた公平な態度がたいせつである。
ウ　話し合いが活発に行なわれるよう、次のような点に努力を払いたい。
- 適切な議題を選び、予告しておく。
- 自分たちのことを、自分たちで解決していく時間だという心構えを育てていく。
- 少数意見を尊重して聞く態度を育てる。
- 小集団による話し合いを活用する。
- 決議事項を多くつくらず、つっこんで話し合うように導く。
- 明るい話、建設的な話が多くなるように指導する。

エ　学級内の奉仕活動については、全員がなんらかの係りとなつて

活動できるように組織すること
係りごとに小集団を作って活動
させることも効果的である。
オ 道徳との違いを認識すること。
両者の性格はかなり近く，話し
合われる内容もかなり共通して
いることが予想される。しかし
道徳の時間はあらかじめ道徳
的なねらいを持ち，そのため
の資料や指導法を予定してい
る。
　○ 学級（会）の時間は，
　　・教師があらかじめ，友情と
　　　か責任とかを強調しようと
　　　いう計画的態度で臨まない
　　・話し合いの主題の選択も，
　　　その進行も児童・生徒がす
　　　るのがたてまえである。
　　・教師の態度は，前述のよう
　　　に指導者であるよりむし
　　　ろ，助言者であることが望
　　　ましい。
カ 進路指導について
3か年40時間以上の進路指導の
実施については従来の経験，反
省の上にたつて，指導の組織，
計画，方法等について改善に努
力したい。
○ 進路指導主事の配置されている

学校においては進路指導主事を
中心に組織を作り，じゆうぶん
な協力態勢をととのえられたい
○ 内容に応じ，適当な他の教師の
協力をうけるような計画を作成
されたい。
○ 調査，検査，職場見学などは学
校行事として行ない，その結果
の利用や話し合いなどを，進路
指導の時間にいれるようにした
い。
○ 進学者，就職者の感情的な対立
の起らぬよう特にこまかい心づ
かいをされたい。
○ 資料の作成と収集，保管に努力
されたい。
④ 児童会・生徒会活動
○ 各部（各委員会）活動に，教師
の当然なすべき学校管理上の補
助的な役割を期待してはならな
い。
○ 代表委員会（生徒評議会）なり
各部（各委員会）は実践事項を
決定するだけでなく，実践状況
のみきわめまでするように指導
したい。
○ 活動内容とその計画，会議結果
は常に全校生に速報されるよう
に指導したい。

- 〇 議題は全校生に関係があり，関心があるものをとりあげ，出席者は学級や各部（各委員会）の意見を持つて出席すること。なお，結論は実践に結びつくような形で出すように指導したい。
- 〇 児童会・生徒会の会議は放課後行なわれている現状であるが，会議日については，月1，2回やりやすい日を設けて便宜をはかつてやりたい。

⑤ クラブ活動
ア 中・高校において，クラブへの参加が一部の者に片寄るようであるが，大多数の生徒が参加することを理想として努力されたい。
イ 小学校で一部の学校がまだ実施していないが是非実施されたい。この場合，むりのない計画で出発し，しだいに充実発展させていく態度がのぞましい。
ウ 小学校においては，中学年以上の全員参加をたてまえとし，正課時間に行なうようにしたい。
エ 発表会，試合などの機会をもつことは，クラブ活動の活発化のため必要なことであるが，このために過労にならぬよう活動日数，活動時間，活動のし方などに注意して指導したい。
オ 運動や化学クラブ等の実験において思わぬけがをすることがあるので，安全について特に注意したい。

（德森　久和）

7　学校行事等

① 一般方針
ア 他の領域では得がたい教育的価値を正しく認識する。
イ 学習指導要領の趣旨に従つて年間計画を作成する。
ウ 目標にかなつた運営をすること。

② 留意点
ア 内容が充実して，創意にみちた学校行事等の計画をたてる。
- 〇 年間指導計画の立案にあたつては，必要な時数を確保するという態度でのぞみ，しかも教育課程の4領域が調和して他の領域を圧迫することのないようにすること。
- 〇 六つの行事内容の調和をはかり，特定の行事に多くの時間を配当したり，特定な時期に行事がかたよつたりしないようにしたい。

○ 行事の精選については，必要かくべからざる行事を選んで，積極的に取り入れたい。

○ 個々の行事について，目標を明確に把握することがたいせつである。創意にみちた行事を計画することがたいせつである。

○ 行事の性格にかなった運営がなされるように計画する。儀式では厳粛さとともに，ゆとりがあって心にひびくものを給食では，健康指導とともに明るいふんい気をじようせいしていくようにしたいなど。

○ 他領域との関連を考慮し，3領域で習得した成果が学校行事で発表され，学校行事における児童生徒の集団行動の規律などは，教科や道徳の成果を高めるようにする。

○ 行事の事前，事後の指導が他の領域の指導の時間にはいり込むことがあるから，事前，事後指導のために必要な時数を確保する。

イ より充実した効果的な指導を展開する。

○ 事前の研究をじゆうぶんにして，目標を明確に把握し，よりすぐれた内容がもり込まれるようにする。

○ 行事等はすべての教育活動が総合された形で行なわれ，当日にいたるまでのすべての姿を結晶し，児童生徒の生活を高めていくものである。日常の学校経営の全面にわたって正しい軌道の上にたち，健康な人間関係のなかで行事が展開されることがたいせつである。

○ 行事等は教室の学習よりも大きな規模で，さまざまな人間関係のもとに共同の仕事を分担し，めいめいの責任を果たすことが必要である。そのためには，立案者や一部の者の理解にとどまらず，全職員の共通理解がたいせつであって，このことが全職員の分業と協力が成立する基本的な条件である。

○ 行事等は学校が立体的に計画するものであるが，児童生徒に行事の教育的意義を理解させたり，運営の一部にあたらせるような機会をあたえるこ

とによつて，児童生徒が自主的に参加協力する態度を養うようにする。
- 外部団体や地域社会からの要請に対しては，教育的価値の多いものであるならば，主体的に行事にもり込み，啓発的役割を果たすようにつとめ，教育的立場を見失うことのないようにする。
- 運営にあたつては，施設・設備の現況，指導の限界を見きわめ，要求の水準を適正化して練習の過じようなどによる。児童生徒，教職員の負担過重にならないようにつとめる。

ウ すぐれた計画をつくるために，ために，たえず評価するようにつとめる。
- 指導計画は本来固定的なものではない。たえず修正し，向上しなければならない。個々のことがらについて，具体的な評価と反省を生かして，創意にみちた行事が行なわれるようにしたい。評価の具体的方法については文部省の学校行事等指導書を参照された

い。

（与那覇　修）

8　幼稚園教育

① 一般方針

幼児教育の重要性がようやく認識されるようになり，教育効果も実証されるようになつて来た。文部省においては「幼稚園教育要領」を改訂し，実施されることになつている。この「幼稚園教育要領」の基本方針にあげられている幼稚園教育の意義や独自性を明確に認識し，幼稚園教育の振興をはかるようにする。

幼稚園の全琉的な普及充実をはかり，幼稚園が量，質ともに拡充されるよう努力する。

② 留意点

ア　各幼稚園の実態に即した適切な計画をたてる。
- 高すぎるねらいや多すぎる指導事項をもつて幼児の負担過重にならないようにする。
- 地域の実態，生活経験のちがいなどを考慮して経験や活動をえらび，これが総合的に指導されるように配列する。
- 集団的な生活指導とともに，個人差に応じた取り扱いがなされるように配慮する。

- ○ 幼稚園，小学校の教育がさらに一貫性をもつよう計画する。
イ しつけをよくし，たくましい子ども，考える子どもを育てる。
- ○ 健康で安全な生活，個人生活及び社会生活における望ましい習慣などを，基礎的なものから一貫した方針で，家庭との連絡を密にしながら指導し，しだいに身についていくようにする。
- ○ 細かい心づかいのもとに，身体をきたえ，個性をのばし，はげしい進展を続けている社会において，たくましく生きる力を養うよう配慮する。
- ○ 自分で考えたり，くふうしたりするような経験を広い範囲から数多く用意し，自己中心的から客観的な見方，考え方に発達していくようにくふうする。
ウ 道徳性の芽ばえをつちかう。
- ○ 一貫した教師の是認や否認などを通して，よい行動，悪い行動を区別できるようにし，道徳的心情が内面的に深まるように根気強く指導する。
- ○ 園児の個別的な指導のカルテを用意し，父母とくに母親との話し合いをし，個に即した指導をする。
- ○ 園内の人的，物的環境をととのえ，美しいもの，心を打つものなどに接することにより情操を養う。
- ○ 教師の人格や言動は，無言のうちに及ぼす感化が大きいことを自覚したい。
エ 安全教育につとめる。
- ○ 特に登下園の途上における安全を確保するようにつとめる
- ○ 生命の尊さをわからせ，危険な場所や事物などをわからせ，安全についての理解を深める。
オ 家庭との連絡を密にする。
家庭と幼稚園が同じ考えで保育が行なわれるように，保育参観や家庭訪問などを実施する。
カ 園を増設することを推進する。
- ○ 幼児教育の重要性を，幼児をもつ親に，小・中学校長に，地域の有識者など，身近なところに働きかけ増園に努力する。
- ○ 保育所的幼稚園を，小学校に

併置された幼稚園にするよう努力する。

（与那覇　修）

9　学校図書館
① 一般方針
　ア　校長以下全職員が，学校図書館法の趣旨を理解するように指導する。
　イ　児童・生徒及び教師の，図書館と図書館資料の利用指導に努める。
　ウ　児童・生徒の読書による自主的学習と生活態度を育てる。
　エ　学校図書館日誌をつけて，その統計と考察によって実態に即した運営をするように努める。
　オ　学校図書館法施行規則によって，学校図書館の教育的機能の発展に努める。
② 小学校
　ア　学校図書館の資料を，教科書とあわせて教材・教具として活用する。
　イ　読書指導を重視し，学習や生活の中で計画的に系統的に行なう。
　ウ　児童の発達段階に応じた読書記録（読書ノート）のとりかたに慣れさせる。
　エ　資料センターとしての運営をくふうし，その利用の基本的な指導を重視する。
③ 中学校
　ア　資料を，生徒の自主的学習に役立てるように整備する。
　イ　資料の特色を生かした利用法を指導する。
　ウ　読書指導は，小学校から続けて系統的に行なう。読書記録も計画的な指導を行なう。
　エ　各教科における，資料センターとしての図書館の利用法を指導する。
④ 高等学校
　ア　生徒が自主的に，図書館と資料を活用するための効果的な運営法をくふうする。
　イ　生徒の読書生活の深化に努める。
　ウ　学習参考書に偏することなく，生活や人生についての新しい資料の精選と拡充を図る。

（花城　有英）

10　視聴覚教育
①　ラジオ・テレビ学校放送，映写教材，録音教材等の利用を充分研究して，学校の実情に応じた適切な教育課程を編成するために，

ア 指導計画の中に正しく位置づける。
イ 教材の精選と効果的能率的な活用をはかる。
ウ 計画的継続的な利用をするように努める。
エ 新しい時代の人間形成に影響するマス・コミについて，正しい視聴態度や批判力をつけさせるように努める。
② 視聴覚教材を充実する方策として，校内・地域・連合区の視聴覚ライブラリーの育成を図り，各教科領域に利用できるように年次的計画的にととのえていく。
③ 1965年度USCAR援助を機に視聴覚備品が年々充実されるので，これらの教材の合理的な利用管理を図るようにする。
ア 校内視聴覚ライブラリーを設置し，教材の集中管理を図り効果的な貸出し計画をたてる。
イ 関係機関，団体との提携。
ウ 「だれにもできる視聴覚教育」をめざす研修をすすめる。
(4) 視聴覚教材の活用については，教育課程への位置づけ，指導形態，学習評価，必要な組織と管理等の点に留意して校内研修等で適時とりあげて検討を加え指導技術を高めるようにする。　　　　　　　（嘉数　正一）

11 学校保健・学校安全
(1) 学校保健
① 一般方針
ア 学校環境を健康的に整備する。
イ 学校生活を健康的に整える。
ウ 学校保健行事の計画や運営を適切に行なう。
エ 保健教育の計画や実施を適切にする。
オ 学校保健委員会，児童・生徒保健委員会の組織を充実し，運営を適切にする。
カ 学校保健に対して全職員の理解を深め，その責務を果たす。
キ 学校の実態に即した学校保健計画を樹立し，実施の適正をはかる。
② 留意点
ア 計　　画
○ 学校教育の目的達成に大きく寄与できるものであること。
○ 児童生徒の健康のために必要な条件が，総合的にもれなくとりあげられること。
○ 児童・生徒の健康のために必要な事がらが，継続的に計画されること。

- ○ 児童・生徒の健康のために必要な事がらが，継続的に計画されること。
- ○ すべての学校職員は，学校保健計画に対し責任を分担すること。
- ○ 学校保健委員会の協力を得て計画すること。
- ○ 学校・家庭・地域社会の関連を考慮に入れること。
- ○ 児童・生徒の自主的保健活動を期待すること。

イ 学校保健計画の運営組織
- ○ 学校保健関係職員
  学校医，学校歯科医，養護教諭，校長，学校保健主事，一般教師
- ○ 学校保健委会の成員
  学校長，ＰＴＡの保健関係委員，学校保健主事，学校医，学校歯科医，養護教諭，一般教師，保健体育科主任，保健体育科担任教師，児童生徒保健委員会代表
- ○ 学校保健の推進にあたつては全職員があたること。
- ○ 組織を通じての活動を推進すること。
- ○ 保健に関する事項の指導は指導要領総則の一般方針に示してあるように四領域（高校は三領域）を通じて行なうこと。

ウ 研　修
- ○ 校内研修の機会を設け，定期的研修を行なうこと。
  健康診断について，健康観察について，伝染病について，教室や学習時の健康管理について，生活の安全管理について。
- ○ 校外における関係研修会に参加して，学校では必ず伝達の研修会をもつこと。

エ 評　価
- ○ 評価については次の項目について具体的な小項目を設けて評価して改善につとめる。
- ○ 学校環境が健康的に整えられているか。
- ○ 学校生活が健康的に整えられているか。
- ○ 学校保健行事の計画や運営は適切に行なわれているか。
- ○ 保健教育の計画や実施を適切に行なつているか。
- ○ 学校保健委員会，児童生徒保健委員会の組織と運営は適切

であるか。
○ 学校保健に対して関係職員は責務を十分にたしているか。
○ 学校保健計画は学校の実態に即して計画され，実施は適切であるか。

(2) 学校安全
① 一般方針
　ア　学校環境の安全管理について次の点に往意する。
　　校地，校舎，運動場，諸施設や用具の点検安全の維持につとめる。
　イ　学校生活の安全管理について次の点に往意して実施する。
　　学習時や，休み時間における安全に留意する。
　ウ　登下校などの交通安全に留意する。
　エ　水泳の安全に留意する。
　オ　危険遊びによる事故防止に留意する。
　カ　旅行，遠足，キャンプ，サイクリング等の校外学習における事故防止に留意する。
　キ　火災，暴風，水害などの際の安全に留意する。
② 留意点
　ア　学校環境の安全管理について
　　○ 校地については，土地の性状地面のこうばい，排水危険物などの状況に留意する。
　　○ 運動場に危険な個所や施設がないか絶えず点検して整備する。
　　○ 教室，廊下，階段，床，テスリなどの状態に留意する。
　　○ 体育や他の教科指導用具の安全につとめる。
　イ　学校生活の安全管理について
　　○ 学習用具の安全につとめる。
　　○ 児童生徒の学用品，使用法の安全指導につとめる。
　　○ 休み時間における遊び方，運動場施設の安全につとめる。
　　○ 危険な場所，禁止された場所にははいらないようにする。
　ウ　登校・下校などの交通安全について
　　○ 安全な通学路を指定する。
　　○ 学区内の危険な個所を指示する。
　　○ 必要に応じ教師によって登・下校時の安全指導，安全誘導をする。
　　○ 学校安全自治会，登校班などの組織によって自治活動を促進する。

○　道路横断や乗車・下車の指導を強化する。
エ　水泳事故防止について
　　○　水泳場の選択について指導する。
　　○　安全な水泳について学校で指導する。
　　○　水泳同行者について指導する。
　　○　水泳禁忌症について指導する。
　　○　おぼれかかつている者を見た場合の処置について指導する。
オ　危険遊びによる事故防止ににつ いて
　　爆竹，花火，自家製ピストル，空気銃，弓矢，剣劇ごつこなどの遊びについて留意する。
カ　旅行，遠足，キャンプ，サイクリング，校外学習における事故防止について
　　○　無理のない日程をたてる。
　　○　行く先の安全性について検討する。
　　○　参加者の健康状態を考える。
　　○　服装，携帯品の安全に留意する。
　　○　責任ある指導者の指揮で実施する。
　　○　事故発生の場合に対する救急対策も検討する。
キ　火災，暴風，水害等の際の安全に留意する。
　　○　防火組織を確立する。
　　○　防火訓練，避難訓練を実施する。
　　○　消火栓，防火用水，消火器などの設備をじゆうぶんにする
　　○　災害時の校地，校舎の対策について計画しておく。
③　学校における安全教育
　　○　学校における安全教育については，保健教育の一環として実施し，児童生徒の日常の安全な生活実践のために必要な習慣態度技能を養なうようにつとめ，学校における安全管理の徹底と相まって，生命の安全や傷害の発生防止につとめる必要がある。
　　○　学校に即した安全教育計画を確立する。
　　○　指導の実際にあたつては教育課程の四領域（高校は三領域）を通じて指導強化する。

（玉城　幸男）

（比嘉　敏雄）

12 生活指導

① 生活指導のあり方

時代の進展に伴つて,教育課程は内容もいつそう充実され,程度も高まつてきている。このため児童・生徒の学校生活への適応に関しても,さまざまな問題が生じている。一方,学校は多様な素質,能力を持つ児童生徒を対象としている。したがつて,すべての児童生徒が,現在だけでなく将来の生活にも適応でき,自分の問題を自分で解決していけるよう指導や援助を行なうことが必要とされてきた。また,児童・生徒が健全な生活を営み,健康な性格を持つように指導することによつて,道徳の時間における指導を側面から充実強化させていき両者があいまつて学校における道徳教育を推進することが必要であると考えられてきた。最近における青少年の非行の増加,低年令化等の現象からも,生活指導の充実強化が叫ばれているが,生活指導を非行対策としてのみ考えることは,生活指導を誤つた方向に導きやすい。

② 生活指導のねらい

生活指導については,さまざまな考え方や見解があるが,そのねらいは,ひとりびとりの児童・生徒を人間として尊重していく姿勢で,学校・家庭・地域社会などのあらゆる生活をとおして,ひとりびとりの持つ悩みや問題を知り,適切な指導助言を与え,生活のあり方,生き方をより高い価値するものに引き上げていくことであるといえよう。

生活指導は学習指導とともに,学校教育の重要な機能と考えられ,指導の場は教育課程の全領域だけではなく,領域外にまでおよんでいる。特に密接な関係のあるものは道徳（倫理・社会）・特別教育活動・学校行事等であるが,道徳即生活指導,特別教育活動即生活指導などと考えることは望ましくない。

③ 生活指導推進のために

ア 生活指導について共通理解を深める。

教師のひとりびとりが,まず生活指導のねらいを理解し,特定の児童生徒だけではなく,全児童・生徒が指導の対象であることを確認しなければならない。

次に共通理解を深める一つの方法として,特定の理論や方法にとらわれることなく,具体的な事例を中心に研究することを勧めたい。研究と体験を積み重ねることによつて,指導の技術をこえた教師のかまえ（人がら）指導の

根本であることを痛感されるだろう。
ロ　生活指導の体制を確立し，組織のあり方を研究する。

　すべての児童・生徒を対象とし，集団の一員として，また個人として指導するためには，学校の指導体制が確立されなければならない。

　生活指導の組織は，それぞれの学校によつて異なろうが，次の観点から組織されることが望ましい。

　○　単純にして機能的にすること。
　○　生活指導主任は，その学校の生活指導全般の企画，推進の役割をもつようにすること。
　○　特に生活指導と関係の深い道徳，特別教育活動，学校行事等の運営に関して，生活指導主任が直接参加計画できるように配慮すること。
　○　青少年育成に関する諸団体，諸機関との連絡提携ができるように配慮すること。
　○　各教師の役割や責任を明確にしておくとともに，協調性を重視すること。

ハ　年間計画を立てて指導にあたる。

　生活指導を効果的に進めるには，具体的な年間計画を立てることが必要である。指導事項の列挙ではなく，指導の観点などを明らかにしておきたい。

ニ　学級（ホームルーム）担任教師が生活指導にあたる。

　直接生活指導にあたるのは学級担任教師である。まず，児童・生徒ひとりびとりを正しく理解していなければならない。また，教師の態度や人格が強い影響を与えていることを銘記しなければならない。

　○　学級にとじこもることなく，他の教師や専門家の助言を積極的に求めるようにしたい。
　○　ひとりびとりを正しく理解するために観察だけでなく面接も行なうようにしたい。
　○　調査，検査の活用も望みたい。
　○　現象面にとらわれて感情的になることなく，児童・生徒の感情を受容するように努めたい。
　○　長所を認めてやることが，短所をなおそうとする意欲を起させることに注目したい。

④　生活指導における相談活動

　児童生徒の持つている悩みや問題解決への助言，援助をとおして，成長への意欲を深め，生活指導ひいては学習指導の効果を高めるために教育相談（学校カウンセリング）を促進しよう。

ア　教師はだれでも，教育相談（カ

ウンセリング）の技術を身につけよう努めたい。
イ 相談活動の中核である教育相談係（カウンセラー）は特に学級担任教師や進路指導主事，学年会などとの連絡を密にし，校内全体の機構から浮き上らないようにしたい。
ウ 専門的な診断や治療を必要とするものについては，他の専門機関に任せるようにしたい。

⑤ 非行防止のために
生活指導の機能をじゅうぶん発揮することが，結果において児童・生徒の非行防止に役立つことを銘記しなければならない。

ア 非行少年は不幸少年だといわれる。かれらの気持をわかってやろうとする教師の態度が強く望まれる。
イ 観察や面接，あるいは調査，検査などによって非行化を予測し，あるいは早期に発見し原因を確めたうえで，信頼関係に基づく指導をするように努めたい。
ウ すべてを校内でという閉鎖主義を脱皮し，関係諸機関との連絡提携を保ちつつ，指導にあたるように努めたい。

（徳森　久和）

Ⅲ 指導主事の学校訪問の要領

(1) 学校訪問の目的
　学校を訪問することによって学校教育の全般にわたり実地に観察し，校長および教職員に対し技術的専門的な指導助言を行ない教育水準を向上させる。

(2) 学校訪問の方法
① 計画訪問
　イ　指導行政上の方針により，または関係指導主事の提出する指導計画を勘案して訪問校を選定し訪問日を決定する。
　ロ　係主事は毎月の指導課連絡会において翌月の訪問日程を連合区および関係学校に連絡する。高等学校は直接学校に前月15日までに連絡する。
　ハ　中・高等学校は2～3人の協同訪問を主体として立案し，小学校においてもできる限り協同訪問を考える。
　ニ　訪問校数は月3校を目標に計画する。
　ホ　指導訪問以外の訪問（事務連絡，調査等）を出来るだけ制限し，その必要のある場合でも指導訪問を計画実施し，そのついでに連絡事務をするように留意する。
② 要請訪問
　イ　各学校からの訪問指導の要請は文書をもって前月の日までに連合区に申し出，連合区は前月の指導課連絡会において文教局と調整して，その結果を関係学校に通知する。
　ロ　要請文書には日程，要請の趣旨研究事項，質問事項を明記させる。（形式は別紙のとおり）
　ハ　連合区，学校からの口頭要請は係および課長に連絡して諾否を決定する。
　ニ　月曜，土曜の要請には応じない。
③ 訪問校の事前準備，研究
　イ　計画，要請のいずれの場合でも事前において当日の日程，質問事項や研究テーマを話し合い，訪問予定の指導主事とよく連絡をとること。
　ロ　研究授業が計画される時は校内で次のような研修を実施するこ

とが望ましい。
- ○ 参加者全員による教材研究
- ○ 全員あるいは学年単位，教科研究部による指導案の作成。
- ○ その教科の学習指導上の問題の研究

(3) 指導助言の内容
① 各自担当の指導，研究領域についての指導助言

担当教科その他担当領域について，その指導の充実改善を強力に推進するために各自の指導方針，計画，方法によつて指導助言をする。

② ①の他に以下の視点から全指導主事が共通理解に立つて指導助言する。

イ 学校経営
- ○ 教育目標，経営方針，努力点　教育計画，人事管理
- ○ 「学習指導」の指導管理（学習指導案，校長の学級訪問指導と記録）
- ○ 教育環境（緑化，排水，清掃　保清，便所）
- ○ 教材教具の管理活用

ロ 学習指導（全領域を通して）
- ○ 学習指導計画について，教材研究と指導計画
- ○ 授業について
- ○ 発問のしかたと応答の処理のしかた
- ○ 板書　　　　ノート
- ○ 資料の準備と提示
- ○ 視聴覚教具の活用
- ○ 児童，生徒の授業への参加（自発性，集中度）
- ○ 学習ふん囲気
- ○ 学習指導過程
  - 知的教材　　思考を深めていく過程
  - 技術的教材くふうを重ねていく過程
  - 表現を高めていく過程
- ○ 学習形態

ハ 生活指導
基本的しつけの習慣化

ニ 校内研修
研修組織，計画，方法，研修活動状況

ホ 学級経営

(4) 指導助言の方法
イ 学経校営全般については校長，教頭と懇談する。その際，諸表簿等を資料にしてできるだけ具体的に話しを進めるようにする　特に経営の方針は諸計画が教育活動にどのように生かされているかに着眼して助言する。

ロ　授業は一応全教科を参観して授業の基本的な面に着眼し，すぐれた点や改善点をできるだけ具体的に個人に助言するようくふうする。

ハ　担当領域はまとまつた時間じつくりと見て個人面接で具体的に助言する。

ニ　午後または放課後，学校長および教職員と懇談する。

指導主事の学校訪問指導要諸書の形式

文　教　局　長　殿　　　　　　　　　　１９６５○　　○　　○

　　　　　　　　　　　　＿＿＿＿＿＿＿連合区＿＿＿＿＿＿＿学校

　　　　　　　　　　校長氏名＿＿＿＿＿＿＿＿＿＿＿＿＿＿＿印

　　　　　　　　指導主事の訪問指導要請について

　指導主事による訪問指導を受けるために，下記のとおり計画しましたので，別紙連合区教育委員会の要請書をそえて，係り指導主事を要請します。

　　　　　　　　　　　記

1．日　　時　　　　月　　日（　　曜）　　　時〜　　時

2．要請する指導主事名

3．研究事項

4．質問事項

5．当日の日程

6．その他

　　　　　　　　　　　　　　○注　　用紙はＢ５

処理	

Ⅳ 1965年度行事計画

項目 月	現職教育	研究会	文書指導	発表会コンクール	行政事務	関連事業	備考
四月		伊江区研究会	小学校年間指導計画		管外研修計画	職場成人英語講座	青少年健全育成強調月間運動
五月	学校経営中央講座（小教頭）年間計画説明会小中校長研究大会（小校）	北谷区研究会久志区、豊見城区研究会				全琉高校長研修会	
六月	中堅教員講習会（連）年間計画説明会（小）	上本部区研究会大宜味区研究会	学研学校研究会録研究教員研究集録特色学校紹介		予算運用計画管外研修計画	全国学力検査実用英語技能検定	
七月	学校経営中央講座（中教頭）	中城区研究会与那城区久米島授業研究			大学留学教員選考教科書展示会教科書目録編集研究教員募集実務研修派遣教長選考	NHK図画コンクール沖縄造形教育大会沖縄国語教育大会	
八月	夏季認定講習会				予算編成	NHK音楽コンクール	
九月			学習指導シリーズ	全琉教育作品展示	後期研究教員出発	高校理科展示中高校スピーチコンテスト第14回全国児童生徒作品コンクール（小学館）	

月							
十月	教育指導委講習会	具志頭区研究会			実・研学校指進路指導教育研究大会 実・研学校連絡会 研究教員選考			青少年健全育成強調月間運動
十一月	学校経営中央講座（中教頭） 中堅教員講習会（連）	浦添区研究会	学習指導シリーズ		教員採用試験 実・研学校連絡会		実用英語技能検定 読書感想文コンクール 高校定時制生活体験発表会	
十二月	中校数学教員講習会				国自費選抜試験 教研地区集会 第3学期行事計画		県高校全琉教育音楽発表会	
一月			学習指導シリーズ		新学年度諸計画 実・研学校発表会	教研中央大会 高校生物研究発表会（個人）		
二月	校長研修会（連合区）				実・研学校発表会 学校美化コンクール			
三月	中校数学教員講習会							高校新任教員オリエンテーション

V 1965年度実験学校、研究学校指定校一覧

A 実験実校 (7校)

番号	連合区名	学校名	研究主題	研究領域	実・研の別	研究主任	備考
1	中部	伊波小	量と測定	算数	実	佐久本清美	
2	〃	普天間小	視聴覚教材教具の活用による学習指導の研究	学校経営	〃	岸 佳正	連合区
3	〃	越来小	1時間の焦点をおさえた効果的な学習過程はどうあるべきか	社会	〃	当真正典	
4	〃	コザ小	科学的思考を高めるための実験観察のくふうと学習指導	理科	〃	安谷安徳	
5	〃	美里中	道徳年間指導計画の改善と指導法の研究	道徳	〃	内田清栄	
6	宮古	平良中	思考力を伸ばすための学習指導の研究	学校経営	〃	与那覇寛長	
7	八重山	大原小	自主性を育てるための学習指導	〃	〃	宇江城正晴	

B 研究学校 (31校)

番号	連合区名	学校名	研究主題	研究領域	実・研別	研校の別	研究主任	備考
1	北部	大宮小	基礎的運動能力を高めるための器械運動の指導はどうあるべきか	体育		研	渡久地正義	
2	〃	佐手中小	量と測定	算数・数学		〃	木下義一	
3	〃	今帰仁中	学級活動における進路指導	進路指導		〃	仲里朝陸	

	連合区	学校	研究主題	教科	研	前原信正
4	〃	金武小	楽しい器楽学習をさせるにはどうすればよいか	音楽	〃	伊芸政勇 仲地 穏
5	〃	兼次中	作文の系統的指導	国語	〃	神村靖雄
6	中部	宜野座中	1時間の指導の重点をおさえた効果的学習指導法	社会	〃	宜保定雄
7	〃	あげな中	電気学習における基礎事項と学習指導法	技術・家庭	〃	森田政順
8	〃	仲泊中	口頭指導と関連づけてライティングをどう指導するか	英語	〃	伊波政仁
9	〃	兼原小	図画工作科におけるデザイン学習をどのように進めたらよいか	図画工作	〃	松田正紀
10	〃	恩納小中	読解力を高めるための語句指導	国語	〃	外間現弘
11	〃	中の町小	基礎的運動能力を高めるための指導法	体育	〃	義田直澄
12	〃	城前小	望ましい理科環境の構成と活用	理科	〃	清水ヨシ子
13	〃	川崎小	除法指導における児童のつまずきとその対策	算数	〃	大田 健
14	那覇	那覇中	調理領域における学習指導法の研究	技術・家庭	〃	上間松盛
15	〃	小禄中	理科教育のための環境整備とその活用	理科	〃	安村芳子
16	〃	神原中	球技の効果的指導はどのようにすればよいか	保健体育	〃	諸見謝幸一
17	〃	真和志中	鑑賞の指導をどのように進めたらよいか	美術	〃	
18	南部	糸満中	口頭指導と関連づけてライティングをどう指導するか	英語	〃	

番号	連合区名	学校名	研究主題	研究領域	実・研校の別	研究主任	備考
19	南部	上田小	学級会活動の効果的指導	特活	研	大城清長	連合区
20	〃	高嶺中	作文の系統的指導	国語	〃	伊佐真一	〃
21	〃	糸満南小	「もようをつくる」「デザインする」学習の系統的効果的指導	図画工作	〃	瀬長秀雄	
22	宮古	久松小	放送教材の聴取指導のあり方	学校放送	〃	川満憲勇	
23	〃	福嶺小	道徳の指導における副読本の効果的指導はどのようにすればよいか	道徳	〃	本村寛	
24	〃	上野小	地域における基本的実験観察項目の設定	理科	〃	平良恵一	
25	〃	上野中	学校保健行事の計画と運営はどのようにしたらよいか	保健体育	〃	友利清次	
26	〃	城辺中	学級会、生徒会活動を活発にするにはどうしたらよいか	特活	〃	下地恵一	
27	八重山	伊野田小	給食時の指導と他教科との関連はどのようにしたらよいか	保健体育	〃	藤田長信	
28	〃	大浜小	学校放送を教科学習の指導にどう結びつけるか	学校放送	〃	前津栄信	
29	〃	大浜中	技術科における安全教育について	技術	〃	仲皿新昌	連合区
30	〃	名蔵小	プログラム学習による割合の基礎となる指導はどのようにしたらよいか	算数	〃	米城利子	
31	〃	崎枝中	学級活動における進路指導を実践強化するためにはどのようにしたらよいか	進路指導	〃	渡慶次賢康	連合区

VI 指導課研究事務分担表

氏名	研究指導領域	分担事務	氏名	研究指導領域	分担事務
譜久村寛仁	学校学級経営	○ 課内の統轄,企画調整,日誌	栄野元康昌	理科	○ 高校入学者選抜学力検査に関すること
	倫理・社会	○ 予算に関すること		教育評価	○ 理科備品及び基準に関すること
		○ 課内研修に関すること		教育課程	○ 教育課程構成に関すること(高校)
		○ 学校経営に関すること			○ 総合指導
与那覇修	音楽	○ 学校訪問に関すること	国吉邦男	図工・美術	○ 高校入学者選抜学力検査に関すること
	学校行事等	○ 研究教員(留日,校長)に関すること		へき地教育	○ 実験,研究学校に関すること(小中高)
	幼児教育	○ 指導委員に関すること			○ 教科書その他教科用図書に関すること
		○ 月行事に関すること			○ 課内備品に関すること
		○ 夏期認定講習に関すること			○ 各種研修会に関すること
					○ 招へい講師による研修(冬季を含む)
松田洲弘三	社会	○ 全琉小中高校長研究協議会に関すること	大城盛三	英語	○ 中高校英語教員訓練に関すること
	特活	○ 管外研修に関すること		特殊教育	○ 民政府,アジヤ財団に関すること
		○ 進路指導主事,訪問教師研修に関すること			

氏名	研究指導領域		分担事務
与那嶺進	学校経営	○	青少年問題協議会に関すること
		○	本土教育関係者との親善交歓の世話
	算数・数学	○	予算に関すること
	教育課程	○	教科備品の基準に関すること
		○	教育課程編成及び講習に関すること(小中高)
	教育評価	○	教学研修に関すること
		○	指導委員に関すること
嘉数正一	視聴覚教育	○	視聴覚教育に関すること
	学校放送	○	学校放送に関すること

氏名	研究指導領域		分担事務
平良善一	英語	○	民政府、アジア財団に関すること
	特殊教育	○	成人英語教育普及に関すること
徳森久和	社会	○	高校カウンセラー、補導主任研修会に関すること
	生徒指導	○	青少年問題協議会に関すること
	定時制	○	高校長研修会に関すること
		○	本土教育者と親善交歓
		○	総合指導
島元厳	国語	○	中堅、新任教員の研修に関すること
		○	指導主事連絡会および研修に関すること
	学校図書館	○	夏季認定講習に関すること
		○	祝辞に関すること
		○	学校図書館に関すること
		○	指導委員に関すること

国　語	○	文書指導についての企画			
学校図書館	○	学校図書館に関すること	花	指導委員に関すること	○
	○	夏季認定講習に関すること	城 道　徳	各種研究発表奨励に関すること（作品展美化コンクールを含む）	○
	○	研究教員（大学留学，指導主事）に関すること	有 学級経営	寄贈品の配布に関すること	○
	○	教科用図書に関すること	英 伝　善	青少年問題協議会に関すること	○
				管外研修に関すること	○

【速報】 1964年度教育財政調査まとまる
(高校全日制は総額で前年度より52%も伸びる)

調査広報課

1964会計年度の教育財政調査は当課で集計を急いでいたが、このほど数字がまとまり、近く報告書を刊行する運びに至っている。

その主な内容を速報として紹介しよう。

学校教育費の支出総額は約1,721万弗で前年度より18.8%も伸長している。学校種別には、総額において高等学校全日制が前年度より52.3%も大幅に伸びているが、これは高校在住徒数増に応ずる支出の大幅増加によるものであろう。

次に、生徒1人当り公教育費では、高等学校全日制が$130.67で前年度より27.3%も増加したのをはじめ、幼稚園、小学校が比較的順調な伸びを示しているに対して、逆に伸びのしのいものとして特殊学校の1.1%、高等学校定時制の2.1%などが注目される。

1964会計年度の学校教育費の学校種別教育費総額、公費総額、生徒1人当り公教育費（公費に組み入れられた寄付金及び教育区費を除く）を示すと下表のとおりである。

1964会計年度学校種別学校教育費

	総 額			公 費 の み			生徒1人当り公教育費		
	1964年度	1963年度	増加率	1964年度	1963年度	増加率	1964年度	1963年度	増加率
	$	$	%	$	$	%	$	$	%
学校教育費	17,211,642	14,486,849	18.8	16,280,403	13,738,401	18.5	58.20	49.80	16.9
幼稚園	182,446	153,537	18.8	155,766	121,980	27.7	23.79	19.44	22.4
小学校	7,660,994	6,896,224	11.1	7,270,271	6,546,985	11.0	44.03	38.57	14.2
中学校	5,680,319	4,933,158	15.1	5,399,626	4,721,863	14.4	65.97	60.45	9.1
特殊学校	114,137	106,768	6.9	113,378	106,302	6.7	348.86	345.14	1.1
高校（全日）	3,306,827	2,171,777	52.3	3,090,700	2,033,742	52.0	130.67	102.66	27.3
〃（定時）	266,919	225,385	18.4	250,662	207,528	20.8	70.93	69.50	2.1

(注) 生徒1人当り公教育費算出の場合は公費に組み入れられた寄付金及び教育区費は除いてある。

【解説】 教育職員免許法及び同法施行法の
一部を改正する立法について

義務教育課　安　村　昌　亨

1　概　　要

　今度の立法院議会において仮免許状を廃止することについての立法が可決され6月2日署名公布されました。そのため1965年12月2日以降は、仮免許状の発行は行なわれなくなります。

　仮免許状を廃止することについての理由を立法案提案理由から要約しますと次のようになります。

　現行教育職員免許法及び同法施行法は1958年に立法され、1959年4月1日から施行されました。その内容は法施行当時の教員の養成、需給の状況を考慮して1級普通免許状、2級普通免許状のほかに仮免許状、臨時免許状を設け四種類の免許状としたのでありますが、元来、望ましいのは、1級及び2級の普通免許状の所有者であります。そこで今般その後の現職教員の普通免許状取得の状況、大学卒業者の免許状取得状況、教員の需給等を考慮致しまして、仮免許状を廃止して教員の資格の向上をはかり、本来の理想に一歩近づけるとともに、繁雑な免許状事務の簡素化を図ろうとするものである。となっています。

　沖縄における現行教育職員免許法及び同法施行法は、日本本土における同名法に準じて立法されたものでありますので、その根本を貫く原則的なものについては、ほとんど本土法と相違はありません。そこで、日本本土においては昭和29年12月から、法律の改正により仮免許状が廃止されておりますので、沖縄におけるこの措置は11年もの遅れがあることになります。

　さらに、高等学校助教諭の資格の向上をはかるために、その授与資格を短期大学卒業以上に変更するとともに、中学校、高等学校の実習教諭の臨時免許状の授与資格については特例を設け、臨時免許状一般については、その有効期間を1年から3年に延長、現職教員の上級免許状取得の方法を免許法第六条別表第四による方法に一本化するとともに、単位の教職経験年数によるてい減を、20

単位まで行なえるように改め，これらの改正に伴なう関係条項の整理を行なうことによって現行の教育職員免許制度の改善と充実を図ろうとするものであります。

以上は，今度の教育職員免許関係法の改正の提案理由にみる概要でありますが，更に詳しく説明を加えましょう。

2 仮免許状は、いつからなくなるか

この立法の附則第一項で「この立法は，公布の日から起算して6ヶ月を経過した日から施行する。」となつています。行政主席の署名公布が6月2日になされましたので6ヶ月後の今年の12月2日から仮免許状の授与，交付等はできなくなり廃止ということになります。

3 現在仮免許状を所持している人々の資格はどうなるか

この立法により今年12月以降仮免状が廃止されると，これらの人々は当然臨時免許状を申請しなければならないのでありますが，附則第2項は，この立法施行の際，現に免許法又は同法施行法の規定により仮免許状を取得した者又は施行法の規定により仮免許状を有するものとみなされている者については，小学校，中学校，幼稚園，盲学校，聾学校若しくは養護学校の教員又は養護教諭の場合は，1970年3月31日まで，高等学校の教員の場合は，1973年3月31日までは，所持する仮免許状に相当する学校の教諭として在職することができるように措置しています。

ところが，これらの人々はそれぞれの期限までに2級普通免許状を取得できない場合には，失職か，臨時免許状に落ちるということも止むを得ないことと考えなければならないので，期限内に2級普通免許状を取得するように努力しなければなりません。

さらに，これらの人々の2級普通免許状の取得については，改正前の仮免許状から2級普通免許を取得する方法で2級普通免許状が取得できるように，附則第5項によって規定されています。（附則第2項，第5項）

4 現在仮免許状は所持していないがあとわずかで仮免許状が取得できるようになつている者についてはどうなるか

この立法施行の際，大学において改正前の別表第1により単位修得中

の者又は現職の臨時免許状所持者が改正前の別表第4又は別表第6により単位修得中の者である場合に、これらの者が1967年3月31日までに、改正前の別表第1、第4、第6に規定されていた仮免許状の所要資格を満たす者であるときは、1970年3月31日までは、それぞれの所要資格に相当する学校の教諭として在職することができるようにしています。この場合2級普通免許状の取得については、この立法施行の際仮免許状を所持していた者と同様な扱いを受けることになります。

高等学校の教員の場合は、高等学校生徒の急増と教員需給の状況を考慮し、この取り扱いを1973年3月31日までとその期間を、小学校、中学校、幼稚園と比べて3年間延長するようになつています。　（附則第3項、第4項、第5項）

5　高等学校助教諭免許状の授与資格は、どのように変更されたか

第5条3項は臨時免許状を授与する根拠規定でありますが、この規定に、次のような「ただし書」が加えられました。

ただし、高等学校助教諭免許状は、大学に2年以上在学せず、かつ、62単位以上を修得しない者又は高等専門学校を卒業しない者には授与しない。

この「ただし書」を加えられたことによって従来は小学校、中学校、幼稚園等と同様に、高等学校卒業以上の者であれば臨時免許状が取得でたのでありますが、今後は高等学校助教諭の免許状は、短期大学相当以上に引き上げられたといえます。

しかしながら、これはあくまで原則をうち出しただけで、実際にはその効力を発揮できないようになつています。すなわち附則第7項の規定によって、当分の間は従来と変らない取り扱いを受けることになるからです。附則第7項では「高等学校助教諭免許状は、当分の間、新法第5条第3項ただし書の規定にかかわらず、同項ただし書に規定する者に該当する者に対しても授与することができる。」となつています。したがつて、今度加えられたただし書は、将来において、附則第7項の改正をまつて効力がでてくることになります。　　（第5条第3項、附則第7項）

6 免許状取得の基準である別表は、どのように改正されたか

別表第1から別表第8までの表中、仮免許状の項を削り、これに伴なう関係事項の整理が行なわれています。特に別表第4により高等学校教諭2級普通免許状を取得しようとする場合、改正後の別表第4の高等学校教諭2級普通免許状の項は、第5条第3項のただし書に規定する短大相当以上の学歴を基礎資格として「五」年の経験年数と「四十五」単位修得すればよいようになつているが、高等学校卒業による臨時免許状所持者の場合は「十年」の経験年数と「九十」単位が必要となります。
（別表第1から別表第8，附則第8項）

7 現職教員の上級免許状取得の方法を一本化したとはどのようなことか

現職教員が経験年数を基礎にして所要単位を修得した場合，別表第4により上級免許状を取得するようになつているが，これらの者のうちで特に、戦前免許状所持者（施行法第1条第2項若しくは第2条第1項該当者）は、別表第4を適用せずに、免許法施行法第5条及び第6条の規定により「二十三」単位を取得すればよいようになつているが，この施行法第5条を改正し，第六条を削除することによつて，施行法による上級免許状取得を改め，別表第4による方法に改めるものであります。

免許法第6条別表第4により、従来の施行法適用者が1級普通免許状を取得しようとする場合には、「五年」で「四十五」単位を必要とするようになつて従来よりも不利になつたように感じられるが、このことについては、次の教職経験年数による単位のてい減をごらんになれば、不利になつていないことが理解できることと思います。（施行法第6条の削除，免許法第6条別表第4）

8 教職経験年数により、必要単位を20単位まではてい減することができるとはどんなことか

現職の教員が経験年数と必要単位を修得することによつて、上級免許状を取得しようとする場合は、免許法第6条別表第4の基準によるのであるが、その場合同表備考第6号の規定により、最低在職年数をこえる在職年数があり、必要最低単位数が

仮免許状及び2級普通免許状にあつては15単位，1級普通免許状にあつては30単位をこえるときは，そのこえる在職年数一年につき5単位を，そのこえる単位数を限度として，当該最低単位数から差し引くようになつていたが，この30単位の下限を20単位まで引き下げることによつて，現職教員の上級免許状取得を容易にしようとするものであります。したがつて，従来8年までしか認められなかつた教職経験年数を10年までは認められることになります。（免許法第6条別表第4備考第6号）

9 その他の附則事項

改正附則第9項から第12項までは従来の仮免許状相当の者で臨時免許状を有する者が，別表第4により2級普通免許状を受ける場合，改正前の別表第4の仮免許状の項に示されていた基準によることができるための特例であります。

改正法附則第13項及び第14項は，同様の者について別表第5を適用する場合の特例であります。

さらに，盲学校，聾学校及び養護学校の教員については，仮免許状の廃止に伴ない教員の需給に困難を来すことを防ぐため，当分の間は小学校，中学校，高等学校又は幼稚園の普通免許状を有する者等は，相当する免許状を有しないでこれらの学校の教員として在職することができるようになつています。　（附則第20項）

10 指導主事、社会教育主事の仮免許状はどのようになるか

指導主事及び社会教育主事の仮免許状については，改正法の中に何らの経過規定がありませんので，この立法の施行される12月2日から仮免許状は失効することになります。

以上が，今回立法された教育職員免許法及び同法施行法の一部を改正する立法についての解説のあらましでありますが，参考のため，この2つの立法の全文を掲げておきます。

(付)
教育職員免許法の一部を改正する立法

一九六五年六月二日　立法第十九号

教育職員免許法(一九五八年立法第九十七号)の一部を次のように改正する。

第四条一項中「,仮免許状」を削り同条第四項を削り、同条第五項を同条第四項とし、同条第六項を同条第五項とする。

第五条第一項中「及び仮免許状」を削り、同条第三項中「又は仮免許状」を削り、同項に次のただし書を加える。

ただし、高等学校助教諭免許状は、大学に2年以上在学せず、かつ、62単位以上を修得しない者又は高等専門学校を卒業しない者には授与しない。

第六条二項中「,第九条第二項ただし書」を削る。

第九条第二項を削り、同条第三項中「一年間」を「三年間」に改め、同項を同条第二項とする。

第十六条第一項第一号中「若しくは仮免許状」及び「(仮免設状の有効期間更新のための教育職員検定を含む。)」を削る。

第十九条中「(一九五八年立法第九十八号」を「(一九五八年立法第九十八号以下「施行法」という。)」に改める。

附則第三項中「第四章第十六条及び第十七条」を「第四章第十六条,第十七条及び施行法第一条又は第二条」に改め、同項中「免許令施行規則の第十六条又は十七条」の下に「及び施行法第一条又は第二条」を加える。

附則第四項及び同項の表第二欄中「第十六条又は第十七条」の下に「及び施行法第一条又は第二条」を加える

附則第十一項中「教育職員免許法施行法(一九五八年立法第九十八号)」を「施行法」に改める。

別表第一中備考以外の部分を次のように改める。

免許状の種類	所要資格	基礎資格	大学における最低修得単位数			
			一般教育科目	専門科目		特殊教育に関するもの
				教科に関するもの	教職に関するもの	
小学校教諭	一級普通免許状	学士の称号を有すること。	三六	一六	三二	
	二級普通免許状	大学に二年以上在学し、六十二単位（内二単位は体育とする。）以上を修得すること。	一八	八	二六	
中学校教諭	一級普通免許状	学士の称号を有すること。	三六	甲四〇 乙三二	一八	
	二級普通免許状	大学に二年以上在学し、六十二単位（内二単位は体育とする。）以上を修得すること。	一八	甲二〇 乙一六	一六	
高等学校教諭	一級普通免許状	イ　修士の学位を有すること。 ロ　大学の専攻科又はこれに相当する課程に１年以上在学し，30単位以上を修得すること。	三六	甲六二 乙五二	一八	
	二級普通免許状	学士の称号を有すること。	三六	甲四〇 乙三二	一八	
盲学校聾学校養護学校の教諭又は	一級普通免許状	小学校，中学校，高等学校又は幼稚園の教諭の普通免許状を有すること。				
	二級普通免許状	右に同じ。				
幼稚園教諭	一級普通免許状	学士の称号を有すること。	三六	一六	二八	
	二級普通免許状	大学に二年以上在学し、六十二単位（内二単位は体育とする。）以上を修得すること。	一八	八	二二	

　別表第一備考第一号中「与えられる」を「与える」に改め、同表備考第四号中「，仮免許状若しくは高等学校教諭の仮免許状」及び「若しくは仮免許状」を削る。

別表第二中仮免許状の項を削る。

別表第四中備考以外の部分を次のように改め、同表備考第六号中「仮免許状及び二級普通免許状にあつては十五単位位、一級普通免許状にあつては三十単位」を「二十単位」に改め、同表備考第八号中「又は高等学校の教諭仮免許状」を削る

第 一 欄	第 二 欄	第 三 欄	第 四 欄
所要資格 受けようとする免許状の種類	有することを必要とする第一欄に掲げる学校の教員の免許状の種類	第二欄に掲げる各免許状を取得したのち第一欄に掲げる学校の教員（これらに相当する盲学校、聾学校及び養護学校の各部の教員を含む。）として良好な成績で勤務した旨の所轄庁の証明を有することを必要とする最低在職年数	第二欄に掲げる各免許状を取得したのち大学又は授与権者の認定する講習において修得することを必要とする最低単位数
小学校教諭	一級普通免許状	二級普通免許状	五	四五
小学校教諭	二級普通免許状	臨時免許状	六	四五
中学校教諭	一級普通免許状	二級普通免許状	五	四五
中学校教諭	二級普通免許状	臨時免許状	六	四五
高等学校教諭	一級普通許免状	二級普通免許状	三	一五
高等学校教諭	二級普通免許状	臨時免許状	五	四五
幼稚園教諭	一級普通許免状	二級普通免許状	五	四五
幼稚園教諭	二級普通免設状	臨時免許状	六	四五

別表第五を次のように改める。

別表第五

第一欄		第二欄	第三欄	
所要資格　　　　　　　　　　　　受けようとする他の教科についての免許状の種類		一以上の教科について有することを必要とする第一欄に掲げる学校の教員免許状の種類	大学又は授与権者の認定する講習における最低修得単位数	
			専門科目	
			教科に関するもの	教職に関するもの
中学校教諭	一級普通免許状	一級普通免許状	甲　四〇 乙　三二	三
	二級普通免許状	一級普通免許状又は二級普通免許状	甲　二〇 乙　一六	三
高等学校教諭	一級普通免許状	一級普通免許状	甲　六二 乙　五二	三
	二級普通免許状	一級普通免許状又は二級普通免許状	甲　四〇 乙　三二	三

備考
一　学力の検定は，第三欄によるものとする。
二　この表により一級普通免許状を受けようとする者が，当該教科について二級普通免許状を受けているときは，一級普通免許状の項第三欄に掲げる単位数から二級普通免許状の項第三欄に掲げる単位数を差し引くものとする。

別表第六中備考以外の部分を次のように改める。

第一欄		第二欄	第三欄
受けようとする免許状の種類	所要資格	基礎資格	第3欄に掲げる各免許状を取得したのち大学又は授与権者の認定する講習において修得することを必要とする最低単位数
中学校において職業実習を担任する教諭	一級普通免許状	中学校の職業実習についての教諭の二級普通免許状を取得したのち、三年以上、中学校において職業実習を担任する教員として良好な成績で勤務した旨の所轄庁の証明を有すること。	一五
	二級普通免許状	イ 大学において、職業実習に関する学科を専攻して、学士の称号を有し、一年以上その学科に関する実地の経験を有し、技術優秀と認められること。	
		ロ 大学に二年以上在学し、職業実習に関する学科を専攻して三年以上その学科にする実地の経験を有し、技術優秀に認められること。	
		ハ 中学校の職業実習についての教員の臨時免許状を取得したのち、六年以上中学校において職業実習を担任する教員として良好な成績で勤務した旨の所轄庁の証明を有すること。	二〇
高等学校において家庭実習、農業実習、工業実習、商業実習、水産実習又は商船実習を担任する教諭	一級普通免許状	高等学校の第一欄に掲げる実習についての教諭の二級普通免許状を取得したのち、三年以上高等学校において第一欄掲げる実習を担任する教員として良好な成績で勤務した旨の所轄庁の証明を有すること。	一五
	二級普通免許状	イ 大学において、第一欄に掲げる実業に関する学科を専攻して、学士の称号を有し、一年以上その学科に関する実地の経験を有し、技術優秀と認められること。	
		ロ 高等学校の第一欄に掲げる実習についての教員の臨時免許状を取得したのち、三年以上高等学校において第一欄に掲げる実習を担任する教員として、良好な成績で勤務した旨の所轄庁の証明を有すること。	一〇

別表第七の第三欄中「在職年数」を「最低在職年数」に改め，同表の二級普通免許状の項中「養護教諭の仮免許状」を「養護助教諭の臨時免許状」に，「三」を「六」に，「十」を「三〇」に改め，同表の仮免許状の項を削る。

　別表第七備考第二号及び第三号を削る。

　別表第三中備考以外の部分を次のように改める。

第一欄 受けようとする免許状の種類 / 所要資格 有することを必要とする免許状の種類		第二欄 有することを必要とする免許状の種類	第三欄 第二欄に掲げる各免許状を取得したのち第一欄に掲げる学校の教員（二級普通免許状を受けようとする場合にあつては小学校中学校，高等学校及び幼稚園の教員を含む。）として良好の成績で勤務した旨の所轄庁の証明を有することを必要とする職名及び最低在職年数		第四欄 第二欄に掲げる各免許状を取得したのち，大学又は授与権者の認定する講習において修得することを必要とする最低単位数
			職名	在職年数	
盲学校，聾学校の養護学校又は	一級普通免許状	盲学校，聾学校又は養護学校の教諭の二級普通免許状		三	六
	二級普通免許状	小学校，中学校高等学校又は幼稚園の教諭の普通免許状		三	六
校長	一級普通免許状	校長の二級普通免許状	教育職員又は官公庁若しくは私立学校における教育事務に関する職	三	八
	二級普通免許状	教員の一級普通免許状	右に同じ。	六	十五

教育長	一級普通免許状	教育長の二級普通免許状	教育職員又は官公庁若しくは私立学校における教育事務に関する職	三	八
教育長	二級普通免許状	教員の一級普通免許状	右に同じ。	八	十五
指導主事	一級普通免許状	指導主事の二級普通免許状	教育職員若しくは官公庁又は私立学校における教育事務に関する職	三	八
指導主事	二級普通免許状	教員の一級普通免許状	右に同じ。	八	八
社会教育主事	一級普通免許状	社会教育主事の二級普通免許状	教育職員若しくは官公庁又は私立学校における教育事務に関する職	三	八
社会教育主事	二級普通免許状	教員の一級普通免許状	右に同じ。	八	八

附　則

1　この立法は，公布の日から起算して六月を経過した日から施行する。

2　この立法施行の際，現に改正前の教育職員免許法（以下「旧法」という。）又は教育職員免許法施行法の一部を改正する立法（一九六五年立法第二〇号）による改正前の施行法（以下「旧施行法」という。）の規定により小学校，中学校，高等学校若しくは幼稚園の教諭又は養護教諭の仮免許状の授与を受けている者，旧施行法の規定により小学校，中学校若しくは幼稚園の教諭の仮免許状を有するものとみなされている者又は旧法若しくは旧施行法の規定により盲学校，聾学校若しくは養護学校の教諭の仮免許状の授与を受けている者は，小学校，中学校，盲学校，聾学校，養護学校若しくは幼稚園の教員又は養護教諭にあつては一九七〇年三月三一日まで，高等学校の教員にあつては一九七三年三月三一日まで，改正後の教育職員免許法（以下「新法」という。）第三条の規定にかかわらず，それぞれ，当該仮免許状に相当する学校の教諭（講師を含む。）又は養護教諭の職にあることができる。

3　この立法の施行後，一九六七年三

月三一日までに旧法第五条別表第一に規定する小学,中学校又は幼稚園の教諭の仮免許状に係る所要資格を得た者及び同日までに,中央委員会規則の定めるところにより,旧法第六条別表第四に規定する小学校,中学校若しくは幼稚園の教諭の仮免許状に係る所要資格,同条別表第六に規定する中学校若しくは高等学校において職業実習,農業実習,工業実習,商業実習,水産実習若しくは商船実習を担任する教諭の仮免許状に係る所要資格又は同条別表第七に規定する養護教諭の仮免許状に係る所要資格を得たものと認められる者は,一九七〇年三月三一日まで,新法第三条第一項及び第二項の規定にかかわらず,それぞれ当該所要資格に相当する学校の教諭(講師を含む。)又は養護教諭の職にあることができる。

4　この立法の施行後,一九六七年三月三一日までに旧法第五条別表第一に規定する高等学校教諭仮免許状に係る所要資格を得た者及び一九六九年三月三一日までに中央委員会規則の定めるところにより旧法第六条別表第四に規定する高等学校教諭仮免許状に係る所要資格を得たものと認められる者は,一九七三年三月三一日まで,新法第三条第一項及び第二項の規定にかかわらず,当該所要資格に相当する高等学校の教諭(講師を含む。)の職にあることができる。

5　前三項の規定に該当する者に対して教育職員検定により二級普通免許状を授与する場合における学力及び実務の検定は,新法第六条第二項の規定にかかわらず,次の表の第三欄及び第四欄の定めるところによる。

第一欄 所要資格 受けようとする免許状の種類	第二欄 基礎資格	第三欄 第二欄に規定する基礎資格を取得したのち,第一欄に掲げる学校の教員として良好な成績で勤務した旨の所轄庁の証明を有することを必要とする最低在職年数	第四欄 第二欄に規定する基礎資格を取得したのち,大学又は授与権者の認定する講習において修得することを必要とする最低単位数
小学校,中学校又は幼稚園の教諭の二級普通免許状	第二項又は第三項の規定により第一欄に掲げる学校の教諭の職にあることができる。	三	一五

高等学校教諭二級普通免許状	第二項又は前項の規定により高等学校の教諭の職にあることができること。	五	四五
中学校又は高等学校において職業学習又は農業実習，工業実習，商業実習，水産実習若しくは商船実習を担任する教諭の二級普通免許状	第二項又は第三項の規定により第1欄に掲げる学校においてそれぞれの実習を担任する教諭の職にあることができる。	三	十
養護教諭二級普通免許状	第二項又は第三項の規定により養護教諭の職にあることができること。	三	十
盲学校，聾学校又は養護学校の教諭の二級普通免許状	旧法の規定により盲学校，聾学校又は養護学校の教諭の仮免許状の授与を受けていること	三	六
	旧施行法の規定により盲学校又は聾学校の教諭の仮免許状の授与を受けていること。	三	十

備　考

1　この表により，盲学校，聾学校又は養護学校の教諭の二級普通免許状を除く二級普通免許状を受けようとする者については，第二項の規定に該当する者にあつては新法附則第三項の規定を，前二項の規定に該当する者にあつては新法第六条第二項別表第四備考第五号の規定を準用する。

2　新法第六条第二項別表第四備考第一号，第四号及び第六号の規定は，この表の場合について準用する。

3　この表により，小学校教諭二級普通免許状を受けようとする者が修業年限四年の教員養成諸学校を卒業した者修業年限四年以上の専門学校を卒業した者（これに相当するものとして，文部省令で定める者を含む。以下同じ。），旧教員免許令による高等学校高等科教員免許状若しくは高等女学校高等科及び専攻科教員免許状を有する者若しくは旧大学令による学士の称号

を有する者であるとき，又は幼稚園教諭二級普通免許状を受けようとする者が修業年限四年の教員養成諸学校を卒業した者若しくは修業年限四年以上の専門学校を卒業した者であるときは，この表の小学校，中学校又は幼稚園の教諭の二級普通免許状の項第三欄「三」とあるのを「一」と，同項第四欄中「一五」とあるのを「一〇」と読み替えるものとする。

4　この表により小学校教諭二級普通免許状を受けようとする者が，旧教員免許令による中学校高等女学校教員免許状，高等女学校教員免許状又は実業学校教員免許状を有する者であるときは，この表の小学校，中学校又は幼稚園の教諭の二級普通免許状の項第三欄中「三」とあるのを「五」と，同項第四欄中「一五」とあるのを「一〇」と読み替えるものとする。

5　前二項の規定に該当する者が，この表により二級普通免許状を受けようとする場合においては，教育職員免許法施行法の一部を改正する立法による改正後の施行法（以下「新施行法」という。）第五条第一項及び第二項の規定を準用する。

この場合において，同条第一項中「通算して次の表の各号の上欄に掲げる免許状の種類に応じ，それぞれの下欄に規定する年数」とあるのを「通算して，小学校，中学校又は幼稚園の教諭の二級普通免許状を受けようとする者にあつては一三年，高等学校教諭二級普通免許状を受けようとする者にあつては一四年」と読み替えるものとする。

6　この立法施行の際，現に高等学校の助教諭の職にある者又は高等学校助教諭免許状を有する者で高等学校の講師の職にあるものは，新法第三条第一項及び第二項の規定にかかわらず，一九六七年三月三一日までは，その職にあることができる。

7　高等学校助教諭免許状は，当分の間，新法第五条第三項ただし書の規定にかかわらず，同項ただし書に規定する者に該当する者に対しても授与することができる。

8　新法第六条第二項別表第四又は同項別表第六により高等学校教諭二級普通免許状を受けようとする者が，旧法第五条第三項又は前項の規定により高等学校助教諭免許状の授与を受けているものであるときは，新法第六条第二項別表第四の表の高等学校教諭二級普通免許状の項第三欄中「五」とあるのを「一〇」と，同項第四欄中「四五」とあるのを「九〇」と，同法第六条第

二項別表第六の表の高等学校において家庭実習，農業実習，工業実習，商業実習，水産実習又は商船実習を担任する教諭の二級普通免許状の項第二欄中「三年以上」とあるのを「六年以上」と読み替えるものとする。

9　新法第六条第二項別表第四により小学校，中学校又は幼稚園の教諭の二級普通免許状を受けようとする者が，新施行法第一条第二項の表の第二号，第三号若しくは第七号から第九号までの規定に該当する者で，同条第四項の規定によりそれぞれの学校の教員の臨時免許状の交付を受けたものであるとき，又は同法第二条第一項の表の第二号から第四号まで，第六号，第一二号，第一三号，第一六号，第一七号，第一九号若しくは第二四号の規定に該当する者で，同項の規定によりそれぞれの学校の教員の臨時免許状の授与を受けているものであるときは，新法第六条第二項別表第四のそれぞれの学校の教諭の二級普通免許状の項第三欄中「六」とあるのを「三」と，これらの項第四欄中「四五」とあるのを「一五」と読み替えるものとする。

10　新法第六条第二項別表第四により小学校教諭二級普通免許状を受けようとする者が，修業年限四年の教員養成諸学校を卒業した者，修業年限四年以上の専門学校を卒業した者，旧教員免許令による高等学校高等科教員免許状若しくは高等女学校高等科及び専攻科教員免許状を有する者若しくは旧大学令による学士の称号を有する者であつて，小学校助教諭免許状を受けているものであるとき，又は幼稚園教諭二級普通免許状を受けようとする者が，修業年限四年の教員養成諸学校を卒業した者若しくは修業年限四年以上の専門学校を卒業した者であつて，幼稚園助教諭免許状の授与を受けているものであるときは，前項の規定にかかわらず同表の小学校又は幼稚園の教諭の二級普通免許状の項第三欄中「六」とあるのを「一」と，これらの項第四欄中「四五」とあるのを「一〇」と読み替えるものとする。

11　新法第六条第二項別表第四により小学校教諭二級普通免許状を受けようとする者が，旧教員免許令による中学校高等女学校教員免許状，高等女学校教員免許状又は実業学校教員免許状を有する者で小学校助教諭免許状の授与を受けているものであるときは，同表の小学校教諭二級普通免許状の項第三欄中「六」とあるのを「五と，同項第四欄中「四五」とあるのを「一〇」と

読み替えるものとする。

12 第九項から前項までの規定の適用を受ける者に対する新施行法第五条第一項の規定の適用については,同項の表の第六号下欄中「一二」とあるのを「一三」と読み替えるものとする。

13 新法第六条第三項別表第五により中学校の教諭の一級普通免許状又は二級普通免許状を受けようとする者が当該教科について旧法若しくは旧施行法の規定により中学校教諭仮免許状の授与を受けたものであるとき,又は新施行法第一条第二項の表の第二号に掲げる者若しくは同法第二条第一項の表の第六号,第一二号若しくは第一九号に掲げる者で当該教科に係る中学校助教諭免許状の交付若しくは授与を受ける資格を有するものであるときは,新法第六条第三項別表第五の中学校教諭の項第三欄に掲げる単位数のうち,教科に関する専門科目一〇単位及び教職に関する専門科目三単位はすでに修得したものとみなし,同欄に掲げるそれぞれの単位数から差し引くものとする

14 新法第六条第三項別第五により高等学校の教諭の一級普通免許状又は二級普通免許状を受けようとする者が,当該教科について旧法若しくは旧施行法の規定により高等学校教諭仮免許状の授与を受けた者であるとき,又は新施行法第二条第一項の表の第二号,第三号,第六号,第一二号若しくは第一九号に掲げる者で当該教科に係る高等学校助教諭免許状の授与を受ける資格を有するものであるときは,新法第六条第三項別表第五の高等学校教諭の項第三欄に掲げる単位数のうち,甲教科にあつては教科に関する専門科目二〇単位,乙教科にあつては教科に関する専門科目一六単位及びそれぞれの教職に関する専門科目三単位は既に修得したものとみなし,同欄に掲げるそれぞれの単位数から差し引くものとする。

15 新法第六条第二項別表第八により盲学校,聾学校又は養護学校の教諭の一級普通免許状を受けようとする者が旧法第五条第一項別表第一又は第六条第二項別表第八によりそれぞれの学校の教諭二級普通免許状の授与を受けているときは,新法第六条第二項別表第八盲学校,聾学校又は養護学校の教諭の一級普通免許状の項第四欄中「六」とあるのを「四」と読み替えるものとする。

16 中学校において職業実習を担任する助教諭の臨時免許状は,六年以上当該職業実習に関する学科に関する実地の経験を有し,技術優秀と認められ

る者に対しては，当分の間，新法第五条第三項本文の規定にかかわらず，その者が同条第一項第二号に該当する場合にも授与することができる。

17　高等学校において家庭実習，農業実習，工業実習，商業実習，水産実習又は商船実習を担任する助教諭の臨時免許状は，九年以上これらの実習に関する学科に関する実地の経験を有し，技術優秀と認められる者に対しては，当分の間，新法第五条第三項の規定にかかわらず，その者が同条第一項第二号又は同条第三項ただし替に規定する者に該当する場合にも授与することができる。

18　前二項の規定は，当該臨時免許状の授与を受けようとする者の小学校から最終学校を卒業し，又は修了するに至るまでの学校における修業の年数が通算して九年に不足する場合は，その不足する年数に二を乗じて得た年数をその者の当該実地の経験年数から差し引いて，適用するものとする。

19　第一六項又は第一七項の規定により授与された中学校の職業実習又は高等学校の家庭実習，農業実習，工業実習，商業実習，水産実習若しくは商船実習についての助教諭の臨時免許状を有する者に二級普通免許状を授与する場合については，新法第五条第一項第二号の規定は適用しない。この二級普通免許状を授与された者に一級普通免許状を授与する場合についても同様とする

20　小学校，中学校，高等学校又は幼稚園の教諭の普通免許状を有する者は当分の間，第二項又は第三項の規定により小学校，中学校又は幼稚園の教諭の職にあることができる者は一九七〇年三月三一日まで，第二項から第四項までの規定により高等学校の教諭の職にあることができる者は一九七三年三月三一日まで新法第三条第一項及び第三項の規定にかかわらず，盲学校，聾学校又は養護学校の相当する各部の教諭（講師を含む。）となることができる。

教育職員免許法施行法の一部を改正する立法

一九六五年六月二日　立法第一二号

教育職員免許法施行法（一九五八年立法第九八号）の一部を次のように改正する

第一条第二項の表の第二号，第三号及び第七号から第九号までの下欄中「仮免許状」を「臨時免許状」に改め同条第三項中「第六項」を「第五項」に改める

第二条第一項の表の第二号から第四号まで，第六号，第一二号，第一三号，第一六号，第一七号，第一九号，第二三号，

第二四号，第三〇号及び第三三号の下欄中「仮免許状」を「臨時免許状」に改め，同条第二項中「第六項」を「第五項」に改める。

第五条を次のように改める。
第五条　第一条又は第二条の規定により免許状の交付又は授与を受けた者が免許法第六条第二項別表第四，第六から第八までの規定により上級免許状を受けようとするときは，その者の小学校から最終学校又は教員養成機関を卒業し，又は修了するに至るまでの学校又はその教員養成機関における修業の年数が，通算して次の表の各号の上欄に掲げる免許状の種類に応じ，それぞれ下欄に規定する年数を超過し，又はこれに不足する場合は，その超過又は不足する年数をその者の在職年数に加え，又はこれから差し引くものとする

番号	上欄　免許状の種類	下欄　年数
一	幼稚園及び小学校の教員の二級普通免許状	一四
二	中学校の教員の二級普通免許状	一四
三	高等学校の教員の臨時免許状	一四
四	高等学校の教員の二級普通免許状	一六
五	養護教諭の二級普通免許状	一四
六	幼稚園，小学校及び中学校の教員の臨時免許状並びに養護助教諭免許状	一二

2 旧国民学校令,旧教員免許令又は旧幼稚園令の規定による教員検定により,教員免許状を授与された者(前項の規定の適用を受ける者を除く。)については,次の表の上欄に掲げる免許状の種類に応じ,それぞれの下欄に掲げる年数を前項に規定する学校又は教員養成機関における修業の年数とみなし,前項の規定を適用する。

	上　　　　欄	下　　　　欄
番号	免許状の種類	年　　　　数
一	国民学校本科教員免許状	教員検定合格の年における師範学校卒業に要する修業年数
二	国民学校専科教員免許状	一二
三	国民学校初等科教員免許状	一二
四	国民学校准教員免許状	一一
五	国民学校初等科准教員免許状	一〇
六	国民学校養護教員免許状	一二
七	中学校高等女学校教員免許状,高等女学校教員免許状,実業学校教員免許状	一四
八	高等学校高等科教員免許状,高等女学校高等科及び専攻科教員免許状	一七
九	幼稚園教員免許状	一二

第六条を削る。
　　　附　則
　この立法は,教育職員免許法の一部を改正する立法(一九六五年立法第一九号)の施行の日から施行する。

―――――――――――◆―◆―◆―――――――――――

(備考)
　　　上記2つの立法の原文の内容は原文と全く同じにして縦書となつているが,編集の都合上これを横書に改めてある。

| 印刷　一九六五年　六月　五日
発行　一九六五年　六月　十日

文教時報（第九五号）

非売品

発行所　琉球政府文教局調査広報課
印刷所　セントラル印刷所
　電話　〇九九―二三七三番

正　誤　表

文教時報 92号

頁	行	誤	正
33	表	格差実額 (A-B)×162.96	格差実額 (A-B)×162,896
41	左下4	179万弗	149万弗
41	14図	（沖縄）＄38.57の中に所定支払金＄0.62と債務償還費＄0.06が含まれている。 （格差）＄40.76の中に債務償還費＄1.75が含まれている。	
51	表	公教育費総額	私費総額
51	16図	（沖縄）＄60.45の中に所定支払金＄0.69と債務償還費＄0.17が含まれている。 （格差）＄22.84の中に債務償還費＄1.91と建築費＄0.12が含まれている。	
52	表	公教育費総額	私費総額
54	2	……日米比較	……日琉比較

文教時報 93号 正誤表
40頁 右下2行「財源別政府支出はこの政府負担による建築校舎にあたる。」を削除して、

　構造別永久校舎率ならびに財源別
　政府支出は基準面積に対する比率で
　ある。を加筆する。